住房城乡建设部土建类学科专业"十三五"规划教材

"十二五"普通高等教育本科国家级规划教材

高校土木工程专业指导委员会规划推荐教材

（经典精品系列教材）

高层建筑结构设计

（第三版）

钱稼茹　赵作周　纪晓东　叶列平　编著

中国建筑工业出版社

图书在版编目（CIP）数据

高层建筑结构设计/钱稼茹等编著. —3 版. —北京：
中国建筑工业出版社，2018.2
住房城乡建设部土建类学科专业"十三五"规划教材.
"十二五"普通高等教育本科国家级规划教材. 高校土木
工程专业指导委员会规划推荐教材（经典精品系列教材）
ISBN 978-7-112-21684-0

Ⅰ.①高… Ⅱ.①钱… Ⅲ.①高层建筑-结构设计-高
等学校-教材 Ⅳ.①TU973

中国版本图书馆 CIP 数据核字（2017）第 315817 号

　　本书为住房城乡建设部土建类学科专业"十三五"规划教材和"十二五"普通
高等教育本科国家级规划教材，是在第二版基础上，根据新修订的一系列规范、规
程和标准对全书内容进行修订而成。本书主要内容包括：概述，结构体系，高层建
筑结构荷载，设计要求，框架、剪力墙、框架-剪力墙结构的近似计算方法，钢筋
混凝土框架设计，钢筋混凝土剪力墙设计，结构程序计算及筒体结构设计要点，民
用建筑钢结构设计，高层建筑混合结构设计，消能减震结构设计等。

　　本书为高校土木工程专业教材，也可作为建筑结构专业工程技术人员及其他人
员自学使用。

　　为配合教学，本书作者制作了教材配套的教学课件，请有需要的任课老师发送
邮件至 jiangongkejian@163.com 索取。

　　责任编辑：吉万旺　王　跃
　　责任校对：焦　乐

住房城乡建设部土建类学科专业"十三五"规划教材
"十二五"普通高等教育本科国家级规划教材
高校土木工程专业指导委员会规划推荐教材
（经典精品系列教材）

高层建筑结构设计
（第三版）

钱稼茹　赵作周　纪晓东　叶列平　编著

*

中国建筑工业出版社出版、发行(北京海淀三里河路9号)
各地新华书店、建筑书店经销
北京红光制版公司制版
北京京华铭诚工贸有限公司印刷

*

开本：787×1092毫米　1/16　印张：26¾　字数：663千字
2018年3月第三版　　2019年2月第三十二次印刷
定价：54.00元（赠课件）
ISBN 978-7-112-21684-0
（31530）

出 版 说 明

　　为规范我国土木工程专业教学，指导各学校土木工程专业人才培养，高等学校土木工程学科专业指导委员会组织我国土木工程专业教育领域的优秀专家编写了《高校土木工程专业指导委员会规划推荐教材》。本系列教材自 2002 年起陆续出版，共 40 余册，十余年来多次修订，在土木工程专业教学中起到了积极的指导作用。

　　本系列教材从宽口径、大土木的概念出发，根据教育部有关高等教育土木工程专业课程设置的教学要求编写，经过多年的建设和发展，逐步形成了自己的特色。本系列教材曾被教育部评为面向 21 世纪课程教材，其中大多数曾被评为普通高等教育"十一五"国家级规划教材和普通高等教育土建学科专业"十五"、"十一五"、"十二五"规划教材，并有 11 种入选教育部普通高等教育精品教材。2012 年，本系列教材全部入选第一批"十二五"普通高等教育本科国家级规划教材。

　　2011 年，高等学校土木工程学科专业指导委员会根据国家教育行政主管部门的要求以及我国土木工程专业教学现状，编制了《高等学校土木工程本科指导性专业规范》。在此基础上，高等学校土木工程学科专业指导委员会及时规划出版了高等学校土木工程本科指导性专业规范配套教材。为区分两套教材，特在原系列教材丛书名《高校土木工程专业指导委员会规划推荐教材》后加上经典精品系列教材。2016 年，本套教材整体被评为《住房城乡建设部土建类学科专业"十三五"规划教材》，请各位主编及有关单位根据《住房城乡建设部关于印发高等教育　职业教育土建类学科专业"十三五"规划教材选题的通知》要求，高度重视土建类学科专业教材建设工作，做好规划教材的编写、出版和使用，为提高土建类高等教育教学质量和人才培养质量做出贡献。

高等学校土木工程学科专业指导委员会

中国建筑工业出版社

第 三 版 前 言

　　自 2012 年 7 月《高层建筑结构设计》(第二版) 出版以来的 5 年，是我国高层建筑发展的鼎盛时期，我国高层建筑结构设计、施工、科研达到了一个新水平。在此期间，修订后的《建筑抗震设计规范》、《建筑结构荷载规范》、《中国地震动参数区划图》、《组合结构设计规范》、《高层民用建筑钢结构技术规程》等陆续颁布实施，新编的《钢管混凝土结构技术规范》、《建筑消能减震技术规程》、《装配式混凝土结构技术规程》、《装配式混凝土建筑技术标准》等相继实施。为了适应建筑结构的快速发展、让土木工程专业的本科生能够学习到最新的建筑结构设计知识，我们对《高层建筑结构设计》(第二版) 进行了修订，形成了本教材。

　　本教材主要修订内容包括：(1) 更多地介绍了国内外高层建筑的实例；(2) 增加了能力设计法原理及复杂高层建筑结构；(3) 按《建筑结构荷载规范》GB 50009—2012 的规定计算风荷载；(4) 介绍了第五代中国地震动参数区划图；(5) 从地震震害引出结构抗震设计原则；(6) 引入了钢板混凝土剪力墙、带钢斜撑混凝土剪力墙、可更换钢连梁等新型结构构件的设计计算方法；(7) 扩充了消能减震结构的内容。

　　本教材共 11 章，其中，第 1、2、4、6、7、9 章及 10.3 为钱稼茹编写，第 3、5、8 章为赵作周编写，10.1、10.2、10.6 及第 11 章为纪晓东、叶列平编写，10.4、10.5 由纪晓东编写，全书由钱稼茹统稿。

　　感谢中国建筑科学研究院孙建超教授级高工为本教材 8.4、8.5 做了大量计算工作；感谢清华大学潘鹏教授，为本教材第 11 章提供了算例；感谢列入本教材参考文献的作者，以及没有列入参考文献但本教材采用了其成果的作者。

　　限于水平，本教材难免有不足之处，欢迎读者指正。

编者

于清华园　2017 年 11 月

第 二 版 前 言

本教材是在 2003 年中国工业出版社出版的"高层建筑结构设计"基础上编著的。近 10 年来，高层建筑在全国各大中小城市遍地开花，复杂高层建筑层出不穷，建筑高度突破 600m，主结构高度接近 600m。当前，我国是全球在建高层建筑（仅写字楼和酒店）最多的国家，其总量与美国现有高层建筑相当。高层建筑的高速发展成为我国经济高速发展的重要支柱之一，同时，也极大地推动了我国高层建筑结构设计、施工及科研水平的提高。2010 年及以后，我国有关建筑结构设计的规范、规程陆续颁布实施，新标准吸收了工程实践、科学研究的成果以及地震震害的经验教训，增加了大量新内容。

本教材保留了原教材的特点，除了按现行国家标准编写外，调整了以下几方面的内容：(1) 比较系统地介绍了高层建筑的发展历史以及当前我国高层建筑的特点；(2) 扩充了结构体系的内容；(3) 将与各类结构（钢结构，钢筋混凝土结构，混合结构）有关的设计要求，集中在第 4 章介绍；(4) 增加了程序计算的内容；(5) 扩充了民用建筑钢结构设计、高层建筑混合结构设计的内容；(6) 增加了消能减震结构设计实例。

本教材共 11 章，其中，第 1、2、4、6、7、9 章及 10.3 为钱稼茹编写，第 3、5、8 章为赵作周编写，10.1、10.2、10.4 及第 11 章为叶列平编写，由钱稼茹统稿。感谢中国建筑科学研究院建研建筑设计研究院孙建超教授级高工，为本教材 8.4、8.5 做了大量计算工作；感谢清华大学潘鹏副教授，为本教材第 11 章提供了算例。

本书可作为高等学校本科生的教材，也可作为建筑结构工程技术人员及有关人员的参考书。

编者对列入本教材参考文献的作者，以及没有列入参考文献但本教材采用了其成果的作者，表示感谢。

限于水平，本教材难免有不足，欢迎读者指正。

编者

于清华园　2012 年 7 月

第 一 版 前 言

1999～2002 年，我国建筑结构的有关规范及规程完成了新一轮的修改，内容有较多更新。近年来，我国高层建筑设计及施工技术又有很大发展，高强混凝土技术已经成熟，钢筋混凝土结构仍然是高层建筑结构的主体，而高层建筑钢结构及混合结构也得到了较多应用；高层建筑的高度突破 400m，高层建筑的体型和功能更加多样化，结构的复杂程度增加。凡此种种，编写新的高层建筑结构教材的任务势在必行。

这本教材是在 1992 年出版的"多层及高层建筑结构设计"（地震出版社）基础上修订的，原教材受到了广大师生的欢迎。本教材保留了原教材的重视概念、理论与实际相结合的风格，各章都有例题及思考题，内容适合于高等教育本科教学的要求。同时，增加和加强了下列各部分内容：（1）加强了结构体系介绍；（2）通过计算对比，阐述了空间结构及复杂结构设计的一些重要概念，例如框架-核心筒、框筒、伸臂、转换层等；（3）增加了程序计算部分的比重，减弱了手算方法公式的推导，但保留了手算方法及通过手算方法阐述结构受力变形规律和概念的内容；（4）以钢筋混凝土高层建筑结构为主，增加了钢结构及混合结构方案和设计基本方法的介绍，包括钢构件、钢骨混凝土构件及钢管混凝土构件的基本设计方法；（5）对消能减震结构做了简介。

本书是全国高等学校土木工程专业指导委员会的规划推荐教材，本书也适合建筑结构专业工程技术人员及其他人员自学。在学习本书时，读者应具备结构力学及钢筋混凝土基本构件的知识。

本书共分 11 章，其中 1、3、4、5、8 章由方鄂华教授编写，2、6、7、9 章及 10.3 节由钱稼茹教授编写，10.1、10.2、10.4 节及 11 章由叶列平教授编写。感谢中国建筑科学研究院建筑设计研究院的孙建超工程师，他在第 8 章的许多计算对比内容中做了大量计算工作。

如有不当之处，欢迎读者指教。

编者

于清华园　2003 年 7 月

目　录

第1章 概 述

房屋建筑是随着人类活动的需要和社会生产力的发展而发展起来的。根据层数和高度，房屋建筑可以分为低层建筑、多层建筑、高层建筑和超高层建筑。习惯上，1～3层为低层建筑，10层及10层以上的住宅建筑、高度超过24m的公共建筑为高层建筑，介于低层和高层之间的为多层建筑，高度超过100m的建筑可称为超高层建筑。本教材介绍高层建筑（包括超高层建筑）的结构设计，但结构设计原理和设计方法，同样适用于低层和多层建筑。

1.1 国外的高层建筑

国外最古老的高层建筑是埃及金字塔，最高的一座达463英尺即141m，直到4500年后即1880年，德国建成哥特式的科隆大教堂，金字塔的高度才被突破。

1.1.1 现代高层建筑的形成期

现代高层建筑是商业化、城市化和工业化的产物，而现代高层建筑的发展离不开新材料、新结构和新技术的发展，一定程度上反映了一个国家、一个地区的社会和经济发展水平。

现代高层建筑的历史始于18世纪末的工业革命。18世纪后半叶，英、法的冶金工业成功地生产出熟铁。1789年的法国大革命，使法国建筑的发展甚至工业革命受阻，而英国则继续向前发展，生产出铸铁，并将其用于工业建筑和商业建筑。19世纪40年代，铁被官方认可，进入官方称之为"建筑"（architecture）的领域。1848年，伦敦西郊国立植物园的温室完全用熟铁建造。英法最早建造铁框架房屋建筑，但停留在低层建筑。

现代高层建筑起源于美国，其中心是纽约和芝加哥。19世纪后半叶，纽约成为美国东部的主要商业中心，芝加哥有水上运输和铁路运输的便利。很自然，纽约、芝加哥成为商业轴心，商贾云集，对办公、仓库、旅馆的需求，促成了现代高层建筑的出现。1856年，Elisha Graves Otis的第一部商用电梯安装在纽约曼哈顿的一幢5层商场；1859年，第一部Tuft电梯安装在百老汇的第五大道旅馆，成为发展高层旅馆的起点。电梯为建造高层建筑创造了条件。19世纪60年代后期和70年代初，一批在欧洲受过良好教育的建筑师和工程师回到美国，将静力分析方法、材料技术、用概念和系统解决问题的方法以及铁结构建造房屋的原理和方法等带到芝加哥。1871年，芝加哥的一场大火几乎将城市全部烧毁，大火推动了新建筑结构体系的开发，大火还说明，不燃的铁不能保证房屋建筑抗火。其结果，促进了建筑幕墙的开发。上述种种因素，使美国成为现代高层建筑的发源地。

芝加哥的William Jenney设计了1885年建成的家庭保险大楼（Home Insurance Building）（图1-1），家庭保险大楼达到了11层，被认为是第一幢高层建筑。家庭保险大楼采用熟铁梁-铸铁柱框架结构，局部有幕墙。Jenney 的另一个贡献是设计了建造芝加哥的曼哈顿大楼（图1-2），1890 年竣工，这是世界上第一幢 16 层的住宅建筑。

图 1-1　家庭保险大楼　　　　　　　　图 1-2　曼哈顿大楼

随着冶金工业的发展，钢柱逐渐代替了铸铁柱。芝加哥的 Raliance 大楼是第一幢全钢框架结构（图1-3），15 层，1895 年建成。这一时期的代表性建筑还有纽约的 Gillender 大楼（图1-4），1897 年竣工，20 层。

图 1-3　Raliance 大楼　　　　　　　　图 1-4　Gillender 大楼

1.1.2　现代高层建筑的发展期

20 世纪的前 60 年，是国外高层建筑的发展期，其中心是美国，主要是钢结构，钢筋混凝土结构不多。

1900 年前后，纽约建成了当时世界上最高的建筑，36 层钢结构 Park Row 大楼。1904 年，纽约 Darlington Building 接近完工时突然倒塌，从此，禁止建筑结构使用铸铁。1908 年，纽约建成 Singer 大楼（图1-5），47 层，187m 高，是世界上第一幢比埃及金字塔高的现代高层建筑。1918 年，纽约建成 Woolworth 大楼，60 层，242m 高，是当时世界上最高的建筑。

1931年，纽约帝国大厦（Empire State Building）建成（图1-6），102层，381m高，钢框架结构，梁柱用铆钉连接，外包炉渣混凝土，使结构的实际刚度为钢结构刚度的4.8倍，对抗风有利。在当时建造这样高的建筑，不能不说是一个奇迹。帝国大厦保持世界最高建筑的纪录达40年之久，是高层建筑发展史上的一个里程碑。

图1-5　Singer 大楼　　　　　　　　图1-6　纽约帝国大厦

1.1.3　现代高层建筑的繁荣期

20世纪60年代至90年代初，是国外高层建筑发展繁荣期。这一时期的主要特点为：发明筒体结构并用于工程，使建筑的高度更高，且在经济上可行；高强混凝土用于高层建筑；由钢筋混凝土构件和钢构件，发展为钢-混凝土组合构件，包括钢管混凝土柱；消能减震装置开始用于高层建筑；美国仍然是高层建筑发展的中心，日本、加拿大、东南亚国家、澳大利亚的高层建筑发展迅速。

1. 美国的高层建筑

（1）发明筒体结构

20世纪60代初，美国城市化进程加快，城市人口剧增，地价暴涨，迫使建筑向高空发展；同时，由于造价增加的速度快于高度增加的速度，房地产开发商要求降低造价。社会发展要求高层建筑在结构体系方面有所突破，更有效地利用建筑材料，从而使建筑更高，同时降低造价。

美国杰出的营造大师，Skidmore Owings & Merrill 建筑设计公司的原结构总工程师 Fazlur R. Khan 博士发明了筒体结构这种新的高层建筑结构体系，包括框筒、框架-核心筒、筒中筒、桁架筒和束筒结构，以及在框架柱与核心筒之间设置伸臂构件、在周边设置环带桁架的框架-核心筒-伸臂结构。Khan 进行了大量的计算分析，研究筒体结构的可行性，提出了筒体结构的设计方法，并用于工程。

第一幢筒体结构高层建筑是 Khan 设计的 De Witt-Chestnut 公寓，1964年建成，钢筋混凝土框筒结构，地上44层，高120m。第一幢钢筋混凝土筒中筒结构是 Khan 设计的芝加哥 Brunswick 大厦，1965年建成，地上35层，高144.5m，是当时世界上最高的钢筋混凝土建筑。为了获得宽畅的入口，大厦底层柱距17.1m，以上各层柱距2.85m，钢筋混凝土转换梁高7.3m，为当时截面最高的钢筋混凝土梁。Khan在后来设计的第二贝壳广场（Two Shell Plaza）和Marine Midland银行大楼中，也采用了转换梁。Khan设计的美国银行中心采用了设置伸臂构件和周边环带桁架的钢筋混凝土框架-核心筒结构，1974年建成，高183m，在顶层和中部偏下的一层设置了2道伸臂构件和周边环带桁架。

图1-7　第一贝壳广场

对高层建筑发展特别是对休斯敦高层建筑的发展有着里程碑意义的是Khan设计的休斯敦第一贝壳广场（One Shell Plaza）（图1-7），1971年建成，50层，高217.6m，筒中筒结构，平面尺寸58.56m×40.26m，外框筒的柱距1.83m，剪力墙内筒，角部采用双向受力密肋楼板。休斯敦的土质很差，基岩很深，经常遭到飓风袭击，一直认为不可能建造50层高的建筑。第一贝壳广场采用轻骨料混凝土，减轻结构重量，至今仍然是世界上最高的轻骨料混凝土建筑。

第一幢高层建筑钢框筒结构是纽约世界贸易中心双塔（图1-8），110层，高417m，每幢大楼安装了1万个黏弹性阻尼器，减小风振的影响。世贸中心大厦1973年建成，用钢量仅186kg/m²，其高度超过帝国大厦，成为当时世界上最高的建筑。2014年，在世界贸易中心双塔原址建成了世界贸易中心一号大楼（图1-9），地下5层，地上94层，建筑高度541.3m，使用楼层高度386.5m。

图1-8　世界贸易中心双塔

图1-9　世界贸易中心一号大楼

第一幢钢桁架筒结构是Khan设计的芝加哥约翰·汉考克（John Hancock）中心（图1-10），100层，建筑高度343.7m，1969年建成。图1-10中，与约翰·汉考克中心相邻的高层建筑为74层、建筑高度262m的水塔广场（Water Tower Plaza）。第一个束筒结构是芝加哥西尔斯大厦（Sears Tower）（图1-11），1974年建成，地下3层，地上108层，建筑高度442.1m，用钢量161kg/m²，1998年前一直是世界最高的建筑，至今仍然是世界最高的钢结构建筑。西尔斯大厦的四个立面各不相同，标志性的外观使其与众不同。安装了102部电梯，在第33层和第66层设有2个电梯转换厅，首次提出并采用电梯分段运行和转换，解决了高层建筑的竖向交通问题。

图1-10　约翰·汉考克中心（右）和水塔广场（左）　　图1-11　西尔斯大厦

筒体结构是高层建筑发展史上的里程碑，它能充分发挥建筑材料的作用，它的创新是多方面的，它使现代高层建筑在技术上、经济上可行，也使高层建筑的发展出现了繁荣期。

（2）发明组合构件

现代高层建筑发展史上的另一个里程碑式的创新是发明钢和混凝土两者结合、整体共同工作的组合构件。组合构件结合了钢和混凝土的几乎所有优势，避免了两种材料的主要短处。

最早采用组合构件的是休斯敦的 20 层 Control Data 大楼：首先施工钢框架，然后在钢梁、钢柱外浇筑混凝土，成为由型钢混凝土梁和型钢混凝土柱组成的组合结构。

（3）应用高强混凝土

高强混凝土是近 60 年来建筑材料方面最重要的发明创造。高强混凝土用于高层建筑有许多优点：减小柱的截面，增大可用空间；减轻结构自重，降低基础造价等。

1967 年，芝加哥建成世界最早的高强混凝土高层建筑 Lake Paint Tower，70 层，高 197m，底部若干层混凝土强度等级相当于 C65。1976 年，芝加哥建成水塔广场（图1-10），74 层，高 262m，25 层以下柱的混凝土强度等级相当于 C75，是当时世界上最高的钢筋混凝土建筑。1990 年，芝加哥建成 311 South Wacker Drive（图 1-12），地下 3 层，地上 65 层，建筑高度 292.9m，底部楼层柱的混凝土强度等级相当于 C95，成为当时世界上最高的钢筋混凝土建筑。

（4）采用钢管高强混凝土柱

高强混凝土具有强度高、弹性模量大等优点，其主要缺点是脆性，即单轴受压时达到峰值应变后的变形能力小。高强混凝土用于抗震建筑结构时，需要解决"脆"的问题。最好的解决方法就是将高强混凝土填充在圆形钢管内，成为钢管混凝土柱，钢管对混凝土的约束作用克服了高强混凝土的脆性。

20世纪80年代末期，美国西雅图建造了7幢钢管高强混凝土高层建筑，其主要特点是：竖向构件为大直径钢管混凝土柱，最大直径达3050mm，管内填充高强混凝土，立方体抗压强度最高达168MPa，采用泵送技术，减小柱的截面尺寸，同时利用其高弹性模量增大侧向刚度。水平构件为钢梁-压型钢板、现浇混凝土组合楼板；全部水平力由框架-支撑竖筒或支撑竖筒承担，支撑竖筒是由设置在建筑周边或建筑平面中部的大直径钢管混凝土柱、钢梁和跨越数层的斜撑组成。有些建筑还同时设置小直径钢管混凝土柱承担竖向荷载。图1-13所示为其中最高的一幢建筑，哥伦比亚中心，地下7层，地上76层，建筑高度284.4m。

20世纪90年代中期后，美国高层建筑建造的速度逐渐减慢，高层建筑发展的中心逐步转向亚洲。根据设在芝加哥的摩天大楼中心的CTBUH全球高层建筑数据库，至2017年，全世界最高的100幢已建成的建筑中，亚洲78幢，美国16幢，其他地区6幢。

图1-12　311 South Wacker Drive　　　　　图1-13　哥伦比亚中心

2. 日本的高层建筑

日本是一个多地震国家，不但地震发生频繁，而且经常发生强烈地震。1963年前，日本建筑法规规定，建筑物的最大高度为31m。以东京大学武滕清教授为代表的日本学者经过多年的研究，在建筑结构的抗震设计理论和设计方法方面取得了重大突破。1964年，日本取消了建筑高度的限制，高层建筑走上了快速发展的道路。

1965年，日本东京建成第一幢钢结构高层建筑：新大谷饭店，22层，高78m。1968年建成霞关大厦，36层，高147m。进入20世纪70年代，日本的高层建筑更多、高度更高，大都采用钢框筒-预制混凝土墙板结构。墙板的种类包括：带竖缝墙、带横缝墙和内藏钢板支撑混凝土墙等。代表性的建筑有：东京新宿三井大厦，55层，高212m，1974年建成；东京阳光大厦（图1-14），60层，高226m，1978年建成；新宿住友大厦，52层，高200m，1974年建成；新宿中心大厦，54层，高216m，1979年建成。这些建筑的平面都是矩形，结构布置对称规则。1993年建成的横滨地标大厦（图1-15），地下3层，地上73层，建筑高度296.3m。2014年建成的大阪阿倍野HARUKAS（图1-16）是目前日本最高的建筑，地下5层，地上60层，建筑高度300m。

20世纪80年代前,日本的高层建筑主要是钢结构,80年代后,开始建造30层左右的钢筋混凝土结构,进入21世纪,钢筋混凝土高层建筑的数量增多。日本的钢筋混凝土高层建筑主要采用内外筒都是密柱框架的筒中筒结构或框架结构,其中许多建筑采用隔震或消能减震技术。除了现浇,日本的一些钢筋混凝土高层建筑采用预制梁、柱的装配整体式结构。图1-17所示为施工中的东京塔照片,装配式钢筋混凝土筒中筒结构,地下2层,地上58层,建筑高度192m。

图1-14 东京阳光大厦

图1-15 横滨地标大厦

图1-16 阿倍野 HARUKAS

图1-17 东京塔

3. 其他亚洲国家的高层建筑

1998年,马来西亚吉隆坡建成当时世界最高、目前为世界第9高的已建成建筑:石油双塔(Petronat Twin Tower)(图1-18),地下5层,地上88层,建筑高度451.9m,框架-核心筒结构,自下而上混凝土强度从80MPa变化至40MPa,采用钢梁、压型钢板-现浇混凝土组合楼盖。Tanjong Pagar中心(图1-19)是目前新加坡最高的建筑,2016年建成,地下3层,地上68层,建筑高度290m。京南河内地标大厦(图1-20)是越南最高的建筑,2012年建成,地下2层,地上72层,建筑高度328.6m。曼谷大京都大厦(图1-21)是泰国最高的建筑，地下1层，地上75层，建筑高度314.2m，2016年建成。仁川东北亚贸易大厦（图1-22）是韩国最高的建筑，2011年建成，地下3层，地上68层，建筑高度305m。

图 1-18　吉隆坡石油双塔　　图 1-19　新加坡 Tanjong Pagar 中心　　图 1-20　京南河内地标大厦

图 1-21　曼谷大京都大厦　　　　图 1-22　仁川东北亚贸易大厦

阿拉伯联合酋长国是目前高层建筑迅速发展的国家。根据设在芝加哥的摩天大楼中心的 CTBUH 全球高层建筑数据库，至2017年，已建成的全世界最高的100幢建筑中，阿联酋21幢，其中17幢在迪拜，4幢在阿布扎比，2010年及以后建成的为16幢。位于迪拜的哈利法塔（图1-23），也称迪拜大厦、比斯迪拜塔，是已建成的世界最高建筑，地下1层，地上163层，建筑高度828m，2004年9月21日动工，2010年1月4日竣工启用。

位于沙特阿拉伯麦加的麦加皇家钟塔饭店（图1-24）是已建成的世界第3高建筑，地下3层，地上120层，建筑高度601m。正在施工的位于吉达的国王塔（图1-25），地下2层，地上167层，建筑高度1000m，预期2020年完工，建成后将是世界最高的建筑。

图 1-23　哈利法塔　　　　图 1-24　麦加皇家钟塔饭店　　　　图 1-25　国王塔

1.2　我国的高层建筑

我国古代高层建筑主要是宝塔和楼阁，诸如应县木塔、黄鹤楼、滕王阁等，为砖结构或木结构或砖木结构。有些宝塔、楼阁经受了数百年的风吹雨打，甚至经受了战乱、地震，至今仍保持完好。

1.2.1　港、台的高层建筑

香港地区的高层建筑起步早，发展快，至今仍不断有新的高层建筑出现。

20 世纪 70 年代和 80 年代初，香港建成了一批高层建筑，包括 50 层的华润中心、64 层的和合中心等。

香港汇丰银行大厦（图 1-26），1985 年建成，43 层，高 175m，矩形平面，钢结构悬挂体系，每层都有很大的开敞空间。悬挂体系由 8 根格构柱和 5 层纵、横向水平桁架组成。每根格构柱由 4 根圆钢管柱和连接钢管柱的变截面梁组成。一道水平桁架悬挂 4～7 个楼层。汇丰银行大厦从拆除旧楼开始到新楼建成，历时 4 年，造价达 50 亿港元。汇丰银行大厦是一幢非常独特的建筑，经方案竞赛，建筑由英国建筑师设计，其设计理念是要能适应 21 世纪发展的需要。在香港市民投票选出的 20 世纪香港十大工程中，汇丰银行大厦位列其中。

香港中国银行大厦（图 1-27），1989 年建成，地下 4 层，地上 72 层，建筑高度 367.4m，采用巨型支撑框架结构，部分斜杆外露，整幢大楼宛如光彩夺目的蓝宝石。

香港中环广场，1993 年建成，地下 3 层，地上 78 层，建筑高度 373.9m，切角的三角形平面，钢筋混凝土筒中筒结构，4 层以下外框的柱距加大，在第 5 层沿周边设置钢筋混凝土转换梁。建成时是世界上最高的钢筋混凝土建筑。

图 1-26　香港汇丰
银行大厦

香港国际金融中心二期（图 1-28），地下 6 层，地上 88 层，建筑高度412m，是目前香港最高的建筑。采用巨型框架-核心筒结构，在建筑平面的每边各有两根型钢混凝土巨柱，沿高度设置了3道与钢筋混凝土核心筒连接的水平伸臂桁架，增大结构的侧向刚度。

台湾最有名的两幢高层建筑是高雄85大楼和台北101大厦。高雄85大楼（图1-29），1997年建成，地下5层，地上85层，建筑高度347.5m，采用巨型钢框架结构。在78层楼面的两个对角，各安装了一个质量为100t的调谐质量阻尼器，使结构的等效阻尼比从2%左右提高到8%左右。台北101大厦（图1-30），2004年建成，2011年完成翻新，地下5层，地上101层，建筑高度508m，建成时是世界上最高的建筑。在建筑平面的周边，每边设置2根巨型方钢管柱和若干小型方钢管柱，巨柱伸至90层，62层以下钢管内填充混凝土。为了满足风作用下的舒适度要求，在87～92层之间安装了一个调谐质量阻尼器，其质量达670t。

图1-27　香港中国银行大厦

图1-28　香港国际金融中心二期

图1-29　高雄85大楼

图1-30　台北101大厦

1.2.2　内地的高层建筑

我国内地高层建筑的发展大致经历了三个时期：20世纪50年代前、50年代至70年代、80年代及以后。

1. 20世纪50年代前的高层建筑

20世纪50年代前，我国内地的高层建筑很少。第一幢超过10层的高层建筑是1929年建成的上海沙逊大厦（和平饭店），13层，高77m。1934年建成的上海国际饭店，22层，高83.8m，是当时远东最高的建筑。1934年还建成了上海百老汇大厦（上海大厦），21层，高76.6m。北京的高层建筑有老北京饭店、京奉铁路正阳门车站大厦。天津在1922年建成海河饭店，13层，高约60m；1923年建成人民大楼，12层，高约50m；这两幢建筑都是钢筋混凝土框架结构。

2. 20世纪50～70年代的高层建筑

20世纪50年代和60年代，我国内地的高层建筑发展缓慢，高层建筑的数量不多。1959年，北京建成十大建筑，其中有3幢为高层建筑，北京民族饭店最高，也是我国20世纪50年代最高的建筑，12层，高47.4m，钢筋混凝土框架结构。20世纪60年代最高的建筑是1968年建成的广州宾馆，27层，高87.6m，钢筋混凝土框架-剪力墙结构。进入20世纪70年代，高层建筑有了初步发展。20世纪70年代内地最高的建筑是1976年建成的广州白云宾馆（图1-31），33层，高114.1m。1974年建成的北京饭店东楼（图1-32），19层，高87.15m，至1985年前，一直是内地最高的建筑；1976～1978年兴建的北京前三门住宅工程，成为内地高层建筑快速发展的起点。

图1-31　广州白云宾馆

图1-32　北京饭店东楼

3. 20世纪80年代及以后的高层建筑

进入20世纪80年代，我国内地的高层建筑进入了高速发展期。20世纪80年代和90年代初，是内地高层建筑发展的第一个高速发展期，高层建筑的竣工面积、建筑高度、结构体系、建筑材料都有新的突破。这一时期高层建筑发展的主要特点有：（1）高层建筑的数量迅速增加，其主体是高层住宅建筑；（2）高层建筑主要集中在北京、上海、广州、深圳等大城市；（3）建筑高度突破200m；（4）大体量的高层建筑越来越多；（5）开始采用高强混凝土；（6）以钢筋混凝土结构为主，出现了钢结构、钢-混凝土混合结构高层建筑，以及采用型钢（钢骨）混凝土柱和钢管混凝土柱的高层建筑。

1985年，深圳国贸中心大厦（图1-33）建成，50层，高158.7m，是我国当时最高的建筑。1987年，广州国际大厦（图1-34）建成，63层，钢筋混凝土结构，高度首次达到200m。20世纪80年代后期至90年代初，内地建成了11幢钢结构和钢-钢筋混凝土混合结构高层建筑，例如，长富宫中心，26层，高94m，内地最高的钢框架结构；京广中心（图1-

35），57层，高208m，钢框架-预制带缝混凝土墙板结构，是内地当时最高的建筑。

图1-33 深圳国贸中心大厦   图1-34 广州国际大厦   图1-35 京广中心

1966年，内地成功地将钢管混凝土用于北京地铁车站工程，但用于高层建筑始于20世纪80年代末。1990年，采用钢管混凝土柱的泉州邮电大厦建成，15层，高63.5m，钢管直径800mm，管内混凝土强度等级为C30。

20世纪90年代中期，内地的高层建筑进入了新的发展期，高层建筑建设具有广、快、长的特点。广，是指高层建筑在全国遍地开花，除了北京、上海、广州、深圳的高层建筑继续高速发展外，各省会城市以及其他各大、中、小城市都在兴建高层住宅、高层办公楼和高层酒店等各类高层建筑。快，是指高层建筑的发展速度之快，在全世界是史无前例的。长，是指高层建筑建设延续的时间长，进入21世纪后，随着经济快速发展，高层建筑的发展比20世纪90年代更快。根据设在芝加哥的摩天大楼中心的CTBUH全球高层建筑数据库，至2017年，全世界最高的100幢已建成的建筑中，中国47幢（其中：台湾2幢，香港6幢），内地的39幢建筑中，3幢是20世纪90年代建成的，1幢是2006年、2幢是2008年建成的，33幢是2010年及以后建成的。

当前，我国内地的高层建筑有以下主要特点：

（1）高度越来越高

高度，往往是建筑是否有名、能否成为标志性建筑的主要因素之一。争高度第一，是高层建筑无休止的主题。内地已建成和施工中的建筑高度排名前10位的建筑包括：武汉绿地中心（施工中）（图1-36），地下6层，地上125层，建筑高度636m，其高度仅次于高828m的哈利法塔；上海中心大厦（已建成），地下5层，地上128层，建筑高度632m；深圳平安金融中心（已建成），地下4层，地上115层，建筑高度599m；天津高银金融117（已建成），地下4层，地上128层，建筑高度596.5m；沈阳宝能环球金融中心（施工中），地下5层，地上114层，建筑高度568m；天津周大福滨海中心（已建成），地下4层，地上

图1-36 武汉绿地中心

97层，建筑高度530m；北京中国尊（结构封顶）（图1-37），地下7层，地上108层，建筑高度528m；大连绿地中心（施工中），地下4层，地上88层，建筑高度518m；上海环球金融中心（已建成），地下3层，地上101层，建筑高度492m；成都绿地中心（施工中），地下4层，地上101层，建筑高度468m。上述建筑中，北京中国尊的抗震设防烈度为8度，是全世界高烈度区最高的建筑。图1-38所示为上海中心大厦、上海环球金融中心和建筑高度420.5m的金茂大厦3幢呈"品"字形布置的超高层建筑群，上海中心大厦外层幕墙平面近似尖角削圆了的等边三角形，从建筑底部一直扭转到顶部，每层扭转约1°，总扭转角度约为120°。

図1-37　施工中的北京中国尊　　　图1-38　上海3幢高层建筑

（2）超限、复杂高层建筑越来越多

由于业主和建筑师的追求，新、奇、特高层建筑层出不穷。新是指建筑外形新颖，奇是指建筑形体奇奇怪怪，特是指与众不同。追求新、奇、特的后果是超限、复杂高层建筑越来越多。超限高层建筑包括两大类：一是高度超限的建筑，即建筑高度超过规范规定的最大适用高度；二是有多项平面不规则、竖向不规则的建筑。复杂高层建筑包括带转换层建筑、带加强层建筑、连体建筑、错层建筑、竖向体型收进建筑、有大悬挑的建筑等，裙房上有一栋塔楼的建筑以及裙房上有两栋塔楼或两栋以上塔楼的建筑（多塔楼建筑）也属于竖向体型收进建筑。超限高层建筑往往也是复杂建筑，而复杂高层建筑往往也是不规则建筑。

对于超限、复杂高层建筑的抗震能力和抗震设计方法，国外的研究很少，我国有一些研究，但还不充分。独特、多变的建筑形体使城市的街景丰富多彩，但如何保证超限、复杂高层建筑的抗震安全，达到安全和经济的统一，是对结构工程师的挑战，同时，也给结构工程师提供了创新和发展的机会。

（3）广泛采用框架-核心筒结构

我国高度为100～200m的建筑，大部分采用框架-核心筒结构，且楼盖为梁-板体系；200m以上的框架-核心筒结构，为了增大结构的侧向刚度，往往在周边框架柱与核心筒之间设置若干道伸臂构件形成加强层，可称为框架-核心筒-伸臂结构；有的还在设置伸臂构件的楼层的建筑周边设置环带桁架，或只设周边环带桁架。

深圳信兴广场（也称地王大厦）（图 1-39），地下 3 层，地上 69 层，建筑高度 384m，设置 4 道一层高的钢伸臂桁架。深圳赛格广场（图 1-40），地下 4 层，地上 71 层，建筑高度 291.6m，设置 4 道一层高的钢伸臂桁架及周边环带桁架，2010 年广州国际金融中心建成前，一直是世界上最高的采用钢管混凝土柱的高层建筑。天津环球金融中心（也称天津津塔）（图 1-41），地下 4 层，地上 75 层，建筑高度 336.9m，设置 4 道钢伸臂桁架和周边环带桁架。这 3 栋建筑都是设置伸臂桁架的框架-核心筒结构，属于带加强层建筑。

图 1-39　深圳信兴广场　　　图 1-40　深圳赛格广场　　　图 1-41　天津环球金融中心

（4）采用巨型框架-核心筒等高效抗震结构

高度超过 400m 的建筑，普通框架-核心筒结构已经不再适用，需要采用更高效的抗震结构，高效抗震结构不但是保证其抗震能力的关键，也是使其在经济上合理可行的关键。巨型框架-核心筒结构、巨型支撑框架-核心筒结构、筒中筒结构等，都是用于高度超过 400m 的建筑的高效抗震结构，这些结构的核心筒或内筒的剪力墙内，设置型钢、钢管或钢板，以减小剪力墙的厚度、增大核心筒或内筒的承载力和侧向刚度。

上海金茂大厦（图 1-38 中远处的高层建筑），1999 年建成，地下 3 层，地上 88 层，建筑高度 420.5m，型钢混凝土巨柱-钢筋混凝土核心筒-钢伸臂桁架结构。建筑每边设置 2 根型钢混凝土巨柱，平面中部设置八边形钢筋混凝土核心筒，在 24 层和 25 层、51 层和 52 层以及 85 层和 86 层，设置 3 道 2 层高的钢伸臂桁架连接巨柱与核心筒，使周边的巨柱共同抵抗水平力产生的倾覆力矩。金茂大厦建成时是我国内地最高的建筑。北京中国国际贸易中心（图 1-42），地下 5 层，地上 74 层，建筑高度 330m，框架-核心筒结构，设置 3 道 3 层高的钢伸臂桁架，周边框架 1～5 层为巨型支撑框架，6～63 层为钢梁-型钢混凝土柱框架，64 层以上为钢框架，内筒由型钢混凝土巨柱、钢梁及型钢混凝土斜撑组成。天津高银金融 117（图 1-43），地下 4 层，地上 128 层，建筑高度 596.5m，巨型支撑框架-核心筒结构，巨型支撑框架由设置在建筑四角的六边形巨型分腔（也称"多腔"）钢管混凝土柱和钢环带桁架及跨越若干楼层的巨型斜撑组成。深圳京基 100（图 1-44），地下 4 层，地上 100 层，建筑高度 441.8m，巨型框架（短向为巨型支撑框架)-核心筒结构，在设备层设置水平伸臂桁架，以增大结构侧向刚度。武汉绿地中心、上海中心大厦、深圳平安金融中心（图 1-45）、广州周大福金融中心（图 1-46）、中国尊、上海环球金融中心等采用了巨型框架-核心筒结构或巨型支撑框架-核心筒结构。

图 1-42 北京中国国际贸易中心

图 1-43 天津高银金融 117

图 1-44 深圳京基 100

图 1-45 深圳平安金融中心

广州国际金融中心（图 1-47），也称为广州西塔，地下 4 层，地上 101 层，建筑高度 438.6m，筒中筒结构。外筒为钢管混凝土柱斜交网格筒，具有很大的抗弯刚度和抗扭刚度，比外筒为密柱深梁的普通筒中筒结构的适用高度高得多。

图 1-46 广州周大福金融中心

图 1-47 广州国际金融中心

（5）钢-混凝土组合构件发展迅速

为适应不断增加的建筑高度的需要，钢-混凝土组合构件的应用越来越广泛，而组合构件的类型也越来越丰富，其承载力和抗弯刚度也越来越大。从圆钢管混凝土柱、方钢管混凝土柱，发展到多边形钢管混凝土柱；从普通截面尺寸的单腔钢管混凝土柱，发展到在大截面钢管混凝土柱内设置钢板成为分腔钢管混凝土巨柱；从普通型钢混凝土柱，发展到型钢混凝土巨柱；从组合柱发展到组合墙，诸如型钢混凝土剪力墙，钢管混凝土剪力墙，单钢板混凝土剪力墙和双钢板混凝土剪力墙等。图 1-48 所示为深圳金基 100 和中国尊的分腔钢管混凝土巨柱施工照片。深圳金基 100 为矩形钢管混凝土巨柱，分 2 个腔；中国尊 7 层以下为八边形钢管混凝土巨柱，分 13 个腔，截面面积约为 63.9m²，7 层以上 1 根柱分叉为 2 根柱，7～19 层为六边形截面，20 层以上为矩形截面。图 1-49 所示为武汉绿地中心、深圳平安金融中心和广州周大福金融中心钢板混凝土剪力墙的钢板，广州周大福金融中心的剪力墙采用双钢板，在 2 层钢板之间浇筑混凝土，其他 2 幢建筑的剪力墙采用单钢板，钢板位于剪力墙截面中部。

 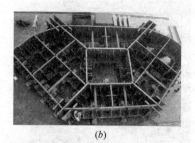

（a）   （b）

图 1-48   分腔钢管混凝土巨柱施工照片

（a）深圳京基 100；（b）中国尊

  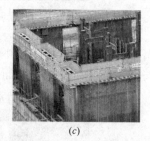

（a）   （b）   （c）

图 1-49   施工中的钢板混凝土剪力墙

（a）武汉绿地中心；（b）深圳平安金融中心；（c）广州周大福金融中心

（6）广泛应用高强高性能混凝土和高强钢筋

随着建筑高度的增加，结构的自重也增加，400m 以上高层建筑结构的自重一般在 20kN/m² 以上，其中，由于核心筒的剪力墙厚，其自重占结构自重的 50％以上。结构自重大，增大了结构抗震设计的难度。采用高强混凝土，不但可以减小柱的截面尺寸、减小剪力墙的厚度，从而增大使用空间，而且可以减轻结构自重，改善结构的抗震性能。目前，高强混凝土技术逐渐成熟。在一些大城市，已经普遍使用 C60 混凝土。沈阳采用钢管混凝土叠合柱的高层建筑，其叠合柱钢管内的混凝土强度等级达到 C100；深圳京基 100 使用 C120 泵送高强高性能混凝土，最大泵送高度达 420m；广州国际金融中心外框筒钢管混凝土斜柱的交叉节点，38层以下采用C90混凝土，其他构件采用C70混凝土。

采用高强钢筋，对结构的经济性会产生重大的影响。目前，400MPa和500MPa级高强热轧带肋钢筋已经成为主导纵向受力钢筋。

（7）结构抗震性能设计

常规建筑结构按小震进行结构抗震计算及承载力验算，超限、复杂高层建筑还需要进行结构抗震性能设计，通过提高关键构件和部分普通竖向构件的承载能力，提高结构的抗震能力，例如：剪力墙底部加强部位墙体的抗震承载力满足中震不屈服等。

（8）全面、精细结构抗震计算分析

高度较低的规则高层建筑结构，工程设计中一般采用振型分解反应谱方法进行抗震计算；超限高层建筑、甲类建筑以及超过一定高度的建筑，还需要采用弹性时程分析法进行小震作用下的补充计算；超限高层建筑、高度大于150m的结构、甲类建筑、9度时乙类建筑中的钢筋混凝土结构和钢结构，要进行大震作用下的考虑材料非线性和结构几何非线性的弹塑性变形验算，揭示结构构件屈服、出现塑性铰的次序，发现结构的薄弱部分，根据计算分析结果，有针对性地采取加强措施。这些年来，建筑结构弹塑性时程分析发展很快，从最开始的层间模型，发展到平面杆模型，现在都采用空间有限元模型，比平面杆模型更能揭示大震作用下结构、构件的状态，而且越来越多的工程师掌握了弹塑性时程分析程序的使用方法以及对分析结果的解读。结构弹塑性时程分析已经成为许多设计院的常规工作。

除了整体结构计算，对于工程中的复杂构件、复杂节点、局部复杂受力部位，还要进行非线性有限元计算，为设计提供依据。

（9）结构、构件试验

随着新型结构构件、新型连接节点的不断出现，试验成为研究并揭示其抗震性能、发现其薄弱部位、调整其计算模型、验证其承载力计算方法、完善其抗震构造措施的重要手段。对于构件、节点，一般进行原型或缩尺模型的拟静力试验；对于结构，一般进行整体结构缩尺模型的振动台试验，或进行局部原型结构或缩尺模型结构的子结构拟动力试验或拟静力试验。

目前，我国是世界上新建高层建筑最多的国家，建筑业是我国的主要支柱产业之一。我国建设规模之大，是前所未有的，也是世界上其他国家所没有的。在未来的20年内，我国高层建筑的建设还不会止步。新材料、新结构、新技术、新设计理念和新设计思想将层出不穷，使我国的建筑工程技术走在世界的前列。

1.3　高层建筑结构设计的特点

不同高度的建筑结构都要抵抗由恒荷载和活荷载产生的竖向荷载以及由风和地震作用产生的水平荷载（也称水平力、侧向力、侧力）。结构设计的目标是保证房屋建筑在可能承受的荷载作用下的安全，不同高度房屋建筑的结构设计原理和设计方法没有本质区别。虽然设计原理相同，但是，高层、超高层建筑结构设计需要解决的主要问题不同于低层、多层建筑。一般情况下，低层、多层建筑结构设计主要解决抵抗竖向荷载的作用，随着建筑高度的增加，风、地震产生的水平荷载成为结构设计的主要控制因素。对于高层建筑，抵抗水平荷载成为结构设计需要解决的主要问题。

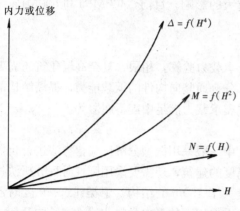

图 1-50　结构内力、水平位移与高度关系

将房屋建筑视为固定在地面上的竖向悬臂结构，沿高度结构截面尺寸相同、密度相同，沿高度作用均布竖向荷载和均布水平荷载。图 1-50 是该悬臂结构截面内力（轴力 N，弯矩 M）、水平位移（Δ）与高度的关系。可以看出，轴力 N 与高度的一次方成正比，弯矩 M 与高度平方成正比，水平位移 Δ 与高度的四次方成正比。图 1-51 为钢结构建筑的层数与楼层单位面积用钢量关系曲线，由图 1-51 可见，竖向荷载作用下，用钢量的增加与结构层数的增加几乎为线性关系，但在水平力作用下，用钢量的增加速度比结构层数的增加速度快得多。

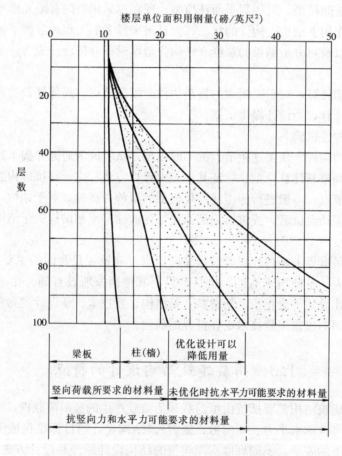

图 1-51　层数与楼层单位面积用钢量关系曲线
摘自《结构概念和体系》（第二版）

显然，随着建筑高度的增加，水平荷载对结构的影响比竖向荷载对结构的影响更大。高层建筑结构设计，主要是抗水平力设计。

1.4 结构材料

高层建筑结构的材料主要为钢、钢筋和混凝土。钢作为建筑材料有许多优点：强度高，自重轻，延性好，变形能力大。钢筋和混凝土是应用最广泛的建筑材料，钢筋和混凝土都是地方材料，价格比钢材低。

高层建筑主要抗震结构构件所用的钢材，除了保证其抗拉强度外，其性能还要符合下列要求：抗拉性能有明显的屈服台阶，断后伸长率不小于20%，以保证构件具有足够大的塑性变形能力；屈服强度实测值与抗拉强度实测值的比值不大于0.85，其屈服强度波动范围不大于$120N/mm^2$，以保证构件有足够大的承载能力储备；具有良好的焊接性，以保证焊接连接可靠；具有与其工作温度相应的合格的冲击韧性，避免地震动力荷载作用下发生脆性破坏。

高层民用建筑钢结构主要承重构件所用钢材为Q345和Q390低合金高强度结构钢，钢板较厚时，可采用高性能建筑用GJ钢板；一般构件可采用Q235碳素结构钢，采用Q235A、Q235B钢时，要选用镇静钢。承重构件钢材的质量等级不要低于B级。抗震等级为一级及二级的高层民用建筑钢结构，其主要承重构件钢材的质量不要低于C级。组合构件的钢材，可采用Q345、Q390、Q420低合金高强度结构钢及Q235钢，质量等级不低于B级，且为镇静钢。

高层建筑结构构件要采用延性、韧性和焊接性较好的钢筋。钢筋的屈服强度实测值与屈服强度标准值的比值不应大于1.3，以保证实现强柱弱梁、强剪弱弯等抗震设计概念；钢筋在最大拉力下的总伸长率实测值不应小于9%，以保证构件有足够大的弹塑性变形能力；抗震等级为一、二、三级的框架和斜撑构件（含楼梯段），其纵向受力钢筋的抗拉强度实测值与屈服强度实测值的比值不应小于1.25，以保证构件具有足够大的承载力安全储备。纵向受力钢筋可采用HRB400级、HRB500级热轧钢筋，也可采用HRB335级热轧钢筋；箍筋可采用HRB400级、HRB335级热轧钢筋，也可选用HPB300级热轧钢筋。

按自重，混凝土分为普通混凝土（大于$20kN/m^3$）和轻混凝土（不大于$18kN/m^3$）；按强度，混凝土分为普通混凝土（强度等级不大于C50）和高强混凝土（强度等级大于C50）。高强混凝土有许多优点：由于强度高，柱的截面尺寸比普通混凝土柱的截面尺寸小，剪力墙的厚度比承受相同竖向力的普通混凝土剪力墙的厚度小；早期强度高，可以加快施工进度；比普通混凝土密实，其耐久性比普通混凝土好；弹性模量高、徐变小，在竖向力作用下的压缩变形小。高强混凝土的缺点是容易开裂，有脆性性质，轴压力作用下的极限变形能力小，耐火性能不如普通混凝土。

高层建筑结构构件的混凝土强度等级，钢筋混凝土框支梁、框支柱以及抗震等级为一级的框架梁、柱、节点核心区，不应低于C30；型钢混凝土构件不宜低于C30，Q235、Q345钢管的管内混凝土分别不宜低于C40、C50，Q390、Q420钢管的管内混凝土不应低于C50；剪力墙不宜超过C60，其他构件，9度时不宜超过C60，8度时不宜超过C70。

按所用材料，高层建筑的结构构件可分为钢构件、钢筋混凝土构件及钢-混凝土组合构件三种类型。钢构件是指用钢板加工成的结构构件，如，H型钢钢梁、钢柱，圆钢管柱，箱形截面钢柱，钢支撑，钢板墙等。钢筋混凝土构件是指由钢筋和混凝土组合、能整体受力的结构构件，如，钢筋混凝土梁、钢筋混凝土柱、钢筋混凝土剪力墙、钢筋混凝土支撑等。组合构件是指由钢板、型钢（也称为钢骨）或钢管与钢筋混凝土（或混凝土）组合、能整体受力的结构构件，如，型钢混凝土梁、型钢混凝土柱、钢管混凝土柱、型钢混凝土剪力墙、钢板混凝土剪力墙、钢管混凝土剪力墙等。钢管混凝土柱包括圆钢管混凝土柱、方钢管混凝土柱、矩形钢管混凝土柱和多边形钢管混凝土柱。对于截面尺寸大的所谓钢管混凝土巨柱，可以用钢板将其分隔为若干个腔，称为分腔（或多腔）钢管混凝土巨柱。

钢构件在工厂制作、现场拼装，钢构件需要用防火材料保护。混凝土可以浇筑成任何形状的构件，钢筋混凝土构件不需要涂刷防火材料，其缺点是强度低，截面尺寸大，占用空间大，自重大，对基础不利。与钢构件相比，组合构件的刚度大，不需要涂刷防火材料；与钢筋混凝土构件相比，组合构件的重量轻，不但有效减小了钢筋混凝土构件的截面尺寸或墙的截面厚度，而且极大地改善了钢筋混凝土构件的抗震性能，提高了构件的抗震能力。

按所用结构构件类型，高层建筑结构可分为钢结构、钢筋混凝土结构、混合结构和组合结构。钢结构的梁、支撑、桁架全部为钢构件，柱为钢柱或钢管混凝土柱，钢-混凝土组合楼板。钢筋混凝土结构全部采用钢筋混凝土构件，钢筋混凝土框架结构中设置钢支撑以增大其刚度，仍为钢筋混凝土结构。广义上，由上述两种类型或三种类型构件组成的结构都可以称为混合结构，构件的组合方式有很多，组成的结构类型也很多，但根据我国的工程实际，我国规范、规程仅将下列结构称为混合结构：钢框架（或钢外框筒）与钢筋混凝土核心筒组成的结构，型钢或钢管混凝土框架与钢筋混凝土核心筒组成的结构，型钢或钢管混凝土外框筒与钢筋混凝土核心筒组成的结构。型钢或钢管混凝土框架、型钢或钢管混凝土外框筒中，梁为钢筋混凝土时，仍为钢筋混凝土结构，不能列为混合结构。组合结构是指由组合构件组成的结构，以及由组合构件与钢构件、钢筋混凝土构件组成的结构。实际工程中，完全由组合构件组成的结构很少；由组合构件与钢构件、钢筋混凝土构件组成的结构，也可以称为混合结构。

钢结构的施工速度快，缺点是侧向刚度小；钢筋混凝土结构的侧向刚度大，价格比钢结构低；与钢结构和钢筋混凝土结构比，混合结构的优势显著：造价比钢结构低，侧向刚度比钢结构大，抗震性能优于钢筋混凝土结构。至2017年，我国内地已建成的和在建的400m及以上的24幢建筑中，23幢为混合结构，1幢为钢筋混凝土结构；300m及以上至400m以下的112幢建筑中，82幢为混合结构，2幢为钢结构，6幢为钢筋混凝土结构，22幢建筑的类型不明。

第2章 结构体系

高层建筑的结构体系是指承担由恒载和活载产生的竖向荷载、抵抗由风产生的水平荷载及由地震产生的水平作用及竖向作用的骨架。结构体系由水平构件和竖向构件组成，有的结构体系中还有斜向构件，即支撑。水平构件包括梁、连梁和楼板，梁和楼板组成楼（屋）盖；竖向构件包括柱和墙肢。作用在楼板上的竖向荷载传至梁，再传至柱、墙、支撑，或由楼板直接传至柱、墙、支撑，最后传至基础和地基。作用在房屋建筑上的水平荷载也是通过水平构件传至竖向构件，最后传至基础和地基。高层建筑的结构体系包括框架结构、框架-剪力墙结构、框架-支撑（延性墙板）结构、剪力墙结构、筒体结构、巨型结构等。不同结构体系的受力性能各有特点，其最大的适用高度各不相同。随着建筑高度的不断发展，高层建筑结构体系也在不断发展、创新，在积累工程经验和科研成果的基础上，逐渐形成更加高效的抗侧力结构体系。

2.1 框 架 结 构

由梁、柱组成的结构单元称为框架；竖向荷载和水平荷载（或水平作用）全部由若干榀框架承担的结构体系，称为框架结构。框架梁、柱可以分别采用钢、钢筋混凝土和型钢混凝土，框架柱还可以采用圆钢管混凝土、方钢管混凝土、矩形钢管混凝土。

框架结构可以是 4～6m 的小柱距，也可以是 7～10m 的大柱距，采用钢梁-混凝土组合楼盖时，柱距可以大一些。框架结构的建筑平面布置灵活，可以用非承重墙分隔空间，以适应不同使用功能的需求。框架结构适用于办公楼、教室、商场等房屋建筑。框架结构构件类型少，设计、计算、施工相对其他结构类型比较简单，我国很多早期的高层建筑采用框架结构，例如，北京的民族饭店、民航大楼、清华大学主楼等，这些建筑的高度都不大，不超过 15 层。

无论是钢框架结构还是钢筋混凝土框架结构，都可以设计成变形能力大、耗能能力大的延性框架。美国加利福尼亚州旧金山湾区于 1984 年建成的太平洋公园广场（Pacific Park Plaza）公寓大楼，现浇钢筋混凝土框架结构，地上 31 层，高 94.6m，三叉形平面（图 2-1）。通过采取加强梁、柱的箍筋等措施，设计成为抗震延性框架。1989 年 10 月 17 日 Loma Prieta 地震中，经受了强烈地震的作用，震后经仔细检查，没有可见裂缝。证明了钢筋混凝土框架结构可以成为抗震能力强、抗震性能好的高层建筑结构。延性框架结构的抗震设计概念比较早地应用到了我国的高层建筑结构设计中。典型的工程实例是北京长城饭店（图 2-2），我国 8 度抗震设防最高的现浇钢筋混凝土框架结构，地上 18 层，局部 22 层，总高 82.85m；采用轻钢龙骨石膏板作非承重墙，自重轻，小震作用下一般不会破坏；外墙为玻璃幕墙。由于钢材的强度高、变形能力大，钢框架结构比较容易设计成为抗震延性结构。我国高烈度地震区最高的钢框架结构是北京的长富宫（图2-3），26 层，高 94m，底部 2 层采用型钢混凝土框架结构，以增大结构侧向刚度。

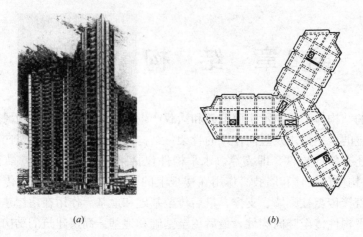

(a)

(b)

图 2-1　旧金山湾区太平洋公园广场

(a) 效果图；(b) 标准层平面图

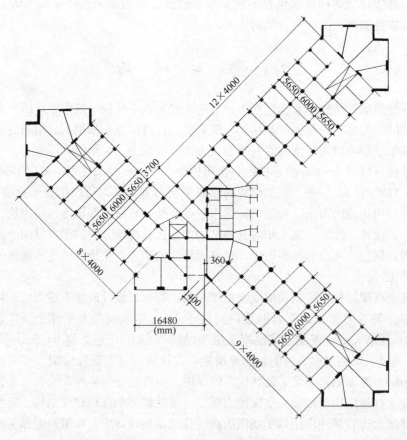

图 2-2　北京长城饭店标准层平面图

　　框架只能在自身平面内抵抗水平力，必须在两个正交的主轴方向设置框架，以抵抗来自各个方向的水平力。抗震框架结构的梁柱不允许铰接，必须采用梁端能传递弯矩的刚接，以使结构具有良好的整体性和比较大的侧向刚度。地震震害表明，单跨框架结构的抗

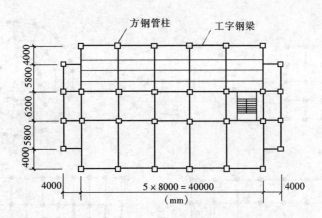

图 2-3　北京长富宫标准层平面图

震能力差，地震中破坏、倒塌的比较多。甲、乙类建筑以及高度大于 24m 的丙类建筑，不允许采用单跨框架结构；高度不大于 24m 的丙类建筑，尽可能不采用单跨框架结构。框架结构中只要有一个主轴方向的框架为单跨，就可认为是单跨框架结构；某个主轴方向有局部单跨框架，可以认为不是单跨框架结构。

　　根据柱距以及楼盖是否有次梁和次梁如何布置，框架结构可以设计成横向承重，或纵向承重，或纵横双向承重。

　　沿建筑高度，柱网尺寸和梁截面尺寸一般不变。在建筑比较高的情况下，柱的截面尺寸沿高度分段减小。当柱截面尺寸变化时，轴线位置尽可能保持不变，也不要在柱截面尺寸减小的楼层降低柱的混凝土强度等级，避免层刚度降低过大。柱网布置要尽可能对称，减少偏心造成的扭转。图 2-4 为一些框架结构的柱网布置图。

　　框架在水平力作用下的变形如图 2-5 所示。其水平位移（也称侧向位移）主要由两部分组成：梁和柱的弯曲变形产生的水平位移，柱的轴向变形产生的水平位移。前者的位移曲线呈剪切型，即自下而上层间位移减小；后者的位移曲线呈弯曲型，即自下而上层间位移增大。在水平力作用下，框架的水平位移主要由梁和柱的弯曲变形所产生，其水平位移曲线为剪切型。梁和柱的剪切变形、钢筋混凝土框架梁-柱节点核心区的剪切变形以及钢框架梁-柱节点域的剪切变形，对框架的水平位移也有贡献，但弹性阶段的剪切变形小，对框架水平位移的贡献不大。

　　梁、柱都是线型构件，截面惯性矩小，框架结构的侧向刚度较小。用于比较高的建筑时，需要截面尺寸大的梁柱才能满足结构侧向刚度的要求，大截面尺寸梁柱减小了建筑的使用空间。因此，框架结构不宜用于高的房屋建筑。为了增大框架结构的侧向刚度，可以设置少量剪力墙，或者设置少量钢支撑，成为少墙框架结构或少支撑框架结构。小震时，剪力墙或支撑提供侧向刚度，使结构的水平位移不超过框架结构的位移限值，并分担一部分的地震剪力；大震时，剪力墙或支撑首先破坏，起到保护框架的作用。

　　框架结构的非承重墙宜采用轻质材料，减轻对结构抗震的不利影响。砌体墙，如混凝土小型空心砌块砌体墙、空心砖砌体墙及加气混凝土块砌体墙等，对结构抗震有诸多不利。砌体墙的自重大、刚度大，增大了结构重量和结构刚度，从而增大结构的地震作用；砌体墙的强度低，地震中容易破坏、倒塌，造成财产损失、人员伤亡。框架结构采用砌体

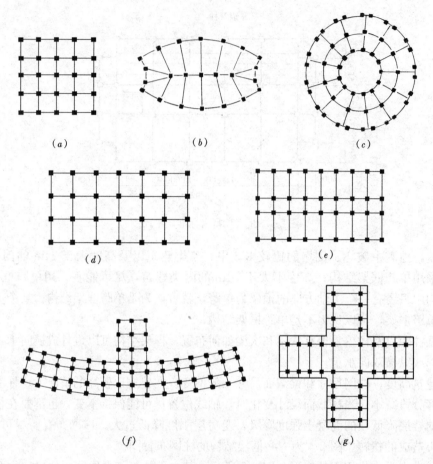

图 2-4 框架结构柱网布置举例

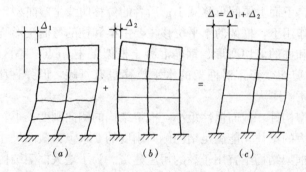

图 2-5 框架在水平力作用下的水平位移曲线

墙作为非承重墙时，应特别注意墙体布置，避免、减少其对框架结构的不利影响。墙体的平面布置尽可能对称，减小墙体不对称布置造成的扭转；沿建筑高度，墙体尽可能连续布置，避免形成上、下层刚度和承载力变化过大，特别要避免首层布置很少墙体，二层及以上布置很多墙体，使首层成为薄弱层；避免与柱相邻的墙体在层高范围内不到顶，使柱成为短柱。砌体墙与框架柱之间，留一条宽 30mm 左右的缝，缝内填充软的材料，可以减小填充墙对结构刚度的增大作用；同时，填充墙设置拉结筋、水平系梁等，与框架柱可靠拉结，避免地震中墙体倒塌。

不应采用部分由框架承重、部分由砌体墙承重的混合承重形式；框架结构中的楼、电梯间及局部出屋顶的电梯机房、楼梯间、水箱间等，应采用框架承重，不应采用砌体墙承重。因为框架和砌体墙的受力性能不同，框架的侧向刚度小、变形能力大，而砌体墙的侧向刚度大、变形能力小，地震中两者变形不协调，容易造成震害。

地震发生时，楼梯是逃生通道。钢筋混凝土框架结构尽可能采用现浇楼梯。现浇楼梯构件与主体框架成为整体，增大了框架结构的刚度，这对于框架结构的抗震是有利的。但楼梯构件的刚度大，地震中吸收比较大的地震剪力，如果楼梯构件没有抗震设计，地震中可能先于框架破坏，不能起到逃生通道的作用；此外，如果楼梯在建筑平面内的布置造成增大结构偏心，地震中结构的扭转反应将加重结构的破坏，甚至引起结构倒塌。因此，钢筋混凝土框架结构设计时，应将楼梯构件作为结构构件参与抗震计算，并根据楼梯构件的最不利组合内力对其进行抗震承载力验算，避免地震发生时楼梯首先破坏；楼梯在建筑平面内的布置应尽可能减少对结构造成的偏心。钢筋混凝土框架结构也可以采用预制楼梯，楼梯构件的一端为固定，另一端为可滑动支座，避免或减小楼梯构件对主体框架的影响。采用可滑动楼梯构件时，可滑动端应有足够长的搭接长度，避免地震中楼梯构件滑落。

2.2 剪力墙结构

用钢筋混凝土剪力墙承受竖向荷载和抵抗水平力的结构称为剪力墙结构。剪力墙也称为抗震墙，剪力墙结构也称为抗震墙结构。剪力墙结构的开间一般为3~8m，适用于住宅、旅馆等建筑。设计合理的钢筋混凝土剪力墙结构的整体性好，侧向刚度大，承载能力高，弹塑性变形能力大，具有良好的抗震性能。在历次地震中，剪力墙结构的震害比框架结构轻得多，由于承载力不足或变形能力不足而倒塌的剪力墙结构极少。剪力墙结构的适用高度大，多层建筑、高层建筑都可采用。在剪力墙内配置竖向型钢、钢斜撑、钢管、钢板等，成为钢-混凝土组合剪力墙，可以有效改善剪力墙的抗震性能，提高剪力墙的抗震能力。剪力墙结构的不足是平面布置不如框架结构灵活，结构自重大。剪力墙结构在我国应用十分广泛，特别是高层住宅建筑，一般采用剪力墙结构。图2-6是一些剪力墙结构的平面布置。水平力作用下，剪力墙结构的侧移曲线呈弯曲型，即层间位移由下至上逐渐增大（图2-7）。

剪力墙以抵抗墙体平面内的竖向力和水平力为主，要在建筑结构平面的主轴方向分别布置剪力墙，抵抗各自方向的水平力。墙端与计算方向垂直的剪力墙，可以作为计算方向剪力墙的翼缘参与抵抗水平力，不但增大计算方向剪力墙的刚度、正截面承载力，而且增大其弹塑性变形能力。因此，剪力墙的两端（不包括洞口两侧）尽可能与另一方向的墙连接，成为有翼缘的墙，或设置端柱。抗震设计的剪力墙结构，通过合理布置剪力墙，力求使两个方向的侧向刚度接近。

剪力墙宜贯通房屋全高，沿高度方向连续布置，避免刚度突变。需要在剪力墙上开洞作为门窗时，洞口宜上下对齐，成列布置，形成洞口布置规则的联肢剪力墙，避免出现洞口布置不规则的错洞墙（图2-8）。当墙肢的长度很长时，可以在墙上开设洞口，将长墙

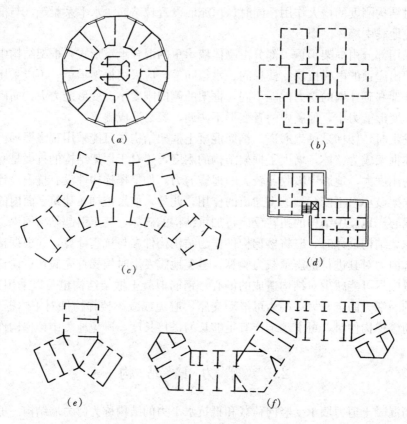

图 2-6　剪力墙结构平面布置举例

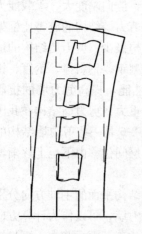

图 2-7　水平力作用下剪力
墙结构的侧移曲线

分成较短的墙段，使墙段的长度不大于 8m、高宽比（墙段的总高度与墙段的长度之比）大于 3。墙的高宽比大于 3 时，水平力作用下以弯曲变形为主，可以设计成抗震性能好的延性剪力墙。

用于住宅、旅馆等建筑的剪力墙结构大都是小开间，而旅馆一般在其首层设置门厅，住宅有时需要在其首层或底部若干层设置商场或商店，门厅、商场或商店都需要有较大的平面，因此，首层或底部若干层需要抽去部分剪力墙，这部分剪力墙不能连续贯通落地，而是支承在转换层及以下的框架上，成为框架支承剪力墙，简称框支剪力墙。图 2-9 为框支剪力墙的立面图。由剪力墙转换为框架，结构的侧向刚度变小，楼层受剪承载力降低，形成软弱层和薄弱层，在地震作用下，转换层及以下结构的层间变形大，框架柱可能严重破坏，有可能引起局部倒塌甚至整体倒塌。因此，不允许采用底层或底部若干层全部为框架的框支剪力墙结构，可以采用部分框支剪力墙结构，即部分剪力墙从顶层贯通至转换层，由转换层及以下框架支承，部分剪力墙从顶层一直贯通至基础，前者称为框支剪力墙，后者称为落地剪力墙。图 2-10 为部分框支剪力墙结构的平面图。部分框支剪力墙结构底部大空间的层数不

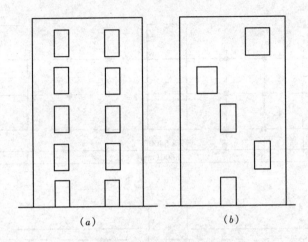

图 2-8　剪力墙洞口布置

(a) 规则洞口的联肢剪力墙；(b) 不规则洞口的错洞墙

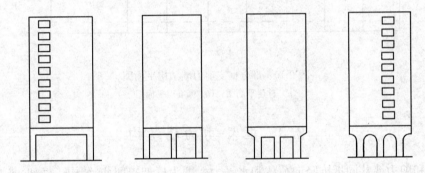

图 2-9　框支剪力墙立面图

宜过多。采用钢筋混凝土构件转换时，8 度时不超过 3 层，7 度时不超过 5 层；采用型钢混凝土转换柱或钢管混凝土转换柱时，8 度时不超过 4 层，7 度时不超过 6 层；6 度时可适当增多。落地剪力墙的间距不能过大，落地剪力墙的数量不能过少，转换层以下结构的侧向刚度与转换层以上结构的侧向刚度比不应过小（本章 2.9 节介绍）。落地剪力墙首层底部即剪力墙计算嵌固端承担的地震倾覆力矩，不应小于结构首层底部总地震倾覆力矩的 50%。转换层及以下的落地剪力墙的两端（不包括洞口两侧）要设置端柱，或与另一方向的剪力墙相连，以增大落地剪力墙的整体稳定和侧向刚度。为增大转换层及以下结构的抗扭刚度，可以将两个方向的落地剪力墙围成井筒。由于有一定数量的落地剪力墙，通过采取措施，可以避免部分框支剪力墙结构的转换层及以下结构成为软弱层或薄弱层。

近年来，为满足使用功能需要，一种称为短肢剪力墙的墙体在住宅建筑中被采用。短肢剪力墙是指截面厚度不大于 300mm、一道联肢剪力墙的各墙肢截面长度与厚度之比的最大值大于 4 但不大于 8 的剪力墙。水平力作用下，短肢剪力墙沿结构高度可能有较多楼层的墙肢出现反弯点，加之承担较大轴力和剪力，受力性能不如普通剪力墙。因此，剪力墙结构不应全部采用短肢墙，应设置一定数量的普通剪力墙或井筒，形成短肢剪力墙与普通剪力墙或井筒共同抵抗风荷载和地震作用的剪力墙结构。

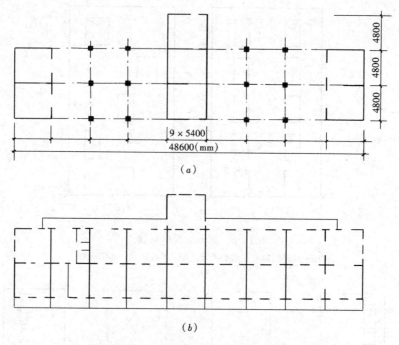

图 2-10   部分框支剪力墙结构平面图

(a) 首层平面图；(b) 标准层平面图

2.3   框架-剪力墙结构

框架和剪力墙共同抵抗竖向荷载和水平力，即为框架-剪力墙结构。框架-剪力墙结构的布置比较灵活：框架与剪力墙（单片墙、联肢墙、较小井筒）分开布置；在框架的若干跨内布置剪力墙，框架梁柱作为剪力墙的边框，成为带边框剪力墙；在一条轴线上连续分别布置框架和剪力墙；上述两种或三种布置混合。图 2-11 和图 2-12 分别为 18 层的北京饭店和 26 层的上海宾馆的平面图，这两幢建筑是典型的框架-剪力墙结构。

框架-剪力墙结构是一种双重抗侧力结构，即框架和剪力墙共同抵抗风荷载和地震作用。按计算，剪力墙的刚度大，承担大部分地震层剪力；框架的刚度小，承担小部分地震层剪力。在罕遇地震作用下，剪力墙的连梁往往首先屈服，使剪力墙的刚度降低，框架承担的层剪力可能增大；如果框架的承载力和延性不够大，有可能严重破坏，甚至倒塌。因此，多遇地震作用下，框架-剪力墙结构各层框架设计采用的地震层剪力不应过小（第 4章 4.2 节），并采取一定的抗震构造措施，使框架具有足够大的承载力和延性，则双重抗侧力结构的优势可以得到发挥，避免在罕遇地震作用下结构倒塌。

在水平力作用下，框架和剪力墙的水平位移曲线分别呈剪切型和弯曲型，由于楼盖的作用，框架和墙的侧向位移协调。在结构的底部，框架的水平位移减小；在结构的上部，剪力墙的水平位移减小，水平位移曲线的形状呈弯剪型（图 2-13），层间位移沿建筑高度比较均匀，改善了框架结构及剪力墙结构的抗震性能，也有利于减少小震作用下非结构构件的破坏。

框架-剪力墙结构既有框架结构布置灵活、延性好的特点，也有剪力墙结构刚度大、

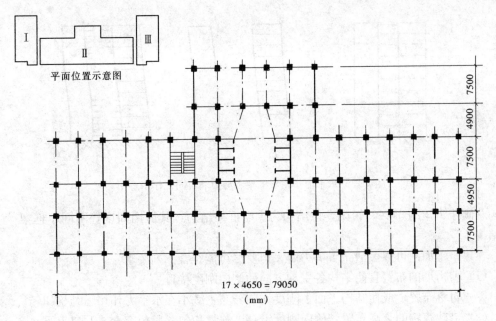

图 2-11　北京饭店平面布置图

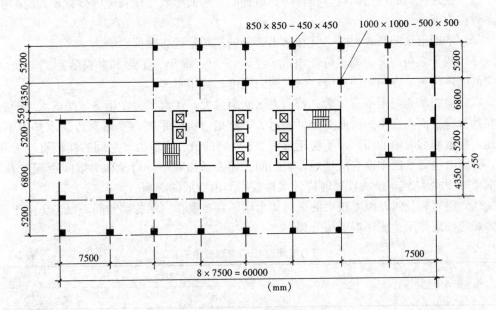

图 2-12　上海宾馆平面布置图

承载力大的特点，是一种比较好的抗侧力体系，广泛用于高层建筑。

　　框架和剪力墙都主要抵抗作用在其自身平面内的水平力。抗震设计时，框架-剪力墙结构应设计成双向抗侧力体系，结构的两个主轴方向都要布置框架和剪力墙。

　　框架-剪力墙结构布置的关键是剪力墙的数量和位置。剪力墙的数量多，有利于增大结构的刚度、减小结构的弹性水平位移，但剪力墙布置过多不但影响使用，而且也没有必要。通常，剪力墙的数量以使结构的最大弹性层间位移角不超过规范规定的限值为宜。剪力墙的数量也不能过少。在规定的水平力作用下，底层剪力墙部分分担的倾覆力矩应大于

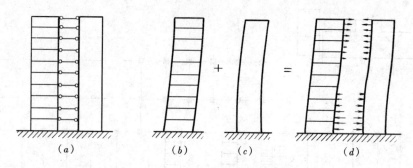

图 2-13 水平力作用下框架和剪力墙协同工作示意图

结构总倾覆力矩的 50%，否则，该结构为少墙框架结构，其适用高度等不同于框架-剪力墙结构。

在建筑平面内可以灵活布置剪力墙，但要尽可能符合下列要求：

（1）剪力墙的布置宜使结构各主轴方向的侧向刚度接近。

（2）对称布置，或使结构平面上刚度均匀分布，减小在水平力作用下结构扭转。

（3）沿建筑物的全高布置，侧向刚度沿高度连续均匀，避免突变，洞口上下对齐。

（4）在建筑物的周边附近、楼梯间、电梯间、平面形状变化及竖向荷载较大的部位均匀布置剪力墙。

（5）平面形状凹凸较大时，宜在凸出部分的端部附近布置剪力墙。

（6）两个方向的剪力墙尽可能组成 L 形、T 形、槽形、工形和井筒等形式，使一个方向的墙成为另一方向墙的翼墙，增大侧向刚度和抗扭刚度。

（7）剪力墙的间距不宜过大。若剪力墙间距过大，在水平力作用下，两道墙之间的楼板在其自身平面内产生的弯曲变形可能过大，楼板过大的平面内变形对传递水平力不利。因此，要限制剪力墙的间距，不要超过表 2-1 所列的值。当剪力墙之间的楼板有较大开洞时，开洞对楼盖平面刚度有所削弱，墙的间距还要适当减小。对于剪力墙间距超过表 2-1 的框架-剪力墙结构，结构计算时应计入楼盖平面内变形的影响。

（8）房屋较长时，刚度较大的纵向剪力墙不宜布置在房屋的端开间，以避免由于端部剪力墙的约束作用造成楼盖梁板开裂。

剪力墙间距（m）（取较小值）   表 2-1

楼、屋盖类型	抗震设防烈度		
	6度，7度	8度	9度
现浇	4.0B，50	3.0B，40	2.0B，30
装配整体	3.0B，40	2.0B，30	—

注：1. B 为剪力墙之间的楼盖宽度，单位为米（m）；
2. 现浇层厚度大于 60mm 的叠合楼板可以作为现浇板考虑；
3. 当房屋端部未布置剪力墙时，第一片剪力墙与房屋端部的距离不宜大于表中剪力墙间距的 1/2。

2.4 板柱-剪力墙结构

板柱结构是指由钢筋混凝土无梁楼盖和柱组成的结构。板柱结构施工方便，楼板高度小，可以减小层高，能提供大的使用空间，非承重墙布置灵活等。但板-柱连接节点的抗震性能差，不如梁柱连接节点；地震作用产生的柱端不平衡弯矩由板-柱连接节点传递，在柱周边板内产生较大的附加剪力，加上竖向荷载产生的剪力，有可能使楼板发生冲切破坏。板柱结构在地震中严重破坏、倒塌的震害说明，板柱结构的刚度小、抗震性能差，不能作为抗震设计的高层建筑的结构体系。

在板柱结构中设置剪力墙，或将楼、电梯间做成钢筋混凝土井筒，即为板柱-剪力墙结构。板柱-剪力墙结构中剪力墙的布置要求与框架-剪力墙结构中剪力墙的布置要求相同，但采用现浇楼屋盖且楼屋盖无大洞口的剪力墙间距，6、7 度时不大于 3B（B 为剪力墙之间的楼盖宽度），8 度时不大于 2B，其要求高于框架-剪力墙结构。板柱-剪力墙结构房屋的周边应采用有梁框架，楼、电梯洞口周边设置边框梁。板柱-剪力墙结构可以用于设防烈度不超过 8 度的高层建筑。为了使板柱-剪力墙结构具有足够大的抗震能力，房屋高度大于 12m 时，剪力墙承担结构的全部地震作用，各层板柱和框架承担不少于本层地震剪力的 20%。

2.5　钢框架-支撑结构及钢框架-延性墙板结构

在钢框架中设置钢斜杆，即为支撑框架；在钢框架中设置延性墙板，即为延性墙板框架；由钢框架和支撑框架、钢框架和延性墙板框架共同承担竖向荷载和水平荷载的结构，分别称为钢框架-支撑结构和钢框架-延性墙板结构。

支撑斜杆改变了框架在水平力作用下的受力性能。支撑框架如同竖向桁架，在水平力作用下所有杆件以承受轴力为主，承受的弯矩可忽略；支撑框架的侧移主要由杆件的轴向拉伸及压缩变形引起，其侧移曲线的形状，类似于剪力墙的侧移曲线，呈弯曲型，即层间位移角由下而上逐层增大。与杆件的弯曲刚度相比，杆件的轴向刚度大得多，因此，支撑框架的侧向刚度比框架大得多。

与框架-剪力墙结构类似，楼盖使框架和支撑框架在水平力作用下侧移协调，结构的整体侧移曲线呈弯剪型。在框架-支撑（延性墙板）结构中，框架的刚度小，承担的层剪力小；支撑框架（延性墙板框架）的刚度大，承担的层剪力大。与框架-剪力墙结构相同，框架-支撑（延性墙板）结构为双重抗侧力体系。

钢支撑框架的主要形式有三类：中心支撑框架、偏心支撑框架和屈曲约束支撑框架。中心支撑框架的支撑斜杆的轴线交汇于框架梁柱轴线的交点，其基本形式有单斜杆支撑、人字形支撑、V 形支撑和 X 形交叉支撑（图 2-14）。采用单斜杆支撑时，应在同一跨内或其他跨内布置反向的单斜杆支撑，以避免两个方向的刚度不同、侧移一边倒。在强地震作用下，受压的钢支撑斜杆容易发生屈曲，使结构的侧向刚度降低；反向荷载作用下受压屈曲的支撑斜杆不能完全拉直，而另一方向的斜杆又可能受压屈曲；地震反复作用使支撑斜杆多次压屈，致使支撑框架的刚度和承载力降低、侧移增大。不采用 K 形支撑，因为 K 形支撑斜杆的尖点与柱相交，受拉杆屈服和受压杆屈曲使柱产生较大的侧向变形，可能引起柱压屈甚至整个结构倒塌。

偏心支撑框架的特点是支撑与框架的连接位置偏离梁柱节点，每根支撑斜杆至少有一端与框架梁连接，在支撑和梁的交点与柱之间或同一跨内另一支撑和梁的交点之间形成一

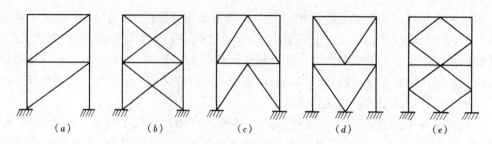

图 2-14   典型中心支撑框架立面
(a) 单斜杆支撑；(b) X 形交叉支撑；(c) 人字形支撑；(d) V 形支撑；(e) K 形支撑

段称为消能梁段的短梁。偏心支撑框架的支撑基本形式有单斜杆、人字形和 V 形等（图 2-15）。偏心支撑框架的侧向刚度小于中心支撑框架，消能梁段越短，其侧向刚度与中心支撑框架越接近。经过合理设计的偏心支撑框架，在大震作用下，消能梁段腹板剪切屈服，通过腹板塑性变形耗散地震能量；支撑斜杆保持弹性，不会出现受拉屈服和受压屈曲的现象；偏心支撑框架的柱和消能梁段以外的梁也保持弹性。研究表明，消能梁段的腹板剪切屈服，具有塑性变形大、屈服后承载力继续提高、滞回耗能稳定等特点。偏心支撑框架的抗震性能优于中心支撑框架。

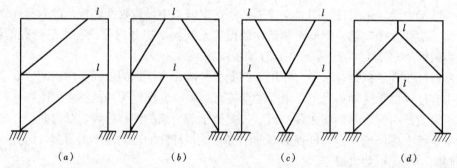

图 2-15   典型偏心支撑框架立面
l—消能梁段

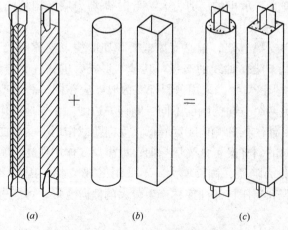

图 2-16   屈曲约束支撑的典型构成
(a) 核心单元；(b) 约束单元；(c) 支撑构件

屈曲约束支撑框架是指在钢框架内设置屈曲约束支撑的框架。屈曲约束支撑是一种消能减震元件，也可以视为承受轴力的钢支撑。屈曲约束支撑的组成、受力性能不同于普通钢支撑。屈曲约束支撑主要由三部分组成（图 2-16）：核心单元、约束单元和两者之间的无粘结构造层。核心单元即为核心钢支撑，提供拉、压承载力和变形能力，其截面形状有一字形、十字形及工字形等，采用延性好的中等屈服强度钢或低屈服强度钢制成，从中部到两端依次为工作段、过渡段和连接段。约束单元可为钢管、钢管内填砂浆或混凝土、钢筋混凝土等，外包在核心单元周围，其功能为防止核心钢支撑发生屈曲。无粘结层采用橡胶等材料，地震作用下核心钢支撑的工作段发生微幅屈曲、受压膨胀时，无粘结层起到减小或消除核心钢支撑与约束单元之间的摩擦力，保证核心钢支撑自由伸长、缩短。

中心支撑受拉屈服、受压屈曲，受压屈曲的承载力低于受拉屈服的承载力，受压屈曲后承载力迅速下降，变形能力和耗能能力比受拉屈服小很多。屈曲约束支撑避免了受压屈曲，其受压承载力与受拉承载力相同，受压变形能力和耗能能力也与受拉相同，受压、受拉具有相同的受力性能（图 2-17）。

屈曲约束支撑在钢框架中的布置方式与中心支撑的布置方式相同，形成竖向桁架以抵抗水平力，采用成对布置的单斜杆、V 字形和人字形，不采用 K 形、X 形。屈曲约束支撑与柱的夹角为 30°～60°较好。

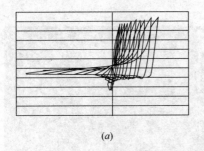 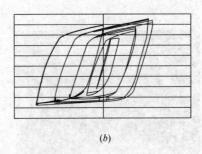

(*a*)　　　　　　　　　　　　　　　　(*b*)

图 2-17　支撑轴力-轴向变形滞回曲线

（*a*）普通中心支撑；（*b*）屈曲约束支撑

在钢框架内嵌入延性墙板，即为延性墙板框架。延性墙板具有良好的抗震性能。其类型包括：钢板剪力墙（包括不带加劲的钢板剪力墙和带加劲的钢板剪力墙，开竖缝钢板剪力墙和防屈曲钢板剪力墙等），无粘结内藏钢板支撑墙板（发展成为屈曲约束支撑），开竖缝混凝土剪力墙板，开横缝混凝土剪力墙板等。带加劲钢板剪力墙可仅设置竖向加劲肋、仅设置水平加劲肋或同时设置竖向和水平加劲肋，图 2-18 为同时设置竖向和水平加劲肋的钢板剪力墙立面图。图 2-19 为开单层竖缝钢板剪力墙和开双层竖缝钢板剪力墙立面示意图，以及破坏后的照片。无粘结内藏钢板支撑墙板的内藏钢板支撑形式可为成对布置的单斜杆支撑、人字支撑或 V 形支撑，图 2-20 为人字形无粘结内藏钢板支撑墙板与框架连

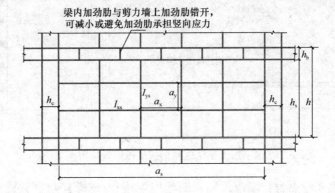

图 2-18　带加劲肋的钢板剪力墙立面图

接示意图。《高层民用建筑钢结构技术规程》JGJ 99—2015（以下简称《高钢规》）规定了带加劲肋的钢板剪力墙、无粘结内藏钢板支撑墙板及开竖缝混凝土剪力墙板的设计方法。

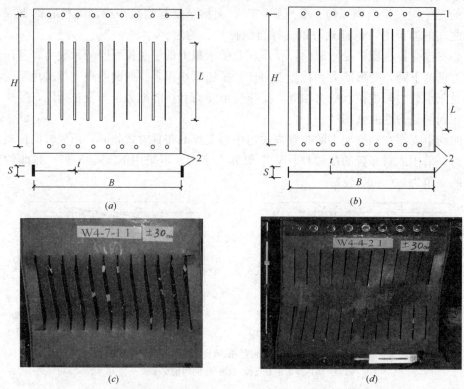

图 2-19 开竖缝钢板剪力墙

（a）开单层竖缝钢板剪力墙；（b）开双层竖缝钢板剪力墙；（c）开单层竖缝钢板剪力墙破坏形态；

（d）开双层竖缝钢板剪力墙破坏形态

1—螺栓孔；2—加劲肋；B—钢板宽度；H—钢板高度；L—竖缝长度；S—加劲肋宽度；t—钢板厚度

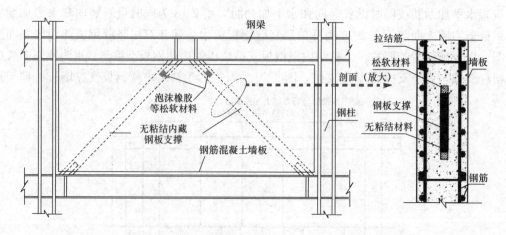

图 2-20 人字形无粘结内藏钢板支撑墙板与钢框架连接

延性墙板的主要特点为：墙板预制，现场用焊接和/或螺栓与框架梁连接，镶嵌在框架内，施工现场没有湿作业；墙板的侧向刚度比现浇剪力墙小，与钢框架的侧向刚度相匹

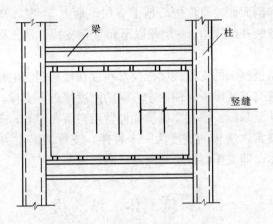

图 2-21 开竖缝混凝土剪力墙板

配；墙板按不承受竖向荷载、仅承担水平力产生的层剪力设计，工程中不易实现时，其竖向应力导致受剪承载力的下降不应过大。

1965 年日本东京大学武滕清教授发明了开竖缝混凝土剪力墙板（图 2-21），进行了大量的试验研究和理论分析。嵌入钢框架内的墙板的高宽比较小，在水平力作用下，一般为剪切破坏。竖缝改变了高宽比小的墙板的受力性能和破坏形态，破坏形态为具有延性的弯曲破坏。虽然竖缝使墙板的刚度和承载力降低，但增大了延性和耗能能力，使之更适合于钢结构。开竖缝混凝土墙板已经用于日本的多幢高层、超高层建筑，如，32 层的东京国际通信中心，55 层的东京新宿三井大厦，60 层的东京阳光大厦等。图 2-22 为北京京广中

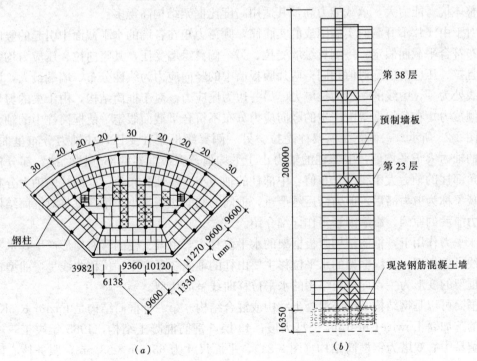

图 2-22 北京京广中心主楼结构平面图和剖面图

(a) 平面图；(b) 剖面图

心主楼结构的平面图和剖面图。京广中心地下 3 层，地上 51 层，高 208m，平面呈扇形，沿位于平面中心的服务竖井的周边，6 层及以下布置钢支撑，7 层及以上在钢框架内嵌入开竖缝混凝土剪力墙板。

支撑框架或延性墙板框架的支撑或墙板经常布置在楼梯间、电梯间周边的框架内，在两个水平方向都需布置支撑或墙板，使两个方向的刚度接近。支撑、延性墙板沿建筑高度竖向连续布置，并延伸至基础。除底部楼层和伸臂桁架所在层外，支撑的形式和布置沿建筑高度尽可能一致。通常，墙板的宽度为一个柱距，支撑的高度为一层，当柱距比较大时，可以设置跨层支撑，即支撑斜杆跨越两层或两层以上。

2.6　筒 体 结 构

筒体结构包括框筒、筒中筒、桁架筒和束筒，包括后来出现的多筒和多重筒等。

2.6.1　框 筒 结 构

框筒由布置在建筑周边的柱距小、梁截面高的密柱深梁框架组成。形式上框筒由建筑周边的 4 榀框架围成，但其受力特点不同于框架结构。框架结构的框架抵抗作用在各自平面内的水平力。框筒是空间受力结构，一个方向作用水平力时，4 榀框架都参与抵抗水平力，即：水平力产生的层剪力由平行于水平力作用方向的 2 榀腹板框架抵抗，水平力产生的倾覆力矩由框筒结构的整体抗弯抵抗，即腹板框架及与水平力作用方向垂直的翼缘框架都参与抵抗倾覆力矩。框筒结构的建筑材料利用效率比框架结构高，侧向刚度、抗扭刚度、整体抗弯能力大，承载能力高，其适用高度比框架结构高得多。

对于由 4 片不开洞的实墙围成的实腹筒，倾覆力矩在各墙的水平截面中引起的竖向应力分布符合平截面假定。一侧翼缘墙受拉、另一侧翼缘墙受压，其竖向拉、压应力均匀分布，且拉、压应力的绝对值相同；两片腹板墙中的竖向应力为线性分布，墙端最大，墙截面中线处为零，中线的一边为拉应力、另一边为压应力。对于框筒结构，由于梁的剪切变形，倾覆力矩在各榀框架中产生的竖向应力分布不符合平截面假定，使框筒柱中的轴力分布如图 2-23 所示。一侧翼缘框架柱受拉、另一侧翼缘框架柱受压，柱轴力分布呈曲线，角柱的轴力大于平均值，中部柱的轴力小于平均值；腹板框架的部分柱受拉、部分柱受压，角部柱的轴力大于线性分布值，中部柱的轴力小于线性分布值。框筒柱中轴力分布的这种现象称为剪力滞后。剪力滞后越严重，框筒的空间作用越小。第 8 章将对框筒结构产生剪力滞后的原因、影响因素等作详细介绍。

水平力作用下，框筒结构腹板框架的水平位移主要由梁、柱的弯曲变形产生，水平位移曲线呈剪切型；翼缘框架的水平位移主要由柱的轴向变形产生，位移曲线呈弯曲型；以腹板框架的变形为主，即框筒结构的水平位移曲线呈剪切型。

框筒可以是钢结构、钢筋混凝土结构或混合结构。第一栋框筒结构是 Fazlur R. Khan 设计的芝加哥 Dewitt-Chestnut 公寓大厦，43 层，钢筋混凝土结构，1965 年竣工。纽约世界贸易中心双塔为钢框筒结构（图 2-24），平面尺寸为 63.5m×63.5m，服务核心区的平面尺寸为 42m×42m，标准层层高为 3.66m。周边 240 根钢柱，柱距 1.02m，采用 450mm×450mm 方钢管，沿高度截面尺寸不变，改变钢管壁厚；底部 3 根柱合并为 1 根

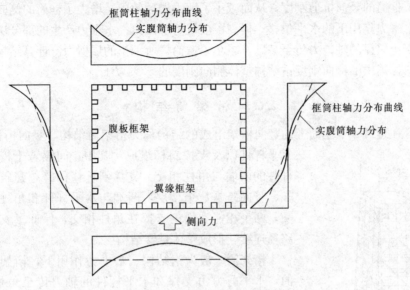

图 2-23 框筒结构的剪力滞后

柱，柱距为 3.05m，方钢管柱截面为 800mm×800mm。梁截面高度为 1320mm。服务核心区为 47 根方钢管柱组成的框架，柱截面尺寸为 450mm×450mm，核心区钢框架仅承担竖向荷载。为减小剪力滞后，每隔 32 层沿周边设置一道 7m 高的钢板圈梁。每幢大楼安装了 1 万个黏弹性阻尼器，减小风振的影响。

为减小剪力滞后，对框筒结构有如下设计要求：尽可能采用正方形、圆形或多边形平面，矩形平面两个方向的长度之比不大于 2；柱距不超过 4.5m，以 1.5~3m 为好；采用截面高度大的梁，梁的净跨与其高度之比为 3~4；增大角柱截面，可以为中柱截面的 1.5 倍左右。此外，还可以采取措施减小剪力滞后，例如：采用刚性外墙板，承担部分剪力和弯矩，不承担除自重以外的重力荷载；沿框筒周边设置若干道一层高的环带桁架或圈梁。1985 年建成的芝加哥 Onterie Center，59 层，高 174m，钢筋混凝土框筒结构，外框筒柱距 1.68m，截面尺寸 480mm×510mm。为了增大结构的侧向刚度，将一些窗户用钢筋混凝土填实，在建筑立面形成钢筋混凝土斜撑（图 2-25）。钢筋混凝土斜撑起到的作用包

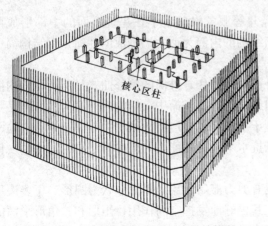

图 2-24 纽约世界贸易中心双塔结构图

图 2-25 芝加哥 Onterie Center

括：增大了框筒的竖向抗剪刚度，从而减小了剪力滞后效应；增大了框筒的侧向刚度，从而减小了水平力作用下的水平位移；提高了层抗剪承载力；水平力产生的部分层剪力转换为钢筋混凝土斜撑的轴向力传至基础，减小了框筒柱所承担的层剪力。计算结果表明，钢筋混凝土斜撑提供的侧向刚度占结构整体侧向刚度的50%以上。

2.6.2 桁架筒结构

由布置在建筑4个立面上的竖向桁架组成的结构称为桁架筒结构。竖向桁架由稀柱、水平杆件以及支撑斜杆组成，其中，间隔若干楼层的水平杆件的两端与角柱相交，支撑斜杆横向跨越建筑立面的边长、竖向跨越数个楼层，两端与水平杆件和角柱的交点相交，两个相邻立面的支撑在角柱相交，保证了支撑的传力路径连续，形成整体悬臂结构。

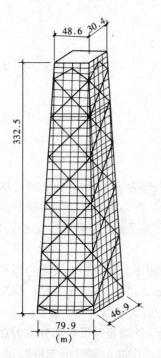

图 2-26　芝加哥约翰·汉考克中心结构立面图

桁架筒一般为钢结构。水平力作用下，桁架筒整体弯曲，水平剪力由支撑和水平杆件的轴力传至角柱和基础。由于框架梁不再因受剪而发生竖向剪切变形，且支撑为几何不变体系，基本消除了框筒结构的剪力滞后现象，比框筒结构更能充分利用建筑材料，适用于更高的建筑。

芝加哥约翰·汉考克中心为钢桁架筒结构，其立面为上小、下大的矩形截锥形（图 2-26），底面平面尺寸为79.9m×46.9m，顶面平面尺寸为48.6m×30.4m。矩形截锥形提高了结构的整体稳定性和结构的侧向刚度。底层最大柱距为13.2m，4个立面上各设置了5个半18层高的巨大的 X 形支撑，支撑与角柱连接节点之间设置水平杆件。角柱、支撑和水平杆件组成了竖向桁架，既是结构，又是建筑，结构与建筑融为一体。平面中部的柱只承担竖向荷载。用钢量仅为146kg/m²，相当于40层钢框架结构的用钢量。

2.6.3 筒 中 筒 结 构

用框筒作为外筒，将楼电梯间、管道竖井等服务设施集中在建筑平面的中部形成内筒，就成为筒中筒结构。钢筋混凝土筒中筒结构的内筒为剪力墙围成的井筒，钢结构筒中筒的内筒一般采用钢支撑框架形成的井筒。

在水平力作用下，筒中筒结构的内、外筒协同工作，外筒的侧移曲线呈剪切型，内筒的侧移曲线呈弯曲型，筒中筒结构的侧移曲线呈弯剪型。筒中筒结构的外筒为框筒，是空间受力结构，框筒的平面尺寸越大，越有利于抵抗水平力产生的倾覆力矩和扭矩；内筒采用钢筋混凝土墙或支撑框架，具有较大的抵抗水平剪力的能力。筒中筒结构的适用高度比框筒更高。

在水平力作用下，筒中筒结构的外筒也有剪力滞后现象。平面形状为圆形、正多边形的筒中筒结构，能减小外筒的剪力滞后，使其更好地发挥空间作用；矩形和三角形平面的筒中筒结构，外筒的剪力滞后比圆形或正多边形严重，矩形平面的长宽比大于2时，外筒的剪力滞后更突出；切角的三角形平面，其外筒的空间受力性能比三角形平面好。

筒中筒结构的内筒居中，内外筒之间的间距一般为 10～12m，不设柱，若间距过大，可以在内外筒之间设柱以减小水平构件的跨度。内筒的边长（直径）一般为外筒边长（直径）的 1/2 左右，为高度的 1/15～1/12，内筒一般要贯通建筑全高。

图 2-27 为 1989 年建成的北京中国国际贸易大厦一期的结构平面图和剖面图。国贸大厦一期为筒中筒结构，39 层，高 153m，1～3 层为型钢混凝土结构，4 层及以上为钢结构，标准层的层高为 3.7m。外筒平面尺寸为 45m×45m，内筒平面尺寸为 21m×21m，柱距为 3m。楼面钢梁跨度 12m，两端分别与内外筒铰接。在内筒 4 个面两端的柱列内，沿高度设置支撑斜杆，形成中心支撑框架；在 20 层和 38 层的设备层，内、外筒周边各设置一道高 5.4m 的钢桁架，以减小剪力滞后，增大整体侧向刚度。

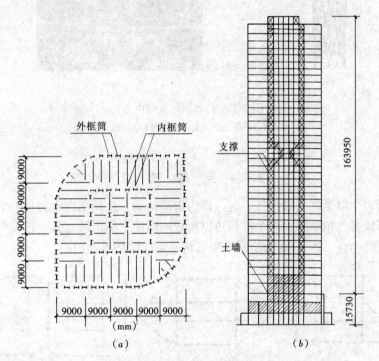

图 2-27　北京中国国际贸易大厦一期结构平面图和剖面图
(a) 平面图；(b) 剖面图

建筑高度 438.6m 的广州国际金融中心（西塔）（图 2-28），筒中筒结构。外筒为 30 根直径 0.7～1.8m 的斜钢管混凝土柱与钢梁组成的钢管混凝土柱斜交网格筒，钢筋混凝土内筒，69 层以上取消内筒的内墙，成为外筒-剪力墙结构。在底部加强部位，内筒外墙设置 23 根直径 600mm、壁厚 16mm 的钢管，成为钢管混凝土剪力墙，以提高内筒的承载能力和弹塑性变形能力。外筒底部承担的倾覆力矩约为结构底部总地震倾覆力矩的 60%，结构扭转与平动周期比仅为 0.35，表明其侧向刚度、抗扭刚度显著大于密柱深梁外框筒，其建筑高度比外框筒为密柱深梁的筒中筒结构最大适用高度高得多。

(a) (b)

图 2-28　广州国际金融中心

(a) 钢管混凝土柱斜交网格外筒；(b) 施工中

2.6.4 束 筒 结 构

两个或者两个以上框筒排列在一起，即为束筒结构。束筒结构中的每一个框筒，可以是方形、矩形或者三角形等；多个框筒可以组成不同的平面形状；其中任一个筒可以根据需要在任何高度中止。图 2-29 为不同平面形状的束筒结构平面图。

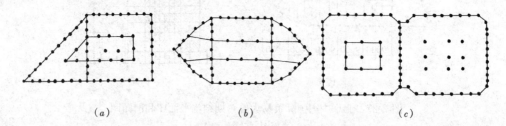

(a) (b) (c)

图 2-29　不同平面形状的束筒结构平面图

最著名的束筒结构是芝加哥的西尔斯大厦，是世界上最高的钢结构建筑。底层平面尺寸为 $68.6m \times 68.6m$；50 层及以下为 9 个框筒组成的束筒，$51 \sim 66$ 层为 7 个框筒，$67 \sim 91$ 层为 5 个框筒，91 层以上为 2 个框筒，在第 35、66 和 90 层，沿周边框架各设置一层高的环带桁架（图 2-30a），对整体结构起到箍的作用，提高侧向刚度和抗竖向变形的能力。束筒结构缓解了剪力滞后，水平力作用下柱轴力分布比较均匀（图 2-30b）。

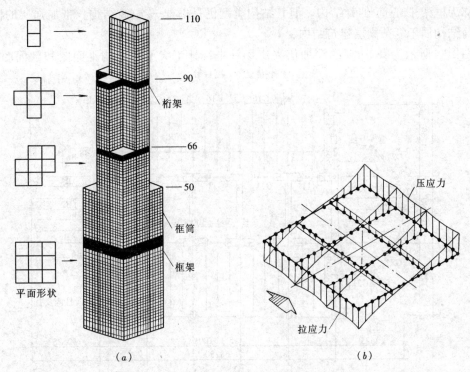

图 2-30　芝加哥西尔斯大厦
(*a*) 结构立面与平面；(*b*) 水平力作用下柱轴力分布

2.7　框架-核心筒结构

　　筒中筒结构的外框筒为密柱深梁，影响对外视线，景观较差，建筑外形比较单调。加大外框筒的柱距，减小梁的高度，周边形成稀柱框架，在平面中部设置核心筒，形成框架-核心筒结构。框架-核心筒结构的周边框架与核心筒之间的间距一般为 10~12m，使用空间大且灵活，广泛用于公共建筑。

　　框架-核心筒结构的周边框架为平面框架，没有框筒的空间作用，核心筒的侧向刚度和承载能力远大于周边框架的侧向刚度和承载能力。核心筒除了四周的剪力墙外，内部还有分隔楼电梯间的剪力墙，但四周外墙是核心筒的主体，内墙的厚度小于外墙的厚度。与框架-剪力墙结构类似，框架-核心筒结构也是双重抗侧力结构，即框架和核心筒共同抵抗风荷载和地震作用。框架与核心筒之间的楼盖采用梁板体系比较好，以加强框架与核心筒的共同工作。

　　当框架-核心筒结构高度较大、侧向刚度不能满足要求时，可以在建筑的避难层、设备层采用一层或两层高的钢桁架等连接核心筒和周边的框架柱，加强周边框架与核心筒的整体性，增大框架-核心筒结构的侧向刚度，同时增大其抗倾覆的能力。所设置的钢桁架等称为水平伸臂构件、水平伸臂桁架、伸臂构件、伸臂桁架或伸臂，设置伸臂构件的楼层称为加强层。为了进一步增大结构的侧向刚度，使周边的框架柱都参与抗倾覆，可以在加强层周边柱之间设置斜撑，形成周边环带桁架。也可以仅设置周边环带桁架，而不设置伸臂桁架，仅设置周边环带桁架的楼层也称为加强层。设置伸臂构件的框架-核心筒结构也可以称为框架-核心筒-伸臂结构，但其结构类型仍是框架-核心筒结构。带加强层的框架-核心筒结构属于复杂高层建筑结构。

图2-31所示为384m高的深圳信兴广场（也称地王大厦）结构平面图和剖面图，周

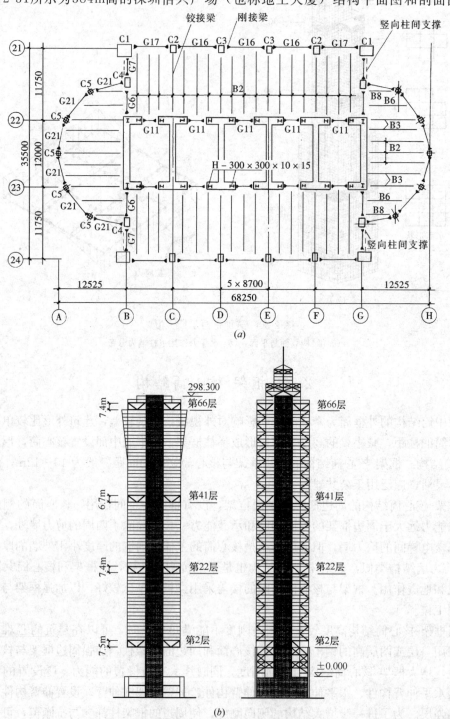

(a)

(b)

图 2-31 深圳信兴广场结构平面图及剖面图

(*a*) 结构平面图；(*b*) 结构剖面图

边为钢梁-方钢管柱框架，钢筋混凝土核心筒；为增大柱刚度，58层以下方钢管内填充
C45混凝土，设计中不考虑混凝土对刚度和承载力的贡献；核心筒和外框柱之间设置4道
一层高的钢伸臂桁架。图2-32所示为291.6m高的深圳赛格广场结构平面图，周边为钢
梁-圆钢管混凝土柱框架，在19、34、49和63层设置4道一层高的钢伸臂桁架及周边环
带桁架，核心筒4边共有4根直径1.1m（角柱）和24根直径0.8m（边柱）的钢管混凝
土柱，柱间布置厚200～440mm的剪力墙，核心筒内墙的厚度也是200～440mm。采用逆
作法施工，先施工钢管混凝土柱，施工完成后，楼盖的大部分竖向荷载已由钢管混凝土柱
承担，减少了核心筒剪力墙承担的竖向荷载，核心筒剪力墙就可以比较薄，而同类建筑底
部墙厚约需1000mm。图2-33所示为336.9m高的天津环球金融中心（也称天津津塔）结
构平面图和轴测图，椭圆形平面，框架-核心筒结构，设置4道钢伸臂桁架和周边环带桁
架。周边为宽翼缘工字钢梁-圆钢管混凝土柱框架，钢管混凝土柱的直径为1.2～1.6m，
柱距约为6.5m；核心筒由带钢管混凝土端柱的7道横向钢板剪力墙和1道纵向钢板剪力
墙构成，钢管混凝土端柱直径为1.3～1.7m，钢板剪力墙厚度为18～35mm。钢板剪力墙
使层受剪承载力提高了约30%。与混凝土剪力墙相比，钢板剪力墙的厚度小、自重轻，
增大了建筑使用空间，减小了地震作用。采用屈曲后强度理论设计钢板剪力墙，小震作用
下，钢板剪力墙为弹性，罕遇地震作用下，钢板剪力墙有可能屈曲，屈曲后形成拉力带以
承受拉力，其作用类似于斜撑，提供侧向刚度和承载力，地震反向作用时，拉力带可恢复

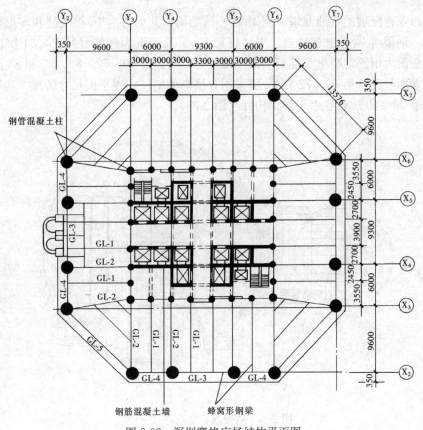

图2-32 深圳赛格广场结构平面图

并形成反向拉力带，为结构提供刚度、承载力并耗散地震能量。天津环球金融中心是目前世界上应用钢板剪力墙最高的建筑。

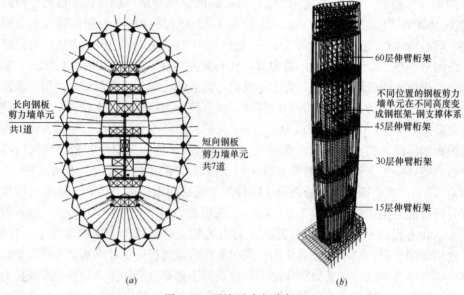

图 2-33 天津环球金融中心
(a) 结构平面图；(b) 结构轴测图

马来西亚吉隆坡的石油双塔，框架-核心筒结构。其周边为 16 根圆柱和环形梁组成的圆形框架，钢梁-混凝土组合楼盖。周边框架 84 层及以下为钢筋混凝土，84 层以上为钢结构；核心筒为钢筋混凝土。混凝土强度最高为 C80。第 60、72、82、85 和 88 层平面尺寸减小、立面收进，第 60、72 和 82 层采用 3 层高的斜柱实现平面尺寸转换。为增大结构刚度，在第 38～40 层设置水平伸臂构件（图 2-34）。

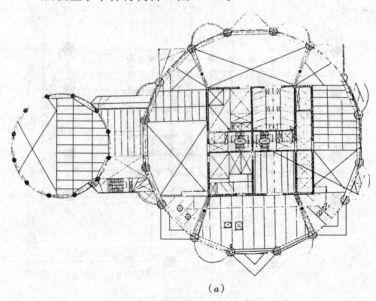

(a)

图 2-34 吉隆坡石油双塔（一）
(a) 第 38 层结构平面图

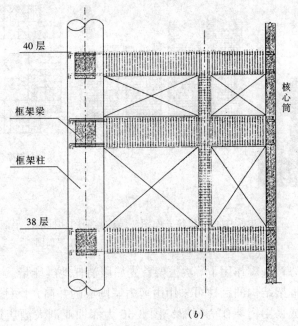

40 层

框架梁

框架柱

38 层

核心筒

(b)

图 2-34 吉隆坡石油双塔（二）

(b) 水平伸臂构件立面图

2.8 巨 型 结 构

2.8.1 巨型框架结构

由巨梁和巨柱组成的框架称为巨型框架。巨型框架结构也称为主次框架结构，主框架为巨型框架，次框架为普通框架，次框架设置在巨型框架的巨梁之间，一般为 4～10 层，次框架支承在巨梁上，其梁柱截面尺寸远小于主框架梁柱截面尺寸。水平荷载由巨型框架承担，次框架承担竖向荷载，并通过巨型框架将竖向荷载传至基础。巨型框架一般设置在建筑的周边，楼面中间无柱，提供大的可使用的自由空间。

图 2-35 所示为北京电视中心的建筑立面图、结构立面图和标准层平面图。北京电视中心为巨型钢框架结构，地下 3 层，地上 41 层，出屋顶 7 层，20 层以下层高 5m，20 层以上层高 4.2m，建筑高度 236.4m。标准层的平面尺寸为 67m×61m。31 层以下，平面形状为"回形"，中心部位有竖向贯通空间，平面尺寸为 36m×30m，31 层以上为"L形"，最终呈"一形"，在顶部形成单片巨型框架。巨型钢框架结构由布置在四角的 L 形巨柱、巨柱之间的巨型钢桁架梁组成，L 形巨柱截面边长为 15.5m，由钢柱、钢梁和钢支撑组成。6～7 层的内外立面设置 2 层高的钢桁架梁，20 层的内外侧设置帽桁架梁（21～24 层无楼面，立面仅有巨柱），25 层的内外立面设置腰桁架梁，31 层内外立面设置帽桁架梁（南侧和东侧）和腰桁架梁（西侧和北侧），31 层以下形成巨型框架结构。在 31 层和 36 层四个巨柱之间设置空间桁架支撑，将四个巨柱连在一起，有效减小了顶部单片巨型框架的鞭梢效应，且形成空间作用，增大结构的侧向刚度和抗扭刚度。结构设计采用抗震性能设计方法：小震作用下，主框架和次框架处于弹性状态；中震作用下，巨型框架的桁架

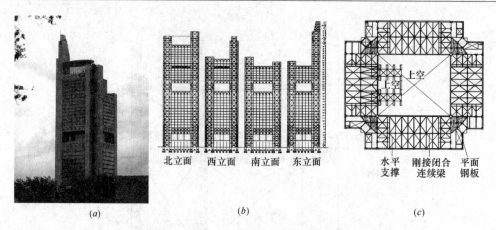

图 2-35   北京电视中心的建筑立面图、结构立面图和标准层平面图

(a) 建筑立面图；(b) 结构立面图；(c) 标准层平面图

梁、巨柱处于弹性状态；大震作用下，次框架首先屈服消耗地震能量。

钢筋混凝土巨型框架结构的巨柱可采用由剪力墙围成的井筒，巨柱之间的跨度大，采用截面尺寸很大的梁或采用桁架作为巨梁。图 2-36 为深圳亚洲大酒店钢筋混凝土巨型框架结构的平面图和剖面图。深圳亚洲大酒店地下 1 层，地上 33 层，建筑高度 114.1m，平面为 Y 形。位于三个翼肢端部的筒（楼电梯间）和位于平面中心的三角形筒作为 4 根巨柱，每个翼肢隔 6 层设置 1 层高的 4 根大梁和楼板组成箱形大梁。巨梁之间的次框架为 5 层，次框架顶上有一层没有柱子，形成大的空旷面积。亚洲大酒店设计、建造于 20 世纪 80 年代初，当时的计算机没有能力进行 33 层结构的抗震分析，设计者提出大框架支承小框架的巨型构架结构体系，分别计算 6 层的大框架和 5 层的小框架就能完成结构的程序计算。可见，结构体系的创新是结构设计的灵魂。

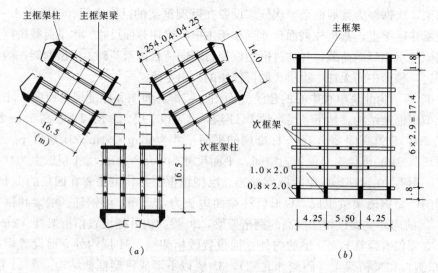

图 2-36   深圳亚洲大酒店结构平面图和剖面图

(a) 平面图；(b) 剖面图

2.8.2　巨型支撑框架结构

采用巨柱、转换桁架（巨梁）和巨型斜撑组成的结构，称为巨型支撑框架结构。巨柱一般布置在四角，贯通结构全高，截面尺寸由下而上逐段减小；在结构的外立面隔若干层布置转换桁架，其高度为1层或2层，与巨柱组成巨型框架；巨型斜撑也布置在结构的外立面，横向跨越结构边长，竖向跨越若干楼层，与巨柱、转换桁架交汇，形成巨型支撑框架；相邻2个立面的巨型斜撑在角柱交汇，结构4个立面的巨型支撑框架形成空间巨型支撑框架结构。根据建筑设计需要，有时也在建筑内部沿对角线方向布置巨型支撑框架，将建筑内部的竖向荷载传至角柱，增大角柱的竖向压力，避免水平力产生的倾覆力矩使巨型角柱全截面受拉。在两道转换桁架之间，设置次框架，承担楼面的重力荷载，通过转换桁架传至巨柱和斜撑传至基础。巨型支撑框架结构可以抵抗任何方向的风力及水平地震作用，风荷载及地震作用产生的层剪力成为支撑斜杆的轴力，可有效地利用建筑材料。巨型支撑框架结构是高效、经济的抗侧力结构。

建筑高度367.4m的香港中国银行大厦是典型的巨型支撑框架结构（图2-37），由8榀巨型支撑框架组成：建筑的4个外立面各布置一榀落地巨型支撑框架，25层以上在建筑的对角线布置4榀巨型支撑框架。设置了5根配置型钢的混凝土巨柱（图2-37c），其中

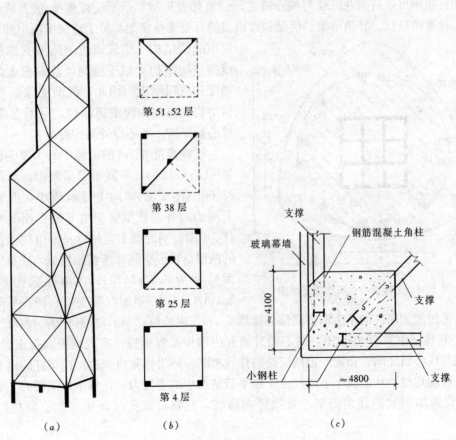

（a）　　　　　　　　　（b）　　　　　　　　　（c）

图2-37　香港中银大厦结构体系图

（a）立体图；（b）楼层平面图；（c）配有型钢的钢筋混凝土柱平面图

4根巨柱位于平面四角，贯通建筑全高，底部截面尺寸约为 4.8m×4.1m，向上分段减小；1根巨柱位于平面中心，始于25层，一直到顶。25层以下，外立面正交的2榀巨型支撑框架共用角部的型钢混凝土巨柱；25层以上，外立面正交的2榀巨型支撑框架以及对角线上的1榀巨型支撑框架共用角部的巨柱，而对角线上的4榀巨型支撑框架共用平面中心的1根巨柱。位于四角的巨柱内设置3根H型钢，分别与3个方向的巨型钢斜撑连接，使钢斜撑与柱的连接变得简单。每隔12层设置一道一层高的转换桁架作为巨梁，斜撑跨越12个楼层的高度。25层以下，建筑为正方形平面；从25层开始，沿2条对角线切去一个三角形平面；38层以上，沿2条对角线又切去一个三角形平面，剩余1/2平面；51层、52层以上，又切去1/4平面，剩余1/4平面(图2-37b)。

2.8.3 巨型框架-核心筒结构和巨型支撑框架-核心筒结构

建筑高度达 400m 甚至更高时，巨型框架结构或巨型支撑框架结构已不再适用，必须采用刚度和承载力更大、更经济合理的结构体系。巨型框架-核心筒结构和巨型支撑框架-核心筒结构是我国目前高度超过 400m 的高层建筑采用的主要结构体系。巨型框架-核心筒结构是指由位于建筑周边的巨型框架与位于建筑中部的核心筒组成的结构。巨型框架至少由 4 根巨柱和若干道转换桁架组成。为使巨柱发挥更大的抗倾覆作用，增大结构的侧向刚度和抗扭刚度，有时在巨柱与核心筒之间设置伸臂桁架。巨型支撑框架-核心筒结构是指周边设置由巨柱、转换桁架、巨型斜撑组成的巨型支撑框架与位于建筑平面中部的核心筒组成的结构。建筑周边的巨型支撑框架围成的空间结构类似于框筒，具有很大的侧向刚度和抗扭刚度，因此，巨型支撑框架-核心筒结构也可称为筒中筒结构。巨型支撑框架-核心筒结构一般不设伸臂构件。

建筑高度 632m 的上海中心大厦为巨型框架-核心筒结构，平面布置呈圆形，底部直径 83.6m (图 2-38)，向上逐渐收小，但从下至上圆心对齐。巨型框架由 8 根型钢混凝土巨柱、4 根型钢混凝土角柱以及 8 道位于设备层的两层高箱形空间环带桁架组成，底部巨柱截面尺寸为 3.7m×5.3m，角柱截面尺寸为 2.4m×5.5m。钢筋混凝土核心筒，平面由低区的方形过渡到高区的十字形，底部外墙厚 1.2m、内墙厚 0.9m，顶部外墙、内墙厚均为 0.5m。在地下室及 20 层以下，核心筒外墙和内墙中设置钢板，形成钢板混凝土剪力墙。在巨柱与核心筒之间，布置 6 道两层高的伸臂桁架。环带桁架将周边次框架柱的重力荷载传至巨柱和角柱，从而减小了巨柱由于水平荷载产生的上拔力。在每个加强层的上部设备层内，设置辐射状的径向桁架，承担竖向荷载，并将荷载传至环带桁架、巨柱以及核心筒。

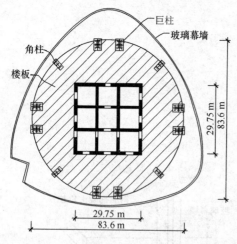

图 2-38 上海中心大厦底部平面图

建筑高度 528m 的中国尊底部平面尺寸为 78m×78m，向上逐渐收小，在 385m 高度处平面尺寸最小 (图 2-39)，为 54m×54m，向上逐渐放大，至顶部为 59m×59m，外形似古代酒器"尊",称为"中国尊"还有北京最高建筑的寓意。中国尊为巨型支撑框架-核心筒结构,也可称为筒中筒结构。巨型支撑框架(外框筒)由巨柱、巨型斜撑及转换桁架组成。巨柱位于建筑平面四角,贯通结构全高,7层以下为分隔成13个腔的八边形钢管混凝土柱,以上分叉为2根六边形钢管混凝土柱,再以上为2根矩形钢管混凝土柱。巨型斜撑设置于建筑四边的立面上,采用焊接箱形钢构件。转换桁架布置于避难层及设备层,连同顶部的帽桁架共8组,在转换桁架所在楼层四角设置角部桁架,形成封闭的水平环带桁架,以增大结构的侧向刚度和抗扭刚度。转换桁架之间设置仅承担竖向荷载的次框架。核心筒位于平面中部,

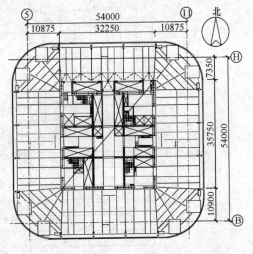

图 2-39 中国尊 385m 高度处结构平面图

底部平面尺寸约为39m×39m。核心筒剪力墙的墙端设置型钢,同时,在底部的46层、顶部104层及以上,核心筒的周边外墙及内墙设置钢板,成为钢板混凝土剪力墙,47~103层核心筒的外墙设置钢板支撑,成为钢板支撑混凝土墙板。核心筒剪力墙采用C60混凝土。

巨型框架-核心筒结构和巨型支撑框架-核心筒结构属于双重抗侧力结构体系,其巨型框架或巨型支撑框架必须分担一定量的地震层剪力。

2.9 复杂高层建筑结构

复杂高层建筑结构包括带转换层的结构、带加强层的结构、错层结构、连体结构以及竖向体型收进结构、悬挑结构。裙房以上有一栋塔楼的大底盘结构以及裙房以上有两栋或两栋以上塔楼的多塔楼结构属于竖向体型收进结构。地震作用下,带转换层的结构、带加强层的结构、错层结构和连体结构受力复杂,容易形成薄弱层或薄弱部位,9度抗震设防地区不应采用这些结构。

2.9.1 带转换层的结构

现代高层建筑的多功能、综合用途与结构竖向构件的正常布置之间产生矛盾,建筑的使用功能往往底部为商业、中部为办公、顶部为公寓,要求底部为大空间,上部为小空间,而结构竖向构件的正常布置为从下到上连续贯通,或底部间距小,上部间距大。为了满足建筑多功能的需要,部分竖向构件不能直接落地,需要设置转换构件,将不能直接落地构件的轴力转换至落地构件上。设置转换构件的楼层,称为结构转换层;设置结构转换层的高层建筑,称为带转换层的高层建筑结构(图2-40)。

高层建筑竖向结构构件的转换有两种形式:上部剪力墙转换为底部框架,其转换层称为托墙转换层;上部密柱框架转换为底部稀柱框架,或周边上部普通框架转换为底部巨型框架,其转换层称为托柱转换层。托墙转换层一般用于剪力墙结构,将其中不能落地的剪力墙通过水平转换构件支承在柱及转换层以下的框架上,形成框支剪力墙。托柱转换层用于框筒结构、筒中筒结构及框架-核心筒结构,将外框筒或周边框架中不能落

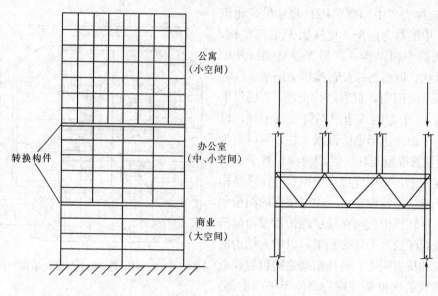

图 2-40 带转换层的高层建筑结构剖面示意图

地的柱通过水平转换构件支承在柱及转换层以下的框架上，形成稀柱框架或巨型框架。图 2-41 为框筒结构转换层形式示例。

图 2-42 为广州中信大厦转换层结构平面图、转换层以上结构平面图以及结构剖面图。中信大厦为钢筋混凝土框架-核心筒结构，80 层，结构高 322m。底部 1～4 层的周边仅在四角有 L 形截面的巨柱，巨柱边长 7.75m、肢厚 2.5m。第 5 层为结构转换层，转换梁截面高 7.5m、宽 2.5m。角柱与转换梁组成巨型框架，承托上部 75 层周边框架。

转换构件可采用梁、桁架、空腹桁架、箱形结构、斜撑等，统称为转换梁、转换桁架等。6 度抗震设计时可采用厚板作为转换构件，7、8 度抗震设计时地下室的转换构件可采用厚板，其他情况下不能用厚板转换。对转换梁、转换柱的抗震构造措施的要求，如纵向钢筋最小配筋率、箍筋加密区的箍筋配置等，高于对普通框架梁、柱的要求。

水平力作用下，当转换层上部结构（包括转换层）的侧向刚度与下部结构的侧向刚度相差较大时，将导致转换层上、下结构侧移突变及构件内力突变，使部分构件过早破坏，形成薄弱部位或软弱部位。因此，转换层上、下结构的侧向刚度比不宜过小。当转换层设置在第 1 层或第 2 层时，可近似采用转换层与其相邻上层的结构等效剪切刚度比 γ_{e1} 表示转换层上、下结构的侧向刚度变化，γ_{e1} 尽可能接近 1，不应小于 0.5。γ_{e1} 可按下列公式计算：

$$\gamma_{e1} = \frac{G_1 A_1}{G_2 A_2} \times \frac{h_2}{h_1} \qquad (2\text{-}1a)$$

$$A_i = A_{w,i} + \sum_j C_{i,j} A_{ci,j} \qquad (i = 1, 2) \qquad (2\text{-}1b)$$

$$C_{i,j} = 2.5 \left(\frac{h_{ci,j}}{h_i} \right)^2 \qquad (i = 1, 2) \qquad (2\text{-}1c)$$

式中 G_1、G_2——分别为转换层和转换层以上一层的混凝土剪变模量；

A_1、A_2——分别为转换层和转换层以上一层的折算抗剪截面面积，可按式（2-1b）计算；

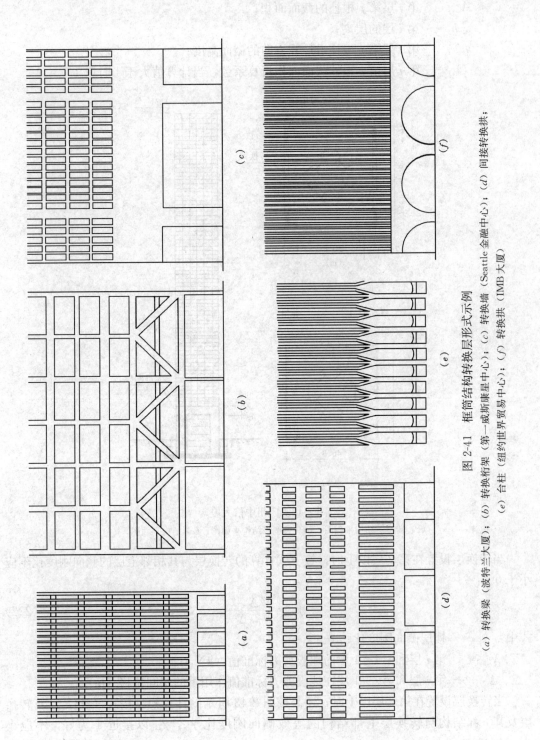

图 2-41 框筒结构转换层形式示例

(a) 转换梁 (波特兰大厦); (b) 转换桁架 (第一威斯康星中心); (c) 转换墙 (Seattle 金融中心); (d) 同接转换拱;
(e) 台柱 (纽约世界贸易易中心); (f) 转换拱 (IMB 大厦)

$A_{w,i}$——第 i 层全部剪力墙在计算方向的有效截面面积（不包括翼缘面积）；

$A_{ci,j}$——第 i 层第 j 根柱的截面面积；

h_i——第 i 层的层高；

$h_{ci,j}$——第 i 层第 j 根柱沿计算方向的截面高度；

$C_{i,j}$——第 i 层第 j 根柱截面面积折算系数，当计算值大于1时取1。

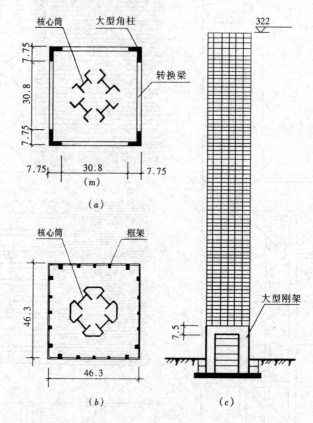

图 2-42 广州中信大厦

(a) 转换层结构平面图；(b) 典型层结构平面图；(c) 结构平面图

当转换层设置在第2层以上时，按下式计算的转换层与其相邻上层的侧向刚度比不应小于0.6：

$$\gamma_1 = \frac{V_i \Delta_{i+1}}{V_{i+1} \Delta_i}$$ (2-2)

式中 γ_1——楼层侧向刚度比；

V_i、V_{i+1}——第 i 层和第 $i+1$ 层的地震剪力标准值（kN）；

Δ_i、Δ_{i+1}——第 i 层和第 $i+1$ 层在地震剪力标准值作用下的层间位移（m）。

当转换层设置在第2层以上时，还需按图2-43所示的计算模型按式 (2-3) 计算转换层及其下部结构与转换层上部结构的等效侧向刚度比 γ_{e2}，γ_{e2} 以接近1为好，不应小于0.8。

$$\gamma_{e2} = \frac{\Delta_2 H_1}{\Delta_1 H_2}$$ (2-3)

式中　H_1——转换层及其下部结构（计算模型 1）的高度；

Δ_1——转换层及其下部结构（计算模型 1）的顶部在单位水平力作用下的侧向位移；

H_2——转换层上部若干层结构（计算模型 2）的高度，其值应等于或接近计算模型 1 的高度 H_1，且不大于 H_1；

Δ_2——转换层上部若干层结构（计算模型 2）的顶部在单位水平力作用下的侧向位移。

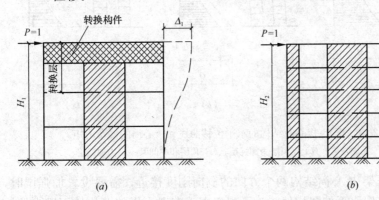

图 2-43　转换层上、下等效侧向刚度计算模型

(*a*) 计算模型 1—转换层及下部结构；(*b*) 计算模型 2—转换层上部结构

2.9.2　带加强层的结构

当框架-核心筒的侧向刚度不能满足要求时，可利用建筑的避难层、设备层，设置连接周边框架柱与核心筒的水平伸臂构件，形成带加强层的高层建筑结构。设置伸臂构件是一种加强结构整体性、增大结构侧向刚度的有效措施。水平力作用下，伸臂构件使与其相连的一侧框架柱受压、另一侧框架柱受拉，对核心筒形成反弯，减小结构的侧移和减小伸臂构件所在楼层以下核心筒各截面的弯矩（图 2-44）。为了进一步增大结构的侧向刚度，使周边更多的框架柱参与抗倾覆，可以在加强层周边柱之间设置斜撑，形成周边环带桁架。也可以仅设置周边环带桁架，而不设置伸臂桁架。

加强层最早用于抗风结构。用于抗震结构时，有一些不利影响：加强层的侧向刚度和层间受剪承载力远大于上下相邻楼层的侧向刚度和层间受剪承载力，造成刚度和承载力发生突变，相邻上下楼层有可能成为薄弱层，使结构成为竖向不规则结构；由于伸臂的承载力大，与伸臂连接的下层外框柱的上端、上层外框柱的下端难以实现强柱弱梁。因此，要提高加强层及其相邻上下层的框架柱、核心筒剪力墙、楼盖的抗震措施。

由于加强层对结构抗震的不利影响，因此，要尽可能避免设置加强层。为了减小加强层的不利影响，加强层的刚度不宜过大；加强层的数量和设置位置，应根据需要确定，以达到满足结构的弹性侧向刚度要求为目标。研究表明，当只有 1 个加强层时，设置在 0.6～0.67 倍房屋高度附近最为有效；需要设置 2 个加强层时，可分别设置在顶层或 0.7 倍房屋高度附近和 0.5 倍房屋高度附近。超过 B 级高度较多的框架-核心筒结构，可以设置 3 个或 4 个加强层，设置更多的加强层，其效果将显著降低。

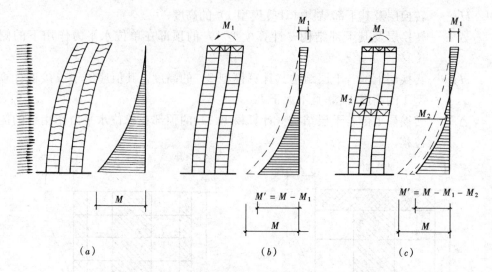

图 2-44　框架-核心筒结构的水平位移曲线和核心筒的倾覆力矩
(a) 无加强层；(b) 仅顶层为加强层；(c) 顶层和中间某一层为加强层

一般情况下，框架-核心筒结构两个方向的侧向刚度接近，需要设置加强层时，加强层的两个方向都要布置水平伸臂构件；为了避免由于布置水平伸臂构件而增大结构扭转，每个方向应至少布置 2 道对称的水平伸臂构件。水平伸臂构件的一端与框架柱连接，另一端最好与核心筒的转角、T 形节点连接，伸臂构件的水平杆件要贯通核心筒剪力墙。

结构内力和位移计算时，加强层的楼盖最好不按刚性楼盖处理，而作为弹性楼盖考虑其平面内的变形。

2.9.3　错　层　结　构

存在相邻楼盖不在同一标高且高差超过梁高的结构，称为错层结构。错层结构抗震计算时，错开的楼层应各自参加结构整体计算。结构中仅局部存在错层构件时，不属于错层结构，但要提高错层构件的抗震构造措施。错层一般发生在框架结构、剪力墙结构或框架-剪力墙结构中。

错层结构属于竖向不规则结构，错层部位的竖向抗侧力构件受力复杂、应力集中。框架错层形成长、短柱交替出现，地震时，容易发生短柱受剪破坏。因此，框架错层处柱的承载力、抗震构造措施都要提高。错层处存在框架梁与剪力墙平面外连接的情况时，剪力墙平面外受力，剪力墙的抗震构造措施也要提高。

错层结构的抗震性能比无错层的普通结构的抗震性能差，高层建筑要尽量避免错层。

2.9.4　连　体　结　构

2 栋建筑结构之间或多栋建筑结构的两两之间，通过连接体（连廊）在空中连接起来，称为连体结构。图 2-45 为位于苏州的双塔连体建筑"东方之门"的效果图等。"东方之门"由南北 2 栋塔楼、连接塔楼的连接体及裙房组成，塔楼总高度为 281.1m，2 栋塔楼分别为 66 层和 60 层，双塔在顶部 230m 高空相连，连接体为 9 层，高约 52m。

以往地震中，连体结构的震害主要包括：连廊塌落，连廊与塔楼主体结构的连接部位

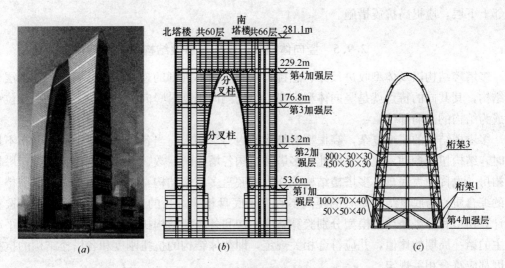

图 2-45　连体建筑"东方之门"

(a) 建筑效果图；(b) 结构立面示意图；(c) 连接体剖面图

破坏。

连廊使被连接的 2 栋塔楼的振动耦联，使连体结构的振型变得复杂。当 2 个塔楼的高度、平面尺寸、结构布置等相差不大时，连体结构有 5 个基本振型：2 个塔楼在连体结构的平面内同向平动，2 个塔楼在连体结构的平面外同向平动，连体不动、2 个塔楼在平面内相向平动，2 个塔楼在平面外反向平动与连廊扭转耦合（整体扭转），连廊不动、2 个塔楼相对扭转。后 3 阶振型的振型参与系数为 0，对结构的地震作用没有贡献。

连廊一般为由钢桁架组成的结构。连廊两端与塔楼主体结构的连接方式主要包括：两端刚性连接，两端铰接，一端刚性连接、一端滑动连接，两端隔震支座连接、并设置阻尼器等。连廊与主体结构刚性连接时，连廊的主要构件（如：桁架的上下弦杆）伸入主体结构不少于一跨，并与主体结构的竖向构件可靠连接，必要时，可与主体结构核心筒的剪力墙可靠连接。连廊与主体结构滑动连接或采用隔震支座连接时，支座滑移量、隔震支座的变形能力应能满足罕遇地震作用下的位移要求，滑动连接时还应采取防坠落、撞击措施，隔震支座连接时设置阻尼器可以起到耗能作用，减小隔震支座的变形。

在强烈地震作用下，连廊可能发生破坏，为了保证连廊失效后各塔楼可以独立承担地震作用不致发生严重破坏或倒塌，小震作用下连体结构设计时，应进行连体结构整体以水平地震作用为主的组合，以及各塔楼以水平地震作用为主的组合，塔楼结构按整体计算及分塔计算结果进行包络设计。

一般情况下，连廊的跨度大、位置高，对竖向地震作用敏感，因此，连廊抗震设计应包括竖向地震作用为主的组合。连廊与主体结构刚性连接时，在地震作用下，连廊要协调主体结构的变形，因此，要进行连廊楼板受剪截面验算和受剪承载力验算。

人员在连廊上行走、活动会引起连廊竖向振动，连廊要进行楼盖竖向振动的舒适度验算；塔楼之间的穿堂风使连廊产生横风向振，即引起连廊竖向振动，因此，连廊还要进行风致振动舒适度验算。

连体结构属于竖向不规则结构，连廊及与连廊相邻的结构构件在连廊高度范围内及其相邻上下层，应提高抗震措施。

2.9.5　竖向体型收进结构和悬挑结构

多塔楼结构以及体型收进尺寸、悬挑长度为竖向不规则的建筑结构，属于复杂高层建筑结构，其共同的特点就是竖向体型突变，结构侧向刚度沿竖向剧烈变化，变化的部位可能成为结构的薄弱部位。

多塔楼结构的振型复杂，高振型对结构的内力影响大，当各塔楼质量和刚度分布不均匀时，结构扭转振动反应大。因此，多塔楼结构各塔楼的层数、平面和刚度宜接近；塔楼对裙房（也称为大底盘，多塔楼结构也称为大底盘多塔楼结构）宜对称布置。上部塔楼结构的综合质心与底盘结构质心的距离不宜大于底盘相应边长的 20%。多塔楼结构要按整体计算模型和分塔楼计算模型分别验算整体结构和各塔楼结构扭转为主的第一周期与平动为主的第一周期的比值，并应符合相关规定，即整体结构的抗扭刚度和各塔楼结构的抗扭刚度都应符合相关规定。

体型收进结构、底盘高度超过房屋高度 20%的多塔楼结构，在体型收进处尽可能采取减小结构刚度变化的措施。

悬挑结构的悬挑部位应采取降低结构自重的措施；悬挑部位结构宜采用冗余度较高的结构形式；结构内力和位移计算中，悬挑部位的楼层应考虑楼板平面内的变形，结构分析模型应能反映水平地震对悬挑部位可能产生的竖向振动效应；悬挑结构应考虑竖向地震的影响，进行以竖向地震作用为主的荷载组合。

多塔楼结构以及体型收进结构、悬挑结构，竖向体型突变部位的楼板、体型突变部位上下层结构的楼板要加强，局部部位结构构件的抗震措施应提高。

2.10　房屋建筑适用的最大高度及适用的高宽比

2.10.1　房屋建筑适用的最大高度

结构设计首先要根据房屋建筑的高度、抗震设防烈度等因素，确定一个与其匹配的、经济的结构体系，使结构效能得到充分发挥，建筑材料得到充分利用。而每一种结构体系，也有其最佳的适用高度范围。

《建筑抗震设计规范》GB 50011—2010（2016 年版）（以下简称《抗震规范》）、《高层建筑混凝土结构技术规程》JGJ 3—2010（以下简称《混凝土高规》）、《装配式混凝土建筑技术标准》GB/T—2017（以下简称《装配式标准》）、《组合结构设计规范》JGJ 136—2016（以下简称《组合结构规范》）以及《高钢规》规定的各类房屋建筑的最大适用高度列于表 2-2～表 2-6。平面和竖向均不规则的结构，其最大适用高度比表 2-2～表 2-6 规定的高度适当降低。表中所列的最大适用高度是指与现行国家设计规范、规程各项设计规定和要求相适应的最大高度；房屋高度指室外地面到主要屋面板板顶的高度，不包括局部突出屋面的部分，如水箱、电梯机房、构架等。当房屋高度超过规定的最大适用高度时，应进行结构抗震性能设计，采取有效的加强措施，必要时进行专门的试验研究，并进行超限高层建筑抗震设计专项论证。

现浇钢筋混凝土房屋建筑的最大适用高度分为 A 级和 B 级。A 级高度现浇钢筋混凝土房屋建筑的最大适用高度见表 2-2。当高度超过表 2-2 的规定时，为 B 级高度高层建筑，B 级高度现浇钢筋混凝土高层建筑的最大适用高度见表 2-3。

抗震设防烈度为 6～8 度且房屋高度超过表 2-2 规定的框架结构最大适用高度时，可在部分框架内设置钢支撑，成为钢支撑-混凝土框架结构，其适用的最大高度为表 2-2 规定的框架结构和框架-剪力墙结构二者最大适用高度的平均值。

表 2-2 中，框架结构、框架-剪力墙结构的框架可以为：钢筋混凝土框架，型钢混凝土柱或钢管混凝土柱与钢梁或型钢混凝土梁或钢筋混凝土梁组成的框架；部分框支剪力墙结构的框支柱可以是钢筋混凝土柱、型钢混凝土柱或钢管混凝土柱；框架-核心筒结构的框架、筒中筒结构的外筒框架，可以是钢筋混凝土框架，也可以部分楼层（一般为底部楼层）采用型钢混凝土柱或钢管混凝土柱与钢梁或型钢混凝土梁或钢筋混凝土梁组成的框架；框架-剪力墙结构的剪力墙、部分框支剪力墙结构的剪力墙、框架-核心筒结构的核心筒剪力墙、筒中筒结构的内筒剪力墙，可以全部是钢筋混凝土剪力墙，也可以局部部位为型钢混凝土剪力墙、钢板混凝土剪力墙或钢斜撑混凝土剪力墙，其余部位为钢筋混凝土剪力墙。

A 级高度现浇钢筋混凝土房屋建筑的最大适用高度（m）　　　　表 2-2

结构类型		抗震设防烈度				
		6 度	7 度	8 度		9 度
				0.2g	0.3g	
框架		60	50	40	35	24
框架-剪力墙		130	120	100	80	50
剪力墙	全部落地剪力墙	140	120	100	80	60
	部分框支剪力墙	120	100	80	50	不应采用
筒体	框架-核心筒	150	130	100	90	70
	筒中筒	180	150	120	100	80
板柱-剪力墙		80	70	55	40	不应采用

B 级高度现浇钢筋混凝土高层建筑的最大适用高度（m）　　　　表 2-3

结构类型		抗震设防烈度			
		6 度	7 度	8 度	
				0.2g	0.3g
框架-剪力墙		160	140	120	100
剪力墙	全部落地剪力墙	170	150	130	110
	部分框支剪力墙	140	120	100	80
筒体	框架-核心筒	210	180	140	120
	筒中筒	280	230	170	150

表 2-2 和表 2-3 中：

（1）最大适用高度适用于乙类建筑和丙类建筑；甲类建筑的最大适用高度，6、7、8

度时的 A 级和 6、7 度时的 B 级按本地区设防烈度提高一度后符合表中的高度，9 度时的 A 级和 8 度时的 B 级应专门研究。

（2）部分框支剪力墙结构在地面以上设置转换层的位置，8 度时不超过 3 层，7 度时不超过 5 层，6 度时可适当高于 5 层。

（3）9 度 A 级高度的剪力墙结构及 B 级高度的剪力墙结构，不宜布置短肢剪力墙，不应布置较多的短肢剪力墙；6、7、8 度 A 级高度的高层建筑剪力墙结构不应全部为短肢剪力墙，在规定的水平力作用下，短肢剪力墙承担的底部倾覆力矩不宜大于结构底部总倾覆力矩的 50%；具有较多短肢剪力墙的剪力墙结构，7 度、8 度（0.2g）和 8 度（0.3g）时的最大适用高度分别降低为 100m、80m 和 60m。"具有较多短肢剪力墙"的剪力墙结构是指，在规定的水平力作用下，短肢剪力墙承担的底部倾覆力矩不小于结构底部总地震倾覆力矩的 30% 的剪力墙结构。

混合结构房屋建筑的最大适用高度见表 2-4。混合结构有两种结构类型：框架-核心筒结构和筒中筒结构。这两种结构类型的核心筒或内筒为钢筋混凝土结构；外围框架及外框筒可以是钢梁、钢柱组成的钢结构，也可以是钢梁与方、圆钢管混凝土柱组成的混合结构，或钢梁或型钢混凝土梁与型钢混凝土柱组成的混合结构。外框筒可以由梁柱组成的框筒，也可以是增设支撑的桁架筒，或由梁和交叉斜柱组成的交叉网格筒。外围框架及外框筒采用钢筋混凝土梁时，即使竖向构件为钢管混凝土柱或型钢混凝土柱，该体系仍为钢筋混凝土结构，不能视为混合结构；局部构件（如框支梁柱）采用钢梁柱或型钢混凝土梁柱的结构也不能视为混合结构。

混合结构房屋建筑的最大适用高度（m）　　　　　　　　　　　　　　表 2-4

结构类型		抗震设防烈度				
		6 度	7 度	8 度		9 度
				0.2g	0.3g	
框架-核心筒	钢框架-钢筋混凝土核心筒	200	160	120	100	70
	型钢（钢管）混凝土框架-钢筋混凝土核心筒	220	190	150	130	70
筒中筒	钢外筒-钢筋混凝土核心筒	260	210	160	140	80
	型钢（钢管）混凝土外筒-钢筋混凝土核心筒	280	230	170	150	90

近年来，装配整体式混凝土建筑结构得到快速发展，其最大适用高度见表 2-5。

装配整体式混凝土结构房屋建筑的最大适用高度（m）　　　　　　　表 2-5

结构类型	抗震设防烈度			
	6 度	7 度	8 度（0.20g）	8 度（0.30g）
装配整体式框架	60	50	40	30
装配整体式框架-现浇剪力墙	130	120	100	80
装配整体式框架-现浇核心筒	150	130	100	90
装配整体式剪力墙	130（120）	110（100）	90（80）	70（60）
装配整体式部分框支剪力墙	110（100）	90（80）	70（60）	40（30）

表 2-5 中:

（1）当结构中竖向构件全部为现浇且楼盖采用叠合梁板时，最大适用高度按表 2-2 和表 2-3 的规定采用。

（2）装配整体式剪力墙结构和装配整体式部分框支剪力墙结构，在规定的水平力作用下，当预制剪力墙底部承担的总剪力大于该层总剪力的 50％时，其最大适用高度适当降低；当预制剪力墙构件底部承担的总剪力大于该层总剪力的 80％时，最大适用高度取表 2-5 中括号内的数值（"预制剪力墙底部"是指地面以上采用装配式的第一层的预制剪力墙底部）；当剪力墙边缘构件竖向钢筋采用浆锚搭接连接时（"浆锚搭接连接"为上下层相邻预制构件纵向受力钢筋连接的一种方式），最大适用高度取表 2-5 中括号内的数值。

（3）剪力墙结构中仅有个别框支墙时，不按部分框支剪力墙结构考虑。

民用钢结构房屋建筑的最大适用高度见表 2-6，表内筒体不包括混凝土筒，框架柱包括钢柱和钢管混凝土柱。

民用钢结构房屋建筑的最大适用高度（m） 表 2-6

结构类型	抗震设防烈度				
	6度，7度 (0.1g)	7度 (0.15g)	8度		9度
			0.2g	0.3g	
框架	110	90	90	70	50
框架-中心支撑	220	200	180	150	120
框架-偏心支撑 框架-屈曲约束支撑 框架-延性墙板	240	220	200	180	160
筒体（框筒、筒中筒、桁架筒、束筒） 巨型框架	300	280	260	240	180

2.10.2 房屋建筑适用的高宽比

房屋建筑适用的高宽比，是对结构刚度、整体稳定、承载能力和经济合理性的宏观控制；结构设计满足承载力、稳定、抗倾覆、变形和舒适度等基本要求后，仅从结构安全角度，高宽比限值不是必须满足的，高宽比主要影响结构的经济性。现浇钢筋混凝土结构房屋建筑、混合结构房屋建筑、装配整体式混凝土结构房屋建筑、民用钢结构房屋建筑适用的最大高宽比分别列于表 2-7~表 2-10。

现浇钢筋混凝土结构房屋建筑适用的最大高宽比 表 2-7

结构类型	抗震设防烈度		
	6度，7度	8度	9度
框架	4	3	2
板柱-剪力墙	5	4	—
框架-剪力墙，剪力墙	6	5	4
框架-核心筒	7	6	4
筒中筒	8	7	5

混合结构房屋建筑适用的最大高宽比　　　　表 2-8

结构类型	抗震设防烈度		
	6度，7度	8度	9度
框架-核心筒	7	6	4
筒中筒	8	7	5

装配整体式混凝土结构房屋建筑适用的最大高宽比　　　　表 2-9

结构类型	抗震设防烈度	
	6度，7度	8度
装配整体式框架	4	3
装配整体式框架-现浇剪力墙	6	5
装配整体式剪力墙	6	5
装配整体式框架-现浇核心筒	7	6

民用钢结构房屋建筑适用的高宽比　　　　表 2-10

设防烈度	6度，7度	8度	9度
最大高宽比	6.5	6	5.5

计算房屋建筑的高宽比时，房屋高度指室外地面到主要屋面板顶的高度，宽度指房屋平面轮廓边缘的最小宽度尺寸。计算复杂体形房屋建筑的高宽比时，还需根据具体情况确定其高度和宽度。

2.11　变形缝设置

在房屋建筑的总体布置中，为了消除结构不规则、收缩和温度应力、不均匀沉降等对结构的有害影响，可以用防震缝、伸缩缝和沉降缝将房屋分成若干独立的部分。在实际工程中，设缝会影响建筑立面，多用材料，构造复杂，防水处理困难等，因此，常常通过采取措施，避免设缝。是否设缝是确定结构方案的主要任务之一，应在初步设计阶段根据具体情况、通过比较分析做出选择。

2.11.1　防　震　缝

在地震作用下，平面特别不规则结构的薄弱部位容易造成震害，可以用防震缝将其划分为若干独立的抗震单元，使各个结构单元成为平面规则结构。目前工程设计更倾向于不设防震缝，而采取加强结构整体性、防止薄弱部位破坏的措施。

防震缝应有一定的宽度，否则在地震时相邻建筑会互相碰撞而破坏。钢筋混凝土框架结构房屋建筑的防震缝宽度，当高度不超过 15m 时可为 100mm，超过 15m 时，6 度、7 度、8 度和 9 度分别每增加 5m、4m、3m 和 2m，加宽 20mm；框架-剪力墙结构和剪力墙结构房屋建筑的防震缝宽度，可分别采用框架结构房屋建筑防震缝宽度的 70% 和 50%，但都不小于 100mm。防震缝两侧结构类型不同时，按需要较宽防震缝的结构类型确定防震缝宽度；防震缝两侧房屋高度不同时，按较低房屋高度确定防震缝宽度。民用建筑钢结构需要设置防震缝时，缝宽不小于钢筋混凝土框架结构房屋建筑的 1.5 倍。

2.11.2　伸　缩　缝

新浇筑的混凝土在硬结过程中由于收缩而产生收缩应力；季节温度变化、室内外温差以及向阳面与背阳面之间的温差都会使混凝土结构热胀冷缩产生温度应力。收缩应力和温度应力常常使混凝土产生裂缝。钢筋混凝土房屋建筑可以通过设置伸缩缝避免收缩裂缝和温度裂缝。现浇钢筋混凝土框架结构、剪力墙结构伸缩缝的最大间距分别为 55m 和 45m，框架-剪力墙结构伸缩缝的最大间距可根据具体情况介于 45m 和 55m 之间。钢结构伸缩缝的最大间距可为 90m。有充分依据或可靠措施时，可以加大伸缩缝间距。伸缩缝从基础以上设置，伸缩缝的宽度不小于防震缝的宽度。

高层建筑一般不要设计很长的平面，避免长度方向产生温度应力，但是不可避免的是在高层建筑的顶层和底层温度应力会大一些。工程中采取下述措施，可避免设置伸缩缝：

（1）设后浇带。混凝土早期收缩占收缩量的大部分。施工时，每 30～40m 间距留出宽 800～1000mm 的施工后浇带，暂不浇筑混凝土，两个月后，混凝土收缩大约完成70%，再浇筑缝内混凝土，把结构连成整体。可以选择气温较低时浇筑后浇带的混凝土，因为此时已浇筑的混凝土处于收缩状态。后浇带内钢筋要采用搭接连接，使两边混凝土自由伸缩（图 2-46）。后浇带应设置在受力较小的部位，可以曲折而行。

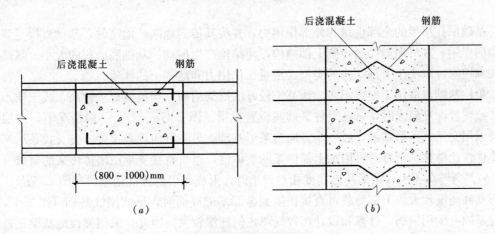

图 2-46 后浇带构造
(a) 钢筋直通；(b) 钢筋加弯

（2）顶层、底层、山墙和纵墙端开间等温度变化较大的部位提高配筋率，减小温度和收缩裂缝的宽度，并使裂缝分布均匀，避免出现明显的集中裂缝。

（3）顶层采取隔热措施，外墙设置外保温层。房屋结构顶部温度应力较大，采取隔热措施，可以有效减小温度应力；混凝土外墙设置外保温层是减小温度对结构不利影响的有效措施。

（4）高层建筑可在顶部设置双墙或双柱，做局部伸缩缝，将顶部结构划分为长度较短的区段。

（5）采用收缩小的水泥，减小水泥用量。

（6）提高每层楼板的构造配筋率或采用部分预应力结构。

2.11.3 沉 降 缝

许多高层建筑由主体结构和层数不多的裙房组成，裙房和主体结构的高度及重量悬殊，可采用沉降缝将裙房和主体结构从裙房顶到基础全部断开，使各部分自由沉降，避免由沉降差引起裂缝或破坏。沉降缝的宽度应符合防震缝最小宽度的要求。

在地基条件许可的时候，通过采取措施减小沉降差，可以不设沉降缝，把主体结构和裙房的基础做成整体。这些措施包括：

（1）当压缩性很小的土质不太深时，可以利用天然基础，把主体结构和裙房放在一个刚度很大的整体基础上；土质不好时，可以用桩基础将重量传到压缩性小的土层中。

（2）当土质比较好且房屋的沉降能在施工期间完成时，可以在施工时设置后浇带，将主体结构与裙房从基础到结构顶暂时断开，待主体结构施工完毕且大部分沉降完成后，再浇筑后浇带的混凝土，将结构连成整体。设计基础时，要考虑两个阶段的不同受力状态，分别验算。

（3）裙房面积不大时，可以从主体结构的箱形基础上悬挑基础梁，承受裙房的重量。有时可以同时使用上述几种措施，综合处理结构的沉降问题。

2.12　基　础　形　式

基础承托房屋的全部重量和外部作用力，并将其传到地基；地震时，基础直接受到地震动的作用，并将地震作用传到上部结构，使结构产生振动。基础底面积的大小、基础的形式和埋深，取决于上部结构的类型、重量、作用力和地基土的性质。

单柱基础仅适用于层数不多、地基土较好的框架结构。当抗震要求较高，或土质不均匀，或埋置深度较大时，可在单柱基础间设置拉梁（图2-47a、c）。一般情况下，多层建筑可采用交叉式条形基础，或一个方向为条形基础，另一方向设置拉梁。交叉式条形基础的整体性比单柱基础好，可增加上部框架的整体性，也可直接支承由墙体传来的荷载（图2-47b）。当埋深不大、条形基础高度相对较小时，形成条形的弹性地基梁（图2-47d）；当条形基础高度较大、上部荷载可直接扩散到全部基础底面时，形成刚性基础（图2-47e）。刚性基础可少用钢筋，计算和设计都较简单，但埋深较大。因此，采用弹性地基梁还是用刚性基础，要根据基础埋深、土方工程及材料用量进行综合比较。但应注意，不宜采用不配筋或少配筋的刚性基础。

高层建筑的重量大，倾覆力矩也大。为了保证结构稳定，减少由基础变形引起的上部结构倾斜，高层建筑应选择土质较好的地基，基础应有一定的埋置深度。高层建筑结构的基础要有较好的整体性，特别是当上部结构重量分布不均匀或土质不均匀时。箱形基础、筏形基础、桩筏基础、桩基础是高层建筑结构常用的基础形式。

高层建筑可利用较深的基础做成地下室。如果钢筋混凝土内墙较多，基础高度不小于基础长度的1/18，且不小于3m，就可形成箱形基础。箱形基础的顶板、底板及墙体厚度要根据刚度、受力和防水要求确定，但不小于250mm（底板与外墙）、200mm（内墙）及150mm（顶板）。箱形基础的整体刚度和整体性都较好（图2-48a），是高层建筑较好的基础形式。

不需要地下室时，或虽有地下室但比较空旷、内墙数量少时，可以采用筏形基础（图2-48b）。筏形基础有平板式及梁板式两种。为了保证基础的刚度和将上部结构重量均匀扩散到地基上，筏形基础的底板较厚，梁板式筏形基础可减小板厚，减少混凝土用量。

当地基土质较软，不足以承受上部结构重量时，应采用桩基础（图2-48c）。可以采用

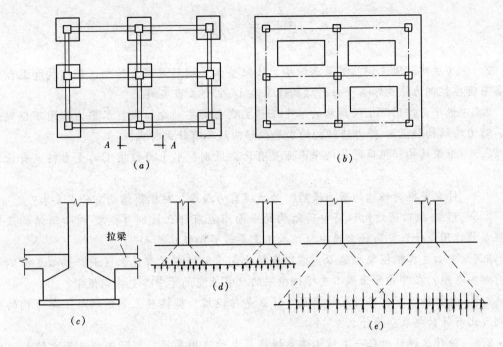

图 2-47　多层建筑结构基础

(a) 单柱基础及拉梁；(b) 交叉式条形基础；(c) A-A；(d) 弹性地基梁；(e) 刚性基础

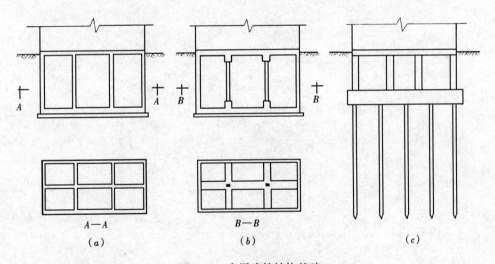

图 2-48　高层建筑结构基础

(a) 箱形基础；(b) 筏形基础；(c) 桩基础

预制钢筋混凝土桩、挖孔灌注桩或钢管桩等。桩承台上仍可做成箱形或筏形基础。

国内外震害调查表明，软土地基上建造的高层建筑震害较重。如果采用桩基础，直接支承在基岩上，可以大大减小建筑物的震害。但是在高烈度区，仍应避免将高层建筑建在软土地基上。基础埋置深一些，可以减小上部结构的地震反应，对抗震有利。

思 考 题

2.1　房屋建筑现浇钢筋混凝土结构、装配整体式钢筋混凝土结构、钢结构和混合结构各有哪些抗侧力结构体系？每种结构体系举1~2个工程实例。

2.2　水平力作用下框架结构的水平位移主要由哪些部分组成？水平力作用下框架结构、剪力墙结构和框架-剪力墙结构的水平位移曲线各有什么特点？

2.3　框架结构和框筒结构的平面布置有什么区别？水平力作用下的受力特点有什么区别？

2.4　什么是框筒结构的剪力滞后？为减缓剪力滞后，对框筒结构有什么要求？

2.5　框架-核心筒结构和筒中筒结构的平面布置有什么区别？框架-核心筒结构设置加强层的作用是什么？为什么筒中筒结构不需要设置加强层？

2.6　中心支撑钢框架和偏心支撑钢框架的支撑斜杆布置有什么区别？偏心支撑钢框架有哪些类型？在哪些方面偏心支撑钢框架的抗震性能优于中心支撑钢框架？

2.7　什么情况下需要设置转换层？什么是转换层？转换层上部结构与下部结构的侧向刚度比有什么要求？为什么？

2.8　为什么规范对每一类结构体系规定最大的适用高度？实际工程是否允许超过规范规定的最大适用高度？

2.9　高层建筑常用的基础形式有哪些？

第3章 高层建筑结构荷载

建筑物应能够抵抗外荷载，高层建筑的外荷载有竖向荷载和水平荷载，竖向荷载包括自重等恒载及使用荷载等活荷载，与一般房屋建筑并无区别，本章不再重复，本章主要介绍水平荷载——风荷载和地震作用的计算方法。

3.1 风 荷 载

空气流动形成的风遇到建筑物时，受到建筑物的阻挡，从建筑物周围流过的空气气流的运动方向与速度发生了变化（图 3-1），就在建筑物表面产生压力和吸力，这种压力和吸力作用称为风荷载。在设计抗侧力结构、维护构件及考虑使用者的舒适度时都要用到风荷载。风的作用是不规则的，风压随着风速、风向的紊乱变化而不停地改变，风荷载是随时间而波动的动力荷载，但房屋设计中通常把它看成静荷载。对于高度较大且比较柔软的高层建筑，需要考虑动力效应影响，适当加大风荷载数值。

确定高层建筑风荷载的方法有两种，高度 200m 以下的建筑一般可按照《建筑结构荷载规范》GB 50009—2012（以下简称《荷载规范》）规定的方法计算风荷载值，高度大于 200m 及其他一些情况的建筑，还要通过风洞试验判断确定其风荷载。

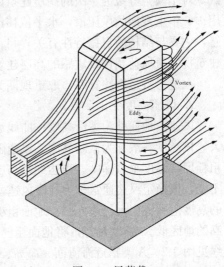

图 3-1　风荷载

按规范规定的方法计算风荷载时，首先确定建筑物表面单位面积上的风荷载标准值，然后计算作用在建筑物表面的风荷载。

3.1.1　单位面积上的风荷载标准值

现行国家标准《荷载规范》规定，主要受力结构 z 高度处垂直作用于建筑物表面单位面积上的风荷载标准值 w_{zk}（kN/m^2）按式（3-1）计算，围护结构 z 高度处垂直作用于围护结构表面单位面积上的风荷载标准值 w_{zk}（kN/m^2）按式（3-2）计算：

$$w_{zk} = \beta_z \mu_s \mu_z w_0 \tag{3-1}$$
$$w_{zk} = \beta_{gz} \mu_{sl} \mu_z w_0 \tag{3-2}$$

式中　　w_0——基本风压值（kN/m^2）；

μ_s——风荷载体型系数；

μ_z——风压高度变化系数；

β_z——高度 z 处的风振系数；

μ_{sl}——风荷载局部体型系数；

β_{gz}——高度 z 处的阵风系数。

1. 基本风压值 w_0

基本风压值 w_0 指重现期为 50 年（50 年一遇）、空旷平坦地面上离地 10m 处、10 分钟平均的最大风压值，与风速大小有关。《荷载规范》给出了各地区、各城市的基本风压值 w_0，为该地区（城市）空旷平坦地面上离地 10m 处、重现期为 50 年的 10 分钟平均最大风速 v_0（m/s）按式（3-3）计算得到，也可近似按 $v_0^2/1600$ 计算。

$$w_0 = \frac{1}{2}\rho v_0^2 \tag{3-3}$$

式中　ρ——空气密度（t/m³）。

《荷载规范》附录 E 给出了我国各地区、各城市对应重现期分别为 10 年与 100 年的风压值。一般情况下，设计使用年限为 50 年的高层建筑取重现期为 50 年的风压值计算风荷载，对于安全等级为一级的高层建筑以及对风荷载比较敏感的高层建筑，承载力设计时采用 100 年重现期的风压值，水平位移计算时采用 50 年重现期的风压值。对风荷载是否敏感，主要与结构的自振特性有关，目前尚无实用的划分标准，可将高度大于 60m 的高层建筑视为对风荷载比较敏感的高层建筑。基本风压值不得小于 0.3kN/m²。

在进行舒适度验算时，取重现期为 10 年的风压值计算风荷载。

2. 风压高度变化系数 μ_z

风速由地面处为零沿高度按曲线逐渐增大。当离地面高度低于一定值时，风速变化不大，该高度一般称为截断高度。风速随离地面高度的增加而增加，其变化主要取决于地表粗糙度与温度垂直梯度。当达到某高度处时风速将达到最大值，高度继续增加时风速基本不变，该稳定风速通常称为梯度风速，达梯度风速时的高度称为梯度风高度，将风速变化的高度范围称为大气边界层。地面粗糙度等级低的地区，其截断高度与梯度风高度比等级高的地区低。《荷载规范》将地面粗糙度分为 A、B、C、D 四类，其风速随高度的变化曲线见图 3-2。A 类指近海海面、海岛、海岸、湖岸及沙漠地区；B 类指田野、乡村、丛林、

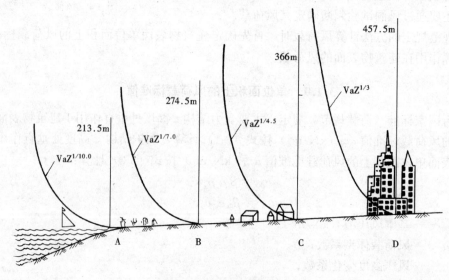

图 3-2　风速随高度的变化

丘陵以及房屋比较稀疏的乡镇和城市郊区；C 类指有密集建筑群的城市市区；D 类指有密集建筑群且房屋较高的大城市中心。城区的地面粗糙度可以采用如下方法确定：以拟建房为原点，以 2km 为半径的迎风半圆作为影响范围，计算其中建筑物高度的面域面积加权平均高度 $\bar{h}$，当 $\bar{h}$ 不小于 18m 时为 D 类，不大于 9m 时为 B 类，B 与 D 类之间为 C 类。面域面积指每座建筑物向外延伸距离为其高度时的面积，在此面域面积内的建筑高度取该建筑物高度；当不同高度的面域相交时，交叠部分的高度取大者。迎风方向以该地区最大风的方向为主，也可取其主导风。

式（3-4）给出了《荷载规范》中平坦或稍有起伏地形、对应各类地面粗糙度时风压高度变化系数的近似计算公式，计算结果见表 3-1。可以看出，对应 A、B、C、D 类地面粗糙度类型，各自的截断高度分别为 5m、10m、15m 和 30m，梯度风高度分别为 300m、350m、450m 与 550m。

$$\mu_z^A = 1.284 \left(\frac{z}{10}\right)^{0.24} \tag{3-4a}$$

$$\mu_z^B = 1.000 \left(\frac{z}{10}\right)^{0.30} \tag{3-4b}$$

$$\mu_z^C = 0.544 \left(\frac{z}{10}\right)^{0.44} \tag{3-4c}$$

$$\mu_z^D = 0.262 \left(\frac{z}{10}\right)^{0.60} \tag{3-4d}$$

风压高度变化系数 μ_z　　　　　　　　　　　　　　表 3-1

离地面或海平面高度（m）	地面粗糙度类别			
	A	B	C	D
5	1.09	1.00	0.65	0.51
10	1.28	1.00	0.65	0.51
15	1.42	1.13	0.65	0.51
20	1.52	1.23	0.74	0.51
30	1.67	1.39	0.88	0.51
40	1.79	1.52	1.00	0.60
50	1.89	1.62	1.10	0.69
60	1.97	1.71	1.20	0.77
70	2.05	1.79	1.28	0.84
80	2.12	1.87	1.36	0.91
90	2.18	1.93	1.43	0.98
100	2.23	2.00	1.50	1.04
150	2.46	2.25	1.79	1.33
200	2.64	2.46	2.03	1.58
250	2.78	2.63	2.24	1.81
300	2.91	2.77	2.43	2.02
350	2.91	2.91	2.60	2.22
400	2.91	2.91	2.76	2.40
450	2.91	2.91	2.91	2.58
500	2.91	2.91	2.91	2.74
≥550	2.91	2.91	2.91	2.91

对于建造在山区的高层建筑，风压高度变化系数除可参照平坦地面的粗糙度分类按表3-1确定外，还应考虑地形条件的影响，乘以修正系数 η。对于山间盆地、谷地等闭塞地形，修正系数 η 可在 $0.75\sim0.85$ 之间选取。对山峰和山坡地形（图3-3），对于山脚与顶部平坦地段（图3-3中的 A 与 C 点），修正系数 η 取 1.0；对于顶部（图3-3中的 B 点），修正系数 η 按式（3-5）计算，AB 间和 BC 间的修正系数 η 按线性插值确定。

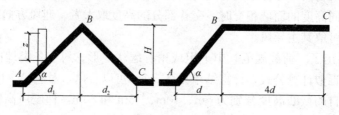

图 3-3　山峰与山坡示意

$$\eta_{\mathrm{B}} = \left[1 + \kappa\tan\alpha\left(1 - \frac{z}{2.5H}\right)\right]^2 \tag{3-5}$$

式中　$\tan\alpha$——山峰或山坡在迎风面一侧的坡度；当 $\tan\alpha$ 大于 0.3 时，取 0.3；

κ——系数，山峰取 2.2，山坡取 1.4；

H——山顶或山坡全高（m）；

z——建筑物计算位置离建筑物地面的高度（m）；当 z 大于 $2.5H$ 时，取 $z=2.5H$。

对于远海海面和海岛的高层建筑，其风压高度系数除可按 A 类粗糙度按表3-1确定外，还要根据建筑距离海岸的远近修正，当建筑距离海岸的小于 $40\mathrm{m}$ 时修正系数取 1.0，当距离海岸为 $40\sim60\mathrm{m}$ 时修正系数取 $1.0\sim1.1$，当距离海岸为 $60\sim100\mathrm{m}$ 时修正系数取 $1.1\sim1.2$。

3. 风荷载体型系数 μ_{s}

当风流动经过建筑物时，对建筑物不同的部位会产生不同的效果，有压力，也有吸力。空气流动还会产生涡流，对建筑物局部会产生较大的压力或吸力。因此，风对建筑物表面的作用力并不等于基本风压值，风的作用力随建筑物的体型、尺度、表面位置、表面状况而改变。风作用力大小和方向可以通过实测或风洞试验得到。图3-4是一个矩形建筑物的实测结果，图中系数是指表面风压值与基本风压的比值，正值是压力，负值是吸力。图3-4(a) 是房屋平面风压分布系数，表明当空气流经房屋时，在迎风面产生压力，在背风面产生吸力，在侧风面也产生吸力，而且各面风作用力并不均匀；图3-4(b)、(c) 是房屋立面表面风压分布系数，表明沿房屋每个立面风压值也并不均匀。但在设计时，采用各个表面风作用力的平均值，该平均值与基本风压的比值称为风荷载体型系数。由风荷载体型系数计算的每个表面的风荷载都垂直于该表面。

计算主体结构的风荷载效应时，风荷载体型系数 μ_{s} 可按照建筑物的平面形状确定：圆形平面建筑取 0.8；正多边形及截角三角形平面建筑取 $\mu_{\mathrm{s}}=0.8+1.2\sqrt{n}$（$n$ 为多边形的边数）；高宽比 H/B 不大于 4 的矩形、方形、十字形平面建筑取 1.3；V 形、Y 形、弧形、双十字形、井字形、L 形、槽形和高宽比 H/B 大于 4 的十字形、高宽比 H/B 大于 4 但长宽比 L/B 不大于 1.5 的矩形和鼓形平面建筑取 1.4。表 3-2 给出了一般高层建筑常用

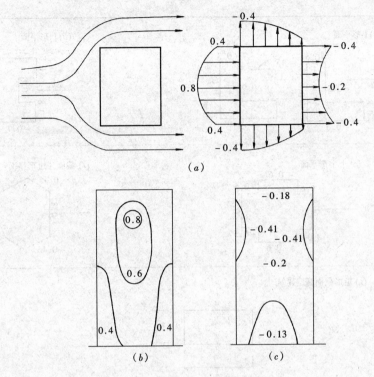

图 3-4 风压分布

(a) 空气流经建筑物时风压对建筑物的作用（平面）；

(b) 迎风面风压分布系数；(c) 背风面风压分布系数

的各种平面形状、各个表面的风荷载体型系数，《混凝土高规》附录 B 给出了其他情况的风荷载体型系数。对于重要且体型复杂的高层建筑，其风荷载体型系数应由风洞试验确定。

高层建筑风荷载体型系数   表 3-2

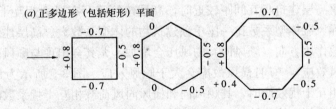

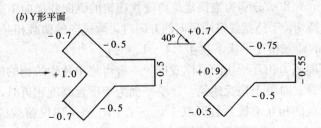

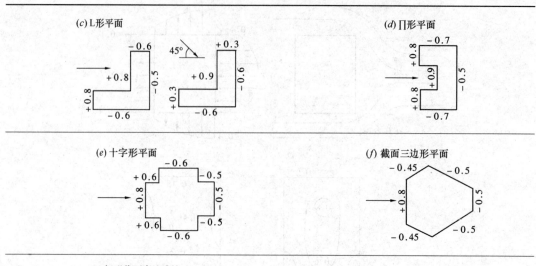

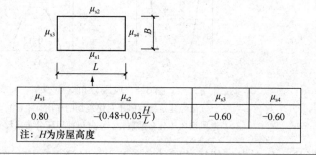

(g) 矩形截面高层建筑

μ_{s1}	μ_{s2}	μ_{s3}	μ_{s4}
0.80	$-(0.48+0.03\dfrac{H}{L})$	-0.60	-0.60
注：H为房屋高度			

(h) 圆形平面

当多栋或群集高层建筑相互间距较近时，高层建筑间存在风力相互干扰的群体效应，导致建筑物的实际风载体型系数比一座单独建筑物的体型系数大。高层建筑特别是超高建筑，不仅沿风荷载作用方向（顺风向）的风压会增加，尤其会出现与顺风向垂直方向的强烈振动（称为横风效应），有时横风效应会大于顺风效应。图3-5所示为相同高度的两座建筑间考虑风力相互干扰效应时，其顺风向和横风向风荷载相互干扰系数研究结果，干扰系数是指图中左侧建筑为施扰建筑，右侧建筑为受扰建筑。假定风由左向右吹，b 为受扰建筑的迎风面宽度，x 和 y 分别为施扰建筑离受扰建筑的纵向和横向距离。可以看出，在距离施扰建筑较近特别位于施扰建筑顺风向的方向时，顺风向的荷载相互干扰系数在 1.0～1.1 之间，横风向的荷载相互干扰系数在 1.0～1.3 之间。

对于高层建筑间风力相互干扰的群体效应，一般可将单独建筑物的体型系数乘以相互干扰系数的方法计算。对单个施扰建筑，建筑平面为矩形且高度相近时，根据施扰建筑的位置，顺风向风荷载的相互干扰系数可取 1.00～1.10，横风向风荷载的相互干扰系数可取 1.00～1.20；其他情况可参考类似条件的风洞试验资料确定，必要时宜通过风洞试验

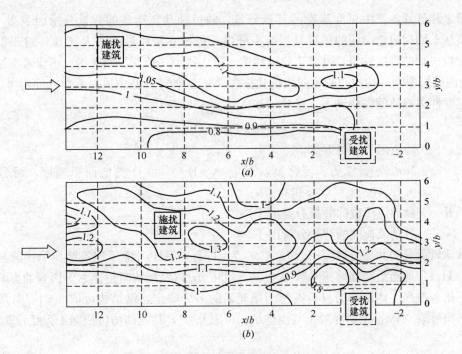

图 3-5　高层建筑间的风荷载相互干扰效应
（a）单个施扰建筑作用的顺风向风荷载相互干扰系数；
（b）单个施扰建筑作用的横风向风荷载相互干扰系数

确定。

4. 风振系数 β_z

风的作用是不规则的。通常近似将风速的平均值看成稳定风速或平均风速，使建筑物产生静侧移；实际风速在平均风速附近波动，风压也在平均风压附近波动，称为波动风压，因此建筑物实际上是在平均侧移附近摇摆，见图3-6。

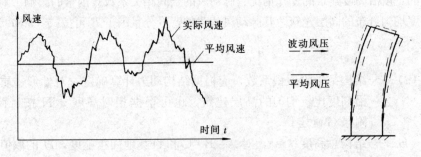

图 3-6　风振动作用

对于高度大于 30m 且高宽比大于 1.5 的房屋建筑，风引起的结构振动比较明显，随着结构自振周期的增长，风振也随之增加。因此，在设计中应考虑风速随时间、空间的变异性和结构阻尼特性等风压脉动对结构产生顺风向风振的影响，原则上应考虑多个振型的影响，按照结构随机振动理论计算。否则取 $\beta_z = 1.0$。

风振响应计算时，近似按照准静态的背景分量及建筑基本周期附近结构的风振共振响应分量之和计算，其中对准静态的背景分量，通过脉动风荷载的背景分量因子 B_z 考虑；对建筑基本周期附近结构的风振共振响应分量，通过共振风量因子 R 考虑。对于沿竖向变化比较规则的高层建筑，其频谱比较稀疏，第 1 振型一般起控制作用，可仅考虑结构第 1 振型的风振影响。结构的顺风向风荷载按式（3-1）计算，其中风振系数 β_z 即用考虑第 1 阶风振惯性力峰值的方法计算，见式（3-6）：

$$\beta_z = 1 + 2gI_{10}B_z\sqrt{1 + R^2} \tag{3-6}$$

式中　g ——峰值因子，可取 2.5；

　　　I_{10} ——10m 高度名义湍流强度，对应 A、B、C 和 D 类地面粗糙度，可分别取 0.12、0.14、0.23 和 0.39；

　　　R ——脉动风荷载的共振分量因子；

　　　B_z ——脉动风荷载的背景分量因子。

脉动风荷载的共振分量因子 R 按式（3-7）计算，其中考虑了建筑结构第 1 阶自振频率 f_1（Hz）、地面粗糙度修正系数 k_w、基本风压 w_0 以及结构阻尼比 ξ_1 等因素的影响。结构阻尼比 ξ_1 按照主体结构的材料类型与填充墙的多少确定，钢结构可取 0.01，有填充墙的钢结构可取 0.02，钢筋混凝土与砌体结构可取 0.05，其他结构可根据工程经验确定。

$$R = \sqrt{\frac{\pi}{6\xi_1}\frac{x_1^2}{(1 + x_1^2)^{4/3}}} \tag{3-7a}$$

$$x_1 = \frac{30f_1}{\sqrt{k_w w_0}}, x_1 > 5 \tag{3-7b}$$

式中　f_1 ——建筑结构第 1 阶自振频率（Hz）；

　　　k_w ——地面粗糙度修正系数，A 类、B 类、C 类和 D 类地面粗糙度分别取 1.28、1.0、0.54 和 0.26；

　　　ξ_1 ——结构阻尼比。

脉动风荷载的背景分量因子 B_z 考虑了建筑结构自振频率、结构总高度以及建筑迎风面与侧风面的宽度沿高度建筑的变化情况、脉动风的空间相关系数等因素的影响。对于体型和质量沿高度均匀分布的高层建筑，其脉动风荷载的背景分量因子 B_z 可按式（3-8）计算：

$$B_z = kH^{\alpha_1}\rho_x\rho_z\frac{\phi_1(z)}{\mu_z} \tag{3-8}$$

式中　$\phi_1(z)$ ——结构第 1 阶振型系数，应根据结构动力计算确定，对外形、质量、刚度沿高度比较均匀的高层建筑，也可根据相对高度 z/H 按《荷载规范》附录 G 确定；

　　　H ——结构总高度（m），对 A、B、C 和 D 类地面粗糙度，H 的取值分别不应大于 300m、350m、450m 和 550m；

　　　ρ_x ——脉动风荷载水平方向相关系数，$\rho_x = \dfrac{10\sqrt{B + 50e^{-B/50} - 50}}{B}$，$B$ 为迎风面宽度（m），$B \leqslant 2H$，对于迎风面宽度 B 较小的结构，$\rho_x = 1$；

　　　ρ_z ——脉动风荷载竖直方向相关系数，$\rho_z = \dfrac{10\sqrt{H + 60e^{-H/60} - 60}}{H}$；

　　　$k、\alpha_1$ ——系数，按表 3-3 取值。

系数 K、α_1 表 3-3

粗糙度类别	A	B	C	D
k	0.944	0.670	0.295	0.112
α_1	0.155	0.187	0.261	0.346

对迎风面和侧风面的宽度沿高度为直线变化或接近直线变化、而质量沿高度按线性规律变化的高耸结构,按式(3-7)计算的脉动风荷载的背景分量因子 B_z 应乘以修正系数 θ_B 与 θ_V。θ_B 为建筑物 z 高度处的迎风面宽度 $B(z)$ 与底部宽度 $B(0)$ 的比值。θ_V 可按表 3-4 确定。

修正系数 θ_V 表 3-4

$B(H)/B(0)$	1.0	0.9	0.8	0.7	0.6	0.5	0.4	0.3	0.2	$\leqslant 0.1$
θ_V	1.00	1.10	1.20	1.32	1.50	1.75	2.08	2.53	3.30	5.60

5. 风荷载局部风压体型系数 μ_{sl}

当风流动经过建筑物时,对建筑物的不同部位会产生不同的效果,特别在角隅、檐口、边棱处和在附属结构的某些部位(如阳台、雨篷等外挑构件),局部风压会远超过主体结构风荷载的基本风压,如设计不当会造成附属结构局部破坏或附属结构与主体结构间的连接节点破坏。为了考虑这种建筑物表面局部部位的风压超过全表面平均风压的情况,引入了风荷载局部风压体型系数。

对于封闭式矩形房屋,其墙面与屋面的局部风压体型系数取值如图 3-7 所示。如果围护结构的墙面是迎风面,则局部风压体型系数取 1.0;如为背风面则取 -0.6;如为侧风面(图 3-7a),则靠近迎风面的角隅范围取 -1.4,其他范围取 -1.0,角隅范围取 min $(B, 2H)/5$。如果封闭式矩形房屋的屋顶为双坡屋面(图 3-7b)或单坡屋面(图 3-7c),则屋顶的局部风压体型系数不仅考虑屋面的倾角变化的影响,而且考虑边棱处的局部影响,具体取值方法如图 3-7(b)、(c) 所示。

对檐口、雨篷、遮阳板、边棱处的装饰条等突出构件,取 -2.0。其他房屋可按主体结构的规定体型系数的 1.25 倍取值。

计算非直接承受风荷载的围护构件的风荷载时,如屋面的檩条、幕墙骨架等,局部风压体型系数可按构件的从属面积折减:当从属面积不大于 $1m^2$ 时,折减系数取 1.0;当从属面积不大于或等于 $25m^2$ 时,对墙面折减系数取 0.8,对局部风压体型系数绝对值大于 1.0 的屋面区域折减系数取 0.6,对其他屋面区域折减系数取 1.0;当从属面积大于 $1m^2$ 小于 $25m^2$ 时,墙面与绝对值大于 1.0 的屋面局部风压体型系数可采用对数插值,按照下式计算:

$$\mu_{sl}(A) = \mu_{sl}(1) + [\mu_{sl}(25) - \mu_{sl}(1)]\log A/1.4 \tag{3-9}$$

计算围护构件的风荷载时,其外表面直接承受表面压力或吸力,还要需要考虑围护构件内表面的局部压力,通过内部局部风压体型系数确定,具体计算时根据墙面开洞率(一面墙上单个主导洞口面积与该墙面全部面积的比值)大小来确定。对于封闭式建筑或仅一墙面开洞且开洞率不大于 0.02 的建筑物,按照其外表面的风压的正负情况取 -0.2 或 0.2。对仅一面墙有主导洞口的建筑物,应参照主导洞口对应位置的局部风压体型系数 μ_{sl}

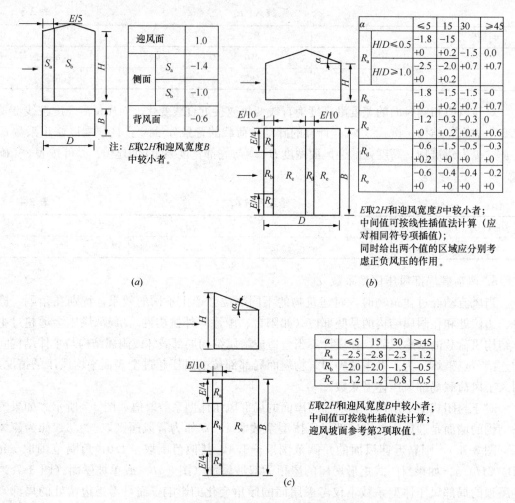

图 3-7 封闭式矩形平面房屋的局部风压体型系数

（a）墙面；（b）双坡屋面；（c）单坡屋面

根据主导洞口开洞率确定：当开洞率大于 0.02 且不大于 0.10 时取 $0.4\mu_{sl}$，当开洞率大于 0.10 且不大于 0.30 时取 $0.6\mu_{sl}$，当开洞率大于 0.30 时取 $0.8\mu_{sl}$。其他情况按照开放式建筑物的 μ_{sl} 取值。

6. 阵风系数 β_{gz}

计算围护结构（包括门窗）的风荷载时，不再区分幕墙与其他构件的差异，全部根据地面粗糙度的类型与计算围护结构离地面的高度确定阵风系数 β_{gz}，取值按表 3-5 确定，其中阵风系数对应的截断高度与梯度风高度和表 3-1 的风压高度系数中相同。

风振系数 β_{gz} 表 3-5

离地面高度（m）	地 面 粗 糙 度 类 别			
	A	B	C	D
5	1.65	1.70	2.05	2.40
10	1.60	1.70	2.05	2.40

续表

离地面高度（m）	地 面 粗 糙 度 类 别			
	A	B	C	D
15	1.57	1.66	2.05	2.40
20	1.55	1.63	1.99	2.40
30	1.53	1.59	1.90	2.40
40	1.51	1.57	1.85	2.29
50	1.49	1.55	1.81	2.20
60	1.48	1.54	1.78	2.14
70	1.48	1.52	1.75	2.09
80	1.47	1.51	1.73	2.04
90	1.46	1.50	1.71	2.01
100	1.46	1.50	1.69	1.98
150	1.43	1.47	1.63	1.87
200	1.42	1.45	1.59	1.79
250	1.41	1.43	1.57	1.74
300	1.40	1.42	1.54	1.70
350	1.40	1.41	1.53	1.67
400	1.40	1.41	1.51	1.64
450	1.40	1.41	1.50	1.62
500	1.40	1.41	1.50	1.60
550	1.40	1.41	1.50	1.59

7. 横向风与扭转风振

在风作用下，建筑物不仅顺风向可能发生风振，在一定条件下由于气流的尾流激励（或旋涡脱落激励）、横风向紊流激励与建筑振动与风之间的耦合效应（气动弹性激励）等原因，导致建筑物在一定条件下会发生横风向风振效应（称为横风效应），特别当尾流激励频率与结构自振频率相近时，结构可能发生强风共振现象，结构可能出现严重的振动甚至破坏，国内外都曾发生过很多类似的损坏与破坏事例。

横风向风振效应与建筑的高度、高宽比、结构的自振频率、阻尼比、风速、建筑物迎风面宽度等因素有关。当高层建筑物的高度超过150m、高宽比大于5时可能出现明显的横风效应，并且随着建筑高度或建筑高宽比的增加而增加，一般按照横风向风振的等效风荷载计算。对于平面为圆形、矩形、凹角或削角矩形的高层建筑，其横风向风振的等效风荷载按照《荷载规范》规定的方法计算，对于平面或立面体型较复杂的高层建筑，横风向风振的等效风荷载宜通过风洞试验确定。

由于建筑各个立面风压的非对称性，风荷载作用下建筑物会因为风荷载对结构的偏心而增加结构的扭转效应，这种现象叫扭转风振。扭转风振受建筑物的平面形状、湍流度等因素的影响较大。根据建筑物的高度、高宽比、深宽度、结构自振频率、结构刚度与质量的偏心等因素判断是否需要考虑扭转风振的影响。当建筑的高度超过 150m、高宽比大于 3、深宽度大于 1.5 时，可能出现明显的扭转风振效应，宜考虑扭转风振影响。

高层建筑结构由于高度大，在脉动风荷载作用下，其顺风向荷载、横风向风振等效风荷载和扭转风振等效风荷载一般同时发生，但三种荷载的最大值不一定同时出现，工程设计中需要分别考虑三种风荷载独立作用下的效应或 60% 顺风向风荷载与 100% 的横风向风振等效风荷载作用下的效应四种情况。

3.1.2　总体风荷载与局部风荷载

总体风荷载是建筑物各表面承受风作用力的合力，是沿高度变化的分布荷载，用于计算抗侧力结构的侧移及各构件内力。首先按式（3-1）计算得到某高度 z 处风荷载标准值 w_{zk}，然后计算该高度处各个受风面上风荷载的合力值（各受风面上的风荷载垂直于该表面，投影后求合力）。也可按下式直接计算 z 高度处沿建筑物高度每米的风荷载：

$$w_z = \sum_{i=1}^{n} \beta_z \mu_z \mu_{si} w_0 B_i \cos\alpha_i = \beta_z \mu_z \sum_{i=1}^{n} w_i \tag{3-10}$$

式中　n——建筑外围表面数；

$\quad\quad B_i$——第 i 个表面的宽度（m）；

$\quad\quad \mu_{si}$——第 i 个表面的风荷载体型系数；

$\quad\quad \alpha_i$——第 i 个表面法线与总风荷载作用方向的夹角（°）；

$\quad\quad w_i$——第 i 个表面在基本风压荷载作用下沿高度每米的风荷载在计算方向的分力（kN/m），$w_i = w_0 B_i \mu_{si} \cos\alpha_i$。

要注意建筑物每个表面体型系数的正负号，即是风压力还是风吸力，以便在求合力时作矢量相加。由式（3-10）计算得到的 w_z 是线荷载，单位是"kN/m"。

各表面风力的合力作用点，即为总体风荷载的作用点。设计时，将沿高度分布的总体风荷载的线荷载换算成作用在各楼盖位置的集中荷载，再计算结构的内力及位移。

局部风荷载用于计算结构局部构件或围护构件或围护构件与主体的连接，如水平悬挑构件、幕墙构件及其连接件等，其单位面积上的风荷载标准值 w_{zk} 用式（3-2）计算，需要确定响应的风荷载局部风压体型系数与阵风系数。对于檐口、雨篷、遮阳板、阳台等突出构件的上浮力，风荷载局部风压体型系数取 -2.0。

风荷载的组合值系数、频遇值系数和准永久值系数可分别取 0.6、0.4 和 0.0。

【例 3-1】18 层框架-剪力墙结构房屋建筑，其平面如图 3-8 所示，建筑总高 58m，$H/B = 1.59$，D 类地区，基本风压 $w_0 = 0.70\text{kN/m}^2$，计算总风荷载及其合力作用点在平面上的位置。

【解】按公式（3-10），计算 z 高度处沿建筑物高度每米的风压。

首先计算在基本风压荷载作用下沿高度每米的风荷载在计算风荷载方向的分力 w_i，按 8 块表面积分别计算风力（压力或吸力）在 y 方向的投影值，投影后与 y 坐标正向相同者取正号，反之取负号。表面序号在图 3-8 中○内注明，计算如表 3-6，x_i 为 w_i 到原点 O 的距离。

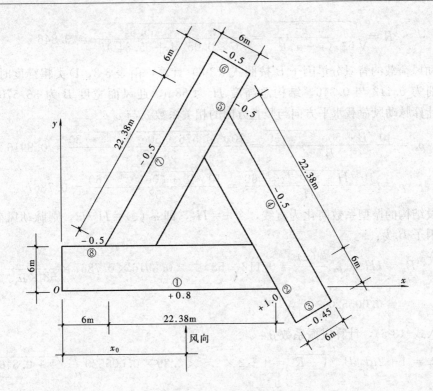

图 3-8　例 3-1 平面图

例 3-1 计算　　　　　　　　　　　　　　　　　表 3-6

序号 i	$w_i B_i \mu_{si}$	$\cos\alpha_i$	w_i (kN/m)	x_i (m)	$w_i \cdot x_i$
1	$0.7 \times 28.38 \times 0.8$	1.0	15.89	14.19	225.52
2	$0.7 \times 6.0 \times 1.0$	0.5	2.10	29.88	62.75
3	$-0.7 \times 6.0 \times 0.45$	$\sqrt{3}/2$	-1.64	33.98	-55.62
4	$0.7 \times 28.38 \times 0.5$	0.5	4.97	29.48	146.41
5	$-0.7 \times 6.0 \times 0.5$	0.5	-1.05	23.89	-25.08
6	$0.7 \times 6.0 \times 0.5$	$\sqrt{3}/2$	1.82	22.79	41.45
7	$0.7 \times 28.38 \times 0.5$	0.5	4.97	13.10	65.06
8	$0.7 \times 6.0 \times 0.5$	1.0	2.10	3.00	6.30
Σ			29.16		466.78

风合力作用点距离原点：

$$x_0 = \frac{466.80}{29.16} = 16\text{m}$$

建筑的高度大于 30m，高宽比为 1.58（58/36.576＝1.58），大于 1.5，要考虑风振影响。建筑为框架-剪力墙结构，阻尼比取 0.05，基本周期按 $0.07N$ 计算（N 为层数），得到结构的第一阶周期为 $T_1 = 0.07 \times 18 = 1.26\text{s}$，第一阶频率为 $f_1 = 1/T_1 = 0.794\text{Hz}$。

D 类场地，地面粗糙度修正系数 k_w 取 0.26。由式（3-7）计算得到结构脉动风荷载的共振分量因子 R：

$$x_1 = \frac{30 f_1}{\sqrt{k_w w_0}} = \frac{30 \times 0.794}{\sqrt{0.26 \times 0.7}} = \frac{23.82}{0.4266} = 55.84, \ > 5$$

$$R = \sqrt{\frac{\pi}{6\xi_1}\frac{x_1^2}{(1+x_1^2)^{4/3}}} = \sqrt{\frac{\pi}{6\times0.05}\frac{55.84^2}{(1+55.84^2)^{4/3}}} = 0.846$$

脉动风荷载的背景分量因子 B_z 按照式（3-8）计算，由表 3-3，D 类粗糙度时系数 K、α_1 的分别为 0.112 与 0.346，结构总高度 H 为 58m，迎风面宽度 B 为 36.576m（$B \leqslant 2H$）。计算脉动风荷载水平方向与竖直方向的相关系数 ρ_x 与 ρ_z：

$$\rho_x = \frac{10\sqrt{B+50\mathrm{e}^{-B/50}-50}}{B} = \frac{10\sqrt{36.576+50\mathrm{e}^{-36.576/50}-50}}{36.576} = 0.8916$$

$$\rho_z = \frac{10\sqrt{H+60\mathrm{e}^{-H/60}-60}}{H} = \frac{10\sqrt{58+60\mathrm{e}^{-58/60}-60}}{58} = 0.7867$$

假设结构的振型系数简化为直线，令 $z = H_1$，即 $\varphi_1(z) = H_i/H$，则脉动风荷载的背景分量因子 B_z 为：

$$B_z = kH^{\alpha_1}\rho_x\rho_z\frac{\phi_1(z)}{\mu_z} = 0.112\times58^{0.346}\times0.8916\times0.7867\times\frac{z}{58\times\mu_z}$$

$$= 0.005520\frac{z}{\mu_z}$$

代入式（3-5），计算风振系数 β_z：

$$\beta_z = 1 + 2gI_{10}B_z\sqrt{1+R^2} = 1 + 2\times2.5\times0.39\times0.005520\frac{z}{\mu_z}\sqrt{1+0.846^2}$$

$$= 1 + 0.0141\frac{z}{\mu_z}$$

利用公式（3-1）与表 3-1，代入上述相关计算结果，可以计算出对应不同楼层高度 μ_z 处的风荷载 w_z，计算结果见表 3-7。

例 3-1 计算结果　　　　　　　　　　表 3-7

层号	H_i（m）	μ_z	β_z	$\beta_z\mu_z$	w_z（kN/m）	分布图形
18	58	0.75	2.09	1.57	45.78	
17	54	0.72	2.06	1.48	43.22	
16	51	0.70	2.03	1.42	41.28	
15	48	0.67	2.01	1.35	39.32	
14	45	0.65	1.98	1.28	37.34	
13	42	0.62	1.96	1.21	35.34	
12	39	0.59	1.93	1.14	33.32	
11	36	0.57	1.90	1.07	31.28	
10	33	0.54	1.87	1.00	29.21	
9	30	0.51	1.84	0.93	27.10	
8	27	0.51	1.75	0.89	25.97	
7	24	0.51	1.66	0.85	24.74	
6	21	0.51	1.58	0.81	23.51	
5	18	0.51	1.50	0.76	22.27	
4	15	0.51	1.41	0.72	21.04	
3	12	0.51	1.33	0.68	19.81	
2	9	0.51	1.25	0.64	18.57	
1	5	0.51	1.14	0.58	16.93	

3.1.3 风洞试验介绍

风是紊乱的随机现象,风对建筑物的作用十分复杂,规范中关于风荷载值的确定适用于大多数体型较规则、高度不太大的单幢高层建筑。目前还没有有效的计算体型复杂、高柔建筑物风荷载的方法,而风洞试验是一种测量大气边界层内风对建筑物作用大小的有效手段;摩天大楼可能造成很强的地面风,对行人和商店有很大影响;当附近还有别的高层建筑时,群体效应对建筑物和建筑物之间的通道也会造成危害(图 3-9),这些都可以通过风洞试验得到对设计有用的数据。

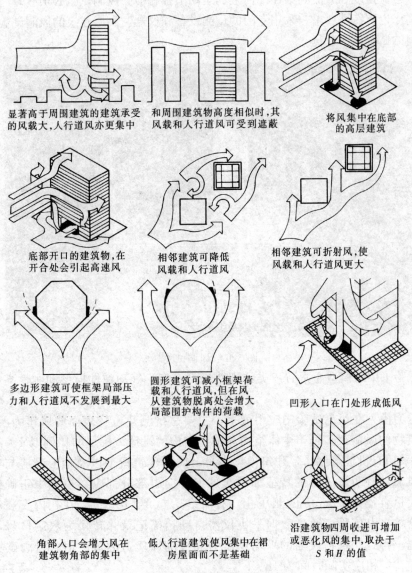

图 3-9 风荷载对高层建筑的影响

(摘自《高层建筑钢-混凝土组合结构设计》[15])

《混凝土高规》规定有下列情况之一的建筑物,宜进行风洞试验确定建筑物的风荷载:

（1）高度大于200m；

（2）平面形状或立面形状复杂；

（3）立面开洞或连体建筑；

（4）周围地形和环境较复杂。

建筑物的风洞试验要求在风洞中能实现大气边界层内风的平均风速剖面、紊流和自然流动，即能模拟风速随高度的变化，大气紊流纵向分量与建筑物长度尺寸应具有相同的相似常数，一般情况下，风洞尺寸达到宽为2~4m、高为2~3m、长为5~30m时可满足要求。图3-10为风洞试验的一个实例。为在风洞中正确模拟风速剖面，要使模型和原型的风速梯度、紊流强度和紊流频谱在几何上和运动上都相似。风洞试验必须有专门的风洞设备，模型制作也有特殊要求，采用专门的量测设备和仪器。高层建筑的风洞试验由风工程专家和专门的试验人员进行。

图3-10　风洞试验

风洞试验采用的模型通常有三类：刚性压力模型、气动弹性模型和刚性高频力平衡模型。

刚性压力模型在风洞试验中应用最多，主要是量测建筑物表面的风压力及风吸力，以确定建筑物的风荷载，用于主体结构和围护结构的设计。模型的比例取1：300~1：500，一般采用有机玻璃制作，建筑模型本身、周围建筑模型以及地形都应与实物几何相似，与风流动有明显关系的特征如建筑外形、突出部分都应在模型中正确模拟。模型上布置大量直径为1.5mm的测压孔，有时多达500~700个，在孔内安装压力传感器，传感器输出电信号，通过数据采集仪器自动扫描记录并转换为数字信号，由计算机处理数据，得到建筑物表面的平均风压力和波动风压力的量测值。风洞试验一次需持续60s左右，相应实际时间为1h。

气动弹性模型可更好地考虑结构的柔度和自振频率、阻尼的影响，因此不仅要求模拟几何尺寸，还要求模拟建筑物的惯性矩、刚度和阻尼特性。对于高宽比大于5、需要考虑舒适度的高柔建筑采用这种模型较为合适。但气动弹性模型的设计和制作比较复杂，风洞试验时间也长，有时采用刚性高频力平衡模型风洞试验代替。

刚性高频力平衡模型风洞试验是将一个轻质材料的模型固定在高频反应的力平衡系统上，得到风产生的动力效应。刚性高频力平衡模型风洞试验需要有能模拟结构刚度的基座杆及高频力平衡系统。

3.2 地 震 作 用

3.2.1 地震作用的特点

地震波传播产生地面运动，通过基础影响上部结构，上部结构产生的强迫振动称为结构的地震反应，包括加速度、速度和位移反应。

地震波可以分解为六个振动分量：两个水平分量，一个竖向分量和三个转动分量。对建筑结构造成破坏的主要是水平振动。地面水平振动使结构产生移动和摇摆，结构不对称时，也使结构产生扭转；地面转动使结构扭转，但目前尚无法计算，主要采用概念设计方法加大结构抵抗能力以减小其破坏作用。地面竖向振动在震中附近的高烈度区对房屋结构的影响比较大。目前，建筑结构抗震计算和抗震设计主要考虑水平地震作用，水平长悬臂构件、9 度抗震设计时，需要考虑竖向地震作用。

地震地面运动的特性可以用三个特征量来描述：强度、频谱和持续时间或有效持续时间。

强度可以是地面运动的峰值加速度（Peak Ground Acceleration，简称 PGA）、峰值速度（Peak Ground Velocity，简称 PGV）或峰值位移（Peak Ground Displacement，简称 PGD）。加速度与地震作用大小直接相关，而速度与地震对结构输入的能量相关。图 3-11 为美国 1940 年 El Centro 地震 N-S 分量的地面运动加速度、速度与位移时程曲线，加速

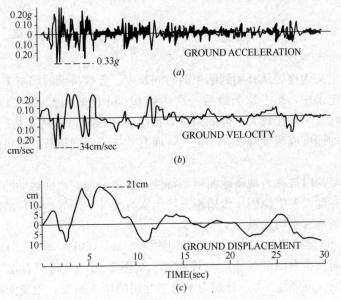

图 3-11 1940 年 El Centro 地震 N-S 分量地面运动时程曲线
(*a*) 加速度时程曲线；(*b*) 速度时程曲线；(*c*) 位移时程曲线

度时程由强震仪记录得到，速度与位移时程分别由加速度时程积分一次和两次得到，其 PGA、PGV 和 PGD 分别为 0.33g，34cm/s 和 21cm，3 个峰值到达的时间不同。从加速度到速度到位移，频率越来越小，周期越来越长。

频谱是指地震地面运动的能量随频率的分布规律，通常以傅氏谱、自功率谱或反应谱曲线的形式体现。图 3-12 所示为 2008 年汶川地震什邡市八角台站加速度时程（见图 3-13b）的傅氏谱和功率谱。通常高频（2～6Hz）范围的能量较大，随频率的降低能量密度下降，结构的加速度响应下降。地震震级越高，地震释放的能量越大，频谱的谱值也就越大；震中距越小，高频范围的能量密集、短周期结构的响应越大，长周期部分的能量密度相比就较低；震中距越大，低频长周期部分的能量密度相对较大。由于工程场地对地震波的过滤作用，通常岩土与硬土场地，高频短周期的能量比较丰富，长周期的能量衰减较快，反之，如果为软土场地则中长周期范围的能量较丰富。

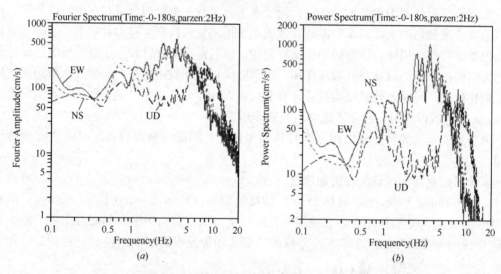

图 3-12   汶川地震什邡市八角镇加速度时程的傅氏谱和功率谱
(a) 傅氏谱；(b) 自功率谱

持续时间可定义为地震从开始到结束的时间长度。有效持续时间有多种定义，定义之一是指一个地震记录中，第一次与最后一次达到 0.05g 的时间长度。强烈地震地面运动的加速度或速度峰值一般比较大，但如果有效持续时间很短，对建筑物的破坏可能不大；地震地面运动的加速度或速度峰值并不很大，而有效持续时间很长，有可能对建筑物造成严重破坏。

强度、频谱与持时被称为地震地面运动特性三要素。地震地面运动的特性除了与震源所在位置、深度、地震发生原因、传播距离等因素有关外，还与地震传播经过的区域和建筑物所在区域的场地有密切关系。

图 3-13 为 2008 年汶川地震中震中距分别约为 20km、60km 与大于 1500km 处三个强震台站记录的地面三个方向的加速度时程曲线。从图 3-13(a) 可以看出，汶川地震有两次明显的能量释放，间隔约 20s，分别为映秀与北川的两次断裂，地震的加速度记录持续时间较长，东西方向（图中 EW）的 PGA 最大，为 957gal，竖向（图中 UD）的 PGA 次之，为 948gal，南北方向（图中 NS）的 PGA 最小，为 652gal。随着震中距的增加，振幅

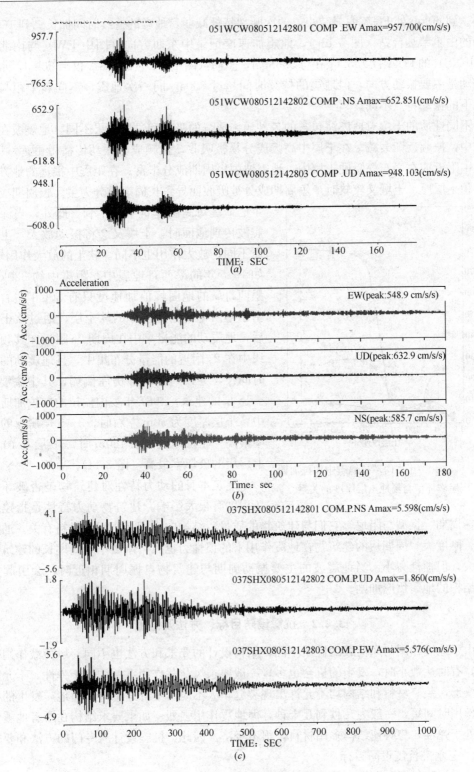

图 3-13　2008 年汶川地震加速度记录

(a) 汶川卧龙台站（震中距 18km）；(b) 什邡市八角台站（震中距 60km）；

(c) 山东莘县台站（震中距大于 1600km）

减小。到 60km 处 PGA 明显减小，两次断裂特征减弱，地震的持续时间加长。到 1600km 之外的山东莘县台站（图 3-13c），地震加速度记录中东西方向（图中 EW）与南北方向（图中 NS）的 PGA 仅为 5.6gal 与 5.58gal，竖向（图中 UD）的 PGA 仅 1.86gal，水平方向振动是主要振动方向，但地震的持续时间超过 600s。同一次地震，不同震中距与不同场地下的振动特点不同。

　　不同性质的土壤对地震波包含的各种频率成分的吸收和过滤效果不同。地震波在传播过程中，振幅逐渐衰减，在土层中高频成分易被吸收，低频成分振动传播得更远。因此，在震中附近或在岩石等坚硬土壤中，地震波中短周期成分丰富；在距震中很远的地方，或当冲积土层厚、土壤又较软时，短周期成分被吸收而导致长周期成分为主。长周期成分为主的地震对高层建筑十分不利。此外，当深层地震波传到地面时，土壤又会将振动放大，土壤性质不同，放大作用也不同，软土的放大作用较大。如 1985 年的墨西哥地震中，距震中约 320km 的墨西哥城的地面峰值加速度只有 50gal 左右，但由于墨西哥城地处较厚的软土层，通过软土过滤后，地震动的能量集中在周期 2s 附近，其频谱曲线中在 2s 附近的能量分布集中，且地震动的持续时间长，导致约 300 幢房屋倒塌，其中主要是 5～15 层的建筑。1967 年委内瑞拉的加拉加斯地震中，土层厚度为 50m 左右时，3～5 层房屋的破坏率最高；土层厚度大于 160m 时，10 层及 10 层以上房屋的破坏率最高（图 3-14）。

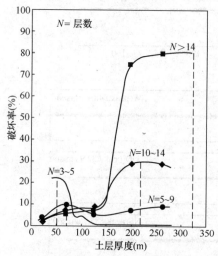

图 3-14　1967 年委内瑞拉地震中加拉加斯房屋破坏率与场地土层厚度的关系

　　建筑本身的动力特性对建筑物是否破坏和破坏程度有很大影响。建筑物动力特性是指建筑物的自振周期、振型与阻尼，它们与建筑物的质量、结构的刚度及所用的材料有关。通常质量大、刚度大、周期短的建筑物在地震作用下的惯性力也大；刚度小、周期长的建筑物位移较大，但惯性力小。当地震波的主要振动周期与建筑物自振周期相近时，会引起类共振，结构的地震反应加剧。

3.2.2　抗震设防目标、方法及范围

　　由于地震作用与风荷载的性质不同，结构设计的要求和方法也不同。风荷载作用时间较长，有时达数小时，发生的机会也多，一般要求风荷载作用下结构处于弹性，不允许出现大变形，装修材料和结构均不允许出现裂缝，人不应有不舒适感等。而地震发生的机会少，作用时间短，一般为几秒到几十秒，但地震作用强烈。如果要求结构在所有地震作用下都处于弹性，势必使结构多用材料，很不经济。因此，抗震设计有专门的方法和要求。

　　1. 三水准抗震设防目标

　　抗震设防目标和要求，是根据一个国家的经济力量、科学技术水平、建筑材料和设计、施工现状等综合制订的，并会随着经济和科学水平的发展而改变。我国的房屋建筑采用三水准抗震设防目标，即："小震不坏，中震可修，大震不倒"。在小震作用下，主体结

构不受损坏或不需修理可继续使用；在中震作用下，可能发生损坏，但经一般性修理仍可继续使用；在大震作用下，不致倒塌或发生危及生命的严重破坏。使用功能或其他方面有专门要求的建筑，当采用抗震性能化设计时，具有更具体或更高的抗震设防目标。

小震、中震、大震是指概率统计意义上的地震大小：小震指该地区 50 年内超越概率约为 63% 的地震烈度，即众值烈度，又称多遇地震，其重现期为 50 年或 50 年重现期内可能发生 1 次的地震；中震指该地区 50 年内超越概率约为 10% 的地震烈度，又称为基本烈度或抗震设防烈度，其重现期为 475 年或 475 年重现期内可能发生 1 次的地震；大震指该地区 50 年内超越概率约为 2%～3% 的地震烈度，又称为罕遇地震，其重现期为 1600（7 度）～2400 年（9 度）或 1600～2400 年重现期内可能发生 1 次的地震。

各个地区和城市的抗震设防烈度是由国家规定的。我国现行的某地区的设防烈度，是指基本烈度，也就是指中震。小震烈度比中震烈度低约 1.55 度，大震烈度比基本烈度高 1 度。图 3-15 以 8 度为例，列出了小震、中震、大震烈度之间的关系。

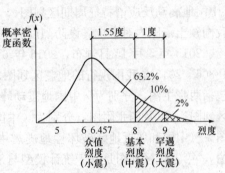

图 3-15　小震、中震、大震烈度的关系（以 8 度为例）

2. 两阶段抗震设计方法

为了实现三水准抗震设防目标，采取二阶段抗震设计方法。

第一阶段为小震作用下的结构设计。在初步设计及技术设计阶段，要按有利于抗震确定建筑形体、结构方案和结构布置，然后进行抗震计算及抗震构造设计。在这阶段，用相应于该地区设防烈度的小震作用计算结构的弹性位移和构件内力，并进行荷载效应组合得到组合的内力设计值，用承载力极限状态方法进行截面承载力验算，按延性和耗能要求采取相应的抗震构造措施。虽然只用小震计算结构地震作用，但是结构的方案、布置、构件设计及配筋构造都是以三水准设防为目标，也就是说，经过第一阶段设计，结构应该具有实现"小震不坏，中震可修，大震不倒"的能力。

第二阶段为大震作用下的弹塑性变形验算。《抗震规范》规定了需要进行弹塑性变形验算的高层建筑的类型，通过大震作用下的弹塑性变形验算，检验结构是否达到大震不倒的抗震设防目标。大震作用下，结构进入弹塑性状态，因此要考虑构件的弹塑性性能。如果大震作用下结构的弹塑性层间位移角超过了规范规定的限值，则应修改结构设计，直到层间变形满足要求。如果存在薄弱层，可能造成严重破坏，则应视其部位及可能出现的后果进行处理，采取相应的改进措施。

3. 抗震设防范围

《抗震规范》规定，基本烈度为 6 度及 6 度以上地区内的建筑结构，应抗震设防。《抗震规范》适用于设防烈度为 6～9 度地区的建筑抗震设计。设防烈度大于 9 度地区的建筑抗震设计，按 1989 年建设部的相关规定执行。

一个地区的抗震设防烈度，必须按国家规定的权限审批、颁发的文件（图件）确定。一般情况下，建筑的抗震设防烈度应采用根据中国地震动参数区划图确定的地震基本烈度。我国的地震区划工作始于 20 世纪 50 年代初，1957 年完成了第一代中国地震烈度区域划分图，第一代区划图基于构造类比与地震重复思想，假设地质构造相似的地方发生的地震特性相似，发生过强烈地震的地方后续可能发生相同震级的地震。20 世纪 70 年代初对此区划图进行了修订，并于 1977 年颁布，正式成为我国工程建设抗震设防的依据，被称为第二代地震区划图。第二代区划图是基于中长期地震预报的成果，给出基于百年最大地震烈度的区划。1990 年开始使用第三代地震区划图，该图给出的是 50 年内一般场地条件下可能遭遇的超越概率为 10% 的烈度值，该图制定时采用了地震危险性概率分析方法描述地震危险性，考虑了我国地震活动时、空不均匀分布的特点，吸收了地震长期预测方面的研究成果。2001 年颁布的《中国地震动参数区划图》GB 18306—2001 是我国第四代地震区划图，采用"两图一表"的区划形式，两图指《中国地震动峰值加速度区划图》与《中国地震动反应谱特征周期区划图》，一表指《地震动反应谱特征周期调整表》，给出了我国领土范围内对应抗震设防烈度的地震动峰值加速度与地震动反应谱特征周期。

2015 年 5 月 15 日颁布、2016 年 6 月 1 日开始实施的《中国地震动参数区划图》GB 18306—2015 是我国现行的地震区划图，也是我国第五代地震区划图。第五代地震区划图包括两张主图，分别为《中国地震动峰值加速度区划图》与《中国地震动反应谱特征周期区划图》，以及四张附图，分别为《中国和邻近地区地震构造图》、《中国地震综合等震线图》、《中国和邻近地区破坏性地震震中分布图》和《中国和邻近地区中小地震震中分布图》。第五代区划图是基于统计模型与地震构造模型的思想编制的。第五代地震区划图的地震设防区域实现全覆盖，取消了第四代地震区划图中的不设防地区，全国抗震设防，全国 7 度以上地区的面积为国土面积的 58%，8 度以上地区面积为国土面积的 18%。地震动参数明确到县级及县级以上城镇的中心地区，目标是到 2020 年，全国的建筑具备 6 度或 6 度以上抗震设防的能力。

《抗震规范》给出了抗震设防烈度与设计基本地震加速度的关系，表 3-8 为抗震设防烈度、设计基本地震加速度和地震峰值加速度值的对应关系；《抗震规范》给出了加速度反应谱特征周期与设计地震分组、场地类别的关系，表 3-9 为设计地震分组与地震动加速度反应谱特征周期的对应关系。

抗震设防烈度、设计基本地震加速度和 GB 18306—2015　　　　表 3-8
地震峰值加速度值的对应关系

抗震设防烈度	6 度	7 度		8 度		9 度
设计基本地震加速度值	$0.05g$	$0.10g$	$0.15g$	$0.20g$	$0.30g$	$0.40g$
GB 18306：地震峰值加速度	$0.05g$	$0.10g$	$0.15g$	$0.20g$	$0.30g$	$0.40g$

注：g 为重力加速度。

设计地震分组与地震动加速度反应谱特征周期的对应关系　　　　表 3-9

设计地震分组	第一组	第二组	第三组
地震动加速度反应谱特征周期	$0.35s$	$0.40s$	$0.45s$

3.2.3　抗 震 计 算 方 法

结构抗震计算的方法主要有三种：静力法、反应谱方法和时程分析法（直接动力法）。我国《抗震规范》要求在设计阶段采用反应谱方法计算地震作用及进行结构抗震计算，有

些高层建筑结构需要采用时程分析法进行补充计算；第二阶段变形验算采用弹塑性静力分析或弹塑性时程分析方法。

1. 反应谱法

反应谱法是采用加速度反应谱计算结构地震作用及进行结构抗震计算的方法。20 世纪 40 年代开始，国外开始研究反应谱及采用反应谱进行结构抗震计算，到 50 年代末已基本取代了静力方法，反应谱法是结构抗震设计理论和设计方法的一大飞跃。

反应谱是通过单自由度弹性体系的地震反应计算得到的谱曲线。图 3-16(a) 所示的单自由度弹性体系在地面加速度运动作用下的运动方程为：

$$m\ddot{x} + c\dot{x} + kx = -m\ddot{x}_0 \qquad (3\text{-}11)$$

式中　m、c、k——分别为单自由度体系的质量、阻尼常数和刚度系数；

　　　x、$\dot{x}$、$\ddot{x}$——分别为质点的位移、速度和加速度反应时程，时间 t 的函数；

　　　$\ddot{x}_0$——地面运动加速度时程，时间 t 的函数。

运动方程式（3-11）可通过杜哈梅积分或通过数值计算求解，计算得到随时间变化的质点的加速度、速度、位移反应。图 3-16(a) 给出了某个地面运动加速度时程 $\ddot{x}_0(t)$ 作用下质点的加速度反应时程曲线 $\ddot{x}(t)$，刚度为 k_1 的结构加速度反应为 $\ddot{x}_1(t)$，其绝对值最大为 S_{a1}，刚度为 k_2 的结构加速度反应为 $\ddot{x}_2(t)$，其绝对值最大为 S_{a2}，若改变刚度还会有不同的加速度反应最大值。

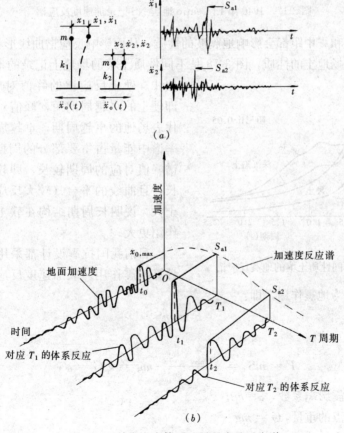

图 3-16　单自由度体系地震反应及反应谱

S_a 与地震作用和结构刚度有关, 若将结构刚度用结构周期 T（或频率 f）表示, 用某一次地震记录对具有不同结构周期 T 的结构进行计算, 可求出不同的 S_a 值, 如图 3-16(b) 所示, 将最大绝对值 S_{a1}、S_{a2}、S_{a3}……在 S_a-T 坐标图上相连, 得到一条 S_a-T 关系曲线, 称为该地震加速度反应谱。如果结构的阻尼比不同, 得到的地震加速度反应谱也不同, 阻尼比增大, 谱值降低。图 3-17 为 1940 年 El Centro 地震 NS 分量记录的加速度反应谱, 各条谱曲线用不同阻尼比计算。同理, 取出最大位移及最大速度反应, 可以得到位移反应谱和速度反应谱曲线。

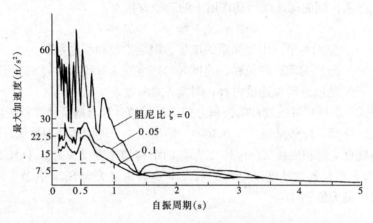

图 3-17 1940 年 El Centro 地震 NS 记录加速度反应谱

场地、震级和震中距都会影响地震波的性质, 从而影响反应谱曲线形状, 因此反应谱的形状也可反映场地土的性质, 图 3-18 是不同性质土壤的场地上记录的地震波的反应谱曲线。硬土反应谱的峰值对应的周期较短, 即硬土的卓越周期短, 峰值对应周期可近似代表场地的卓越周期, 卓越周期是指地震功率谱中能量占主要部分的周期; 软土的反应谱峰值对应的周期较长, 即软土的卓越周期长, 且曲线的平台（较大反应值范围）较硬土大, 说明长周期结构在软土地基上的地震作用更大。

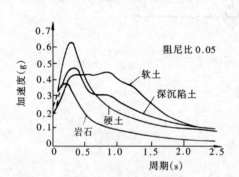

图 3-18 不同性质土壤的地震反应谱

目前我国抗震设计都采用加速度反应谱计算地震作用。取加速度反应绝对值最大的值计算惯性力作为地震作用, 即:

$$F = mS_a \tag{3-12a}$$

将公式的右边改写成:

$$F = mS_a = \frac{\ddot{x}_{0,\max}}{g} \frac{S_a}{\ddot{x}_{0,\max}} mg = k\beta G = \alpha G \tag{3-12b}$$

式中　α——地震影响系数, $\alpha = k\beta$;

　　　G——质点的重量, $G = mg$;

　　　g——重力加速度;

k——地震系数，$k = \ddot{x}_{0,\max}/g$，即地面运动最大加速度与重力加速度的比值；

β——动力系数，$\beta = S_a/\ddot{x}_{0,\max}$，即结构最大加速度反应相对于地面最大加速度的放大系数；β 与 $\ddot{x}_{0,\max}$、结构周期 T 及阻尼比 ζ 有关，β-T 曲线称为 β 谱。

计算发现，不同地震波的 $\beta_{\max}$ 值在一定范围内，平均值在 $2.25 \sim 2.5$ 上下。采用一定数量的地震波的 β-T 曲线的平均曲线作为设计依据，称为标准 β 谱曲线。我国房屋建筑抗震设计采用 α 曲线，即 $k\beta$ 曲线，$k\beta$ 曲线还表达了地面运动的强烈程度。由于同一烈度的 k 值为常数，α 谱曲线的形状与 β 谱曲线的形状相同，α 曲线又称为地震影响系数曲线。后面将详细介绍。

2. 时程分析法

时程分析法是一种动力计算方法，用地震地面加速度时程 $\ddot{x}_0(t)$ 作为输入，计算得到结构随时间变化的地震反应。时程分析法既考虑了地震动的振幅、频率和持续时间三要素，又考虑了结构的动力特性。计算可得到结构地震反应的全过程，包括每一时刻的内力、位移、屈服位置、塑性变形等，也可以得到反应的最大值。

输入的地震加速度时程可选用实际地震记录或人工地震加速度时程，采用的结构计算模型根据结构构件的状态确定。在多遇地震作用下，结构处于弹性，采用弹性结构模型，结构的刚度是常数，得到弹性地震反应。在罕遇地震作用下，结构构件屈服，采用弹塑性计算模型，结构的刚度随时间变化，必须给出构件的力-变形的非线性关系，即恢复力模型，恢复力模型是在大量试验研究基础上归纳得到的用于计算的简化力学模型。

时程分析法比反应谱方法前进了一大步，随着结构分析软件的不断完善、计算机硬件技术的不断进步、结构工程师分析能力的提升，时程分析法已经在工程设计中普遍采用。《抗震规范》规定了需要采用弹性时程分析及弹塑性时程分析的房屋建筑类型。

3.2.4 设计反应谱

1. 地震影响系数曲线

《抗震规范》规定的设计反应谱以地震影响系数曲线的形式给出。该曲线是基于不同场地的国内外大量地震加速度记录的反应谱得到的。计算这些地震加速度记录的动力系数 β 谱曲线，经过处理，得到标准 β 谱曲线；计入 k 值后形成 α 谱曲线，即规范给出的地震影响系数曲线，见图 3-19。

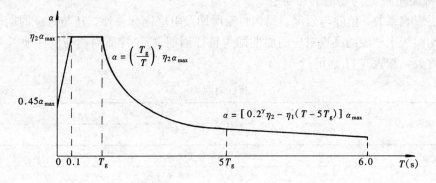

图 3-19 地震影响系数曲线

α—地震影响系数；$\alpha_{\max}$—地震影响系数最大值；η_1—直线下降段的下降斜率调整系数；

γ—衰减指数；T_g—特征周期；η_2—阻尼调整系数；T—结构自振周期

由图 3-19 可见，地震影响系数曲线由 4 段组成：①直线上升段，周期小于 0.1s 的区段；②水平段，自 0.1s 至特征周期 T_g 的区段，地震影响系数取 $\eta_2\alpha_{max}$；η_2 为阻尼调整系数，α_{max} 为地震影响系数最大值；③曲线下降段，自特征周期至 5 倍特征周期的区段，衰减指数为 γ，与结构阻尼比有关；④直线下降段，自 5 倍特征周期至 6.0s 的区段，下降斜率调整系数为 η_1，也与结构阻尼比有关。对于周期大于 6s 的结构，地震影响系数需要专门研究。表 3-10 列出了水平地震影响系数最大值 α_{max}。

水平地震影响系数最大值 α_{max}   表 3-10

地震影响	烈　　度			
	6	7	8	9
多遇地震	0.04	0.08(0.12)	0.16(0.24)	0.32
设防地震	0.12	0.23(0.34)	0.45(0.68)	0.90
罕遇地震	0.28	0.50(0.72)	0.90(1.20)	1.40

注：括号中数值分别用于设计基本地震加速度为 $0.15g$ 和 $0.30g$ 的地区。

图 3-19 给出了地震影响系数曲线下降段和直线下降段的表达式，公式中各系数与结构阻尼比 ζ 有关。曲线下降段的衰减指数 γ 用下式计算：

$$\gamma = 0.9 + \frac{0.05 - \zeta}{0.3 + 6\zeta} \tag{3-13}$$

直线下降段的下降斜率调整系数 η_1 用下式计算，小于 0 时取 0：

$$\eta_1 = 0.02 + \frac{0.05 - \zeta}{4 + 32\zeta} \tag{3-14}$$

阻尼调整系数 η_2 用下式计算，小于 0.55 时取 0.55：

$$\eta_2 = 1 + \frac{0.05 - \zeta}{0.08 + 1.6\zeta} \tag{3-15}$$

结构阻尼比 ζ 确定后，代入公式计算系数，然后计算结构周期 T 对应的 α 值。钢筋混凝土结构取 $\zeta = 0.05$，钢结构按其高度确定阻尼比。阻尼比为 0.05 时，衰减指数 $\gamma = 0.9$，直线下降段斜率调整系数 $\eta_1 = 0.02$，阻尼调整系数 $\eta_2 = 1.0$。

2. 特征周期 T_g 与场地土和场地

地震影响系数 α 值除与烈度、结构自振周期及阻尼比有关外，还与特征周期 T_g 有关。地震影响曲线水平段的终点对应的周期即为特征周期 T_g，特征周期与设计地震分组及场地类别有关，按表 3-11 确定。

特征周期（s）   表 3-11

设计地震分组	场 地 类 别				
	I_0	I_1	II	III	IV
第一组	0.20	0.25	0.35	0.45	0.65
第二组	0.25	0.30	0.40	0.55	0.75
第三组	0.30	0.35	0.45	0.65	0.90

建筑的场地类别，根据土层等效剪切波速和场地覆盖层厚度按表 3-12 划分为 I、II、

Ⅲ、Ⅳ四类，其中Ⅰ类场地分为Ⅰ₀场地和Ⅰ₁场地两亚类。由表 3-12 可见，剪切波速愈小、场地覆盖层厚度愈大，则场地类别愈高。

各类建筑场地的覆盖层厚度（m）　　　　表 3-12

岩石的剪切波速或土的等效剪切波速 （m/s）	场地类别				
	Ⅰ₀	Ⅰ₁	Ⅱ	Ⅲ	Ⅳ
$v_s > 800$	0				
$800 \geqslant v_s > 500$		0			
$500 \geqslant v_{se} > 250$		<5	≥5		
$250 \geqslant v_{se} > 150$		<3	3~50	>50	
$v_{se} \leqslant 150$		<3	3~15	15~80	>80

注：v_s 系岩石的剪切波速。

　　建筑的场地，是指工程群体所在地，具有相似的反应谱特征；其范围相当于厂区、居民小区和自然村或不小于 $1.0 km^2$ 的平面面积。土层的剪切波速及覆盖层厚度可在场地初步勘察阶段和详细勘察阶段测试得到。对丁类建筑及丙类建筑中层数不超过 10 层、高度不超过 24m 的多层建筑，当无实测剪切波速时，可根据岩土名称和性状，按表 3-13 划分土的类型，再利用当地经验在表 3-13 的剪切波速范围内估算各土层的剪切波速。

　　由表 3-13 可见，土的类型分为五类：岩石、坚硬土或软质岩石、中硬土、中软土和软弱土；场地土愈软，土层剪切波速愈小。

土的类型划分和剪切波速范围　　　　表 3-13

土的类型	岩土名称和性状	土层剪切波速范围 （m/s）
岩石	坚硬、较硬且完整的岩石	$v_s > 800$
坚硬土或软质岩石	破碎和较破碎的岩石或软和较软的岩石，密实的碎石土	$800 \geqslant v_s > 500$
中硬土	中密、稍密的碎石土，密实、中密的砾、粗、中砂，$f_{ak} > 150$ 的黏性土和粉土，坚硬黄土	$500 \geqslant v_s > 250$
中软土	稍密的砾、粗、中砂，除松散外的细、粉砂，$f_{ak} \leqslant 150$ 的黏性土和粉土，$f_{ak} > 130$ 的填土，可塑新黄土	$250 \geqslant v_s > 150$
软弱土	淤泥和淤泥质土，松散的砂，新近沉积的黏性土和粉土，$f_{ak} \leqslant 130$ 的填土，流塑黄土	$v_s \leqslant 150$

注：f_{ak} 为由载荷试验等方法得到的地基承载力特征值（kPa）；v_s 为岩土剪切波速。

　　为了反映震级与震中距的影响，依据 2001 版《中国地震动反应谱特征周期区划图》，《抗震规范》将建筑工程的设计地震分为三组：将区划图中特征周期为 0.35s 的区域作为设计地震第一组；区划图中特征周期为 0.40s 的区域作为设计地震第二组；区划图中特征周期为 0.45s 的区域作为设计地震第三组。2008 年汶川地震后，依据 2008 年第 1 号对特征周期区划图的修改单，对设计地震分组进行了调整。依据第五代地震区划图，《抗震规范》附录 A 列出了我国各县级及县级以上城镇的中心地区（如城关地区）建筑工程抗震设计时所采用的抗震设防烈度、设计基本地震加速度和所属的设计地震分组。震害调查表明，在相同烈度下，震中距离远近不同和震级大小不同的地震，产生的震害是不同的。例如，同样是 7 度，如果距离震中较近，则地面运动的短周期成分多，特征周期短，对刚性结构造成的震害大，长周期的结构反应较小；距离震中远，短周期振动衰减比较多，特征周期比较长，则高柔结构受地震的影响大。《抗震规范》用设计地震分组，粗略地反映这一宏观现象。分在第三组的城镇，由于特征周期 T_g 较大，长周期结构的地震作用会较大。

3.2.5   水平地震作用计算

《抗震规范》规定，设防烈度为 6 度及以上地区的建筑必须进行抗震设计。而对于 7、8、9 度以及 6 度设防的不规则建筑及建造在Ⅳ类场地上的较高的高层建筑应计算多遇地震的地震作用及进行多遇地震作用下的截面抗震验算和抗震变形验算。

一般情况下，应至少在建筑结构的两个主轴方向分别计算水平地震作用，各方向的水平地震作用由该方向的抗侧力构件承担；有斜交抗侧力构件的结构，当相交角度大于 15°时，应分别计算各抗侧力构件方向的水平地震作用；质量和刚度分布明显不对称的结构，应计入双向水平地震作用下的扭转影响，其他情况应允许采用调整地震作用效应的方法计入扭转影响；8、9 度时的大跨度和长悬臂结构及 9 度时的高层建筑，应计算竖向地震作用。

建筑结构的抗震计算，可采用反应谱底部剪力法和振型分解反应谱法，特别不规则的建筑、甲类建筑和 7 度及以上较高的高层建筑应采用弹性时程分析法进行多遇地震下的补充计算。

1. 反应谱底部剪力法

底部剪力法适用于高度不超过 40m、以剪切变形为主且质量和刚度沿高度分布比较均匀的结构；用底部剪力法计算地震作用时，将多自由度体系等效为单自由度体系，采用结构基本自振周期计算总水平地震作用，然后再按一定方法分配到各个楼层。

结构底部总水平地震作用标准值为：

$$F_{Ek} = \alpha_1 G_{eq} \tag{3-16}$$

式中　α_1——相应于结构基本自振周期的水平地震影
响系数值，按 3.2.4 节计算得到；

G_{eq}——结构等效总重力荷载，单质点结构取
$G_{eq} = G_E$，多质点结构取 $G_{eq} = 0.85 G_E$；

G_E——结构总重力荷载代表值，为各层重力荷
载代表值之和；重力荷载代表值是指
100% 的恒荷载、50%～80% 的楼面活
荷载和 50% 的雪荷载和 50% 的屋面积
灰荷载之和，不计入屋面活荷载。

水平地震作用沿高度分布形式如图 3-20 所示，i

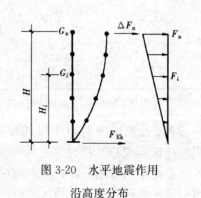

图 3-20   水平地震作用
沿高度分布

楼层处的水平地震作用标准值 F_i 按下式计算：

$$F_i = \frac{G_iH_i}{\sum\limits_{j=1}^{n}G_jH_j}F_{Ek}(1-\delta_n)\ (i=1,\ 2,\ \cdots,\ n) \qquad (3-17)$$

式中　δ_n ——顶部附加地震作用系数；

　　　　G_i ——第 i 层（i 质点）的重力荷载代表值，与 G_E 计算相同。

为了考虑高振型对水平地震作用沿高度分布的影响，在顶部附加水平地震作用。顶部附加水平地震作用 ΔF_n 为：

$$\Delta F_n = \delta_n F_{Ek} \qquad (3-18)$$

基本周期 $T_1 \leqslant 1.4T_g$ 时，高振型影响小，不考虑顶部附加水平地震作用，$\delta_n=0$；基本周期 $T_1 > 1.4T_g$ 时，δ_n 与 T_g 有关，见表 3-14。

顶部附加地震作用系数 δ_n 表 3-14

T_g (s)	$T_1>1.4T_g$	$T_1\leqslant1.4T_g$
$T_g\leqslant0.35$	$0.08T_1+0.07$	
$0.35<T_g\leqslant0.55$	$0.08T_1+0.01$	0.0
$T_g>0.55$	$0.08T_1-0.02$	

由于顶部鞭梢效应的影响，突出屋面的屋顶间、女儿墙、烟囱等的地震作用效应将被放大。当采用底部剪力法计算地震作用效应时，宜乘以增大系数 3，但此增大部分不往下传递，但与该突出部分相连的构件应计入其影响。

用底部剪力法计算水平地震作用的例题见 [例 5-5]。

2. 振型分解反应谱法

较高的结构，除基本振型的贡献外，高振型的影响比较大，因此高层建筑都采用振型分解反应谱法考虑多个振型的组合计算地震作用。一般可将质量集中在楼盖位置，首先分别计算各振型的水平地震作用及其效应（弯矩、轴力、剪力、位移等），然后进行内力与位移的振型组合。

按照结构是否考虑扭转耦联振动影响，采用不同的振型分解反应谱法计算结构的地震作用及地震作用效应。

（1）不考虑扭转耦联的振型分解反应谱法

不考虑扭转耦联振动影响的结构，一个水平主轴方向每个楼层为一个平移自由度，n 个楼层有 n 个自由度、n 个频率和 n 个振型，其一个水平主轴的振型示意图如图 3-21 所示。

结构第 j 振型、i 质点的水平地震作用标准值 F_{ji} 为：

$$F_{ji} = \alpha_j\gamma_jx_{ji}G_i\ (i=1,\ 2,\ \cdots,\ n,\ j=1,\ 2,\ \cdots,\ m) \qquad (3-19)$$

式中　α_j ——相应于 j 振型自振周期的地震影响系数；

　　　　x_{ji} —— j 振型 i 质点的水平相对位移；

　　　　G_i ——质点 i 的重力荷载代表值，与底部剪力法中 G_E 计算相同；

　　　　γ_j —— j 振型的振型参与系数，按下式计算：

$$\gamma_j = \frac{\sum\limits_{i=1}^{n} x_{ji}G_i}{\sum\limits_{i=1}^{n} x_{ji}^2 G_i} \qquad (3\text{-}20)$$

　　n——结构计算总质点数，小塔楼宜每层作为一个质点参与计算；

　　m——结构计算振型数，规则结构可取3，当建筑较高、结构沿竖向刚度不均匀时可取5～6。

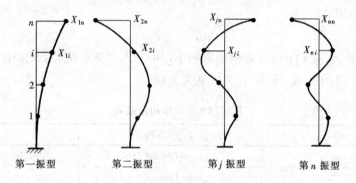

图 3-21　不考虑扭转耦联的结构振型示意图

　　每个振型的水平地震作用方向与图3-21给出的水平相对位移方向相同，每个振型都可由水平地震作用计算得到结构的位移和各构件的弯矩、剪力和轴力。

　　反应谱法各振型的水平地震作用是振动过程中的最大值，其产生的内力和位移也是最大值，实际上各振型的内力和位移达到最大值的时间一般并不相同，因此，不能简单地将各振型的内力和位移直接相加，而应通过概率统计将各个振型的内力和位移进行组合，这就是振型组合。

　　高层建筑并非所有的振型都起主要作用，而是前几个振型起主要作用，因此，只需要用有限个振型计算内力和位移。如果有限个振型参与的有效质量达到总质量的90%以上，所取的振型数就够了。

　　第 j 振型参与的等效质量由式（3-21a）计算：

$$\gamma G_j = \frac{\left(\sum\limits_{i=1}^{n} x_{ji}G_i\right)^2}{\sum\limits_{i=1}^{n} x_{ji}^2 G_i} \qquad (3\text{-}21\text{a})$$

　　若取前 m 个振型，则参与的有效质量总和的百分比为：

$$\gamma_G^{m} = \frac{\sum\limits_{j=1}^{m} \gamma G_j}{G_E} \qquad (3\text{-}21\text{b})$$

　　不考虑扭转耦联振动影响的结构，一般取前3个振型进行组合；但如果建筑较高或较柔，基本自振周期大于1.5s，或房屋高宽比大于5时，或结构沿竖向刚度不均匀时，振型数应增加，一般取5～6个振型进行组合；组合的振型数是否够，可采用式（3-21）检验有效参与质量是否达到90%以上。

不考虑扭转耦联振动影响的结构，根据随机振动理论，地震作用下的内力和位移由各振型的内力和位移平方求和以后再开方的方法（Square Root of Sum of Square，简称SRSS 方法）组合得到：

$$S_{Ek} = \sqrt{\sum_{j=1}^{m} S_j^2} \qquad (3\text{-}22)$$

式中　m——参与组合的振型数；

　　　S_j——j 振型水平地震作用标准值的效应（弯矩、剪力、轴力、位移等）；

　　　S_{Ek}——水平地震作用标准值的效应。

采用振型分解反应谱法时，突出屋面的小塔楼按每层作为一个质点参与计算，鞭梢效应可在高振型中体现。

（2）扭转耦联振型分解反应谱法

考虑扭转影响的平面、竖向不规则结构，按扭转耦联振型分解反应谱法计算地震作用及其效应时，各楼层可取两个正交的水平位移和一个转角位移共三个自由度，即 x、y、θ 三个自由度，k 个楼层有 $3k$ 个自由度、$3k$ 个频率和 $3k$ 个振型，每个振型中各质点振幅有三个分量，当其两个分量不为零时，振型耦联。

由于振型耦联，计算一个方向的地震作用时，会同时得到 x、y 方向及转角方向的地震作用。j 振型 i 层的水平地震作用标准值，按下列公式确定：

$$F_{xji} = \alpha_j \gamma_{tj} x_{ji} G_i \qquad (3\text{-}23a)$$

$$F_{yji} = \alpha_j \gamma_{tj} y_{ji} G_i \ (i=1,\ 2,\ \cdots n;\ j=1,\ 2,\ \cdots m) \qquad (3\text{-}23b)$$

$$F_{tji} = \alpha_j \gamma_{tj} r_i^2 \theta_{ji} G_i \qquad (3\text{-}23c)$$

式中　F_{xji}、F_{yji}、F_{tji}——分别为 j 振型 i 层的 x 方向、y 方向和转角方向的地震作用标准值；

　　　x_{ji}、y_{ji}——分别为 j 振型 i 层质心在 x、y 方向的水平相对位移；

　　　θ_{ji}——j 振型 i 层的相对扭转角；

　　　r_i——i 层转动半径，可按下式计算：

$$r_i^2 = I_i g / G_i \qquad (3\text{-}24)$$

　　　I_i——i 层质量绕质心的转动惯量；

　　　γ_{tj}——计入扭转的 j 振型的参与系数，可按下列公式确定：

当仅取 x 方向地震作用时：

$$\gamma_{tj} = \sum_{i=1}^{n} x_{ji} G_i \Big/ \sum_{i=1}^{n} (x_{ji}^2 + y_{ji}^2 + \theta_{ji}^2 r_i^2) G_i \qquad (3\text{-}25a)$$

当仅取 y 方向地震作用时：

$$\gamma_{tj} = \sum_{i=1}^{n} y_{ji} G_i \Big/ \sum_{i=1}^{n} (x_{ji}^2 + y_{ji}^2 + \theta_{ji}^2 r_i^2) G_i \qquad (3\text{-}25b)$$

当取与 x 方向斜交的地震作用时：

$$\gamma_{tj} = \gamma_{xj} \cos\theta + \gamma_{yj} \sin\theta \qquad (3\text{-}25c)$$

式中　n——总自由度数；

　　　θ——地震作用方向与 x 方向的夹角。

单向水平地震作用下的扭转耦联效应采用完全二次方程法（Complete Quadratic

Combination 简称 CQC 法）确定：

$$S_{Ek} = \sqrt{\sum_{j=1}^{m} \sum_{r=1}^{m} \rho_{jr} S_j S_r} \tag{3-26}$$

$$\rho_{jr} = \frac{8\sqrt{\zeta_j \zeta_r}(\zeta_j + \lambda_T \zeta_r)\lambda_T^{3/2}}{(1-\lambda_T^2)^2 + 4\zeta_j \zeta_r \lambda_T (1+\lambda_T)^2 + 4(\zeta_j^2 + \zeta_r^2)\lambda_T^2} \tag{3-27}$$

式中　S_{Ek}——考虑扭转的地震作用标准值的效应；

S_j、S_r——分别为 j 振型和 r 振型地震作用标准值的效应；

m——参与组合的振型数，一般情况下可取 9～15，多塔楼建筑每个塔楼的振型数不小于 9；

ρ_{jr}——j 振型与 r 振型的耦联系数；

λ_T——j 振型与 r 振型的周期比，$\lambda_T = T_j/T_r$；

ζ_j、ζ_r——分别为结构 j、r 振型的阻尼比，当 $\zeta_j = \zeta_r = \zeta$ 时，式 (3-27) 变为：

$$\rho_{jr} = \frac{8\zeta^2(1+\lambda_T)\lambda_T^{3/2}}{(1-\lambda_T^2)^2 + 4\zeta^2\lambda_T(1+\lambda_T)^2 + 8\zeta^2\lambda_T^2} \tag{3-28}$$

当 T_j 小于 T_r 较多时，λ_T 很小，由式 (3-27) 计算的 ρ_{jr} 值也很小，在式(3-26)中该项可以忽略；当 $T_j = T_r$ 时，$\lambda_T = 1$，因而 $\rho_{jr} = 1$，在式 (3-26) 中该项为 S_j 的平方，这样，CQC 公式就简化为 SSRS 公式了。因此可以说，SSRS 方法是 CQC 方法的特例，适用于不考虑扭转耦联的结构。

双向水平地震作用下的扭转耦联效应，可以按式 (3-29a) 和式 (3-29b) 的较大值确定：

$$S_{Ek} = \sqrt{S_x^2 + (0.85S_y)^2} \tag{3-29a}$$

$$S_{Ek} = \sqrt{S_y^2 + (0.85S_x)^2} \tag{3-29b}$$

式中　S_x、S_y——分别为 x 向、y 向单向水平地震作用按照式 (3-25) 计算的扭转效应。

3. 时程分析法

特别不规则的高层建筑，甲类建筑，8 度 I、II 类场地和 7 度高度超过 100m 的高层建筑，8 度 III、IV 类场地高度超过 80m 和 9 度高度超过 60m 的房屋建筑，需采用弹性时程分析法做多遇地震作用下的补充计算。所谓"补充"，主要指对计算结果的底部剪力、楼层剪力和层间位移进行比较，当时程分析法大于振型分解反应谱法时，相关部位的构件内力和配筋作相应的调整。

弹性时程分析的计算并不困难，各种商用计算程序中都可以实现，困难在于选用合适的地震加速度时程曲线，这是因为地震是随机的，很难预估结构未来可能遭受到什么样的地面运动，因此，一般要选数条地震波进行多次计算。《抗震规范》要求应选用两组实际强震记录和一组人工模拟的加速度时程曲线或五组实际强震记录和两组人工模拟的地震加速度时程曲线作为输入。应按建筑场地类别和设计地震分组，选用实际强震记录和人工模拟的加速度时程曲线，多组时程曲线的平均地震影响系数曲线应与振型分解反应谱法所采用的地震影响系数曲线在统计意义上相符，即多组时程波的平均地震影响系数曲线与振型分解反应谱法所用的地震影响系数曲线相比，在对应于结构主要振型的周期点上相差不大于 20%。其加速度时程的最大值，即地震波的加速度峰值，根据设防烈度按表3-15的规定取用。双向（两个水平方向）或三向（两个水平方向与一个竖向）地震输入时，其加速度最大值通常按照 1（水平 1）：0.85（水平 2）：0.65（竖向）的比例调整。

时程分析所用地震加速度时程的最大值（cm/s²）　　表 3-15

设 防 烈 度	6 度	7 度	8 度	9 度
多遇地震	18	35(55)	70(110)	140
设防烈度地震	50	100(150)	200(300)	400
罕遇地震	125	220(310)	400(510)	620

注：括号内数值分别用于设计基本地震加速为 0.15g 和 0.30g 的地区。

输入的地震加速度时程曲线的有效持续时间（从首次达到该时程曲线最大值的 10% 那一点算起到最后一点到达最大值的 10% 为止的间隔）一般为结构基本周期的 5～10 倍，保证结构顶点的位移可按基本周期往复 5～10 次，防止输入的加速度持时太短，结构还没有完成一次基本动力响应地震就结束。

弹性时程分析时，每条时程曲线计算所得结构底部剪力不应小于振型分解反应谱法计算结果的 65%，多条时程曲线计算所得结构底部剪力的平均值不应小于振型分解反应谱法计算结果的 80%。从工程角度考虑，这样可以保证时程分析结果满足最低安全要求。但时程分析的计算结果也不能太大，每条地震波输入计算不大于反应谱法的 135%，平均不大于 120%。工程设计中，可以通过选择合适的地震加速度记录，达到上述要求。

3.2.6　结构自振周期计算

结构自振周期的计算方法可分为：理论计算、半理论半经验公式计算和经验公式计算三类。

1. 理论方法及其修正系数

理论方法即采用刚度法或柔度法，通过求解特征方程，得到结构的自振周期和振型。采用振型分解反应谱法计算地震作用时，采用理论方法和程序计算结构的自振周期和振型。理论方法适用于各类结构。

n 个自由度体系有 n 个频率，直接计算结果是圆频率 ω，单位是圆弧度/秒，各阶频率的排列次序为 $\omega_1 < \omega_2 < \omega_3 \cdots$；通过换算可得工程频率 f，$f = \omega/2\pi$，单位为赫兹（Hz，即 1/s），周期 T 与频率的关系为 $T = 1/f = 2\pi/\omega$，$T_1 > T_2 > T_3 \cdots$。实际上，工程设计中只需要前面若干个周期及振型。

理论方法得到的周期比结构的实际周期长，原因是计算中没有考虑填充墙等非结构构件对刚度的增大作用，实际结构的质量分布、材料性能、施工质量等也不像计算模型那么理想。若直接用理论周期值计算地震作用，则地震作用可能偏小，因此必须对周期值（包括高振型周期值）作修正。修正（缩短）系数 α_0 为：框架结构取 0.6～0.7，框架-剪力墙结构取 0.7～0.8（非承重填充墙较少时，取 0.8～0.9），剪力墙结构不需修正。

2. 半理论半经验公式

半理论半经验公式是从理论公式加以简化，并应用了一些经验系数，所得公式计算方便、快捷，但只能得到基本自振周期，也不能给出振型，通常只在采用底部剪力法时应用。常用的公式介绍如下：

（1）顶点位移法

适用于质量、刚度沿高度分布比较均匀的框架结构、剪力墙结构和框架-剪力墙结构。按等截面悬臂梁作理论计算，简化后得到计算基本周期的公式：

$$T_1 = 1.7\alpha_0\sqrt{\Delta_T} \tag{3-30}$$

式中 Δ_T ——结构顶点假想位移，即把各楼层重量 G_i 作为 i 层楼面的假想水平荷载，视结构为弹性，计算得到的顶点侧移，其单位必须为"m"；

α_0 ——结构基本周期修正系数，与理论计算方法的取值相同。

（2）能量法

以剪切变形为主的框架结构，可以用能量法（也称瑞雷法）计算基本周期：

$$T_1 = 2\pi\alpha_0\sqrt{\dfrac{\sum\limits_{i=1}^{N} G_i\Delta_i^2}{g\sum\limits_{i=1}^{N} G_i\Delta_i}} \tag{3-31}$$

式中 G_i ——i 层重力荷载；

Δ_i ——假想侧移，是把 G_i 作为 i 层楼面的假想水平荷载，用弹性方法计算得到的结构 i 层楼面的侧移，假想侧移可以用反弯点法或 D 值法计算；

N ——楼层数；

α_0 ——基本周期修正系数，取值同理论方法。

（3）经验公式

通过对一定数量的、同一类型的已建成结构进行动力特性实测，可以回归得到结构自振周期的经验公式。这种方法也有局限性和误差，一方面，一个经验公式只适用于某类特定结构，结构变化，经验公式就不适用；另一方面，实测时，结构的变形很微小，实测的结构周期短，它不能反映地震作用下结构的实际变形和周期，因此在应用时要将实测周期的统计回归值乘以 $1.1\sim1.5$ 的加长系数，作为计算周期的经验公式。

经验公式表达简单，使用方便，但比较粗糙，而且也只有基本周期。因此常常用于初步设计，可以很容易估算出底部地震剪力；也可以用于对理论计算值的判断与评价，若理论值与经验公式结果相差太多，有可能是计算错误，也有可能所设计的结构不合理，结构太柔或太刚。

钢筋混凝土剪力墙结构，高度为 $25\sim50m$、剪力墙间距为 6m 左右：

$$\left.\begin{array}{l} T_{1\text{横}} = 0.06N \\ T_{1\text{纵}} = 0.05N \end{array}\right\} \tag{3-32}$$

钢筋混凝土框架-剪力墙结构：

$$T_1 = (0.06\sim0.09)N \tag{3-33}$$

钢筋混凝土框架结构：

$$T_1 = (0.08\sim0.1)N \tag{3-34}$$

钢结构： $T_1 = 0.1N$ $\tag{3-35}$

式中 N ——建筑物层数。

框架-剪力墙结构要根据剪力墙的多少确定系数，框架结构要根据填充墙的材料和多少确定系数。

3.2.7 竖向地震作用计算

9 度抗震设计时的高层建筑等（表4-7），需要计算竖向地震作用。竖向地震作用可以用下述方法计算：

结构总竖向地震作用标准值：

$$F_{Evk} = \alpha_{v, max} G_{eq} \tag{3-36}$$

第 i 层竖向地震作用：

$$F_{vi} = \frac{G_i H_i}{\sum\limits_{j=1}^{n} G_j H_j} F_{Evk} \tag{3-37}$$

第 i 层竖向总轴力：

$$N_{vi} = \sum_{j=1}^{n} F_{vi} \tag{3-38}$$

式中　$\alpha_{v, max}$——竖向地震影响系数，取水平地震影响系数（多遇地震）的 0.65 倍；

　　　　G_{eq}——结构等效总重力荷载，取 $G_{eq} = 0.75 G_E$，G_E 为结构总重力荷载代表值。

求得第 i 层竖向总轴力后，按各墙、柱所承受的重力荷载代表值大小，将 N_{vi} 分配到各墙、柱上。竖向地震引起的轴力可能为拉，也可能为压，组合时按不利值取用。

思 考 题

3.1　计算总风荷载和局部风荷载的目的是什么？二者计算有何异同？

3.2　对图 3-22 结构的风荷载进行分析。图示风荷载作用下，建筑各立面的风是吸力还是压力？是什么方向？结构的总风荷载在哪个方向？如果要计算与其呈 90°方向的总风荷载，其大小与前者相同吗？为什么？

3.3　计算一个位于广州的框架-剪力墙结构的总风荷载。结构平面即图 3-22，16 层，层高 3m，总高度为 48m。求出总风荷载合力作用线及其沿高度的分布。

3.4　用什么特征量描述地震地面运动特性？地震作用下结构破坏与地面运动特性有什么关系？

3.5　地震作用与风荷载各有什么特点？

3.6　什么是小震、中震和大震？其概率含义是什么？与抗震设防烈度是什么关系？建筑抗震设防目标要求结构在小震、中震和大震作用下处于什么状态？怎样实现？

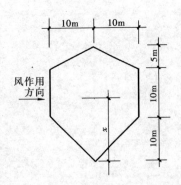

图 3-22　思考题 3.2 图

3.7　什么是抗震设计的二阶段方法？为什么要采用二阶段设计方法？

3.8　加速度反应谱是通过什么样的结构计算模型得到的？阻尼比对反应谱有什么影响？钢筋混凝土结构及钢结构的阻尼比分别取多少？

3.9　什么是地震系数 k、动力系数 β 和地震影响系数 α？写出 α、β、k 的表达式。β

谱曲线有什么特点?

3.10   设计地震分组对设计反应谱有什么影响?

3.11   地震作用大小与场地有什么关系? 分析影响因素及其影响原因。如果两幢相同建筑,基本自振周期都是 3s,地震分组都是属于第一组,场地类别分别为 Ⅰ 类和 Ⅳ 类,两幢建筑的地震作用相差多少? 如果地震分组分别属于第一组和第三组,都是 Ⅳ 类场地,地震作用又相差多少?

3.12   计算水平地震作用有哪些方法? 各适用于什么样的建筑结构?

3.13   试述底部剪力法计算水平地震作用及其效应的方法和步骤。什么情况下需要在结构顶部附加水平地震作用? 为什么需要附加水平地震作用?

3.14   一幢 15 层的钢筋混凝土剪力墙结构房屋建筑有多少个频率和振型? 结构的周期与频率是什么关系? 计算结构的频率和振型有哪些方法? 为什么计算和实测的周期都要进行修正? 如何修正?

3.15   试述振型分解反应谱法计算水平地震作用及其效应的步骤。为什么不能直接将各振型的效应相加?

3.16   不考虑扭转耦联振型分解反应谱法和考虑扭转耦联振型分解反应谱法一般各取多少个振型进行效应组合? 振型参与系数与振型参与等效质量公式有何区别?

第4章 设 计 要 求

我国建筑结构设计采用以概率理论为基础、以分项系数表达的极限状态设计方法。房屋建筑结构设计的目标是使结构满足安全性、适用性和耐久性的要求，概括为可靠性的要求。结构安全性包括：能承受在施工和使用期间可能出现的各种作用；当发生火灾时，在规定的时间内可保持足够的承载力；当发生地震、爆炸、撞击、人为错误等偶然事件时，结构能保持整体稳固性，不出现与起因不相称的破坏后果，避免出现倒塌。适用性是指结构保持良好的使用性能。耐久性是指结构具有足够的耐久性能。相应的结构设计也应包括承载能力、正常使用和耐久性三种极限状态设计。本章介绍建筑结构抗震设计的主要要求，包括：建筑形体及其结构构件布置的规则性要求，构件截面的承载力要求，整体结构弹性侧向刚度要求，抗地震倒塌要求，较高的高层建筑在风作用下的舒适度要求，整体稳定要求等。

4.1 建筑形体及结构布置的规则性

建筑形体及结构布置的规则性，是高层建筑结构抗震设计的基本要求。建筑形体是指建筑平面形状和立面、竖向剖面的变化；结构布置是指结构构件的平面布置和竖向布置。建筑形体和结构布置对结构的抗震性能有决定性的作用。建筑师根据建设场地、建筑的使用功能、美学等确定建筑的平面形状、立面和竖向剖面；工程师根据结构抵抗竖向荷载、抗风、抗震的要求，根据建筑形体，布置结构构件。房屋建筑的抗震设计，包括了建筑师的建筑形体设计和工程师的结构设计。一幢设计成功的抗震高层建筑，往往是建筑师和工程师密切合作的结果，这种合作应该从方案阶段开始，一直到设计完成，甚至到竣工。成功的建筑，不能缺少结构工程师的创新和创造力的贡献。

4.1.1 结构震害及抗震概念设计

由于建筑形体不合理或结构布置不合理而造成的结构地震震害，在国内外的大地震中屡见不鲜。

中央银行大楼和美洲银行大楼位于尼加拉瓜的马那瓜市中心，两幢高层建筑相距不远。中央银行大楼为 15 层的钢筋混凝土框架结构，一个方向为单跨框架，钢筋混凝土电梯井筒和楼梯间布置在平面的一端；由林同炎国际咨询公司设计的美洲银行大楼，18 层，主要抗侧力结构是钢筋混凝土内筒，内筒由 4 个 L 形井筒和井筒之间的连梁组成。两幢建筑的结构平面图分别见图 4-1(a)、(b)。1972 年 12 月 23 日马那瓜发生 6.5 级地震，当地烈度达 9 度。地震中，中央银行大楼严重破坏，框架柱严重开裂、纵筋压屈，电梯井的墙体开裂、混凝土剥落，非结构构件破坏、塌毁，修复费用高达原造价的 80%；美洲银行大楼仅在 8～17 层的 L 形井筒之间的连梁出现斜裂缝，井筒墙肢没有发现裂缝和破坏，震后很快修复连梁、投入使用。

两幢建筑震害悬殊，有2个主要原因。原因之一是结构体系不同。中央银行大楼的一个方向为单跨钢筋混凝土框架，侧向刚度小、地震作用下水平位移大，层受剪承载力低；美洲银行大楼的抗震结构构件是剪力墙围成的井筒，侧向刚度及抗扭刚度大，层间受剪承载力高，地震作用下水平位移小。原因之二是结构布置不同。中央银行大楼电梯井筒和楼梯间布置在平面的一端，侧向刚度严重不对称，地震作用下，结构的扭转效应加重了单跨框架结构的震害；美洲银行大楼的结构平面布置对称、均匀，扭转反应小，管道穿过连系L形井筒的连梁，削弱了连梁刚度，地震中连梁开裂，耗散能量，同时降低了地震作用，避免了墙肢破坏。

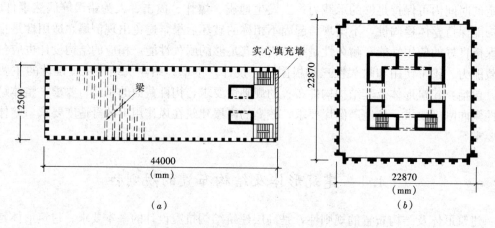

图 4-1 中央银行大楼和美洲银行大楼结构平面图
(a) 中央银行大楼结构平面图；(b) 美洲银行大楼结构平面图

另一个著名的结构震害实例是美国加州奥立弗医疗中心的主楼，6层钢筋混凝土结构，上部4层为框架-剪力墙，下部2层为框架，但第二层有较多的砖墙，第二层以上各层有较多的钢筋混凝土墙，第二层及以上各层结构的侧向刚度比首层大10倍左右，层受剪承载力也比首层大很多，其剖面如图4-2所示。1971年圣费南多地震中，该建筑首层柱严重破坏，普通配箍柱的混凝土压碎、纵筋压屈，配置螺旋箍筋柱的震害轻一些，混凝土保护层完全脱落，螺旋箍筋内的混凝土基本保持整体，首层残余水平位移达60cm。地震后该建筑被拆除。造成该结构严重破坏的主要原因是：与上部各层相比，首层的承载能

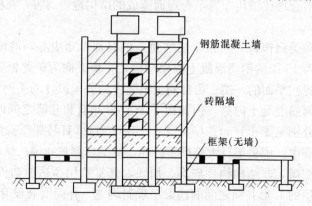

图 4-2 奥立弗医疗中心主楼剖面图

力低很多、侧向刚度小很多,为薄弱层和软弱层,致使地震时首层柱屈服、严重破坏,且塑性变形集中在首层。如果首层柱都配置普通箍筋,很可能首层坍塌,引起结构整体倒塌。这种首层为薄弱层和/或软弱层的结构俗称"鸡腿结构",20 世纪 70 年代前被认为是一种可以降低地震作用的结构,奥立弗医疗中心主楼震害发生后,人们才认识到这种结构的抗震能力很弱,不能用作抗震结构。1995 年日本阪神地震中,大阪和神户的不少建筑发生中部楼层塌毁的破坏现象,主要原因也是这一层的侧向刚度和承载能力突然变小,成为软弱层和薄弱层。

上述震害说明,建筑形体及结构布置造成的薄弱层、软弱层、扭转是地震震害的主要原因之一。

高层建筑的抗震设计有许多不确定及不确知因素,例如,地震地面运动的特性,材料的实际强度,质量的实际分布,结构构件的尺寸等,很难对结构进行完全符合工程实际的抗震计算并得到结构在地震作用下完全真实的反应。因此,概念设计是高层建筑结构抗震设计中最重要的设计,而且贯穿于整个设计过程。抗震概念设计是指根据地震震害、科学研究和工程经验等所形成的基本设计原则和设计思想,进行建筑和结构总体布置,确定结构构件构造及构件连接构造的过程。在结构设计中,工程师运用"概念"进行分析,做出判断,并采取相应措施。判断能力主要来自工程师本人所具有的设计经验、对结构地震破坏机理的认识、力学知识和专业知识、对地震震害经验教训和试验研究成果的理解和认知等。概念设计的内容十分丰富广泛,即使是程序计算结果,也需要通过"概念"判别其是否合理。根据抗震概念设计,高层建筑的建筑形体和结构布置的原则如下。

(1) 采用规则建筑,不采用严重不规则的建筑。规则建筑包括平面规则和竖向规则两个方面:建筑平面对称、简单,抗侧力结构构件平面布置对称、均匀;建筑立面简单、体型自下而上不变或变化均匀,竖向抗侧力构件的截面尺寸和混凝土材料强度自下而上分段逐渐减小,侧向刚度沿竖向变化均匀,避免形成薄弱层(或薄弱部位)及软弱层,避免产生过大的应力集中及塑性变形集中。相对于体型复杂、偏心大的建筑结构,简单、对称的建筑结构震害轻得多。

(2) 具有明确的计算简图、合理的地震作用传递途径和不间断的传力路线。结构应能够用明确的计算模型进行地震反应分析,结构越简单,则建立的计算模型越符合实际,对地震作用下结构受力和变形、构件内力和变形的掌握越透彻,从而得到比较符合实际的结果。作用在上部结构的竖向力和侧向力,应通过直接的、不间断的传力路线传到基础、地基,传力路径越明确,构件内力越符合实际。

(3) 具备必要的抗震承载能力和足够大的弹性刚度。承载能力主要指构件截面的承载力、连接的承载力、构件节点的承载能力,以及由构件、连接、节点承载能力组合得到的结构楼层承载能力及结构整体承载能力。弹性刚度主要指结构的弹性侧向刚度和扭转刚度。结构的弹性刚度与结构的平立面尺寸、构件的尺寸和布置、材料等因素有关。从表面看,结构的抗震承载能力和弹性刚度是为了达到小震作用下的抗震设防目标,实质上,结构的承载能力和弹性刚度与达到中震、大震作用下的抗震设防目标也有关:增大构件的抗震承载力,可以推迟中震、大震时构件屈服,降低对构件弹塑性变形能力的要求;在合理的范围内增大结构弹性刚度,可以减小在大震作用下结构的变形、减轻构件与结构的破坏程度。原因是:在同一地震作用下,弹性刚度小的结构变形大,而弹性刚度大的结构变形小；一般情况下，同一结构，变形大的结构大震时破坏程度大，变形小的结构大震时破坏程度小。

（4）具备良好的延性和大的消耗地震能量的能力。在大震作用下，结构构件屈服，通过构件和结构的延性以及耗能能力避免构件失效、结构倒塌。延性和耗能能力是防止地震作用下建筑结构倒塌的关键。

（5）具有整体牢固性，部分构件或局部结构破坏不应导致结构倒塌。结构应具有尽量多的冗余度，超静定结构的部分构件屈服后内力重分布，屈服构件的内力不再增大，未屈服构件的内力增大、可能进入屈服，避免因屈服集中于少数构件或局部结构而形成机构，导致整个结构丧失抗震能力或丧失对重力荷载的承载能力。

（6）构件与构件之间、结构与结构之间，或是牢固连接，共同抵抗地震作用，或是在地震中能相对运动而不引起相连构件或结构的破坏，避免似连接非连接、似分离非分离的不确定状态。

（7）设置多道抗震防线。设置多道抗震防线是增强结构抗地震倒塌能力的重要措施。具有多道抗震防线的结构体系一般由两个或两个以上的结构分体系组成，各分体系具有足够大的刚度、承载力和延性，分体系之间协同工作。适当处理结构分体系之间承载能力的强弱关系和结构构件之间承载能力的强弱关系，形成两道或更多的抗震防线。第一道防线是地震发生时首先屈服、耗能的结构分体系或构件，应是弹塑性变形能力大、耗能能力强的结构分体系或水平构件（例如，剪力墙结构中的连梁，框架-剪力墙结构中的框架梁和剪力墙的连梁），而不是竖向构件；第二道防线的结构分体系或构件也应有足够大的抗震能力（例如，剪力墙结构中的墙肢，框架-剪力墙结构中的框架柱和墙肢）。

4.1.2 建筑平面和结构平面布置

高层建筑的外形可以分为板式和塔式两大类。板式建筑平面两个方向的尺寸相差较大，分为长、短边；为了增大一字形板式建筑短方向的侧向刚度，可以做成折线形或曲线形建筑平面。塔式建筑平面的两个方向的尺寸接近或相差不大，其平面形状有圆形、方形、长宽比小的矩形、Y 形、井形、切角的三角形等。

抗风建筑宜选用风作用效应较小的平面形状，即简单规则的凸平面，如圆形、正多边形、椭圆形等平面；有较多凹凸的复杂形状平面，如 V 形、Y 形、H 形平面等，对抗风不利。

对抗震有利的建筑平面应简单、规则、对称；平面不能过于狭长、长宽比不能过大；平面突出部分的长度不能过大、宽度不能过小；不宜采用角部重叠的平面图形和细腰形平面图形。

平面过于狭长的建筑，在地震、风作用下，有可能出现楼板在其平面内弯曲变形；在地震作用下，有可能由于地震地面运动的相位差而使结构两端的振动不一致，产生震害。表 4-1 给出了不同抗震设防烈度时平面长宽比（L/B）的限值。

建筑平面有比较长的外伸（L 形、H 形、Y 形等）时，外伸段与主体结构之间会出现相对运动的振型。图 4-3 为平面呈 L 形的北京西苑饭店的一个实测振型，

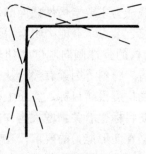

图 4-3 西苑饭店的一个
实测振型（平面）

振型的特点是 L 形平面的两肢相对运动。在地震作用下，两肢连接的凹角处应力集中，容易出现震害。表 4-1 给出了突出部分长度（l/B_{max}，l/b）的限值，表中的符号见图 4-4。

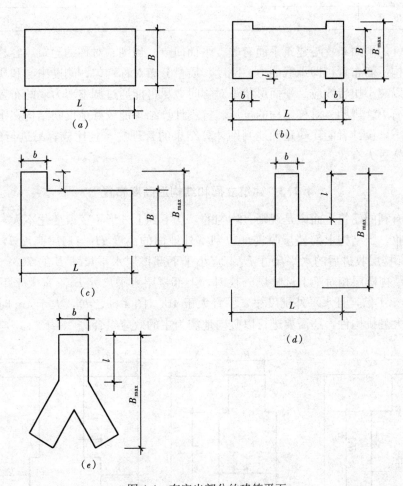

图 4-4　有突出部分的建筑平面

　　角部重叠和细腰形的建筑平面（图 4-5），在重叠部分和细腰部位平面变窄，形成薄弱部位，地震中容易产生震害，凹角部位应力集中，容易使楼板开裂破坏，宜避免采用。若采用，这些部位应采取加强措施，如加大楼板厚度、增加板内配筋、设置集中配筋的边梁、配置斜向钢筋等。

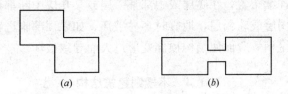

图 4-5　角部重叠和细腰形的建筑平面
（a）角部重叠；（b）细腰形

抗震设防烈度	L/B	l/B_{max}	l/b
6度，7度	≤6.0	≤0.35	≤2.0
8度，9度	≤5.0	≤0.30	≤1.5

长宽比的限值和突出部分长度的限值   表 4-1

结构构件的平面布置与建筑平面有关。平面简单、规则、对称的建筑，容易实现有利于抗震的结构平面布置，即承载能力、刚度、质量分布对称均匀，刚度中心和质量中心尽可能重合，以减小扭转效应。平面形状不对称时，尽可能通过调整剪力墙的布置实现结构刚度对称。简单、规则、对称结构的抗风、抗震计算结果能较好地反映结构在水平力作用下的受力状态，设计者能比较正确地判别计算结果的合理性，且比较容易进行细部处理，抗震构造措施更为有效。

4.1.3 建筑立面和结构沿高度布置

对抗震有利的建筑立面应是规则、均匀的，从下到上外形不变或变化不大，没有过大的外挑或内收。当结构上部楼层收进部位到室外地面的高度 H_1 与房屋高度 H 之比大于0.2时，上部楼层收进后的水平尺寸 B_1 不宜小于下部楼层水平尺寸 B 的75%（图4-6a、b）；当上部结构楼层相对于下部楼层外挑时，上部楼层水平尺寸 B_1 不宜大于下部楼层水平尺寸 B 的1.1倍，且水平外挑尺寸 a 不宜大于4m（图4-6c、d），大于4m时，则为属于不规则的大悬挑构件，还需要进行以竖向地震为主的效应组合。

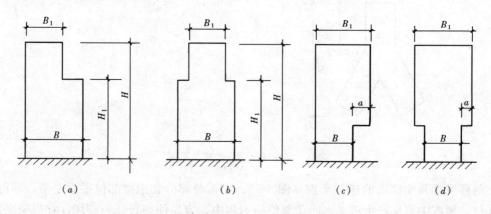

图 4-6 建筑立面外挑或内收示意

结构构件沿高度布置应连续、均匀，使结构的侧向刚度和承载力上下相同，或分段下大上小，自下而上连续、分段逐渐减小，避免出现刚度或承载力突然变小的楼层。尤其是剪力墙，自下而上要连续布置，在底层或中部某一层或某几层中断都会导致沿高度刚度和承载力突变，造成薄弱层或软弱层，地震时容易破坏。如果顶部收进较多，或顶部侧向刚度小，会由于振动的鞭梢效应而使结构顶部变形过大而导致破坏。

4.1.4 不规则建筑结构

建筑体型简单、结构布置规则有利于结构抗震，但在实际工程中，建筑体型复杂、结构布置不规则是难以避免的。《抗震规范》及《混凝土高规》针对钢筋混凝土房屋、钢结构房屋和混合结构房屋，列举了三种平面不规则类型和三种竖向不规则类型，并明确规定按不规则类型的数量和不规则的程度，采取相应的措施。《高钢规》增加了一种平面不规则类型。《抗震规范》、《混凝土高规》及《高钢规》列举的不规则类型是主要的而不是全部的，所列的指标是概念设计的参考性数值而不是严格的数值，使用时需要综合判断。

平面不规则的主要类型包括扭转不规则、偏心布置、凹凸不规则和楼板局部不连续。

(1) 扭转不规则

质量和刚度偏心，扭转刚度小的建筑结构，在地震中的破坏往往比较严重。因此，要限制结构的扭转位移比和限制结构的第一自振周期比，避免结构质量和刚度偏心过大，避免结构抗扭刚度太弱。通过扭转位移比和第一自振周期比，判别结构是否为扭转不规则。

考虑偶然偏心影响，在规定的水平力作用下，楼层两端抗侧力构件弹性水平位移（或层间位移）的最大值与平均值的比值（称为扭转位移比）大于 1.2 时，即为扭转不规则；扭转位移比大于 1.5（B 级高度的钢筋混凝土结构、超过钢筋混凝土结构 A 级高度的混合结构及复杂高层建筑大于 1.4）时，即为扭转严重不规则，当最大层间位移角不大于规范限值的 40% 时，该比值可放松至 1.6。如图 4-7 所示，按刚性楼盖计算，楼层两

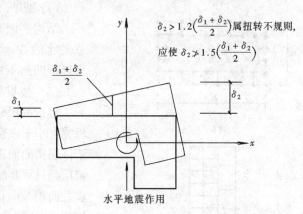

图 4-7 建筑结构平面扭转不规则示例

端弹性水平位移或层间位移分别为 δ_1 和 δ_2，$\delta_2 > 1.2\left(\dfrac{\delta_1+\delta_2}{2}\right)$ 时，相当于 $\delta_2/\delta_1 > 1.5$，即为扭转不规则，$\delta_2 > 1.5\left(\dfrac{\delta_1+\delta_2}{2}\right)$ 时，相当于 $\delta_2/\delta_1 > 3$，即为扭转严重不规则。

计算扭转位移比时：①采用刚性楼盖假定；②考虑偶然偏心；③在规定的水平力作用下计算楼层位移，而不是采用各振型位移的 CQC 组合计算得到的位移。"规定的水平力"是指采用振型分解反应谱法计算得到的楼层地震剪力换算的水平力，每一楼面处的水平力取该楼面上、下两个楼层的地震剪力差的绝对值。"偶然偏心"是指规定的水平力不是作用在各层的质量中心位置，而是作用在偏移质量中心的位置，偏移量为垂直于水平地震作用方向建筑物最大长度的 5%（或根据建筑的平面形状和抗侧力构件的布置确定偏移量），即：

$$e_i = \pm 0.05 L_i \tag{4-1}$$

式中　e_i——第 i 层水平力偏移质量中心的距离（m），各楼层水平力偏移方向相同（都是正方向偏移，或都是负方向偏移，正方向偏移和负方向偏移都要计算）；

　　　L_i——第 i 层垂直于地震作用方向建筑物的长度（m）。

除采用扭转位移比判别房屋建筑是否为扭转不规则外，还需要采用第一自振周期比进行判别。结构扭转为主的第一自振周期 T_t 与平动为主的第一自振周期 T_1 之比，民用建筑钢结构、A 级高度钢筋混凝土结构大于 0.9 时，B 级高度钢筋混凝土结构、超过钢筋混凝

土结构 A 级高度的混合结构及复杂高层建筑大于 0.85 时，结构的扭转刚度过小，地震作用下结构的扭转效应显著增大，为特别不规则建筑。当出现这种情况时，应调整抗侧力结构的布置，增大结构的抗扭刚度，尽可能使民用建筑钢结构、A 级高度钢筋混凝土结构第一自振周期比不大于 0.9，B 级高度钢筋混凝土结构和超过钢筋混凝土结构 A 级高度的混合结构及复杂高层建筑第一自振周期比不大于 0.85。

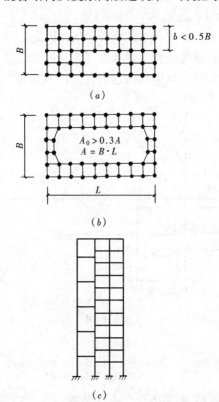

图 4-8 建筑结构平面局部不连续示例
(a) 大开洞；(b) 大开洞；(c) 错层

（2）偏心布置

任一层的偏心率大于 0.15 或相邻层质心相差大于相应边长的 15% 即为偏心不规则。可按《高钢规》的规定，计算偏心率。

（3）凹凸不规则

结构平面凹进的一侧尺寸，大于相应投影方向总尺寸的 30%，即图 4-4 中的 l/B_{max} 大于 0.3 时，为楼板凹凸不规则。

（4）楼板局部不连续

楼板的尺寸和平面刚度急剧变化，例如，有效楼板宽度小于该层楼板典型宽度的 50%，或开洞面积大于该层楼面面积的 30%，属于楼板局部不连续。楼层错层超过梁高时按楼板开洞对待，当错层面积大于该层总面积 30% 时，也属于楼板局部不连续（图 4-8）。楼板典型宽度按楼板外形的基本宽度计算。

楼板有较大凹入或开洞面积较大时，被凹口或洞口划分开的各部分之间的连接比较薄弱，楼板可能产生较大的面内变形，地震中比较容易破坏。因此，凹口或洞口尺寸超过一定值时，视为结构平面不规则。在扣除凹入或开洞后，楼板在任一方向的最小净宽度不宜小于 5m，且开洞后每一边的楼板净宽度不应小于 2m。

竖向不规则的主要类型包括侧向刚度不规则、竖向抗侧力构件不连续和楼层承载力突变。

（1）侧向刚度不规则

框架结构的楼层侧向刚度 K 可定义为单位弹性层间位移所需的层剪力，即 $K=V/\Delta$，V 为地震剪力标准值，Δ 为在地震剪力标准值作用下的弹性层间位移。其侧向刚度不规则是指：楼层与其相邻上层的侧向刚度比 γ_1 小于 0.7（图 4-9a），即 $\gamma_1=K_i/K_{i+1}<0.7$；或楼层的侧向刚度与相邻上部三层侧向刚度平均值的比值小于 0.8（图 4-9b），即 $K_i/[(K_{i+1}+K_{i+2}+K_{i+3})/3]<0.8$。该楼层称为软弱层。侧向刚度比 γ_1 可按式（4-2）计算：

$$\gamma_1 = \frac{V_i\Delta_{i+1}}{V_{i+1}\Delta_i} \tag{4-2}$$

式中　　γ_1——楼层侧向刚度比；

V_i、V_{i+1}——分别为第 i 层和第 $i+1$ 层地震剪力标准值（kN）；

Δ_i、Δ_{i+1}——分别为第 i 层和第 $i+1$ 层在地震剪力标准值作用下的弹性层间位移（m）。

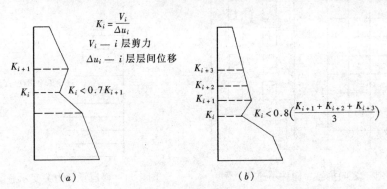

图 4-9 框架结构侧向刚度不规则示意图

框架-剪力墙、板柱-剪力墙、剪力墙、框架-核心筒、筒中筒、框架-支撑、框架-延性墙板和巨型框架结构的楼层侧向刚度 K 考虑层高修正，可定义为单位弹性层间位移角所需的层剪力，即 $K = V/(\Delta/h)$，h 为层高。其侧向刚度不规则是指：楼层与其相邻上层的侧向刚度比 γ_2 小于 0.9，即 $\gamma_2 = K_i/K_{i+1} < 0.9$；本层层高大于相邻上层层高 1.5 倍时，楼层与其相邻上层的侧向刚度比 γ_2 小于 1.1；底部嵌固楼层与其相邻上层的侧向刚度比 γ_2 小于 1.5。侧向刚度比 γ_2 可按式（4-3）计算：

$$\gamma_2 = \frac{V_i \Delta_{i+1}}{V_{i+1} \Delta_i} \frac{h_i}{h_{i+1}} \tag{4-3}$$

式中　　γ_2——考虑层高修正的楼层侧向刚度比；

h_i、h_{i+1}——分别为第 i 层和第 $i+1$ 层层高（m）。

除顶层或出屋面小建筑外，局部收进的水平向尺寸大于相邻下一层的 25% 时，也是侧向刚度不规则。

（2）竖向抗侧力构件不连续

竖向抗侧力构件（柱、剪力墙、抗震支撑）在某层中断，其内力由水平转换构件向下传递，则为竖向抗侧力构件不连续（图 4-10）。设置水平转换构件的楼层称为转换层。为避免水平转换构件在大震下失效，不连续的竖向构件传递到转换构件的多遇地震作用下的地震内力应放大，根据烈度高低和水平转换构件的类型、受力情况、几何尺寸等，放大系数为 1.25～2.0。

（3）楼层承载力突变

房屋建筑抗侧力结构的层间受剪承载力小于相邻上一层的 80% 即 $Q_{y,i} < 0.8Q_{y,i+1}$ 时（图 4-11），为楼层承载力突变。式中，$Q_{y,i}$ 和 $Q_{y,i+1}$ 分别为第 i 层和第 $i+1$ 层的层间受剪承载力。承载力突变的楼层，称为薄弱层。层间受剪承载力不应小于其相邻上一层的 65%（B 级高度钢筋混凝土结构为 75%），小于时为严重不规则，应对结构进行调整。

层间受剪承载力是指在所考虑的水平地震作用方向上，该层全部柱、剪力墙及支撑的受剪承载力之和。柱的受剪承载力可根据柱的轴压力以及两端实配的竖向钢筋计算得到的受弯承载力按两端同时屈服计算；剪力墙的受剪承载力可根据实配水平钢筋按抗剪设计公式计算；斜撑的受剪承载力可计及轴力的贡献，应考虑受压屈服的影响。

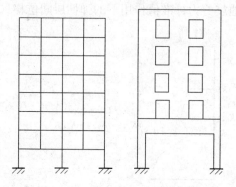

图 4-10　竖向抗侧力构件不连续示例

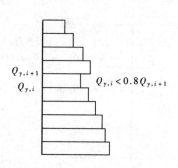

图 4-11　楼层承载力突变示意图

　　以上规定了一些判别建筑形体及其结构布置不规则的定量的参考值，实际工程中引起建筑不规则的因素还有很多，特别是复杂的建筑体型，很难一一用若干简化的定量指标来划分规则与不规则。

　　高层建筑的不规则程度可分为不规则、特别不规则和严重不规则。若有不多于两项达到或略超过上述不规则类型的指标，则此结构为不规则结构。若有较明显的抗震薄弱部位，可能引起不良后果者，此结构为特别不规则结构，其参考界限可为：不论高度是否超限，同时具有上述 6 个主要不规则类型的 3 个或 3 个以上（表 4-2a），或同时具有 2 项超过不规则指标（表 4-2b）或同时具有 1 项超过不规则指标（表 4-2b）和 1 项表 4-2(a) 中的不规则类型，或具有 1 项不规则（表 4-2c）。严重不规则是指建筑形体复杂，多项不规则指标超过上限值或某一项超过规定值很多，具有现有技术和经济条件不能克服的严重的抗震薄弱环节，可能导致严重的地震破坏。

　　当为不规则建筑时，在地震作用计算和内力调整、抗震构造措施方面应加强。平面不规则结构和竖向不规则结构都应采用空间结构计算模型；仅平面不规则的结构，扭转不规则时计入扭转的影响，凹凸不规则或楼板局部不连续时计入楼板面内变形的影响等；仅竖向不规则的结构，其软弱层、转换层或薄弱层的水平地震剪力标准值应乘以 1.25 的增大系数，提高构件的承载能力。

　　特别不规则建筑也称为超限高层建筑，应采取更有效的加强措施，采取抗震性能设计，中震及大震作用下，关键构件及普通竖向构件的抗震承载力应满足一定的要求，并通过超限高层建筑工程抗震设防专项审查。

　　不允许采用严重不规则结构。若为严重不规则结构，可通过调整其建筑形体及结构布置，使其成为特别不规则结构或不规则结构。

同时具有本表 3 项及以上不规则的高层建筑工程　　　　　　　　　　表 4-2(a)

序号	不规则类型	简要涵义
1a	扭转不规则	考虑偶然偏心的扭转位移比大于 1.2
1b	偏心布置	偏心率大于 0.15 或相邻层质心相差大于相应边长 15%
2a	凹凸不规则	平面凹凸尺寸大于相应边长 30% 等
2b	组合平面	细腰形或角部重叠形

序号	不规则类型	简要涵义
3	楼板不连续	有效宽度小于50%，或开洞面积大于30%，或错层大于梁高
4a	刚度突变	相邻层刚度变化大于70%或连续三层变化大于80%
4b	尺寸突变	竖向构件位置缩进大于25%，或外挑大于10%和4m，多塔
5	构件间断	上下墙、柱、支撑不连续，含加强层、连体类
6	承载力突变	相邻层受剪承载力变化大于80%
7	其他不规则	如局部的穿层柱、斜柱、夹层、个别构件错层或转换，或个别楼层扭转位移比略大于1.2等

注：深凹进平面在凹口设置连梁，当连梁刚度较小不足以协调两侧的变形时，仍视为凹凸不规则，不按楼板不连续的开洞对待；序号a、b不重复计算不规则项；局部的不规则，视其位置、数量等对整个结构影响的大小判断是否计入不规则的一项。

具有本表2项或同时具有本表1项和表4-2(a) 中1项 　　　　表4-2(b)

不规则的高层建筑工程

序号	不规则类型	简要涵义
1	扭转偏大	裙房以上的较多楼层考虑偶然偏心的扭转位移比大于1.4
2	抗扭刚度弱	扭转周期比大于0.9，超过A级高度的结构扭转周期大于0.85
3	层刚度偏小	本层侧向刚度小于相连上层的50%
4	塔楼偏置	单塔或多塔与大底盘的质心偏心距大于底盘相应边长20%

具有本表1项不规则的高层建筑工程 　　　　表4-2(c)

序号	不规则类型	简要涵义
1	高位转换	框支墙体的转换构件位置：7度超过5层，8度超过3层
2	厚板转换	7～9度设防的厚板转换结构
3	复杂连接	各部分层数、刚度、布置不同的错层，连体两端塔楼高度、体型或沿大底盘某个主轴方向的振动周期显著不同的结构
4	多重复杂	结构同时具有转换层、加强层、错层、连体和多塔等复杂类型的3种

注：仅前后错层或左右错层属于表4-2(a)中的一项不规则，多数楼层同时前后、左右错层属于本表的复杂连接。

4.2　楼层最小地震剪力系数及楼层地震剪力调整

4.2.1　楼层最小地震剪力系数

　　楼层地震剪力系数是指多遇地震作用下，楼层水平地震剪力标准值与该层及以上各层重力荷载代表值之和的比值。楼层地震剪力系数也称为剪重比。

　　由于地震影响系数在长周期段下降较快，对于基本周期较长的高层建筑，按规范规定的地震影响系数曲线计算所得的水平地震作用及其对应的楼层水平地震剪力可能较小。出于结构抗震安全的考虑，结构基底总水平地震剪力标准值及各楼层水平地震剪力标准值应符合下式要求：

$$V_{Eki} \geq \lambda \sum_{j=i}^{n} G_j \tag{4-4}$$

式中　　V_{Eki}——第 i 层对应于水平地震作用标准值的楼层剪力；

　　　　λ——水平地震剪力系数，不应小于表 4-3 规定的楼层最小地震剪力系数值；对于竖向不规则结构的薄弱层，尚应乘以 1.15 的增大系数；

　　　　G_j——第 j 层的重力荷载代表值；

　　　　n——结构计算总层数。

楼层最小地震剪力系数值 λ　　　　表 4-3

类别	6度	7度		8度		9度
		0.1g	0.15g	0.2g	0.3g	
扭转效应明显或基本周期小于 3.5s 的结构	0.008	0.016	0.024	0.032	0.048	0.064
基本周期大于 5.0s 的结构	0.006	0.012	0.018	0.024	0.036	0.048

注：基本周期介于 3.5s 和 5.0s 之间的结构，采用线性插值。

λ 取表 4-3 规定的数值时，按式（4-4）计算得到的为楼层最小水平地震剪力标准值。当振型分解反应谱法计算得到的结构底部总地震剪力的剪力系数略小于表 4-3 规定的数值、而中上部楼层均满足表 4-3 规定的数值时，可采用地震剪力乘以增大系数的方法进行调整，使地震剪力系数满足要求，此时，结构各楼层的剪力均需乘以增大系数，不能仅调整不满足的楼层。结构基本周期位于加速度控制段（小于 T_g，T_g 为地震影响系数曲线的特征周期）、速度控制段（大于 T_g，小于 $5T_g$）及位移控制段（大于 $5T_g$）的调整方法不同。当底部总地震剪力的剪力系数相差较多时，不能采用乘以增大系数方法处理，而需要对结构进行调整。不满足楼层最小地震剪力的结构，调整到符合最小地震剪力后才能进行相应的地震倾覆力矩、构件内力、位移等的计算分析。表 4-3 所列的楼层最小地震剪力系数是最低要求，各类结构，包括钢结构、钢筋混凝土结构、混合结构、隔震结构和消能减震结构均需遵守。

对于存在竖向不规则的建筑，其突变部位楼层（软弱层、转换层和薄弱层）的水平地震剪力标准值乘以增大系数 1.25 后，该层的地震剪力系数不应小于表 4-3 中数值的 1.15 倍。若不满足要求，需要调整结构布置。

扭转效应是否明显可以由是否存在扭转不规则进行判别，存在扭转不规则的结构，即为扭转效应明显。对于扭转效应明显或基本周期小于 3.5s 的结构，楼层最小地震剪力系数取 $0.2\alpha_{max}$，以保证结构具有足够的抗震安全裕度。

4.2.2　楼层地震剪力调整

小震作用下，框架-剪力墙结构、钢框架-支撑（延性墙板）结构、框架-核心筒结构、部分框支剪力墙结构的转换层及转换层以下楼层的框架-剪力墙以及板柱-剪力墙结构中框架（板柱）的楼层地震剪力需调整。这些结构的主要抗侧力构件为剪力墙（或核心筒），为了实现多道抗震防线，多遇地震作用下，框架的楼层地震剪力标准值不应过小；若按整体结构计算，按侧向刚度分配的框架楼层地震剪力标准值过小，则需要调整框架的楼层地震剪力标准值。

侧向刚度沿竖向分布比较均匀的钢筋混凝土框架-剪力墙结构和框架-核心筒结构，按侧向刚度分配的框架地震层剪力满足式（4-5）的楼层，其框架部分的层剪力取计算结果，不必调整；不满足式（4-5）的楼层，其框架总剪力应按 $0.2V_0$ 和 $1.5V_{f,max}$ 二者的较小值采用。对带加强层的框架-核心筒结构，框架部分最大楼层地震剪力标准值不包括加强层及其相邻上、下楼层的框架剪力。

$$V_f \geqslant 0.2V_0 \tag{4-5}$$

式中　V_0——对框架柱数量从下至上基本不变的结构，取对应于地震作用标准值的结构底层总剪力；对框架柱数量从下至上分段有规律变化的结构，取每段底层结构对应于地震作用标准值的总剪力；

　　　　V_f——对应于地震作用标准值且未经调整的各层（或某一段内各层）框架承担的地震总剪力；

　　$V_{f,max}$——对框架柱数量从下至上基本不变的结构，取对应于地震作用标准值且未经调整的各层框架承担的地震总剪力中的最大值；对框架柱数量从下至上分段有规律变化的结构，取每段中对应于地震作用标准值且未经调整的各层框架承担的地震总剪力中的最大值。

对于框架-核心筒结构，除加强层及其相邻上、下层外，框架部分按侧向刚度分配的各楼层地震剪力标准值的最大值，不宜小于结构底部总地震剪力标准值的 10%；当小于10% 时，应将各层框架部分承担的地震剪力增大到结构底部总地震剪力的 15%，同时，核心筒各层墙体的地震剪力乘以增大系数 1.1，但可不大于结构底部总地震剪力标准值，墙体的抗震构造措施按抗震等级提高一级后采用（特一级的可不提高）。

钢框架-支撑（延性墙板）结构按侧向刚度分配的框架地震层剪力不小于结构底部总地震剪力的 25% 和框架部分计算最大层剪力 1.8 倍二者的较小值的楼层，其框架部分的层剪力取计算结果不必调整，否则应进行调整，达到不小于结构底部总地震剪力的 25% 和框架部分计算最大层剪力 1.8 倍二者的较小值。

各层框架所承担的地震层剪力按上述方法调整后，按与调整前层剪力的比值调整每根框架柱和与之相连框架梁的剪力及端部弯矩标准值，框架柱的轴力标准值可不调整。按振型分解反应谱法计算地震作用时，框架的层剪力的调整可在振型组合之后，并在满足关于楼层最小地震剪力系数的前提下调整。

对于板柱-剪力墙结构，抗风设计时，各层剪力墙或井筒承担不小于 80% 风荷载作用下本层的剪力；抗震设计、房屋高度不大于 12m 时，各层剪力墙或井筒承担本层全部地震剪力；抗震设计、房屋高度大于 12m 时，各层剪力墙或井筒承担本层全部地震剪力，同时，各层板柱部分承担不小于 20% 本层地震剪力。

部分框支剪力墙结构的框支柱不少于 10 根时，框支柱承担的地震剪力之和不小于结构底部总地震剪力的 20%；当框支柱少于 10 根时，每根柱承担的地震剪力不小于结构底部总地震剪力的 2%。地震作用产生的框支柱的剪力和弯矩相应调整，框支柱的地震轴力不调整。

4.3　构件承载力验算

高层建筑结构设计应保证结构在可能同时出现的各种荷载作用下，各个构件及其连接均有足够的承载力且有一定的安全裕度。我国《建筑结构可靠度设计统一标准》GB 50068 规定，构件承载力按极限状态设计，采用由荷载效应组合得到的构件最不利内力进行构件承载力验算。结构构件承载力验算的一般表达式为：

持久、短暂设计状况 $\qquad \gamma_0 S_d \leqslant R_d$ $\qquad\qquad$ (4-6)

地震设计状况 $\qquad\qquad S_d \leqslant R_d / \gamma_{RE}$ $\qquad\qquad$ (4-7)

式中　γ_0——结构重要性系数，安全等级为一级的结构构件不小于 1.1，安全等级为二级的结构构件不小于 1.0；

$\quad\quad S_d$——作用组合的设计值，包括组合的弯矩、轴力和剪力设计值等，组合的方法及要求详见本章 4.5 节；

$\quad\quad R_d$——构件承载力设计值；

$\quad\quad \gamma_{RE}$——构件承载力抗震调整系数，见表 4-4，当仅计算竖向地震作用组合时，各类结构构件的承载力抗震调整系数均取 1.0。

承载力抗震调整系数　　　　　　　　　　　　　表 4-4

材料	结构构件	受力状态	γ_{RE}
钢	梁，柱，支撑，节点板件，螺栓，焊缝	强度	0.75
	柱，支撑	稳定	0.80
混凝土	梁	受弯	0.75
	轴压比小于 0.15 的柱	偏压	0.75
	轴压比不小于 0.15 的柱	偏压	0.80
	剪力墙	偏压	0.85
		局部承压	1.0
	各类构件	受剪，偏拉	0.85
	节点	受剪	0.85
钢-混凝土组合	型钢混凝土梁	受弯	0.75
	型钢混凝土柱，钢管混凝土柱	偏压，偏拉	0.80
	型钢混凝土剪力墙，钢板混凝土剪力墙，带钢斜撑混凝土剪力墙	偏压，偏拉	0.85
	支撑	轴压	0.80
	各类构件，节点	受剪	0.85

4.4　变　形　验　算

4.4.1　弹性变形验算

高层建筑结构应具有足够大的侧向刚度，避免在风及多遇地震作用下产生过大的位移而影响结构的稳定性和使用功能，为此，应限制结构在风荷载及多遇地震标准值作用下的弹性变形，楼层内最大的弹性层间水平位移应符合下式要求：

$$\Delta u_e \leqslant [\theta_e] h \tag{4-8}$$

式中　Δu_e——风荷载或多遇地震作用标准值作用下的楼层层间最大弹性水平位移，以楼层竖向构件最大的水平位移差计算，不扣除结构整体弯曲变形，计入扭转变形，各作用分项系数均采用 1.0，抗震计算时，不考虑偶然偏心的影响；

　　$[\theta_e]$——弹性层间位移角限值，多、高层钢结构和高度不大于 150m 的房屋建筑钢筋混凝土结构，其值按表 4-5 采用；高度不小于 250m 的房屋建筑钢筋混凝土结构，其值取 1/500；高度在 150～250m 之间的房屋建筑钢筋混凝土结构，其值按表 4-5 的值和 1/500 线性插值取用；房屋建筑混合结构的弹性层间位移角限值与钢筋混凝土结构相同；

　　h——计算楼层层高。

弹性层间位移角限值　　　　　　　　　　表 4-5

材料	结构类型	$[\theta_e]$
钢筋混凝土	框架	1/550
	框架-剪力墙，板柱-剪力墙，框架-核心筒	1/800
	剪力墙，筒中筒	1/1000
	框支层	1/1000
钢	多、高层钢结构	1/250

4.4.2　弹塑性变形限值

在罕遇地震作用下，房屋建筑结构的部分构件屈服、进入弹塑性阶段，为避免房屋建筑结构在罕遇地震作用下由于弹塑性变形过大而发生倒塌，应限制其变形最大层即薄弱层（部位）的层间弹塑性位移，即：

$$\Delta u_p \leqslant [\theta_p] h \tag{4-9}$$

式中　Δu_p——罕遇地震作用下的层间弹塑性位移，考虑材料非线性（构件屈服），必要时还需考虑几何非线性（P-Δ 效应）；

　　$[\theta_p]$——层间弹塑性位移角限值，其值可按表 4-6 采用，混合结构的层间弹塑性位移角限值与钢筋混凝土结构相同。对钢筋混凝土框架结构，当轴压比小于 0.40 时，可提高 10%；当柱全高配置的箍筋比规定的最小体积配箍率大 30%时，可提高 20%，但累计不超过 25%；

　　h——楼层层高。

层间弹塑性位移角限值　　　　　　　　　　表 4-6

材料	结构类型	$[\theta_p]$
钢筋混凝土	框架	1/50
	框架-剪力墙，板柱-剪力墙，框架-核心筒	1/100
	剪力墙，筒中筒	1/120
	框支层	1/120
钢	多、高层钢结构	1/50

4.5 荷载效应组合及最不利内力

在构件承载力验算及位移验算的公式中，左边项 S_d 是组合的内力设计值或位移设计值，是由恒载、活载、风载、地震作用分别计算内力及位移后，进行组合，然后选择最不利内力和位移作为设计值。高层建筑在使用期间可能出现多种荷载效应组合情况（也称为"工况"），结构设计时要将可能的各种组合都考虑到，也就是要做多种组合，不同构件的最不利内力不一定来自同一工况。

荷载效应组合是满足规范可靠度要求的基本方法，是结构设计的重要环节，又是一种技术性很强而又十分烦琐的工作，在高层建筑结构设计中采用计算程序完成。但是作为结构工程师，应当了解荷载效应组合的要求与方法，必要时可以进行检查与校核，判断程序计算结果的合理性和正确性。

4.5.1 荷 载 效 应 组 合

内力组合的目的是要得到构件控制截面的内力，位移组合主要是组合水平荷载作用下的结构侧移和层间位移。组合工况分为持久、短暂设计状况，以及地震设计状况，前者也称为无地震作用效应组合，后者也称为有地震作用效应组合。

承载力验算是极限状态验算，在内力组合时，根据荷载性质不同，荷载效应要乘以各自的分项系数和组合值系数。

1. 持久、短暂设计状况效应组合

持久、短暂设计状况下，当荷载与荷载效应按线性关系考虑时，荷载基本组合的效应设计值按下式确定：

$$S_d = \gamma_G S_{Gk} + \gamma_L \psi_Q \gamma_Q S_{Qk} + \psi_w \gamma_w S_{wk} \tag{4-10}$$

式中　　　S_d ——荷载组合的效应设计值；

S_{Gk}、S_{Qk}、S_{wk} ——分别为永久荷载标准值的效应，楼面活荷载标准值的效应和风荷载标准值的效应；

γ_G、γ_Q、γ_w ——分别为上述各荷载的分项系数；

γ_L ——考虑结构设计使用年限的荷载调整系数，设计使用年限为 50 年时取 1.0，设计使用年限为 100 年时取 1.1；

ψ_Q、ψ_w ——分别为楼面活荷载组合值系数和风荷载组合值系数，当永久荷载效应起控制作用时应分别取 0.7 和 0.0，当可变荷载效应起控制作用时应分别取 1.0 和 0.6 或 0.7 和 1.0，对书库、档案库、储藏室、通风机房和电梯机房，楼面活荷载组合值系数取 0.7 的场合取为 0.9。

承载力验算时，荷载基本组合的分项系数取值为：永久荷载的分项系数 γ_G，当其效应对结构承载力不利时，对由可变荷载效应控制的组合取 1.2，对由永久荷载效应控制的组合取 1.35；当其效应对结构承载力有利时，取 1.0；一般情况下，楼面活荷载的分项系数 γ_Q 取 1.4；风荷载的分项系数 γ_w 取 1.4。位移计算为正常使用状态，各分项系数取 1.0。

高层建筑持久、短暂设计状况效应组合基本的荷载工况有两种，即：

① 恒载＋活载

1.2×恒载效应＋1.4×活载效应

1.35×恒载效应＋1.4×0.7×活载效应

②恒载＋活载＋风荷载

1.2×恒载效应＋1.4×活载效应＋1.4×1.0×风荷载效应

2. 地震设计状况效应组合

建筑结构要进行地震设计状况效应组合。当作用与作用效应按线性关系考虑时，荷载和地震作用基本组合的效应设计值按下式确定：

$$S_d = \gamma_G S_{GE} + \gamma_{Eh} S_{Ehk} + \gamma_{Ev} S_{Evk} + \psi_w \gamma_w S_{wk} \tag{4-11}$$

式中　　　　S_d——荷载和地震作用组合的效应设计值；

S_{GE}、S_{Ehk}、S_{Evk}、S_{wk}——分别为重力荷载代表值的效应，水平地震作用标准值的效应（尚应乘以相应的增大系数、调整系数），竖向地震作用标准值的效应（尚应乘以相应的增大系数、调整系数），风荷载标准值的效应；

γ_G、γ_{Eh}、γ_{Ev}、γ_w——分别为上述各荷载及作用的分项系数；

ψ_w——风荷载的组合值系数，取 0.2。

重力荷载代表值是指结构和构配件自重标准值和各可变荷载组合值之和，可变荷载包括雪荷载、屋面积灰荷载、楼面活荷载等，其组合值系数为 0.5～1.0。

高层建筑地震设计状况时，其荷载和地震作用效应组合的基本工况、荷载和作用的分项系数列于表 4-7。当重力荷载代表值效应对构件的承载力有利时，表 4-7 中的 γ_G 取不大于 1.0 的值。位移计算时，各分项系数取 1.0。

高层建筑地震设计状况效应组合时，地震作用效应的标准值应首先乘以相应的调整系数、增大系数，然后再进行效应组合。如薄弱层剪力增大，楼层地震剪力系数调整等。

高层建筑结构抗震设计时，应分别按式（4-10）和式（4-11）计算荷载效应和地震作用效应组合，并按规范规定对组合内力计算值进行调整（如强柱弱梁、强剪弱弯等，将在第 6、7、9、10 章中介绍），得到内力设计值，采用内力设计值进行构件截面承载力验算。同一构件的不同截面或不同设计要求，可能对应不同的组合工况，应分别进行验算。

地震设计状况荷载和作用的分项系数　　　　　　表 4-7

参与组合的荷载和作用	γ_G	γ_{Eh}	γ_{Ev}	γ_w	说　明
重力荷载及水平地震作用	1.2	1.3	—	—	高层建筑均应考虑
重力荷载及竖向地震作用	1.2	—	1.3	—	9 度抗震设计时考虑；水平长悬臂和大跨度结构 7 度（0.15g）、8 度、9 度抗震设计时考虑
重力荷载、水平地震及竖向地震作用	1.2	1.3	0.5	—	9 度抗震设计时考虑；水平长悬臂和大跨度结构 7 度（0.15g）、8 度、9 度抗震设计时考虑
重力荷载、水平地震作用及风荷载	1.2	1.3	—	1.4	60m 以上的高层建筑考虑
重力荷载、水平地震作用、竖向地震作用及风荷载	1.2	1.3	0.5	1.4	60m 以上的高层建筑，9 度抗震设计时考虑；水平长悬臂和大跨度结构 7 度（0.15g）、8 度、9 度抗震设计时考虑
	1.2	0.5	1.3	1.4	水平长悬臂和大跨度结构，7 度（0.15g）、8 度、9 度抗震设计时考虑

注：1. g 为重力加速度；

　　2. "—" 表示组合中不考虑该项荷载或作用效应。

4.5.2 竖向活荷载的布置

恒荷载是长期作用的不变的荷载，计算构件内力时必须满布。竖向活荷载是可变的，不同布置产生的构件内力不同。理论上，应按最不利布置计算截面最不利内力。但一般高层建筑的活荷载比恒荷载小很多，产生的内力所占比重较小。因此，高层建筑结构计算时可不考虑活荷载的不利布置，采用满布活荷载计算内力。如果结构竖向活荷载很大，例如图书馆书库等，仍需考虑活荷载的不利布置。

4.5.3 水平荷载的作用方向

风和水平地震都可能沿任意方向作用在结构上，一般情况下，至少在建筑结构的两个主轴方向计算风荷载和水平地震作用，各方向的风荷载和水平地震作用由该方向的抗侧力构件承担。须考虑沿主轴的正方向及沿主轴的负方向。对称的矩形平面框架结构，沿主轴正、负方向水平荷载的大小相等，因此，水平荷载作用下构件各自的弯矩相等，但符号相反，如图 4-12 所示。平面布置复杂或不对称的结构，正、负方向水平荷载的大小不等，一个方向的水平荷载可能对一部分构件形成不利内力，另一方向的水平荷载可能对另一部分构件形成不利内力，这时要对正、负方向分别进行水平荷载和内力计算，按不同工况分别组合。有斜交抗侧力构件的结构，当相交角度大于 15°时，应分别计算各抗侧力构件方向的水平地震作用。

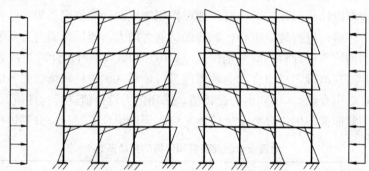

图 4-12 对称矩形平面框架结构水平荷载作用下弯矩分布

4.5.4 控制截面及最不利内力

高层建筑结构设计时，按各个构件控制截面进行内力组合，获得控制截面上的最不利内力作为该构件承载力设计的依据。

控制截面通常是内力最大的截面。对于框架梁及剪力墙的连梁，两端截面及跨中截面为控制截面；对于框架柱及墙肢，各层柱及墙肢的两端为控制截面。

梁端截面的最不利内力为最大正弯矩和最大负弯矩，以及最大剪力；跨中截面的最不利内力为最大正弯矩，有时也可能出现负弯矩。

柱和墙是偏心受压构件。大偏压时弯矩愈大愈不利，小偏压时轴力愈大愈不利。因此要组合几种不利内力，取其中配筋最大者设计截面。可能有四种不利的弯矩 M、轴力 N 组合：$|M|_{max}$ 及相应的 N，N_{max} 及相应的 M，N_{min} 及相应的 M，$|M|$ 较大及 N 较大（小偏压）或较小（大偏压）。柱和墙还要组合最大剪力 V。

　　梁端截面承载力验算时，取与柱交界截面梁的内力，同样，柱端截面承载力验算时，取与梁交界截面柱的内力，不是取柱轴线或梁轴线处的内力，见图 4-13。

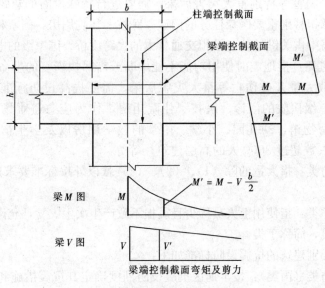

图 4-13　构件承载力验算截面

4.6　抗　震　设　防　类　别

　　房屋建筑的抗震设防标准是衡量其抗震设防要求高低的尺度，而抗震设防标准是由建筑的抗震设防烈度或设计地震动参数及建筑的抗震设防类别确定。现行国家标准《建筑工程抗震设防分类标准》GB 50223 规定了房屋建筑的抗震设防类别。

　　依据建筑遭受地震破坏后，可能造成的人员伤亡、直接和间接经济损失、社会影响的程度及其在抗震救灾中的作用等因素，将建筑工程划分为不同的抗震设防类别，区别对待，采取不同的设计要求，是根据我国现有技术和经济条件的实际情况，达到减轻地震灾害又合理控制建设投资的重要对策之一。直接经济损失是指建筑物、设备及设施遭到破坏而产生的经济损失和因停产、停业所减少的净产值；间接经济损失是指建筑物、设备及设施遭到破坏，导致停产所减少的社会产值、修复所需费用，伤员医疗费用以及保险补偿费用等；社会影响指建筑物、设备及设施破坏导致人员伤亡造成的影响、社会稳定、生活条件降低、对生态环境的影响等。

　　建筑抗震设防类别划分，根据下列因素综合分析确定：（1）建筑破坏造成的人员伤亡、直接和间接经济损失及社会影响的大小；（2）城镇的大小、行业的特点、工矿企业的规模；（3）建筑使用功能失效后，对全局的影响范围大小、抗震救灾影响及恢复的难易程度；（4）建筑各区段的重要性有显著不同时，可按区段划分抗震设防类别，区段指由防震缝分开的结构单元、平面内使用功能不同的部分、或上下使用功能不同的部分，下部区段的类别不应低于上部区段；（5）不同行业的相同建筑，当所处地位及地震破坏所造成的后果和影响不同时，其抗震设防类别可不相同。

建筑工程分为以下四个抗震设防类别：

（1）特殊设防类：指使用上有特殊设施，涉及国家公共安全的重大建筑工程和地震时可能发生严重次生灾害等特别重大灾害后果，需要进行特殊设防的建筑。简称甲类。例如，三级医院中承担特别重要医疗任务的门诊、医技、住院用房，国家和区域的电力调度中心，在交通网络中占关键地位、承担交通量大的大跨度桥、国家级的电信枢纽等。

（2）重点设防类：指地震时使用功能不能中断或需尽快恢复的生命线相关建筑，以及地震时可能导致大量人员伤亡等重大灾害后果，需要提高设防标准的建筑。简称乙类。例如，二、三级医院的门诊、医技、住院用房，作为应急避难场所的建筑，特大型体育场，大型博物馆，幼儿园、小学、中学的教学用房以及学生宿舍和食堂，结构单元内经常使用人数超过 8000 人的高层建筑，等等。

（3）标准设防类：指大量的除（1）、（2）、（4）款以外按标准要求进行设防的建筑。简称丙类。

（4）适度设防类：指使用上人员稀少且震损不致产生次生灾害，允许在一定条件下适度降低要求的建筑，简称丁类。

各抗震设防类别建筑的抗震设防标准如下：

（1）标准设防类（丙类）：按本地区抗震设防烈度确定其抗震措施和地震作用，达到在遭遇高于当地抗震设防烈度的预估罕遇地震影响时不致倒塌或发生危及生命安全的严重破坏的抗震设防目标。

（2）重点设防类（乙类）：按本地区抗震设防烈度确定其地震作用，按高于本地区抗震设防烈度一度的要求加强其抗震措施，抗震设防烈度为 9 度时按比 9 度更高的要求采取抗震措施。

（3）特殊设防类：按批准的地震安全性评价的结果且高于本地区抗震设防烈度的要求确定其地震作用，按高于本地区抗震设防烈度提高一度的要求加强其抗震措施，抗震设防烈度为 9 度时按比 9 度更高的要求采取抗震措施。

（4）适度设防类：一般情况下，按本地区抗震设防烈度确定其地震作用，允许比本地区抗震设防烈度的要求适当降低其抗震措施，但抗震设防烈度为 6 度时不降低。

4.7 抗 震 等 级

抗震等级是抗震设计的房屋建筑钢筋混凝土结构、钢结构、混合结构及组合结构的重要设计参数，建筑结构的抗震等级根据其抗震设防类别、结构类型、设防烈度和房屋高度四个因素确定。抗震等级的划分，体现了对不同抗震设防类别、不同结构类型、不同烈度、同一烈度但不同高度的建筑结构弹塑性变形能力要求的不同，以及同一种构件在不同结构类型中的弹塑性变形能力要求的不同。建筑结构根据其抗震等级采取相应的抗震措施，抗震措施包括调整构件截面内力的内力调整措施和最小配筋率等抗震构造措施。

丙类建筑 A 级、B 级高度现浇钢筋混凝土结构的抗震等级分别列于表 4-8 和表 4-9。丙类装配整体式混凝土结构的抗震等级列于表 4-10。抗震等级特一级的要求最高，依次为一、二、三、四级。

A 级高度现浇钢筋混凝土房屋的抗震等级　　表 4-8

结构类型		抗震设防烈度									
		6度		7度			8度			9度	
框架结构	高度（m）	≤24	>24	≤24	>24		≤24	>24		≤24	
	框架	四	三	三	二		二	一		一	
	大跨度框架	三	三	二	二	二	一	一	一	一	一
框架-剪力墙结构	高度（m）	≤60	>60	≤24	25~60	>60	≤24	25~60	>60	≤24	25~50
	框架	四	三	四	三	二	三	二	一	二	一
	剪力墙	三	三	二	二	二	一	一	一	一	一
剪力墙结构	高度（m）	≤80	>80	≤24	25~80	>80	≤24	25~80	>80	≤24	25~60
	剪力墙	四	三	四	三	二	三	二	一	二	一
部分框支剪力墙结构	高度（m）	≤80	>80	≤24	25~80	>80	≤24	25~80	／	／	／
	剪力墙　一般部位	四	三	四	三	二	三	二	／	／	／
	剪力墙　加强部位	三	二	三	二	一	二	一	／	／	／
	框支框架	二	二	二	二	二	一	一	／	／	／
框架-核心筒结构	框架	三	三	二	二	二	一	一	一	一	一
	核心筒	二	二	二	二	二	一	一	一	一	一
筒中筒结构	外筒	三	三	二	二	二	一	一	一	一	一
	内筒	三	三	二	二	二	一	一	一	一	一
板柱-剪力墙结构	高度（m）	≤35	>35	≤35	>35		≤35	>35		／	／
	框架、板柱的柱	三	二	二	二		一	一		／	／
	剪力墙	二	二	二	一		二	一		／	／

注：1. 大跨度框架指跨度不小于18m的框架；

　　2. 高度不超过60m的框架-核心筒结构按框架-剪力墙的要求设计时，按表中框架-剪力墙结构的规定确定其抗震等级。

B 级高度现浇钢筋混凝土房屋的抗震等级　　表 4-9

结构类型		抗震设防烈度		
		6度	7度	8度
框架-剪力墙结构	框架	二	一	一
	剪力墙	二	一	特一
剪力墙结构		二	一	特一
部分框支剪力墙结构	剪力墙　一般部位	二	一	一
	剪力墙　加强部位	二	一	特一
	框支框架	一	特一	特一
框架-核心筒结构	框架	二	一	一
	核心筒	二	一	特一
筒中筒结构	外筒	二	一	特一
	内筒	二	一	特一

装配整体式混凝土房屋的抗震等级　　　　　表 4-10

结构类型		6度		7度			8度		
装配整体式框架结构	高度（m）	≤24	>24	≤24		>24	≤24		>24
	框架	四	三	三		二	二		一
	大跨度框架	三		二			一		
装配整体式框架-现浇剪力墙结构	高度（m）	≤60	>60	≤24	25~60	>60	≤24	25~60	>60
	框架	四	三	四	三	二	三	二	一
	剪力墙	三		三	二		一		
装配整体式剪力墙结构	高度（m）	≤70	>70	≤24	25~70	>70	≤24	25~70	>70
	剪力墙	四	三	四	三	二	三	二	一
装配整体式部分框支剪力墙结构	高度（m）	≤70	>70	≤24	25~70	>70	≤24	25~70	
	剪力墙 一般部位	四	三	四	三	二	三	二	
	剪力墙 加强部位	三	二	三	二	一	二	一	
	现浇框支框架	二		二			一		
装配整体式框架-现浇核心筒结构	框架	三		二					
	核心筒	二		二					
	剪力墙	二	二	三	二		二		

　　丙类民用建筑钢结构的抗震等级列于表 4-11。6 度、高度不超过 50m 的民用建筑钢结构，按非抗震设计执行，因此没有抗震等级。一般情况，钢结构构件的抗震等级与结构相同；当某个部位各构件的承载力均满足 2 倍地震作用组合下的内力要求时，7～9 度的构件抗震等级可以按降低一度确定。

民用钢结构房屋的抗震等级　　　　　表 4-11

房屋高度（m）	抗震设防烈度			
	6度	7度	8度	9度
≤50		四	三	二
>50	四	三	二	一

　　丙类建筑混合结构中的钢筋混凝土核心筒、型钢（钢管）混凝土框架、型钢（钢管）混凝土外筒的抗震等级列于表 4-12；混合结构中钢结构构件的抗震等级，抗震设防烈度为 6、7、8、9 度时分别取四、三、二、一级。

　　丙类建筑组合结构的抗震等级，框架结构、框架-剪力墙结构、剪力墙结构和部分框支剪力墙结构与 A 级高度现浇钢筋混凝土结构对应结构类型的抗震等级相同，框架-核心筒结构和筒中筒结构与混合结构对应结构类型的抗震等级相同。

混合结构房屋的抗震等级 表 4-12

结构类型		抗震设防烈度						
		6 度		7 度		8 度		9 度
房屋高度（m）		≤150	>150	≤130	>130	≤100	>100	≤70
钢框架-钢筋混凝土核心筒	钢筋混凝土核心筒	二	一	一	特一	一	特一	特一
型钢（钢管）混凝土框架-钢筋混凝土核心筒	型钢（钢管）混凝土框架	三	二	二	二	一	一	一
	钢筋混凝土核心筒	二	二	二	二	一	特一	特一
房屋高度（m）		≤180	>180	≤150	>150	≤120	>120	≤90
钢外筒-钢筋混凝土核心筒	钢筋混凝土核心筒	二	二	二	特一	一	特一	特一
型钢（钢管）混凝土外筒-钢筋混凝土核心筒	型钢（钢管）混凝土外筒	三	二	二	二	一	一	一
	钢筋混凝土核心筒	二	二	二	二	一	特一	特一

确定房屋建筑的抗震等级，还需符合下列要求：

（1）接近或等于高度分界时，可结合房屋建筑的不规则程度及场地、地基条件确定抗震等级。

（2）框架和剪力墙组成的结构有三种情况：①仅有个别或少量框架时，属于剪力墙结构，其剪力墙的抗震等级，按剪力墙结构确定；②有足够多的剪力墙时，在规定的水平力作用下，底层（即计算嵌固端所在的楼层）框架部分所承担的地震倾覆力矩小于结构总地震倾覆力矩的 50%，属于框架-剪力墙结构，按框架-剪力墙结构确定抗震等级；③在框架结构中设置少量剪力墙时，在规定的水平力作用下，底层框架部分承担的地震倾覆力矩大于结构总地震倾覆力矩的 50% 时，属于框架结构，其框架的抗震等级按框架结构确定，剪力墙的抗震等级与其框架的抗震等级相同，但层间位移角限值按底层框架部分承担倾覆力矩的大小，在框架结构和框架-剪力墙结构两者的层间位移角限值之间适当内插。框架结构中设置少量剪力墙的目的，是为了增大框架结构的刚度，满足层间位移角限值的要求和提高框架结构抗地震倒塌的能力。

（3）裙房的抗震等级。裙房与主楼之间设防震缝，即与主楼分离的裙房，按裙房自身的结构类型等确定其抗震等级；在大震作用下裙房与主楼可能发生碰撞，裙房顶部需要采取加强措施。裙房与主楼相连，裙房相关范围（可从主楼周边外延 3 跨且不大于 20m）按裙房自身确定其抗震等级外，尚不低于主楼的抗震等级；相关范围以外，按裙房自身确定其抗震等级；裙房偏置较多时，其端部有较大扭转效应，也需要加强；主楼结构在裙房顶板对应的上下各一层受刚度与承载力突变影响较大，抗震构造措施需要适当加强。

（4）地下室的抗震等级。地下室顶板作为上部结构的嵌固部位时，在地震作用下的屈服部位将发生在地上楼层，同时将影响到地下一层，地下一层的抗震等级与上部结构相同，地下一层以下抗震构造措施的抗震等级逐层降低一级，但不低于四级。无上部结构的地下室，抗震构造措施的抗震等级可根据具体情况采用三级或四级。

（5）甲、乙类建筑的抗震等级。甲、乙类建筑应按其抗震设防烈度提高一度查表 4-8 ～表 4-12 确定抗震等级。工程中可能出现甲、乙类建筑提高一度后，其高度超过表 4-8～表 4-12 中抗震等级为一级的高度上界。此时，要求采取比一级更有效的抗震构造措施，大体与特一级的构造措施相当，内力调整不提高。

（6）建筑场地为Ⅰ类时，甲、乙类建筑仍按本地区抗震设防烈度的要求采取抗震构造措施，按提高一度的要求采取内力调整措施，丙类建筑按本地区抗震设防烈度降低一度的要求采取抗震构造措施，按本地区烈度的要求采取内力调整措施，但抗震设防烈度为 6 度时仍按本地区抗震设防烈度的要求采取抗震构造措施。

（7）建筑场地为Ⅲ、Ⅳ类时，设计基本地震加速度为 0.15g 和 0.30g 的地区，分别按抗震设防烈度 8 度（0.20g）和 9 度（0.40g）时各抗震设防类别建筑的要求采取抗震构造措施，分别按 7 度和 8 度的要求采取内力调整措施。

4.8 耗 能 与 延 性

4.8.1 耗   能

高层建筑结构三水准抗震设计的第 3 水准是"大震不倒"，即在罕遇地震作用下，允许部分结构构件（主要是水平构件和斜撑构件）屈服，但结构不能倒塌。为了达到"大震不倒"的抗震设防目标，建筑结构和结构构件除了必须具有足够大的承载力和刚度外，还应具有良好的延性和耗能能力。

结构及构件的耗能能力采用滞回耗能或累积滞回耗能或等效黏滞阻尼系数 h_e 度量。滞回耗能是指结构或构件在往复荷载作用下，在某一位移时的荷载-位移滞回曲线所包围的面积；累积滞回耗能是指某一位移及小于该位移的荷载-位移滞回曲线所包围的面积之和。

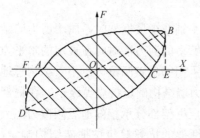

图 4-14 等效黏滞阻尼系数计算图形

等效黏滞阻尼系数可按图 4-14 荷载-位移滞回曲线 ABCDA 所围面积与三角形 OBE 和 ODF 所围面积计算：

$$h_e = \frac{1}{2\pi} \frac{A_{\mathrm{ABCDA}}}{A_{\mathrm{OBEO}} + A_{\mathrm{ODEO}}} \tag{4-12}$$

结构构件的耗能能力与采用的材料及构件的破坏形态有关。一般情况下，破坏形态相同时，钢构件和钢-混凝土组合构件的耗能能力比钢筋混凝土构件的大；受弯破坏构件的耗能能力比压弯破坏构件的大；压弯破坏构件的耗能能力比剪切破坏构件的大。图 4-15 (a) 为钢梁的荷载-位移滞回曲线，曲线饱满，表明耗能能力大。图 4-15 (b) 为压弯破坏的钢筋混凝土剪力墙的水平力-位移滞回曲线，施加水平力时，剪力墙受拉侧的混凝土开裂，反向施加水平力时，裂缝闭合前混凝土不能完全发挥受压作用，使得位移增加加快、水平力增加慢，滞回曲线出现捏拢，但由于裂缝宽度小、数量多，裂缝很快闭合，因此，捏拢不严重，滞回曲线呈"梭形"。图 4-15（c）为剪切破坏的钢筋混凝土剪力墙的水平力-位移滞回曲线，其裂缝以一条宽度大的斜裂缝为主，使得滞回曲线捏拢严重，而且，达到峰值水平力后，水平力下降很快。

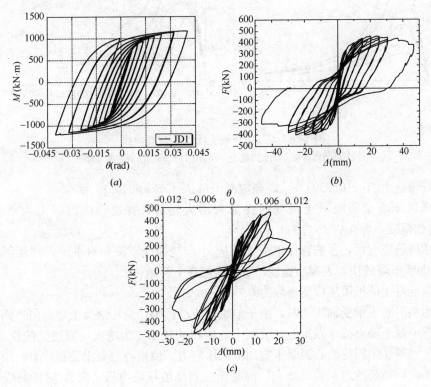

图 4-15　荷载-位移滞回曲线
（a）受弯破坏的钢梁；（b）压弯破坏的剪力墙；（c）剪切破坏的剪力墙

4.8.2　材　料　延　性

延性是指屈服后强度或承载力没有显著降低时的塑性变形能力，包括材料、构件截面、构件和结构延性。换言之，延性是材料、构件截面、构件和结构保持一定的强度或承载力时的非弹性（塑性）变形能力。截面、构件、结构的延性与材料延性即材料的塑性变形能力有关。

抗震混凝土结构用的纵向受力钢筋为普通热轧钢筋时，钢筋的延性采用在最大拉力下的总伸长率度量，即在最大拉力下的总伸长率不小于 9%。

钢结构钢材的应力-应变曲线应有明显的屈服点、屈服平台和应变硬化段，其延性采用伸长率度量，即伸长率不小于 20%。

混凝土的变形能力采用轴心受压棱柱体（截面尺寸 100mm×100mm，高 200mm）的极限压应变度量。图 4-16（a）为不同强度非约束混凝土的轴心受压应力-应变曲线，具有如下特点：

（1）线性段即弹性工作段的范围随混凝土强度的提高而增大，普通强度混凝土线性段

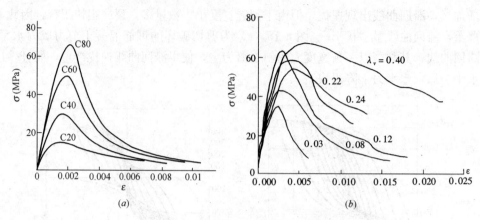

图 4-16   混凝土单轴受压应力-应变曲线
(a) 不同强度等级非约束混凝土；(b) 不同配箍特征值约束混凝土

的上限为峰值应力的（40～50)％，高强混凝土可达（75～90)％；

（2）峰值压应变随混凝土强度的提高有增大趋势，普通强度混凝土为 0.0015～0.002，高强混凝土为 0.0025 左右；

（3）达峰值应力后，普通强度混凝土的应力-应变曲线下降相对平缓，高强混凝土的应力-应变曲线下降较快，表现出脆性，且强度越高下降越快。

非约束混凝土的极限压应变可取为 0.003～0.004。

箍筋约束混凝土承受轴压力时，由于泊松效应的影响，受压混凝土侧向向外膨胀，当压应力接近混凝土轴心抗压强度时，混凝土的体积从减小变为增大，箍筋受的拉力增大，其反作用力给箍筋包围的核心混凝土施加横向压应力，使核心混凝土受到约束。随混凝土横向变形增大，箍筋的约束效果增大。混凝土达到峰值压应力后，应力-应变曲线下降平缓，极限压应变比非约束混凝土增大。箍筋约束混凝土的极限压应变与混凝土强度、箍筋形式、箍筋间距与肢距、箍筋的屈服强度、体积配箍率等有关。混凝土强度 f_c、箍筋屈服强度 f_{yv} 和体积配箍率 ρ_v 的影响可以近似用参数配箍特征值 λ_v 表达，采用式（4-13）计算：

$$\lambda_v = \rho_v \frac{f_c}{f_{yv}} \tag{4-13}$$

图 4-16（b）为试验得到的不同配箍特征值的混凝土单轴受压应力-应变曲线，由图可见，箍筋约束混凝土的峰值应力和峰值应变明显高于非约束混凝土；达峰值点后，曲线下降平缓。

国内外学者对箍筋约束混凝土的应力-应变关系提出了许多模型。如何定义箍筋约束混凝土的极限压应变，目前尚无统一规定。一般情况下，可取应力下降至 0.5 倍峰值应力时的应变为混凝土的极限压应变。

箍筋形式对混凝土约束作用的影响如图 4-17 所示。普通矩形箍在四个转角区域对混凝土提供约束，在箍筋的直段上，混凝土膨胀使箍筋外鼓而不能提供约束；增加拉筋或箍筋成为复合箍，同时在每一个箍筋相交点设置纵筋，纵筋和箍筋构成网格式骨架，使箍筋的无支长度减小，箍筋产生的约束力趋于均匀，约束效果优于普通矩形箍；螺旋箍均匀受拉，对混凝土提供均匀的侧压力，约束效果最好；间距比较密的圆箍（采用焊接搭接）或圆箍外加矩形箍，也能达到螺旋箍的约束效果。

箍筋间距密，则约束效果好（图 4-17d）。直径小、间距密的箍筋的约束效果优于直径大、间距大的箍筋。箍筋间距不超过纵筋直径的 6～8 倍时，可以避免纵筋在混凝土保护层剥落以前发生压曲，才能显示箍筋形式对约束效果的影响。

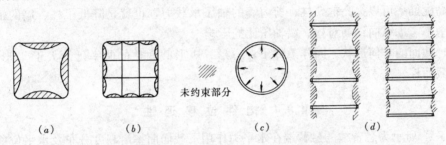

未约束部分

(a)　　　　(b)　　　　(c)　　　　(d)

图 4-17　箍筋形式和间距对混凝土约束作用的影响

(a) 普通矩形箍；(b) 井字复合箍；(c) 螺旋箍；(d) 箍筋间距的影响

4.8.3　截面曲率延性

以弯曲变形为主的构件进入屈服后，塑性铰的转动能力与单位长度截面上塑性转动能力即截面的曲率延性直接相关。截面曲率延性采用曲率延性系数度量，其计算式为：

$$\mu_\phi = \phi_u / \phi_y \tag{4-14}$$

式中　μ_ϕ——截面曲率延性系数；

ϕ_y、ϕ_u——分别为截面屈服曲率和极限曲率。

影响钢筋混凝土构件截面曲率延性的主要因素有：

(1) 混凝土强度。如前所述，高强混凝土的应力-应变曲线的下降段比普通强度混凝土的陡，表现出脆性，塑性变形能力小。

(2) 箍筋。箍筋约束混凝土的应力-应变曲线的下降段平缓，在一定范围内增大配箍特征值，混凝土极限压应变增大，则极限曲率也增大，曲率延性系数也增大。

(3) 轴压比。框架梁的轴力很小，可以忽略，轴压比为零，其极限曲率大于承受轴力的框架柱。对于框架柱或剪力墙，增大轴压比，则相对受压区高度增大，极限曲率降低。图 4-18 为非约束混凝土偏心受压构件的截面曲率延性系数 μ_ϕ 与相对受压区高度 ξ 关系的试验曲线，试验结果说明，对于非约束混凝土偏心受压构件，截面曲率延性系数随相对受压区高度的增大而减小。因此，在其他条件相同的情况下，轴压比增大，则截面曲率延性系数减小。

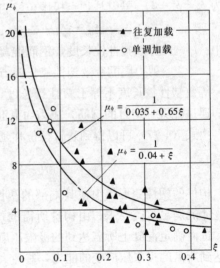

往复加载
单调加载

$$\mu_\phi = \frac{1}{0.035 + 0.65\xi}$$

$$\mu_\phi = \frac{1}{0.04 + \xi}$$

图 4-18　非约束混凝土柱相对受压区
高度 ξ 与
曲率延性比 μ_ϕ 关系试验曲线

通过对柱及剪力墙的边缘构件配置箍筋，且轴压比高的柱及墙的箍筋配箍特征值大，则可以使不同轴压比的柱及剪力墙分别具有大体相同的曲率延性。

（4）纵向钢筋。屈服强度和配筋率两方面都有影响。受拉纵筋的屈服强度高，则屈服应变大，使屈服曲率提高，但对极限曲率影响不大。配置受压纵筋可以增大截面的曲率延性。提高配筋率可以提高框架柱、剪力墙的轴压承载力，也就是降低了柱、墙的轴压比，但设计中不考虑纵向钢筋对柱、墙轴压比的影响。

（5）截面的几何形状。同样条件下，方形、矩形截面柱的曲率延性大于 T 形、L 形等异形截面柱。

4.8.4 构 件 位 移 延 性

图 4-19 所示为悬臂柱的悬臂端在水平力作用下截面曲率沿高度分布及水平位移曲线，悬臂柱长为 L，以弯曲变形为主，为简化分析，不考虑剪切变形的影响和轴力的影响。其顶点位移延性系数按下式计算：

$$\mu_\Delta = \Delta_u / \Delta_y \tag{4-15}$$

式中 μ_Δ——悬臂柱顶点位移延性系数；

Δ_y、Δ_u——分别为顶点屈服位移和极限位移。

悬臂柱底部屈服时，曲率沿柱长可近似为线性分布，顶点屈服位移可近似按下式计算：

$$\Delta_y = \phi_y L^2 / 3 \tag{4-16}$$

悬臂柱达到极限变形状态时，其顶点位移由屈服位移和塑性位移两部分组成。塑性位移由塑性铰区的转动产生。假设，极限变形状态时，柱固定端部在等效塑性铰长度范围内截面的塑性曲率相同，

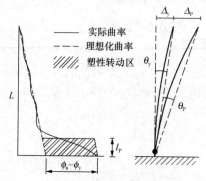

图 4-19 水平力作用下悬臂柱的
曲率分布和位移曲线

均为 $\phi_p = \phi_u - \phi_y$。悬臂柱顶点极限位移为：

$$\Delta_u = \Delta_y + \Delta_p = \Delta_y + (\phi_u - \phi_y) l_p (L - l_p / 2) \tag{4-17}$$

式中 l_p——等效塑性铰长度，钢筋混凝土梁、柱的等效塑性铰长度与其截面高度有关，剪力墙的等效塑性铰长度与墙高有关。

等效塑性铰长度不等于塑性铰长度，构件的塑性铰长度大于 l_p。在塑性铰长度范围内，通过配置一定量的箍筋，成为约束混凝土，保证塑性铰的塑性变形能力和转动能力。

由式（4-17）可以得到悬臂柱位移延性系数与截面曲率延性系数的关系式为：

$$\mu_\phi = 1 + \frac{l^2 (\mu_\Delta - 1)}{3 l_p (L - 0.5 l_p)} \tag{4-18}$$

构件的塑性变形集中在其端部的塑性铰区，曲率延性系数应比构件的位移延性系数大，才能满足抗震要求。由构件所需的位移延性系数，可以得到所需的截面曲率延性系数，进而确定混凝土所需达到的极限压应变，通过配置箍筋等抗震构造措施，使混凝土具有达到所需的极限压应变的能力，避免大震作用下构件失效。

4.8.5 结 构 位 移 延 性

结构位移延性可以用层间位移延性系数或顶点位移延性系数度量，顶点位移延性系数

可按式（4-15）计算，层间位移延性系数按下式计算：

$$\mu_{\Delta u} = \Delta u_u / \Delta u_y \tag{4-19}$$

式中　$\mu_{\Delta u}$——结构层间位移延性系数；

　　　Δu_y——结构层间屈服位移；

　　　Δu_u——结构层间极限位移。

　　结构位移延性系数几乎不可能用手算得到，即使是最简单的框架结构。原因是，同一种构件（梁或柱）不可能同时屈服，一个构件屈服后，该构件的承载力与变形的关系已为非线性，承载力增加慢、变形增加快，并引起结构构件内力重分布。

　　目前，可以用来计算结构位移延性系数的手段是对整体结构进行静力弹塑性分析，也称推覆分析。由推覆分析，得到结构的基底剪力-顶点位移曲线和层剪力-层间位移曲线，从曲线上得到屈服位移和极限位移，由此得到结构的顶点位移延性系数和层间位移延性系数。由静力弹塑性分析得到的结构位移延性系数是一个近似值。

　　对截面延性的要求高于对构件延性的要求，对构件延性的要求高于对结构延性的要求，两者的关系与结构构件的屈服次序、结构的破坏过程有关。

　　原则上，提高抗震结构构件或结构的承载能力，可以适当降低其延性，但研究尚不充分，还不能给出量化的数值。在实际工程设计中，即使提高了某些构件的承载力，也并不降低其抗震构造措施。

　　我国规范没有对结构、构件的延性系数和耗能能力做出定量的规定，但规定了罕遇地震作用下各结构体系的弹塑性层间位移角限值。结构能达到的弹塑性层间位移角与结构、构件所具有的延性有关。例如，假设钢筋混凝土框架结构的屈服层间位移角为 1/200 左右，规范规定罕遇地震作用下其弹塑性层间位移角限值为 1/50，也就是说，钢筋混凝土框架结构的层间位移延性系数必须不小于 4，才有足够大的塑性变形能力、在层间位移角达到 1/50 时不倒塌。如何使钢筋混凝土框架结构具有不小于 4 的层间位移延性系数，需要通过结构设计解决。其他结构体系也有类似的情况。

4.9　能力设计法基本原理

　　能力设计法是建筑结构抗震延性设计的基础。能力设计法是新西兰 Park. R. 教授和 Paulay. T. 教授提出的，新西兰、美国、欧洲、日本和我国规范的房屋建筑抗震设计方法不尽相同，但都在一定程度上采用了能力设计法原理。

　　图 4-20 所示为按等承载力设计的一根链条，各链环均按其受拉承载力 F_d 设计，且各链环均不具有延性，当施加的外荷载 F 达到 F_d 时，某个链环将断裂（由于生产制造等原因，各链环的承载力会略有差异），而哪个链环断裂是设计者无法预知和控制的。将建筑结构视为一根链条，各结构构件视为组成链条的链环，如果全部构件均按考虑地震作用组合的内力值进行承载力设计且不具备延性，一旦地震强度达到设计地震，某个构件将破坏，其他构件将相继破坏，最终结构倒塌。哪个构件首先破坏，设计者无法预测；结构倒塌，设计者也无法控制。

　　图 4-21 所示为按能力设计法设计的链条。中间链环（也可以是其他某个链环）按链条的拉力设计值 F_d 进行承载力设计，且具有延性，其他链环的承载力设计值大于中间链环。

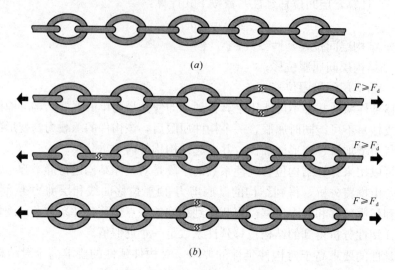

图 4-20   等承载力设计的链条
(a) 链条;(b) 部分可能的破坏模式

当施加的外荷载 F 达到 F_d 时,由于具有延性,中间链环不会发生断裂,还能继续承载,但承载能力随着变形增大而降低。同时,链条的拉力不再增大,保证其他链环处于弹性,不会发生断裂。中间链环具有延性,也不会发生脆性断裂。这个链条的破坏模式是可以预测的,是设计者可以控制的。这个预设破坏的链环,就好比房屋建筑结构中预设的"塑性铰"。

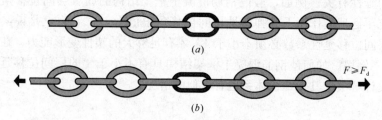

图 4-21   能力设计法设计的链条
(a) 链条;(b) 破坏模式

尽管地震动的强度和频谱特性都具有随机性,但如果采用能力设计法进行建筑结构的抗震设计,设计者就可以预设结构的屈服构件和屈服机制,并采取措施,使预设屈服的构件具有延性。Paulay. T. 教授认为,能力设计法是"告诉结构在地震作用下该如何工作"。工程师可以通过能力设计法控制建筑结构的屈服机制和破坏模式。

基于以上基本思想,建筑结构采用能力设计法时,应遵循以下主要原则:

(1)选择有利于结构抗地震倒塌的屈服机制,明确在地震作用下结构中出现塑性铰的构件以及塑性铰在这些构件中的位置。例如:框架强柱弱梁屈服机制,梁为出现塑性铰的构件,塑性铰在梁端。

(2)构件塑性铰区截面的实际承载力尽可能与其内力设计值所需的承载力接近。

(3)对塑性铰区进行详细的构造设计,确保塑性铰区具有所需的延性。

(4)对于明确出现塑性铰的构件,通过承载力设计(如强剪弱弯设计、强锚固设计等），确保其在地震中不发生剪切破坏、轴压破坏、钢筋锚固粘结破坏、局部失稳或整体失稳等非延性破坏。

（5）对于其他构件，通过承载力设计，使其在地震中不屈服或推迟屈服。

4.10　舒　适　度

高层建筑在风荷载作用下产生水平振动，过大的振动加速度使楼内的人员感觉不舒适，甚至不能忍受，影响工作和生活。风荷载作用下高层建筑的加速度反应包括顺风向加速度、横风向加速度和转角加速度。高度超过 150m 的高层建筑钢筋混凝土结构、高层建筑钢结构和高层建筑混合结构在 10 年一遇的风荷载标准值作用下，结构顶点的顺风向和横风向振动最大水平加速度限值 a_{max} 列于表4-13。结构顶点的顺风向和横风向振动最大水平加速度可通过计算确定，也可通过风洞试验结果判断确定。计算时，钢筋混凝土结构和混合结构的阻尼比取 0.01～0.02，钢结构的阻尼比取 0.01。

高层建筑钢筋混凝土结构和混合结构顶点风振加速度限值 a_{max}　　表 4-13（a）

使用功能	a_{max}（m/s²）
住宅、公寓	0.15
办公、旅馆	0.25

高层建筑钢结构顶点风振加速度限值 a_{max}　　表 4-13（b）

使用功能	a_{max}（m/s²）
公寓建筑	0.20
公共建筑	0.28

人在大跨度楼盖上走动、跳跃等引起楼盖结构竖向振动，有可能使周围人群感觉不舒适。为保证楼盖结构竖向有适宜的舒适度，对其竖向振动的频率、竖向振动的加速度有一定的限制。对于钢筋混凝土楼盖结构、钢-混凝土组合楼盖结构（不包括轻钢楼盖结构），其竖向振动频率不宜小于 3Hz，其竖向振动的加速度限值列于表 4-14。楼盖结构竖向振动加速度可采用时程分析法计算，也可采用近似方法计算。

楼盖结构竖向振动加速度限值　　表 4-14

人员活动环境	峰值加速度限值（m/s²）	
	竖向自振频率不大于 2Hz	竖向自振频率不小于 4Hz
住宅、办公	0.07	0.05
商场及室内连廊	0.22	0.15

注：楼盖结构竖向自振频率为 2～4Hz 时，峰值加速度限值取线性插值。

4.11　重力二阶效应及结构稳定

4.11.1　重力二阶效应

在水平力作用下，高层建筑结构产生水平位移，竖向重力荷载由于水平位移而使结构产生附加内力，附加内力又增大水平位移，这种现象称为重力二阶效应，也称为几何非线性、P-Δ 效应。

水平力作用下的重力附加弯矩大于初始弯矩的 10％时，高层建筑结构设计需计入重力二阶效应的影响，即计入重力二阶效应影响的条件为：

$$\theta_i = \frac{M_a}{M_0} = \frac{\sum G_i \Delta u_i}{V_i h_i} > 0.1 \tag{4-20}$$

式中　θ_i——稳定系数；

$\quad\quad M_a$——水平力作用下的重力附加弯矩，为任一楼层以上全部重力荷载与该楼层水平力作用下平均层间位移的乘积；

$\quad\quad M_0$——初始弯矩，为该楼层水平剪力与楼层层高的乘积；

$\quad\quad \sum G_i$——i 层以上全部重力荷载计算值；

$\quad\quad \Delta u_i$——第 i 层楼层质心处的弹性或弹塑性层间位移；

$\quad\quad V_i$——第 i 层水平剪力计算值；

$\quad\quad h_i$——第 i 层层高。

钢结构房屋建筑的侧向刚度相对较小，水平力作用下计算分析时，应计入重力二阶效应的影响；高层建筑结构进行罕遇地震作用下的弹塑性分析时，应计入重力二阶效应的影响。

对于高层建筑钢筋混凝土结构，也可用下述方法判断弹性计算分析时是否需要计入重力二阶效应的影响。满足下式规定的剪力墙结构、框架-剪力墙结构和筒体结构，弹性计算分析时可不考虑重力二阶效应的影响：

$$EJ_d \geqslant 2.7H^2 \sum_{i=1}^{n} G_i \tag{4-21}$$

满足下列规定的钢筋混凝土框架结构，弹性计算分析时可不考虑重力二阶效应的影响：

$$D_i \geqslant 20 \sum_{j=1}^{n} G_j / h_i \quad (i = 1, 2, \cdots, n) \tag{4-22}$$

式中　EJ_d——结构一个主轴方向的弹性等效侧向刚度，可按倒三角形分布荷载作用下结构顶点位移相等的原则，将结构的侧向刚度折算为竖向悬臂受弯构件的等效侧向刚度；假定倒三角形分布荷载的最大值为 q，在该荷载作用下结构顶点质心的弹性水平位移为 u，房屋高度为 H，则结构的弹性等效侧向刚度 $EJ_d = 11qH^4 / (120u)$；

$\quad\quad H$——房屋高度；

$\quad G_i$、G_j——分别为第 i 层、第 j 层重力荷载设计值，取 1.2 倍的永久荷载标准值与 1.4 倍的楼面可变荷载标准值的组合值；

$\quad\quad h_i$——第 i 层层高；

$\quad\quad D_i$——第 i 层的弹性等效侧向刚度，可取该层剪力与层间位移的比值；

$\quad\quad n$——结构计算总层数。

当高层建筑钢筋混凝土结构不满足式（4-21）或式（4-22）时，结构弹性计算时应考虑重力二阶效应对水平力作用下结构内力和位移的影响。混凝土柱考虑多遇地震作用产生的重力二阶效应的内力时，不与其承载力计算时考虑的重力二阶效应重复。

重力二阶效应的影响可采用有限元方法计算，也可采用对未考虑重力二阶效应的计算结果乘以增大系数的方法近似考虑。重力二阶效应产生的内力、位移增量宜控制在一定范围内，不宜过大。考虑二阶效应后计算的位移仍应满足层间位移角限值的规定。

4.11.2 结 构 稳 定

结构整体稳定性是高层建筑结构设计的基本要求。高层建筑混凝土结构仅在竖向重力荷载作用下不会发生整体失稳。高层建筑结构的稳定性验算主要是控制在风荷载或水平地震作用下重力二阶效应不致过大，以免引起结构失稳、倒塌。

钢筋混凝土剪力墙结构、框架-剪力墙结构、框架-核心筒结构和筒中筒结构的整体稳定应符合下式要求：

$$EJ_d \geqslant 1.4 H^2 \sum_{i=1}^{n} G_i \qquad (4-23)$$

钢筋混凝土框架结构的整体稳定应符合下式要求：

$$D_i \geqslant 10 \sum_{j=1}^{n} G_j / h_i \quad (i=1,2,\cdots,n) \qquad (4-24)$$

将上两式不等号右侧的符号移至左侧，右侧分别只剩数字 1.4 和 10，左侧的表达式称为结构的刚重比。钢筋混凝土房屋建筑结构满足式（4-23）或式（4-24）时，重力 P-Δ 效应的内力、位移增量可控制在 20% 以内，结构的稳定具有适宜的安全储备；若不满足式（4-23）或式（4-24），则重力 P-Δ 效应呈非线性关系急剧增长，可能引起结构整体失稳，应增大结构的侧向刚度。

4.12 钢筋混凝土框架梁弯矩塑性调幅

在竖向荷载作用下，钢筋混凝土框架梁可以考虑塑性内力重分布，降低梁端负弯矩，同时增大梁跨中正弯矩，目的是减小梁端顶面纵向钢筋。钢筋混凝土框架梁考虑塑性内力重分布时，应先对竖向荷载作用下的弯矩调幅，用调幅后的弯矩与其他荷载效应组合，得到梁端弯矩设计值。

现浇框架梁端负弯矩调幅系数为 0.8～0.9；装配整体式框架，由于接缝不严等原因，梁与柱连接处容易产生变形，梁端实际弯矩比弹性计算值会有所降低，因此，梁端负弯矩调幅系数为 0.7～0.8。

梁端负弯矩降低后，按平衡条件计算调幅后梁的跨中弯矩。水平地震作用下梁端出现塑性铰后，为防止梁跨中截面受弯承载力不足，跨中弯矩应满足下式要求（图 4-22）：

$$\frac{1}{2}(M_1' + M_2') + M_0' \geqslant M \qquad (4-25a)$$

$$M_0' \geqslant \frac{1}{2}M \qquad (4-25b)$$

式中　M_1'、M_2'——分别为调幅后梁两端负弯矩；

　　　M_0'——调幅后梁跨中正弯矩；

　　　M——按简支梁计算的梁跨中弯矩。

【例 4-1】某抗震设计 3 跨 6 层框架如图 4-23 所示，要求进行考虑水平地震作用的荷载效应组合。本例题表 4-15 及表 4-16 分别给出了第 3 层梁及第 2 层柱的内力组合过程和组合结果。

第 3 层梁的控制截面为 1、2、3、4、5，共 5 个截面，见图 4-23。表 4-15 中给出了这

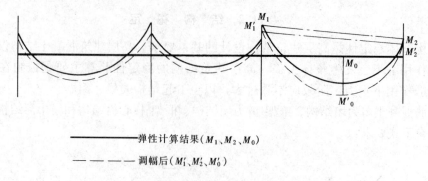

图 4-22　框架梁在竖向荷载作用下的弯矩调幅

5 个截面在竖向恒载、竖向活载、风荷载和地震作用下的内力，所给竖向荷载作用下的弯矩已塑性调幅（调幅系数 0.8），跨中弯矩已按要求加大，此外，所有弯矩及剪力值都已换算到梁端截面。两个括弧中的数值是乘以不同分项系数后的内力值。

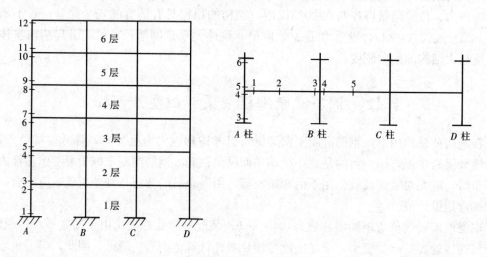

图 4-23　例 4-1 图

　　第 3 层梁内力组合共考虑了 3 种工况：⑤栏为仅组合竖向荷载的工况，两个组合内力分别属于可变荷载控制和永久荷载控制两个工况。可以看出，在竖向荷载作用下，无论支座截面，还是跨中截面，这两种工况的组合内力相差都很小。⑥栏为考虑地震作用组合（该结构高度小于 60m，地震与风不同时组合，也不考虑竖向地震，风荷载与竖向荷载组合内力较小，故未给出组合结果）。每个截面得到 3 组不同工况的内力，选择其中最大的内力进行配筋计算。例如，截面 2 跨中弯矩最大，用以设计跨中配筋；截面 3 的剪力最大，用以设计斜截面配筋；截面 1、3、4 的负弯矩最大，用以设计支座负钢筋。

　　第 2 层柱的控制截面为图 4-23 中 3、4 截面，表 4-16 给出竖向恒荷载、竖向活荷载、地震荷载作用下的内力。③栏中是上层竖向活荷载传来的轴力，组合 N_{max} 时可以加入，其他情况可以不加入。由于风荷载内力较小，组合中不用，未列出。⑤、⑥栏中分别组合了两种工况，每种工况又组合了四种内力：(M, N_{max})，(N_{min}, M)，(N, M) 及 V，因为 (M_{max}, N) 与上述组合数值重合，未列出。设计时应从各组内力中挑选不利内力进行配筋计算。

表 4-15

3 层梁内力组合

荷载类型 / 截面号	恒荷载 ① M	恒荷载 ① V	竖向活荷载 ② M	竖向活荷载 ② V	风荷载 ③ M	风荷载 ③ V	地震荷载 ④ M	地震荷载 ④ V	竖向荷载 ⑤（①×1.2+②×1.4；①×1.35+②×1.4×0.7）M_{max}	⑤ M_{min}	⑤ V_{max}	重力荷载+水平地震 ⑥（（①+②×0.5）×1.2+④×1.3）M_{max}	⑥ M_{min}	⑥ V_{max}
1	-26.19 (-31.4) (-35.36)	36.6 (43.9) (49.41)	-8.73 (-12.2) (-8.56)	12.2 (17.1) (11.96)	±15.1 (±21.14)	±2.7 (±3.78)	±26.85 (±34.9)	±5.1 (±6.63)	—	-43.65 -43.92	61 -61.37	-1.57	-71.37	57.85
2	32.79 (39.34) (44.27)		10.93 (15.3) (10.71)		±0.5 (±0.7)		±1.67 (±2.17)		54.65 54.98	—	—	48.06	—	—
3	-46.56 (-55.87) (-62.86)	-42.42 (-50.9) (-57.27)	-15.52 (-21.73) (-15.21)	-14.14 (-19.8) (-13.86)	±12.3 (±17.22)	±2.7 (±3.78)	±24.1 (±31.33)	±5.1 (±6.63)	—	-77.6 -70.1	-70.7 -71.1	—	-96.51	-66.01
4	-41.22 (-49.46) (-55.26)	33.9 (40.68) (45.77)	-13.74 (-19.24) (-13.47)	11.3 (15.82) (11.07)	±6.8 (±9.52)	±1.8 (±2.5)	±10.38 (±13.49)	±3.46 (±4.5)	—	-68.7 -66.11	56.5 56.8	—	-71.20	-51.96
5	9.6 (11.52) (12.96)		3.2 (4.48) (3.14)		0	0	0	0	16.0 16.1	—	—	13.44	—	—

注：①栏第一个（　）中数值为取 $\gamma_Q=1.2$ 时之值，第二个（　）中数值为取 $\gamma_Q=1.35$ 时之值；③栏（　）中数值为取 $\gamma_w=1.4$ 时之值；④栏（　）中数值为取 $\gamma_E=1.3$ 时之值。

2 层柱内力组合　　　　　　　　　　　　　　　　　　　表 4-16

				A柱(D柱)				B柱(C柱)			
				M_3	M_4	N	V	M_3	M_4	N	V
恒荷载		①		12.52 (15.02)	10.56 (12.67)	83.1 (99.72)	7.7 (9.23)	−5.35 (−6.42)	−4.49 (−5.39)	83.26 (99.91)	3.28 (3.93)
竖向活荷载		②		6.11 (7.33)	6.02 (7.22)	12.25 (14.7)	4.04 (4.85)	−1.23 (−1.48)	−1.21 (−1.45)	13.1 (15.72)	0.81 (0.98)
	上层传来	③		—	—	25.2 (30.2)	—	—	—	25.2 (30.2)	—
地震荷载		④		±11.9 (±15.47)	±11.05 (±14.37)	±4.2 (±5.46)	±7.65 (±9.9)	±8.68 (±11.28)	±8.68 (±11.28)	±1.1 (±1.43)	±5.79 (±7.52)
内力组合	竖向荷载 ①×1.2+②×1.4	⑤	N_{max} M ①+②+③	23.57	21.10	147.1	—	−8.14	−7.10	148.5	—
			N_{min} M ①	15.02	12.67	99.72	—	−6.42	−5.39	99.91	—
			N M ①+②	23.57	21.10	116.9	—	−8.14	−7.10	118.25	—
			V_{max} ①+②	—	—	—	14.89	—	—	—	5.06
	重力荷载 + 水平地震 (①+②×0.5) ×1.2+④×1.3	⑥	N_{max} M ①+②+③+④	34.15	30.65	127.63	—	−18.16	−17.4	124.3	—
			N_{min} M ①+④	30.49	27.04	105.18	—	−17.7	−16.67	101.34	—
			N M ①+②+④	34.15	30.65	112.53	—	−18.16	−17.40	109.20	—
			V_{max} ①+②+④	—	—	—	21.56	—	—	—	11.94

思 考 题

4.1　抗震设计时，高层建筑的建筑形体和结构布置应符合哪些原则？

4.2　有哪三种主要的建筑平面不规则类型？各平面不规则类型的不规则指标分别为多大？为什么平面简单、规则、对称的建筑对抗震有利？

4.3　有哪三种主要的建筑竖向不规则类型？各竖向不规则类型的不规则指标分别为多大？为什么竖向不规则容易造成震害？

4.4　什么样的情况为扭转严重不规则？什么是计算扭转不规则时的偶然偏心？偶然偏心为多大？如何确定计算扭转不规则时采用的水平力？

4.5　对于不规则建筑，在地震作用计算、内力调整和抗震构造方面，采取什么措施对结构进行加强？

4.6　什么是剪重比？为什么要规定最小剪重比？对于存在竖向不规则的建筑，其突变部位楼层（软弱层、转换层和薄弱层）的水平地震剪力标准值的增大系数为多大？该层的最小剪重比的增大系数为多大？

4.7　小震作用下，钢筋混凝土框架-剪力墙结构、钢框架-支撑（延性墙板）结构中框架部分的楼层最小地震剪力标准值为多大？如果抗震计算达不到最小地震剪力标准值，如何调整？为什么要规定框架部分的最小楼层地震剪力标准值？

4.8　小震作用下，如何调整钢筋混凝土框架-核心筒结构中框架部分的楼层最小地震剪力标准值？

4.9　各类建筑结构在风和多遇地震作用下的层间位移角限值为多大？在罕遇地震作用下的层间位移角限值为多大？

4.10　梁端截面、柱端截面承载力计算时，为什么不取柱轴线、梁轴线处的内力？

4.11　为什么承载力验算和水平位移计算采用不同的极限状态？这两种验算的荷载效应组合有什么不同？

4.12　持久、短暂设计状况的荷载效应组合与地震设计状况的荷载效应组合有什么区别？抗震设计的房屋建筑为什么也要进行持久、短暂设计状况的荷载效应组合？一幢80m高、8度抗震设防的高层建筑结构主要有那几种组合工况？80m高、9度抗震设防时主要有哪几种组合工况？

4.13　建筑的抗震设防类别分哪几类？建筑抗震设防类别主要与哪些因素有关？一般高层住宅建筑属于哪一类？乙类建筑的地震作用及抗震措施与其所在地区的抗震设防烈度分别是什么关系？

4.14　现浇钢筋混凝土结构房屋建筑的抗震等级与哪些因素有关？场地类别对房屋建筑的抗震等级有什么影响？一幢30m高、7度抗震设防、Ⅱ类场地、丙类建筑的框架结构和框架-剪力墙结构的框架，分别按几级抗震等级采取内力调整措施和抗震构造措施？高度不变、8度抗震设防、Ⅰ类场地，丙类建筑的框架结构和框架-剪力墙结构的框架，分别按几级抗震等级采取内力调整措施和抗震构造措施？

4.15　什么是延性？写出构件位移延性系数的计算公式，并说明公式中各符号的含义。为什么抗震结构应为延性结构？

4.16 影响钢筋混凝土柱延性的主要因素有哪些？这些因素是如何影响柱的延性的？

4.17 能力设计法的基本原理是什么？抗震建筑结构为什么要采用能力设计法？

4.18 什么是重力二阶效应？风或多遇地震作用下建筑结构内力和变形计算时，在什么情况下需要考虑重力二阶效应？

4.19 什么是刚重比？房屋建筑为什么要规定最小刚重比？房屋建筑钢筋混凝土结构要求的最小刚重比为多大？

4.20 为什么钢筋混凝土框架梁可以考虑塑性内力重分布从而对弯矩作塑性调幅？如何调幅？调幅与荷载效应组合的先后次序是怎样的？

第5章 框架、剪力墙、框架-剪力墙
结构的近似计算方法

框架、剪力墙和框架-剪力墙结构是多层和高层建筑结构最常用的结构体系，这些结构的内力、水平位移的近似计算方法曾在工程设计中被广泛应用，目前，近似计算方法已被高效的计算机程序分析——有限元方法所代替。在计算程序十分普及的今天，有必要掌握一些基本的近似计算方法，因为近似计算方法的概念清楚，结果易于分析与判断。本章介绍工程中常用的一些近似计算方法，并由此分析结构在水平力作用下的内力和位移规律，建立结构设计概念。

5.1 计算基本假定

任何结构都是空间结构，但对框架及剪力墙而言，大多数情况下可以把空间结构简化为平面结构而使计算大大简化。近似计算有两个基本假定：

（1）平面结构假定。框架及剪力墙只在其自身平面内有刚度，平面外刚度很小，可以忽略，框架及剪力墙只能抵抗其自身平面内的水平荷载。因此，整个结构可以划分成若干榀平面结构共同抵抗与其平行的水平荷载，垂直于该方向的结构不参与受力。

（2）刚性楼盖假定。楼盖在其自身平面内刚度无限大，平面外刚度很小，可以忽略。因而，在水平力作用下，楼盖为刚体平移或转动，各个平面抗侧力结构之间通过楼盖互相联系并协同工作。

近似计算方法都是基于这两个假定。例如，图 5-1 所示的框架-剪力墙结构平面图，在 x 方向，结构有 3 榀抗侧力平面结构单元，每榀6 跨，中间一榀由框架和剪力墙组

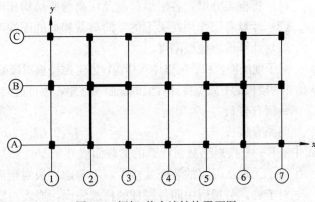

图 5-1 框架-剪力墙结构平面图

成，在 y 方向，结构可以简化为 5 榀框架和 2 片剪力墙，即结构有 7 榀平面抗侧力结构单元，共同抵抗 y 方向的水平力。在水平力作用下，楼板只作刚体平移，如果结构有偏心，楼板作刚体转动，因而各榀抗侧力结构之间的侧移值或相等或呈直线关系。

基于上述两个假定，近似计算方法将结构分成独立的平面结构单元，内力分析解决两个问题：

（1）水平荷载产生的楼层剪力在各抗侧力平面结构单元之间分配。对于框架结构和剪力墙结构，各框架和剪力墙平面结构单元分配到的层剪力与其刚度有关，首先要计算平面结构单元的刚度，然后按刚度分配层剪力，刚度愈大，分配到的层剪力也愈大。对于框架-剪力

墙结构，不能直接按刚度进行层剪力分配，需要通过总框架与总剪力墙的协同工作计算，得到总框架和总剪力墙各自的层剪力，然后再按框架和剪力墙平面结构单元的刚度进行分配。

（2）计算各榀平面结构单元在所分到的层剪力作用下的内力和位移。

如果结构有扭转，近似计算方法将结构在水平力作用下的计算分为两步，先计算结构平移时的位移和内力，然后计算扭转位移下的内力，最后将两部分内力叠加。

5.2   框架结构的近似计算方法

框架是杆件体系，近似计算的方法很多，最实用的是力矩分配法及 D 值法，前者用于竖向荷载作用下的近似计算，后者用于水平荷载作用下的近似计算。除了 5.1 节所列的两点基本假定外，框架的近似计算方法还有以下假定：

（1）忽略梁、柱轴向变形及剪切变形；

（2）杆件为等截面，以杆件轴线作为框架计算轴线；

（3）在竖向荷载作用下结构的侧移很小，假定竖向荷载作用下结构无侧移。

5.2.1   竖向荷载下的近似计算——分层力矩分配法

在多层框架中，梁上作用的竖向荷载除其产生的柱轴力向下传递外，对其他层构件内力的影响不大，因此可采用分层力矩分配法计算。分层力矩分配法将 1 榀框架分解成多个开口的框架，每个开口框架包括该层所有的梁以及与之直接相连的框架柱，柱的远端按嵌固考虑，对每个开口框架采用力矩分配法进行计算。其计算要点是：

（1）将框架分层，各层梁跨度及柱高与原结构相同，柱端假定为固端。

（2）计算各层作用在梁上的竖向荷载和梁的固端弯矩。

（3）计算梁、柱线刚度。

对于现浇楼盖和装配整体式楼盖，需考虑楼板对楼面梁的刚度增大作用。每侧可取板厚的 6 倍作为楼板的有效宽度计算梁的截面惯性矩，也可近似按下式计算梁的截面惯性矩：

一侧有楼板	$I=1.5I_{\rm r}$	
两侧有楼板	$I=2.0I_{\rm r}$	(5-1)

式中 $I_{\rm r}$——按矩形截面计算的梁截面惯性矩。

对于无现浇面层的装配式楼盖，不考虑楼板对楼面梁刚度的增大作用。

对于柱，分层后中间各层柱的柱端假设为嵌固与实际不符，因而，除底层外，上层各柱线刚度均乘以 0.9 修正。

（4）计算和确定梁、柱弯矩分配系数和传递系数。

按修正后的刚度计算各节点周围杆件的杆端分配系数。底层柱的传递系数取 1/2，其余各层柱的传递系数取 1/3。

（5）采用力矩分配法计算分层梁、柱弯矩。

（6）将分层计算得到的但属于同一层柱的柱端弯矩叠加得到柱的弯矩。

一般情况下，分层力矩分配法计算所得杆端弯矩在各节点不平衡。如果需要比较精确的结果，可将节点的不平衡弯矩再在本层内进行分配，但是不向柱远端传递。

柱的轴力可由其上柱传来的竖向荷载和本层轴力（与梁的剪力平衡求得）叠加得到。

【例 5-1】用分层力矩分配法作图 5-2 所示框架的弯矩图，括弧内为构件线刚度 $i =$
EI/l 的相对值。

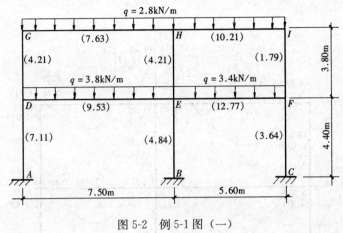

图 5-2 例 5-1 图（一）

【解】分两层，见图 5-3。上层柱线刚度先乘 0.9，后计算刚度分配系数，各杆分配系
数写在长方框内，带*号的数据为固端弯矩；各节点都分配了两次，上层各柱远端弯矩等

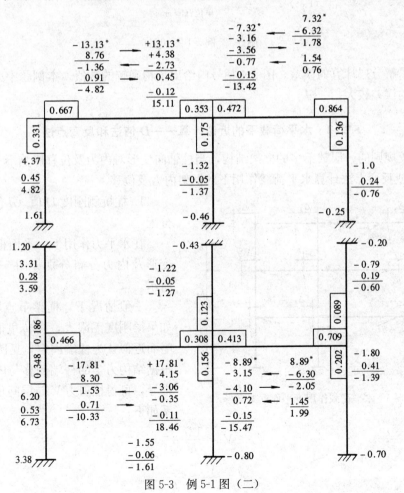

图 5-3 例 5-1 图（二）

于柱分配弯矩的 1/3（即传递系数为 1/3），下柱底截面弯矩为柱分配弯矩的 1/2（传递系数为 1/2），最底行数据是最终分配弯矩。上层柱的分配弯矩要叠加，各构件的弯矩见图5-4 所示。

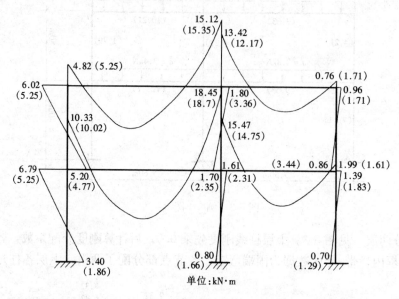

图 5-4　例 5-1 图（三）

为了了解分层计算的误差，图 5-4 括号内给出了精确解的数值。本例题中梁的误差较小，而柱的误差较大。

5.2.2　水平荷载下的近似计算——D 值法和反弯点法

对比较规则的、层数不多的框架结构，当柱轴向变形对内力及位移影响不大时，可采用 D 值法或反弯点法计算水平荷载作用下的框架内力及位移。

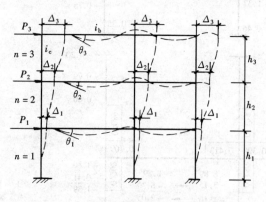

图 5-5　水平荷载作用下平面框架变形

1. 柱抗侧刚度 D 值（d 值）和剪力分配

在水平力作用下，平面框架的侧移变形及内力分布分别如图 5-5 和图 5-6 所示。

一般情况下，框架节点都有转角。如果梁刚度无限大，则转角很小，可忽略而近似认为柱端固定，见图 5-7 (a)。根据结构力学的杆端侧移与内力关系的推导，可得柱剪力 V 与层间位移 δ 的关系如下：

$$V = \frac{12i_c}{h^2}\delta \tag{5-2}$$

令

$$d = \frac{V}{\delta} = \frac{12i_c}{h^2} \tag{5-3}$$

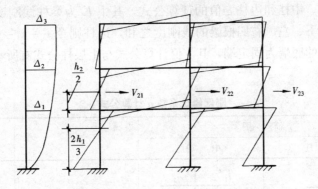

图 5-6 水平荷载作用下平面框架内力分布

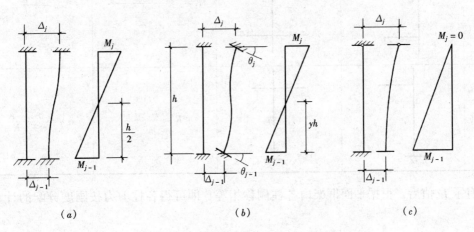

图 5-7 框架柱端转角与内力、反弯点关系

(a) 柱端固定无转角；(b) 上、下柱端有转角；(c) 一端铰接

式中 d——柱抗侧刚度，物理意义为单位位移所需的水平力；

$\quad\quad h$——层高；

$\quad\quad i_c$——柱线刚度，$i_c = \dfrac{EI_c}{h}$，EI_c 为柱抗弯刚度。

如果梁的刚度较小，则梁柱节点有转角，见图 5-7 (b)，此时也可根据结构力学原理推导出转角位移方程，用于如图 5-5 所示的框架时，假定每个柱各层节点转角相等，则可得到：

$$V = \alpha \frac{12 i_c}{h^2} \delta \tag{5-4}$$

式中 α——刚度修正系数，是一个小于 1 的系数。

如果写成抗侧刚度的表达式，则：

$$D = \frac{V}{\delta} = \alpha \frac{12 i_c}{h^2} \tag{5-5}$$

D 值定义为：柱节点有转角时使柱端产生单位水平位移所需施加的水平力。由式 (5-5) 可见，柱抗侧刚度 D 值小于 d 值，即梁刚度较小时，柱的抗侧刚度减小了。α 系数与梁柱刚度相对大小有关，梁刚度愈小，α 值愈小，即柱的抗侧刚度愈小。表 5-1 分别给出了一般柱和底层柱、中柱和边柱 α 值的计算公式，其中 K 为梁柱线刚度比，中柱必须考虑与柱相连的上、下、左、右四根梁的线刚度之和，边柱则令 $i_1 = i_3 = 0$，公式中分母为柱线刚度。底层柱的底端为固定端，其 α 值计算公式与上层柱公式有所不同，但物理概念相同。

刚度修正系数 α 计算公式

表 5-1

楼层	简　图		K	α
	边　柱	中　柱		
一般层柱			$K = \dfrac{i_1 + i_2 + i_3 + i_4}{2i_c}$	$\alpha = \dfrac{K}{2+K}$
底层柱			$K = \dfrac{i_1 + i_2}{i_c}$	$\alpha = \dfrac{0.5 + K}{2+K}$

有了 D 值后，根据平面框架内各柱侧移相等，即可得各柱剪力按刚度分配的计算公式为：

$$V_{ij} = \frac{D_{ij}}{\sum\limits_{j=1}^{s} D_{ij}} V_{pi} \qquad (5-6)$$

式中　　V_{pi}——该榀平面框架 i 层总剪力；

　　　　V_{ij}——i 层第 j 根柱分配到的剪力；

　　　　D_{ij}——i 层第 j 根柱的抗侧刚度；

$\sum\limits_{j=1}^{s} D_{ij}$——$i$ 层 s 根柱的抗侧刚度之和。

用 D 值分配框架剪力的方法称为 D 值法。由于假定了楼盖在其平面内无限刚性，各榀框架在同一楼层处侧移相等，因此可知框架结构所有柱的剪力都可以按式（5-6）计算，此时 V_{pi} 为整个框架结构 i 层总剪力，公式中 $\sum\limits_{j=1}^{s} D_{ij}$ 为框架 i 层所有柱（共有 s 根柱）的抗侧刚度总和。也就是说，在框架结构中分配剪力时，可以直接将水平总剪力分配到柱，分配的结果与将总剪力先分配到每榀框架，再在每榀框架中将剪力分配到各柱是相同的，而前者计算更为简单。

当梁比柱的抗弯刚度大很多时，刚度修正系数 α 值接近 1，可近似认为 $\alpha = 1$，此时第 i 层柱的抗侧刚度为 d 值，在剪力分配公式（5-6）中可用 d 值代替 D 值，这种方法称为反弯点法。工程中用梁柱线刚度比判断，当 $i_b / i_c \geqslant 3$ 时可采用反弯点法，反之，则采用 D

值法。D 值法是更为一般的方法，普遍适用，而反弯点法是 D 值法的特例，只在层数少的多层框架中适用。

2. 柱反弯点位置

得到柱剪力后，只要确定反弯点位置就可以确定柱的内力。由图 5-7 可见，柱反弯点位置与柱端转角有关，即与柱端约束程度有关。当两端固定（图5-7a），或两端转角相等时，反弯点在柱中点；当柱一端约束较小，即转角较大时，反弯点向该端靠近（图5-7b），极端情况为一端铰接，弯矩为 0，即反弯点在铰接端（图 5-7c），规律就是反弯点向约束较弱的一端靠近。

因此，如果应用反弯点法作近似计算，即可设定上部各层柱的反弯点在柱中点，因为底层柱的底端为固定端，底层反弯点设在 $2h_1/3$ 处。

对于更为一般适用的 D 值法即反弯点法，要考虑柱上、下端约束不同的情况，影响柱两端约束刚度的主要因素是：

（1）结构总层数及该层所在位置；

（2）梁柱线刚度比；

（3）荷载形式；

（4）上层梁与下层梁线刚度比；

（5）上、下层层高比。

具体方法是令反弯点距柱下端距离为 yh，y 为反弯点高度比。由力学分析推导求得标准情况下（即各层等高，各跨相等，各层梁、柱线刚度均不变的情况）的标准反弯点高度比 y_n，再根据各种影响因素，对 y_n 进行修正。反弯点法得到的反弯点位置相对精确些，本教材不作介绍，读者如需要，可见参考文献 [18]、[19]。作为近似计算，D 值法的反弯点位置也可采用近似方法确定，即取底层柱反弯点在 $2h_1/3$ 高度处，其余各层反弯点在柱层高的中点。当框架规则、各层层高及梁柱截面尺寸相差不大时，近似方法确定的反弯点位置的误差不大。

3. 计算步骤与内力

当只考虑结构平移时，内力计算的步骤及方法如下：

（1）计算作用在第 i 层结构上的总层剪力 $V_i(1,2,\cdots,n)$，并假定它作用在结构刚心处；

（2）计算各梁、柱的线刚度 i_b、i_c，考虑楼盖的作用时，梁刚度按式（5-1）计算；

（3）计算各柱抗侧刚度 D；

（4）计算总剪力在各柱间的剪力分配；

（5）确定柱反弯点高度系数 y；

（6）根据各柱分配到的剪力及反弯点位置 yh 计算第 i 层第 j 个柱端弯矩；

上端弯矩 $$M_{ij}^t = V_{ij}h(1-y)$$

下端弯矩 $$M_{ij}^b = V_{ij}hy \tag{5-7}$$

（7）由柱端弯矩，并根据节点平衡计算梁端弯矩；

对于边跨梁端弯矩 $$M_{bi} = M_{ij}^t + M_{i+1,j}^b \tag{5-8}$$

对于中跨，由于梁的端弯矩与梁的线刚度成正比，因此：

$$M_{bi}^l = (M_{ij}^r + M_{i+1,j}^b) \frac{i_b^l}{i_b^l + i_b^r}$$

$$M_{bi}^r = (M_{ij}^r + M_{i+1,j}^b) \frac{i_b^r}{i_b^l + i_b^r}$$

(5-9)

(8) 根据力平衡原理，由梁端弯矩和作用在该梁上的竖向荷载求出梁跨中弯矩和剪力。

框架结构内力分布规律见图 5-6，一般情况下每根柱都有反弯点，底层柱的轴力、剪力和弯矩最大，由下向上减小；注意，当柱的线刚度比梁的线刚度大很多时，柱可能没有反弯点（计算得到的反弯点高度比大于 1.0）。

【例 5-2】 用 D 值法计算图 5-8 所示框架结构的内力，剖面图中给出了水平力及各杆件的线刚度的相对值。

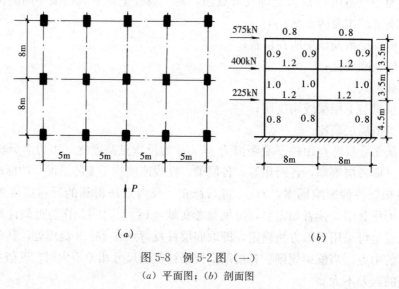

图 5-8 例 5-2 图（一）

（a）平面图；（b）剖面图

【解】 表 5-2 计算了各柱的 D 值以及各层所有柱 D 值之和，也给出了每根柱分配到的剪力。注意中柱与边柱的区别，每层有 5 根中柱与 10 根边柱。

表 5-3（a）计算了各柱的反弯点位置，是按相对精确的反弯点法计算的反弯点位置，表中 y 值是修正后的反弯点高度比。表 5-3(a) 中：n 为层数；j 为层号；K 为上下梁平均线刚度与柱线刚度的比值；y_n 为柱标准反弯点高度比，可根据 n、j、K 及水平荷载分布形式查表得到；y_1 为上、下梁刚度不同时的反弯点高度比修正值，可根据 K、α_1 查表得到，底层柱不考虑；y_2 为上层层高与本层层高不同时的反弯点高度比修正值，可根据 α_2 查表得到，顶层柱不考虑；y_3 为下层层高与本层层高不同时的反弯点高度比修正值，可根据 α_3 查表得到，底层柱不考虑；α_1 为上下梁线刚度比值，α_2 为上层层高与本层层高之比，α_3 为下层层高与本层层高之比；y 为柱的反弯点高度比，即反弯点高度与本层层高之比，$y = y_n + y_1 + y_2 + y_3$。表 5-3 (b) ～表 5-3 (d) 分别为倒三角形水平荷载作用下，各层柱标准反弯点高度比 y_n、上下梁刚度变化时的修正值 y_1、上下层柱高度变化时的修正值 y_2 和 y_3。如果用近似方法确定反弯点位置，各层柱的 y 值是多少，读者可自己比较。图 5-9 给出了弯矩图，读者可计算各梁、柱的剪力与柱的轴力。

各柱 D 值以及各层所有柱 D 值之和　　　　　　表 5-2

层数	层剪力 (kN)	边柱 D 值	中柱 D 值	$\sum D$	每根边柱剪力 (kN)	每根中柱剪力 (kN)
3	575	$K=\dfrac{0.8+1.2}{2\times0.9}=1.11$ $D=\dfrac{1.11}{2+1.11}\times0.9$ $\times\dfrac{12}{3.5^2}$ $=0.315$	$K=\dfrac{2\times(0.8+1.2)}{2\times0.9}$ $=2.22$ $D=\dfrac{2.22}{2+2.22}\times0.9$ $\times\dfrac{12}{3.5^2}$ $=0.464$	5.47	$V_3=\dfrac{0.315}{5.47}$ $\times5.75\times10^2$ $=33.1$	$V_3=\dfrac{0.464}{5.47}$ $\times5.75\times10^2$ $=48.8$
2	975	$K=\dfrac{1.2+1.2}{2\times1}=1.2$ $D=\dfrac{1.2}{2+1.2}\times1$ $\times\dfrac{12}{3.5^2}$ $=0.367$	$K=\dfrac{4\times1.2}{2\times1.0}=2.4$ $D=\dfrac{2.4}{2+2.4}\times1$ $\times\dfrac{12}{3.5^2}$ $=0.534$	6.34	$V_2=\dfrac{0.367}{6.34}$ $\times9.75\times10^2$ $=56.4$	$V_2=\dfrac{0.534}{6.34}$ $\times9.75\times10^2$ $=82.1$
1	1200	$K=\dfrac{1.2}{0.8}=1.5$ $D=\dfrac{0.5+1.5}{2+1.5}\times0.8$ $\times\dfrac{12}{4.5^2}$ $=0.271$	$K=\dfrac{1.2+1.2}{0.8}=3$ $D=\dfrac{0.5+3}{2+3}\times0.8$ $\times\dfrac{12}{4.5^2}$ $=0.332$	4.37	$V_1=\dfrac{0.271}{4.37}$ $\times12\times10^2$ $=74.4$	$V_1=\dfrac{0.332}{4.37}$ $\times12\times10^2$ $=91.2$

各柱反弯点高度比　　　　　　表 5-3 (a)

层数	边　　柱		中　　柱	
3	$n=3$ $K=1.11$ $\alpha_1=\dfrac{0.8}{1.2}=0.67$ $y=0.4055+0.05=0.455$	$j=3$ $y_0=0.4055$ $y_1=0.05$	$n=3$ $K=2.22$ $\alpha_1=\dfrac{0.8}{1.2}=0.67$ $y=0.45+0.05=0.5$	$j=3$ $y_0=0.45$ $y_1=0.05$
2	$n=3$ $K=1.2$ $\alpha_1=1$ $\alpha_3=\dfrac{4.5}{3.5}=1.28$ $y=0.46$	$j=2$ $y_0=0.46$ $y_1=0$ $y_3=0$	$n=3$ $K=2.4$ 同左 $y=0.5$	$j=2$ $y_0=0.5$ $y_1=y_2=y_3=0$
1	$n=3$ $K=1.5$ $\alpha_2=\dfrac{3.5}{4.5}=0.78$ $y=0.625$	$j=1$ $y_0=0.625$ $y_2=0$	$n=3$ $K=3$ 同左 $y=0.55$	$j=1$ $y_0=0.55$ $y_1=y_2=y_3=0$

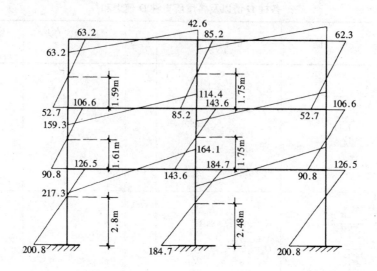

图 5-9 例 5-2 图（二）

倒三角形荷载下各层柱标准反弯点高度比 y_n   表 5-3（b）

n	j \ K	0.1	0.2	0.3	0.4	0.5	0.6	0.7	0.8	0.9	1.0	2.0	3.0	4.0	5.0
1	1	0.80	0.75	0.70	0.65	0.65	0.60	0.60	0.60	0.60	0.55	0.55	0.55	0.55	0.55
2	2	0.50	0.45	0.40	0.40	0.40	0.40	0.40	0.40	0.40	0.45	0.45	0.45	0.45	0.50
	1	1.00	0.85	0.75	0.70	0.70	0.65	0.65	0.65	0.60	0.60	0.55	0.55	0.55	0.55
3	3	0.25	0.25	0.25	0.30	0.30	0.35	0.35	0.35	0.40	0.40	0.45	0.45	0.45	0.50
	2	0.60	0.50	0.50	0.50	0.50	0.45	0.45	0.45	0.45	0.45	0.50	0.50	0.55	0.50
	1	1.15	0.90	0.80	0.75	0.75	0.70	0.70	0.65	0.65	0.65	0.60	0.55	0.55	0.55
4	4	0.10	0.15	0.20	0.25	0.30	0.30	0.35	0.35	0.35	0.40	0.45	0.45	0.45	0.45
	3	0.35	0.35	0.35	0.40	0.40	0.40	0.40	0.45	0.45	0.45	0.45	0.50	0.50	0.50
	2	0.70	0.60	0.55	0.50	0.50	0.50	0.50	0.50	0.50	0.50	0.50	0.50	0.50	0.50
	1	1.20	0.95	0.85	0.80	0.75	0.70	0.70	0.70	0.65	0.65	0.55	0.55	0.55	0.50
5	5	−0.05	0.10	0.20	0.25	0.30	0.30	0.35	0.35	0.35	0.35	0.40	0.45	0.45	0.45
	4	0.20	0.25	0.35	0.35	0.40	0.40	0.40	0.40	0.40	0.45	0.45	0.50	0.50	0.50
	3	0.45	0.40	0.45	0.45	0.45	0.45	0.45	0.45	0.45	0.45	0.50	0.50	0.50	0.50
	2	0.75	0.60	0.55	0.55	0.50	0.50	0.50	0.50	0.50	0.50	0.50	0.50	0.50	0.50
	1	1.30	1.00	0.85	0.80	0.75	0.70	0.70	0.65	0.65	0.65	0.65	0.55	0.55	0.55
6	6	−0.15	0.05	0.15	0.20	0.25	0.30	0.30	0.35	0.35	0.40	0.45	0.45	0.45	0.45
	5	0.10	0.25	0.30	0.35	0.35	0.40	0.40	0.40	0.45	0.45	0.45	0.50	0.50	0.50
	4	0.30	0.35	0.40	0.40	0.45	0.45	0.45	0.45	0.45	0.45	0.50	0.50	0.50	0.50
	3	0.50	0.45	0.45	0.45	0.45	0.45	0.45	0.45	0.45	0.50	0.50	0.50	0.50	0.50
	2	0.80	0.65	0.55	0.55	0.55	0.55	0.50	0.50	0.50	0.50	0.50	0.50	0.50	0.50
	1	1.30	1.00	0.85	0.80	0.75	0.70	0.70	0.65	0.65	0.65	0.60	0.55	0.55	0.55

n	j	K 0.1	0.2	0.3	0.4	0.5	0.6	0.7	0.8	0.9	1.0	2.0	3.0	4.0	5.0
7	7	−0.20	0.05	0.15	0.20	0.25	0.30	0.30	0.35	0.35	0.35	0.45	0.45	0.45	0.45
	6	0.05	0.20	0.30	0.35	0.35	0.40	0.40	0.40	0.40	0.45	0.45	0.50	0.50	0.50
	5	0.20	0.30	0.35	0.40	0.40	0.45	0.45	0.45	0.45	0.45	0.50	0.50	0.50	0.50
	4	0.35	0.40	0.40	0.45	0.45	0.45	0.45	0.45	0.45	0.45	0.50	0.50	0.50	0.50
	3	0.55	0.50	0.50	0.50	0.50	0.50	0.50	0.50	0.50	0.50	0.50	0.50	0.50	0.50
	2	0.80	0.65	0.65	0.55	0.55	0.55	0.50	0.50	0.50	0.50	0.50	0.50	0.50	0.50
	1	1.30	1.00	1.00	0.80	0.75	0.70	0.70	0.70	0.65	0.65	0.60	0.55	0.55	0.55
8	8	−0.20	0.05	0.05	0.20	0.25	0.30	0.30	0.35	0.35	0.35	0.45	0.45	0.45	0.45
	7	0.00	0.20	0.20	0.35	0.35	0.40	0.40	0.40	0.40	0.45	0.45	0.50	0.50	0.50
	6	0.15	0.30	0.30	0.40	0.40	0.45	0.45	0.45	0.45	0.45	0.50	0.50	0.50	0.50
	5	0.30	0.45	0.45	0.45	0.45	0.45	0.45	0.45	0.45	0.45	0.50	0.50	0.50	0.50
	4	0.40	0.45	0.45	0.45	0.45	0.45	0.45	0.50	0.50	0.50	0.50	0.50	0.50	0.50
	3	0.60	0.50	0.50	0.50	0.50	0.50	0.50	0.50	0.50	0.50	0.50	0.50	0.50	0.50
	2	0.85	0.65	0.65	0.55	0.55	0.55	0.50	0.50	0.50	0.50	0.50	0.50	0.50	0.50
	1	1.30	1.00	1.00	0.80	0.75	0.70	0.70	0.70	0.65	0.65	0.60	0.55	0.55	0.55
9	9	−0.25	0.00	0.00	0.20	0.25	0.30	0.30	0.35	0.35	0.40	0.45	0.45	0.45	0.45
	8	0.00	0.20	0.20	0.35	0.35	0.40	0.40	0.40	0.40	0.45	0.45	0.50	0.50	0.50
	7	0.15	0.30	0.30	0.40	0.40	0.45	0.45	0.45	0.45	0.45	0.50	0.50	0.50	0.50
	6	0.25	0.35	0.35	0.40	0.45	0.45	0.45	0.45	0.50	0.50	0.50	0.50	0.50	0.50
	5	0.35	0.40	0.40	0.45	0.45	0.45	0.45	0.45	0.50	0.50	0.50	0.50	0.50	0.50
	4	0.45	0.45	0.45	0.45	0.45	0.50	0.50	0.50	0.50	0.50	0.50	0.50	0.50	0.50
	3	0.65	0.50	0.50	0.50	0.50	0.50	0.50	0.50	0.50	0.50	0.50	0.50	0.50	0.50
	2	0.80	0.65	0.65	0.55	0.55	0.55	0.55	0.50	0.50	0.50	0.50	0.50	0.50	0.50
	1	1.35	1.00	1.00	0.80	0.75	0.75	0.70	0.70	0.65	0.65	0.60	0.55	0.55	0.55
10	10	−0.25	0.00	0.15	0.20	0.25	0.30	0.30	0.35	0.35	0.40	0.45	0.45	0.45	0.45
	9	−0.05	0.20	0.30	0.35	0.35	0.40	0.40	0.40	0.40	0.45	0.45	0.50	0.50	0.50
	8	0.10	0.30	0.35	0.40	0.40	0.40	0.45	0.45	0.45	0.45	0.50	0.50	0.50	0.50
	7	0.20	0.35	0.40	0.40	0.45	0.45	0.45	0.45	0.45	0.50	0.50	0.50	0.50	0.50
	6	0.30	0.40	0.40	0.45	0.45	0.45	0.45	0.45	0.50	0.50	0.50	0.50	0.50	0.50
	5	0.40	0.45	0.45	0.45	0.45	0.45	0.45	0.50	0.50	0.50	0.50	0.50	0.50	0.50
	4	0.50	0.45	0.45	0.45	0.50	0.50	0.50	0.50	0.50	0.50	0.50	0.50	0.50	0.50
	3	0.60	0.55	0.50	0.50	0.50	0.50	0.50	0.50	0.50	0.50	0.50	0.50	0.50	0.50
	2	0.85	0.65	0.60	0.55	0.55	0.55	0.55	0.50	0.50	0.50	0.50	0.50	0.50	0.50
	1	1.35	1.00	0.90	0.80	0.75	0.75	0.70	0.70	0.65	0.65	0.60	0.55	0.55	0.55

注：K 为上下梁平均线刚度与柱线刚度的比值，n 为总层数，j 为所在楼层号。

上下梁刚度变化时的修正值 y_1　　　　　　　　　　　　　表 5-3（c）

α_1 ＼ K	0.1	0.2	0.3	0.4	0.5	0.6	0.7	0.8	0.9	1.0	2.0	3.0	4.0	5.0
0.4	0.55	0.40	0.30	0.25	0.20	0.20	0.20	0.15	0.15	0.15	0.05	0.05	0.05	0.05
0.5	0.45	0.30	0.20	0.20	0.15	0.15	0.15	0.10	0.10	0.10	0.05	0.05	0.05	0.05
0.6	0.30	0.20	0.15	0.10	0.10	0.10	0.10	0.10	0.05	0.05	0.05	0.05	0.05	0.00
0.7	0.20	0.15	0.10	0.10	0.10	0.05	0.05	0.05	0.05	0.05	0.05	0.05	0.00	0.00
0.8	0.15	0.10	0.05	0.05	0.05	0.05	0.05	0.05	0.05	0.05	0.00	0.00	0.00	0.00
0.9	0.05	0.05	0.05	0.05	0.00	0.00	0.00	0.00	0.00	0.00	0.00	0.00	0.00	0.00

注：α_1 为上下梁线刚度比值，底层柱不考虑 y_1 修正值。

上层柱高度变化时的修正值 y_2 和下层柱高度变化时的修正值 y_3　　　表 5-3（d）

α_2	α_3 ＼ K	0.1	0.2	0.3	0.4	0.5	0.6	0.7	0.8	0.9	1.0	2.0	3.0	4.0	5.0
2.0		0.25	0.15	0.15	0.10	0.10	0.10	0.10	0.10	0.05	0.05	0.05	0.05	0.00	0.00
1.8		0.20	0.15	0.10	0.10	0.10	0.05	0.05	0.05	0.05	0.05	0.05	0.00	0.00	0.00
1.6	0.4	0.15	0.10	0.10	0.05	0.05	0.05	0.05	0.05	0.05	0.05	0.00	0.00	0.00	0.00
1.4	0.6	0.10	0.05	0.05	0.05	0.05	0.05	0.05	0.05	0.05	0.00	0.00	0.00	0.00	0.00
1.2	0.8	0.05	0.05	0.05	0.05	0.05	0.05	0.00	0.00	0.00	0.00	0.00	0.00	0.00	0.00
1.0	1.0	0.00	0.00	0.00	0.00	0.00	0.00	0.00	0.00	0.00	0.00	0.00	0.00	0.00	0.00
0.8	1.2	−0.05	−0.05	−0.05	0.00	0.00	0.00	0.00	0.00	0.00	0.00	0.00	0.00	0.00	0.00
0.6	1.4	−0.10	−0.05	−0.05	−0.05	−0.05	−0.05	−0.05	−0.05	−0.05	−0.05	0.00	0.00	0.00	0.00
0.4	1.6	−0.15	−0.10	−0.10	−0.05	−0.05	−0.05	−0.05	−0.05	−0.05	−0.05	0.00	0.00	0.00	0.00
	1.8	−0.20	−0.15	−0.15	−0.10	−0.10	−0.10	−0.05	−0.05	−0.05	−0.05	−0.05	0.00	0.00	0.00
	2.0	−0.25	−0.15	−0.15	−0.10	−0.10	−0.10	−0.10	−0.05	−0.05	−0.05	−0.05	−0.05	0.00	0.00

注：1. y_2 按 α_2 查表，α_2 为上层层高与所在楼层层高的比值，上层较高时反弯点上移，顶层不考虑 y_2 修正值。

2. y_3 按 α_3 查表，α_3 为下层层高与所在楼层层高的比值，下层较高时反弯点下移，底层不考虑 y_3 修正值。

5.2.3　水平荷载作用下侧移的近似计算

悬臂柱在水平荷载作用下，其总变形由弯曲变形和剪切变形组成，二者沿高度的变形曲线形状不同，可以分别计算，如图 5-10 所示，由剪切变形形成的曲线下部突出，底部相对变形较大，由弯曲变形形成的曲线上部向外甩出，上部的相对变形较大。

图 5-11 所示为框架在水平荷载作用下的侧移变形曲线，也由两部分变形组成，如图 5-11（b）和图 5-11（c）所示，与悬臂柱剪切变形相似的变形曲线称为"剪切型变形"，与悬臂柱弯曲变形相似的变形曲线称为"弯曲型变形"。为了理解上述两部分变形，把框架看成空腹柱，通过反弯点将框架切开，其内力如图 5-11（d）所示，V 为剪力，由 V_A、V_B 合成，V_A、V_B 产

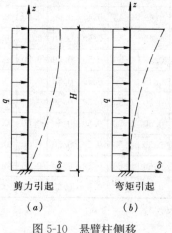

图 5-10　悬臂柱侧移

生柱内弯矩与剪力，引起梁、柱弯曲变形，造成的层间变形相当于悬臂柱的剪切变形，沿高度分布曲线的下部突出，为剪切型侧移；M 是由柱内轴力 N_A、N_B 组成的力矩，N_A、N_B 引起柱轴向变形，产生的侧移相当于悬臂柱的弯曲变形，形成的侧移曲线上部向外甩出，称为弯曲型侧移。

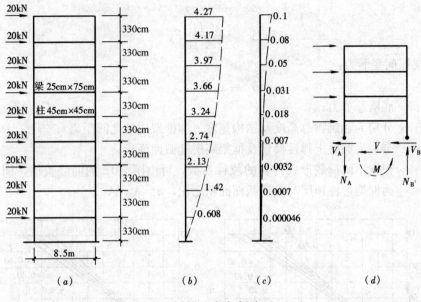

图 5-11　框架侧移

框架总位移由梁、柱弯曲变形产生的侧移和柱轴向变形产生的侧移两部分叠加而成。由梁柱弯曲变形引起的剪切型侧移，可采用 D 值法计算，为框架侧移的主要部分；由柱轴向变形产生的弯曲型侧移，可采用连续化方法作近似估算。后者产生的侧移变形很小，多层框架可以忽略；当结构高度增大时，由柱轴向变形产生的侧移占总变形的百分比也增大，在高层建筑结构中不能忽略。

1. 梁、柱弯曲变形产生的侧移

设第 i 层结构的层间变形为 δ_i^M（上标 M 表示由梁柱弯曲变形产生），当柱总数为 S 时，由式（5-5）D 值定义可得：

$$\delta_i^M = \frac{V_{pi}}{\sum\limits_{j=1}^{s} D_{ij}} \tag{5-10}$$

各层楼板标高处侧移绝对值是该层以下各层层间侧移之和：

第 i 层侧移为

$$\Delta_i^M = \sum_{i=1}^{i} \delta_i^M \tag{5-11}$$

顶点侧移为（共 n 层）

$$\Delta_n^M = \sum_{i=1}^{n} \delta_i^M \tag{5-12}$$

由于框架结构层剪力由下向上逐渐减小，而各层的 D 值接近（柱截面及层高接近），由式（5-10）可见，层间变形由底层向上逐渐减小，形成"剪切型"。

2. 柱轴向变形产生的侧移

假定在水平荷载作用下仅在边柱中有轴力及轴向变形，并假定柱截面由底到顶线性变化，则各楼层处由柱轴向变形产生的侧移 Δ_i^N（上标 N 表示由柱轴向变形产生），由下式近似计算：

$$\Delta_i^N = \frac{V_0 H^3}{E A_1 B^2} F_n \tag{5-13}$$

第 i 层层间变形为：

$$\delta_i^N = \Delta_i^N - \Delta_{i-1}^N \tag{5-14}$$

式中　V_0——底层总剪力；

H、B——分别为建筑物总高度及结构宽度（即框架边柱之间距离）；

E、A_1——分别为混凝土弹性模量及框架底层柱截面面积；

F_n——根据不同荷载形式计算的位移系数，可由图 5-12 的曲线查出，图中系数 n 为框架边柱顶层与底层截面面积之比，$n = A_{顶}/A_{底}$。

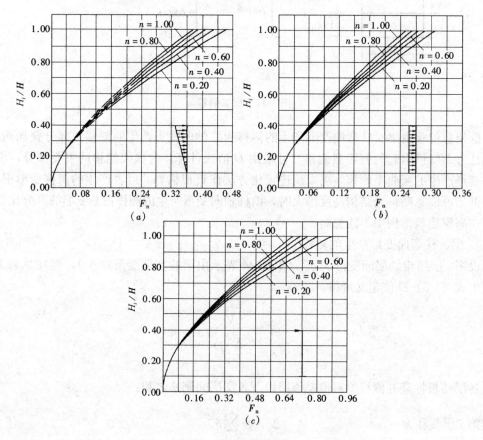

图 5-12　侧移系数 F_n

（a）倒三角形分布荷载；（b）均布荷载；（c）顶点集中力

【例 5-3】计算图 5-13 所示 12 层框架的最大层间位移，各层梁截面相同，内、外柱截面不同，7 层以上柱截面减小，因而柱截面有四种，详见图 5-13 中所注。梁柱材料弹性

模量 $E=2.0\times10^4$ MPa。

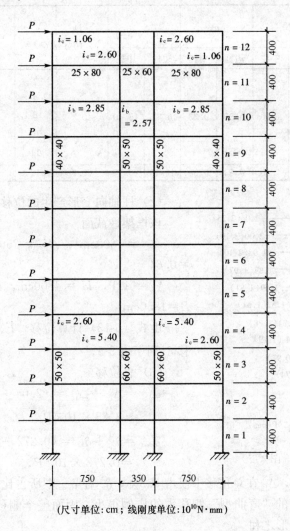

(尺寸单位: cm; 线刚度单位: 10^{10} N·mm)

图 5-13 例 5-3 图 (一)

【解】(1) 用公式 (5-10) 计算 (D 值法) 梁柱弯曲变形产生的位移。各层 i_c、K、α、D、$\sum D_{ij}$ 以及层间位移 δ_j、层位移 Δ_j 计算见表 5-4，计算结果绘于图 5-14。

例 5-3 表 （一）   表 5-4

层数	i_c ($\times10^{10}$ N·mm)		K		α		D ($\times10^3$ N/mm)		$\sum D_{ij}$ ($\times10^4$)	V_j ($\times P$)	δ_j^M $1\times10^{-3}P$ (mm)	Δ_j^M $1\times10^{-3}P$ (mm)
	边柱	中柱	边柱	中柱	边柱	中柱	边柱	中柱				
12										1	0.035	2.036
11										2	0.069	2.001
10	1.06	2.6	2.69	2.09	0.57	0.51	4.53	9.94	28.9	3	0.104	1.932
9										4	0.138	1.828
8										5	0.173	1.690
7										6	0.207	1.517

续表

层数	i_c ($\times 10^{10}$N·mm)		K		α		D ($\times 10^3$N/mm)		$\sum D_{ij}$ ($\times 10^4$)	V_j ($\times P$)	δ_j^M $1 \times 10^{-3}P$ (mm)	Δ_j^M $1 \times 10^{-3}P$ (mm)
	边柱	中柱	边柱	中柱	边柱	中柱	边柱	中柱				
6										7	0.173	1.310
5										8	0.198	1.137
4	2.6	5.4	1.10	1.00	0.35	0.33	6.82	13.40	40.4	9	0.223	0.939
3										10	0.247	0.716
2										11	0.272	0.469
1	2.6	5.4	1.10	1.00	0.53	0.50	10.10	20.30	60.9	12	0.197	0.197

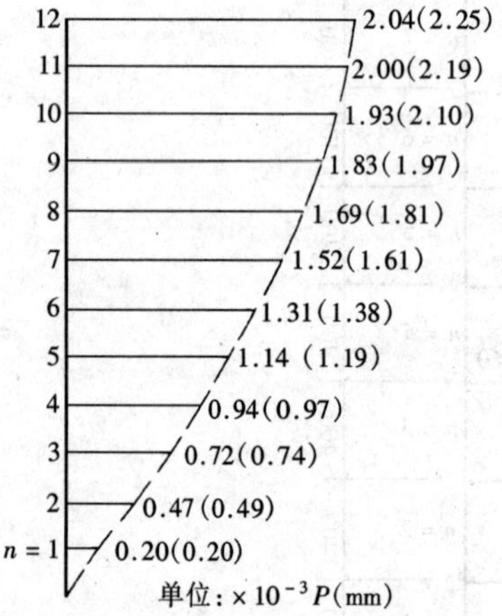

图 5-14　例 5-3 图（二）

（2）柱轴向变形产生的位移

该框架柱截面

$A_顶 = 1600\text{cm}^2$，$A_底 = 2500\text{cm}^2$，$n = A_顶 / A_底 = 0.64$

$V_0 = 12P$，$H = 4800\text{cm}$，$E = 2.0 \times 10^4$ MPa，$B = 1850\text{cm}$

由式（5-13）计算位移，F、层位移 Δ_j^N、层间位移 δ_j^N 列于表 5-5。

（3）总位移

$$\Delta_{12} = \Delta_{12}^M + \Delta_{12}^N = (2.04 + 0.21) \times 10^{-3}P$$
$$= 2.25 \times 10^{-3}P_{\min}$$

$$\delta_{\max} = \delta_2^M + \delta_2^N = (0.272 + 0.006) 10^{-3}P$$
$$= 0.278 \times 10^{-3}P_{\min}$$

由计算结果可见，Δ_{12}^N 在总位移中仅占 9.3%，δ_2^N 在 $\delta_{\max}$ 中所占比例更小，可以忽略。通常柱轴向变形产生的"弯曲型"侧移占的比例很小，因而整个侧移曲线呈剪切型。图 5-14 括弧中为两个变形之和。

例 5-3 表（二）　　　　　　　　　　　　　表 5-5

层　数	$\dfrac{H_j}{H}$	F_n	$\Delta_j^N \times 10^{-3}P$ (mm)	$\delta_j^N \times 10^{-3}P$ (mm)
12	1	0.273	0.212	0.025
11	0.916	0.241	0.187	0.024
10	0.833	0.210	0.163	0.024
9	0.750	0.180	0.139	0.023
8	0.667	0.15	0.116	0.023
7	0.583	0.121	0.094	0.022
6	0.500	0.094	0.073	0.020
5	0.417	0.068	0.053	0.019
4	0.333	0.044	0.034	0.015
3	0.250	0.025	0.019	0.009
2	0.167	0.013	0.010	0.006
1	0.083	0.005	0.004	0.004

5.3 剪力墙结构的近似计算方法

5.3.1 剪力墙的类型与计算假定

1. 剪力墙的类型

由于剪力墙平面内的刚度比平面外的刚度大得多，一般都把剪力墙简化成平面结构构件，即假定剪力墙只在其自身平面内受力。在水平荷载作用下，剪力墙处于二维应力状态，应采用平面有限元方法进行计算，将在第 8 章中介绍。本节介绍剪力墙简化为杆件结构的近似计算方法。按照洞口大小和分布的不同，剪力墙可划分为下列几类，每一类的简化计算方法都有其适用条件。

(1) 整体墙：凡墙上门窗洞口开孔面积不超过墙面面积的 16%，且孔洞间净距及孔洞至墙边净距大于孔洞长边时，可以忽略洞口的影响。假设截面上应力为直线分布，见图 5-15 (a)，按整体悬臂墙计算（静定结构）这类墙的内力及位移，称为整体墙计算方法。

(2) 联肢墙：当洞口较大，且排列整齐，可划分墙肢和连梁，则称为联肢墙，见图 5-15 (b)。联肢墙是超静定结构，其近似计算方法很多，例如小开口剪力墙计算方法、连续化方法、带刚域框架方法等，本节将以连续化方法为基础，介绍剪力墙内力与位移分布的特点。

(3) 不规则开洞剪力墙：洞口较大且排列不规则的剪力墙，见图 5-15 (c)。这种墙不能简化成杆件体系进行计算，可以采用平面有限元方法进行计算。

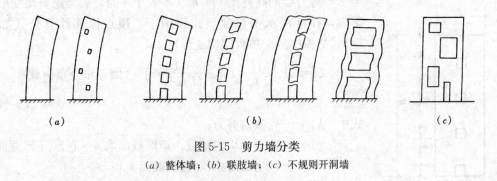

图 5-15 剪力墙分类
(a) 整体墙；(b) 联肢墙；(c) 不规则开洞墙

2. 计算假定及剪力分配

按照 5.1 节所述的基本假定，剪力墙结构可以按纵横两个方向分别计算，每个方向由若干片平面剪力墙组成，协同抵抗水平荷载。可考虑纵横墙相互形成带翼缘剪力墙，纵墙的一部分可作为横墙的翼缘，横墙的一部分可作为纵墙的翼缘。

竖向荷载作用下按每片剪力墙的承载面积计算其荷载，直接计算墙截面上的轴力。

在水平荷载作用下，各片剪力墙通过刚性楼盖联系。当结构的水平荷载合力与结构刚度中心重合时，结构不会产生扭转，各片剪力墙在同一层楼板标高处，侧移相等，因此，总层剪力将按各片剪力墙刚度进行分配，然后分片计算剪力墙的内力。

剪力墙接近于悬臂杆件，弯曲变形是主要成分，其侧移曲线以弯曲型为主，剪力墙的抗弯刚度可以用 EI 表示；由于还存在剪切变形，而且剪力墙上开洞，因此通常采用等效

抗弯刚度 $E_c I_{eq}$（等效为悬臂杆的抗弯刚度）计算剪力墙层剪力分配，i 层第 j 片剪力墙分配到的剪力 V_{ij} 计算公式为：

$$V_{ij} = \frac{E_c I_{eqj}}{\sum E_c I_{eqk}} V_{pi} \tag{5-15}$$

式中　　　　V_{pi}——第 i 层总剪力；

$E_c I_{eqj}$、$E_c I_{eqk}$——分别为第 j、k 片墙的等效抗弯刚度。

各种类型单片剪力墙的等效抗弯刚度可由各类近似方法计算得到。

5.3.2　整体墙近似计算方法

无洞口或开洞较小的剪力墙，可按整体墙计算。整体墙是悬臂墙，为静定结构，内力及位移按材料力学方法即可计算得到。如果有小洞口，截面惯性矩取有洞口截面与无洞口截面惯性矩的加权平均值，见图 5-16，整体墙刚度取 $E_c I_q$，截面折算惯性矩 I_q 及折算面积 A_q 计算公式为：

$$I_q = \frac{\sum I_i h_i}{\sum h_i} \tag{5-16a}$$

$$A_q = (1 - 1.25\sqrt{A_d/A_0})A \tag{5-16b}$$

式中　I_i——剪力墙有洞口或无洞口部分截面的惯性矩；

h_i——各截面相应的墙高；

A——无洞口的剪力墙截面毛面积；

A_0、A_d——分别为剪力墙立面总墙面面积和剪力墙洞口立面总面积。

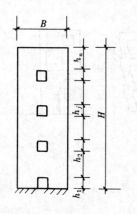

当剪力墙的高宽比（H/h_w）不大于 4 时，要考虑剪切变形的影响，在常用水平荷载形式作用下，顶点位移计算公式如下（公式括弧中后一项为剪切变形）：

$$\Delta = \frac{11}{60} \frac{V_0 H^3}{E_c I_q}\left(1 + \frac{3.64\mu E_c I_q}{H^2 G A_q}\right) \quad （倒三角分布荷载） \tag{5-17a}$$

式中　V_0——底截面剪力；

μ——剪力不均匀系数，矩形截面取 $\mu = 1.2$，I 形截面 μ = 全截面面积/腹板截面面积。

图 5-16　整体墙

用等效抗弯刚度表示，上式可写成：

$$\Delta = \frac{11}{60} \frac{V_0 H^3}{E_c I_{eq}} \quad （倒三角分布荷载） \tag{5-17b}$$

等效抗弯刚度表达式为：

$$E_c I_{eq} = E_c I_q \Big/ \left(1 + \frac{3.64\mu E_c I_q}{H^2 G A_q}\right) \quad （倒三角分布荷载） \tag{5-17c}$$

5.3.3　连续化方法计算联肢剪力墙

1. 基本方法与假定

对于联肢墙，连续化方法是一种相对比较精确的近似计算方法，而且通过连续化方法可以了解剪力墙受力和变形的规律。连续化方法是指把连梁看作分散在整个高度上的平行排列的连续连杆，连杆之间没有相互作用，见图 5-17，该方法的基本假定为：

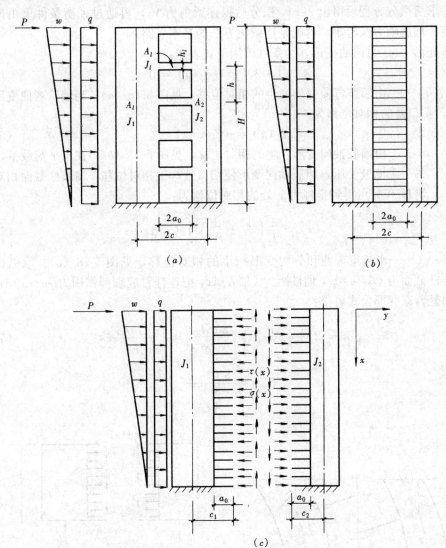

图 5-17 连续化方法计算简图及基本体系
(a) 结构尺寸；(b) 计算简图；(c) 基本体系

(1) 忽略连梁轴向变形，即假定两墙肢水平位移相同；

(2) 两墙肢各截面的转角和曲率分别相等，因此连梁两端转角相等，连梁反弯点在其跨中；

(3) 各墙肢截面、各连梁截面及层高等几何尺寸沿全高分别相同。

由这些假定可见，连续化方法适用于开洞规则、由下到上墙厚及层高都不变的联肢墙。实际工程中不可避免地会有变化，如果变化不多，可取各楼层的平均值作为计算参数，如果是很不规则的剪力墙，本方法不适用。此外，层数愈多，本方法计算结果愈好，对低层和多层剪力墙，计算误差较大。

该方法以连杆中点的剪力 $\tau(x)$ 为未知数，沿连杆中点切开，切开点连杆弯矩为 0，

剪力 $\tau(x)$ 是一个连续函数，通过在切开点处变形协调（相对位移为零），建立 $\tau(x)$ 的微分方程，求解微分方程后得出 $\tau(x)$，积分后得连梁剪力 V_l，再通过平衡条件求出连梁的梁端弯矩、墙肢轴力及弯矩，这就是连续化方法的基本思路。

切开处沿 $\tau(x)$ 方向的变形连续条件可用下式表达：

$$\delta_1(x) + \delta_2(x) + \delta_3(x) = 0 \qquad (5\text{-}18)$$

1）$\delta_1(x)$——由墙肢弯曲变形产生的相对位移，见图 5-18（a），当墙段弯曲变形有转角 θ_m 时，切口处的相对位移为：

$$\delta_1(x) = -2c\theta_m(x) \qquad (5\text{-}19a)$$

2）$\delta_2(x)$——由墙肢轴向变形产生的相对位移，见图 5-18（b），在水平荷载下，一个墙肢受拉，另一个墙肢受压，墙肢轴向变形使切口处产生相对位移。墙肢底截面相对位移为 0，由 x 到 H 积分可得到坐标为 x 处的相对位移为：

$$\delta_2(x) = \frac{1}{E}\left(\frac{1}{A_1} + \frac{1}{A_2}\right)\int_x^H\!\!\int_0^x \tau(x)\mathrm{d}x\mathrm{d}x \qquad (5\text{-}19b)$$

3）$\delta_3(x)$——由连梁弯曲和剪切变形产生的相对位移，见图 5-18（c）。取微段 $\mathrm{d}x$，微段上连杆截面为 $(A_l/h)\mathrm{d}x$，惯性矩为 $(I_l/h)\mathrm{d}x$，把连杆看成端部作用力为 $\tau(x)\mathrm{d}x$ 的悬臂梁，由悬臂梁变形公式可得：

$$\delta_3 = 2\frac{\tau(x)ha^3}{3EI_l}\left(1 + \frac{3\mu EI_l}{A_bGa^2}\right) = 2\frac{\tau(x)ha^3}{3E\widetilde{I}_l} \qquad (5\text{-}19c)$$

$$\widetilde{I}_l = \frac{I_l}{1 + \dfrac{3\mu EI_l}{A_lGa^2}} \qquad (5\text{-}20)$$

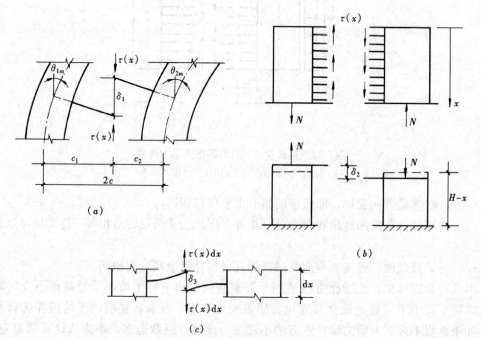

图 5-18 连杆切开处的变形

（a）墙肢弯曲变形；（b）墙肢轴向变形；（c）连梁弯曲及剪切变形

式中　μ——剪切不均匀系数；

　　　G——剪切变形模量。

$\widetilde{I}_l$ 称为连梁折算惯性矩，是以弯曲形式表达、考虑了弯曲和剪切变形的惯性矩。

将式（5-19a）、式（5-19b）、式（5-19c）代入式（5-18），可得位移协调方程如下：

$$-2c\theta_m + \frac{1}{E}\left(\frac{1}{A_1} + \frac{1}{A_2}\right)\iint_x^{Hx}\tau(x)\mathrm{d}x\mathrm{d}x + \frac{2\tau(x)ha^3}{3E\widetilde{I}_l} = 0 \qquad (5\text{-}21a)$$

微分两次，得：

$$-2c\theta''_m - \frac{1}{E}\left(\frac{1}{A_1} + \frac{1}{A_2}\right)\tau(x) + \frac{2ha^3}{3E\widetilde{I}_l}\tau''(x) = 0 \qquad (5\text{-}21b)$$

式（5-21b）称为双肢墙连续化方法的基本微分方程。求解微分方程，就可得到以函数形式表达的未知力 $\tau(x)$。求解结果以相对坐标表示更为一般化，令截面位置相对坐标 $x/H = \xi$，则：

$$\tau(\xi) = \frac{m(\xi)}{2c} = V_0\frac{T}{2c}\varphi(\xi) \qquad (5\text{-}22)$$

式中　m——连梁对墙肢的约束弯矩，$m(\xi) = \tau(\xi) \cdot 2c$，表示连梁对墙肢的反弯作用；

　　　V_0——剪力墙底部剪力，与水平荷载有关；

　　　T——轴向变形影响系数，为墙肢与洞口相对关系的一个参数，T 值大表示墙肢相对较窄；

$$T = \frac{I - \sum_{i=1}^{s+1} I_i}{I} = \frac{\sum_{i=1}^{s+1} A_iy_i^2}{I} \qquad (5\text{-}23)$$

$$I = \sum I_i + \sum_{i=1}^{s+1} A_iy_i^2$$

　　　$\varphi(\xi)$——系数，其表达式与水平荷载形式有关，在倒三角分布荷载作用下：

$$\varphi(\xi) = 1 - (1-\xi)^2 - \frac{2}{\alpha^2} + \left(\frac{2\mathrm{sh}\alpha}{\alpha} - 1 + \frac{2}{\alpha^2}\right)\frac{\mathrm{ch}\alpha\xi}{\mathrm{ch}\alpha} - \frac{2}{\alpha}\mathrm{sh}\alpha\xi \qquad (5\text{-}24)$$

$\varphi(\xi)$ 为 α、ξ 的函数，ξ 为坐标，α 与剪力墙尺寸有关，为已知几何参数。α 称为整体系数，是表示连梁与墙肢相对刚度的一个参数，也是联肢墙的一个重要的几何特征参数，由连续化方法推导过程中归纳而得。

双肢剪力墙的整体系数表达式为：

$$\alpha = H\sqrt{\frac{6}{Th(I_1 + I_2)} \cdot \widetilde{I}_l\frac{c^2}{a_0^3}} \qquad (5\text{-}25a)$$

式中　H、h——分别为剪力墙的总高与层高；

　　I_1、I_2、$\widetilde{I}_l$——分别为两个墙肢和连梁的惯性矩；

　　a、c——分别为洞口净宽 $2a$ 和墙肢重心到重心距离 $2c$ 的一半。

多肢墙也可以用连续化方法计算，基本方法与双肢墙相同，由于有 s 列洞口和连梁，就有 s 个未知剪力，可建立 s 个微分方程，需要求解多元联立方程，此处不再赘述，读者可参考文献 [16]。多肢墙的整体系数表达式为：

$$\alpha = H \sqrt{\frac{6}{Th \sum\limits_{i=1}^{s+1} I_i} \sum_{i=1}^{s} \tilde{I}_{li} \frac{c_i^2}{a_i^3}} \tag{5-25b}$$

式中　s——联肢墙洞口列数，$s+1$ 即为墙肢数；

　a_i、c_i——分别为第 i 个洞口净宽的 $1/2$ 及相邻墙肢重心到重心距离的 $1/2$；

　　其他符号意义同前。

整体系数 α 只与联肢剪力墙的几何尺寸有关，是已知的。α 愈大表示连梁刚度与墙肢刚度的比值愈大，连梁刚度与墙肢刚度的比值对联肢墙内力分布和位移的影响很大，因此是一个重要的几何参数。

在工程设计中，考虑到连续化方法将墙肢及连梁简化为杆件体系，在计算简图中连梁应采用带刚域杆件，见图 5-19，墙肢轴线间距离为 $2c$，连梁刚域长度为墙肢轴线以内宽度减去连梁高度的 $1/4$，刚域为不变形部分，除刚域外的变形段为连梁计算跨度，取为 $2a_l$，在以上各公式中用 $2a_l$ 代替 $2a$。

$$2a_l = 2a + 2 \times \frac{h_l}{4} \tag{5-26a}$$

由于连梁跨高比一般比较小，在计算跨度内要考虑连梁的弯曲变形和剪切变形，连梁的折算弯曲刚度由式（5-20）计算，令，$G=0.42E$，矩形截面连梁剪应力不均匀系数 $\mu=1.2$，则式（5-20）的连梁折算惯性矩可近似为：

$$\tilde{I}_l = \frac{I_l}{1 + \dfrac{3\mu E I_l}{A_l G a^2}} = \frac{I_l}{1 + 0.7 \dfrac{h_l^2}{a_l^2}} \tag{5-26b}$$

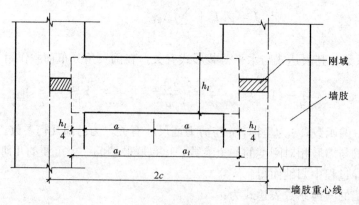

图 5-19　连梁计算跨度

2. 联肢剪力墙的内力

图 5-20 是由连续剪力 $\tau(\xi)$ 计算连梁内力及墙肢内力的计算简图。

计算 j 层连梁内力时，用该连梁中点处的剪应力 $\tau(\xi_j)$ 乘以层高得到剪力（近似于在层高范围内积分），剪力乘以连梁净跨度的 $1/2$ 得到连梁根部的弯矩，用该剪力及弯矩设

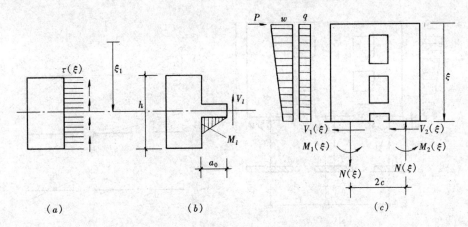

图 5-20　连梁、墙肢内力计算简图

(a) 连杆内力 $\tau(\xi)$；(b) 连梁剪力、弯矩；(c) 墙肢轴力及弯矩

计连梁截面，即：

$$V_{bj} = \tau(\xi_j)h$$
$$M_{bj} = V_{bj} \cdot a \tag{5-27}$$

已知连梁内力后，可由隔离体平衡求出墙肢轴力及弯矩。下面用更简单而物理意义清晰的另一种表达式计算墙肢的轴力与弯矩。

由连续化方法分析得到的墙肢内力可以表达成下列公式：

$$M_i(\xi) = kM_p(\xi)\frac{I_i}{I} + (1-k)M_p(\xi)\frac{I_i}{\sum I_i}$$
$$N_i(\xi) = kM_p(\xi)\frac{A_iy_i}{I} \tag{5-28}$$

式中　$M_p(\xi)$——坐标 ξ 处，外荷载作用下的倾覆力矩；

$M_i(\xi)$、$N_i(\xi)$——分别为第 i 墙肢的弯矩和轴力，$\xi = x/H$，为截面的相对坐标；

I_i、A_i、y_i——分别为第 i 墙肢的截面惯性矩、截面面积、截面重心到剪力墙总截面重心的距离；

I——剪力墙截面总惯性矩，$I = I_1 + I_2 + A_1y_1^2 + A_2y_2^2$；

k——系数，与水平荷载沿高度分布形式有关，倒三角形分布时，k 值为：

$$k = \frac{3}{\xi^2(3-\xi)}\left[\frac{2}{\alpha^2}(1-\xi) + \xi^2\left(1-\frac{\xi}{3}\right) - \frac{2}{\alpha^2}\mathrm{ch}\alpha\xi + \left(\frac{2\mathrm{sh}\alpha}{\alpha} + \frac{2}{\alpha^2} - 1\right)\frac{\mathrm{sh}\alpha\xi}{\alpha\,\mathrm{ch}\alpha}\right] \tag{5-29}$$

式 (5-29) 的物理意义可由图 5-21 说明。图 5-21 (c) 表示多肢剪力墙截面应力分布，可分解为图 5-21 (d)、(e) 两部分，图 5-21 (d) 为沿截面直线分布的应力，称为整体弯曲应力，组成每个墙肢的部分弯矩及轴力，分别对应于公式 (5-28) 第 1、2 式的第一项；局部弯曲应力图 5-21 (e) 组成每个墙肢上的另一部分弯矩，对应于公式 (5-28) 第 1 式的第二项。

系数 k 的物理意义为两部分弯矩的百分比，k 值大，则整体弯矩及轴力大，局部弯矩小，此时截面上总应力分布 (图 5-21c) 更接近直线，可能一个墙肢完全受拉，另一个墙肢完全受压；k 值小则反之，截面上应力锯齿形分布更明显，每个墙肢都有拉、压应力。

由式 (5-29) 可见，系数 k 是 ξ 和 α 的函数。k-α-ξ 是一族曲线，见图 5-22。ξ 不相同

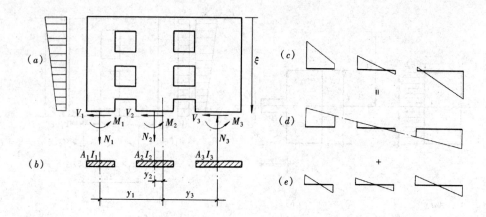

图 5-21   多肢墙截面应力分解

的各个截面，k 值曲线不同。曲线特点是：当 α 很小时，k 值都很小，截面内以局部弯矩为主；当 α 增大时，k 值增大，α 大于 10 时，k 值趋近于 1，截面内以整体弯矩为主。

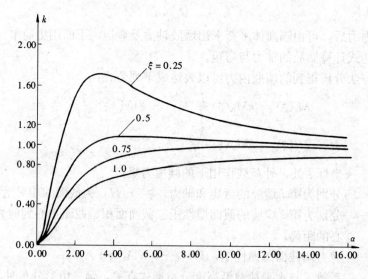

图 5-22   倒三角分布荷载下 k-α-ξ 曲线族

如果某个联肢墙的 α 很小（$\alpha \leqslant 1$），意味着连梁对墙肢的约束弯矩很小，此时可以忽略连梁对墙肢的影响，把连梁近似看成铰接连杆，墙肢成为单肢墙，见图 5-23，计算时可看成多个单片悬臂剪力墙。

墙肢剪力可以近似按公式（5-15）计算，式中等效刚度取考虑剪切变形的墙肢弯曲刚度，由式（5-17c）计算。这是近似方法，与连续化方法无关。

3. 联肢剪力墙的位移和等效刚度

通过连续化方法还可求出联肢墙在水平荷载

图 5-23   连杆连接的独立墙肢

作用下的位移。位移函数与水平荷载形式有关，在倒三角形分布荷载作用下，其顶点位移（$\xi=0$）计算公式为：

$$\Delta = \frac{11}{60} \frac{V_0 H^3}{E \sum I_i} (1 + 3.64\gamma^2 - T + \psi_\alpha T) \tag{5-30a}$$

式中　γ^2——墙肢剪切变形影响系数；

$$\gamma^2 = \frac{E \sum I_i}{H^2 G \sum A_i / \mu_i} \tag{5-30b}$$

ψ_α——系数，为几何参数 α 的函数，与荷载形式有关，倒三角形分布荷载的系数为：

$$\psi_\alpha = \frac{60}{11} \frac{1}{\alpha^2} \left(\frac{2}{3} + \frac{2\,\mathrm{sh}\alpha}{\alpha^3\,\mathrm{ch}\alpha} - \frac{2}{\alpha^2\,\mathrm{ch}\alpha} - \frac{\mathrm{sh}\alpha}{\alpha\,\mathrm{ch}\alpha} \right) \tag{5-30c}$$

ψ_α 已制成表格，见表 5-6，可根据 α 值查得。

由式（5-30a）可得到等效抗弯刚度。用悬臂墙顶点位移公式表达顶点位移，即

$$\Delta = \frac{11}{60} \frac{V_0 H^3}{EI_{\mathrm{eq}}} \tag{5-31}$$

等效刚度　　　　　　　$$EJ_{\mathrm{eq}} = \frac{E \sum I_i}{1 + 3.64\gamma^2 - T + \psi_\alpha T} \tag{5-32}$$

倒三角荷载下的 ψ_α 值　　　　　　　　　　　表 5-6

α	ψ_α	α	ψ_α
1.000	0.720	11.000	0.026
1.500	0.537	11.500	0.023
2.000	0.399	12.000	0.022
2.500	0.302	12.500	0.020
3.000	0.234	13.000	0.019
3.500	0.186	13.500	0.017
4.000	0.151	14.000	0.016
4.500	0.125	14.500	0.015
5.000	0.105	15.000	0.014
5.500	0.089	15.500	0.013
6.000	0.077	16.000	0.012
6.500	0.067	16.500	0.012
7.000	0.058	17.000	0.011
7.500	0.052	17.500	0.010
8.000	0.046	18.000	0.010
8.500	0.041	18.500	0.009
9.000	0.037	19.000	0.009
9.500	0.034	19.500	0.008
10.000	0.031	20.000	0.008
10.500	0.028	20.500	0.008

4. 联肢剪力墙的位移和内力分布规律

图 5-24 给出了按连续化方法计算得到的联肢墙侧移、连梁剪应力、墙肢轴力、墙肢弯矩沿刚度分布曲线，受整体系数 α 的影响较大，其特点是：

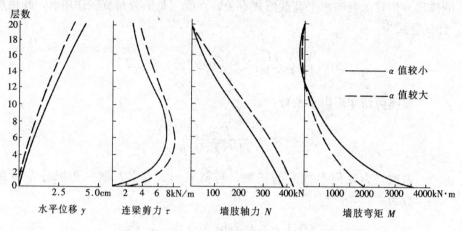

图 5-24　双肢墙侧移及内力分布图

（1）联肢墙的侧移曲线呈弯曲型，α 值增大，墙的抗侧刚度增大，侧移减小；

（2）连梁内力沿高度分布特点是：连梁最大剪力在中部某个高度处，向上、向下都逐渐减小。最大值 $\tau_{max}(x)$ 的位置与参数 α 有关，α 愈大，$\tau_{max}(x)$ 的位置愈接近底截面。此外，α 值增大时，连梁剪力增大。

（3）墙肢轴力与 α 有关，因为墙肢轴力即该截面以上所有连梁剪力之和，当 α 值加大时，连梁剪力加大，墙肢轴力也加大。

（4）墙肢的弯矩也与 α 值有关，与轴力正好相反，α 值愈大，墙肢弯矩愈小。这也可以从平衡的观点得到解释，切开双肢墙截面，平衡要求：

$$M_1 + M_2 + N \cdot 2c = M_p \tag{5-33}$$

所以，在相同的外弯矩 M_p 作用下，N 愈大，M_1、M_2 就要减小。

需要说明的是，连续化计算的内力沿高度是连续分布的（图 5-24），实际上由于连梁不是连续的，连梁剪力和对墙肢的约束弯矩也不是连续的，在连梁与墙肢相交处，墙肢弯矩、轴力会有突变，形成锯齿形分布。连梁约束弯矩愈大，弯矩突变（即锯齿）也愈大，墙肢容易出现反弯点，反之，弯矩突变较小，此时，在剪力墙很多层中墙肢都没有反弯点。

剪力墙墙肢内力分布、侧移曲线形状与有无洞口或者连梁大小有很大关系，图 5-25 给出了几种不同情况。下面作一些说明：

① 悬臂墙弯矩沿高度都是一个方向（没有反向弯矩），弯矩图为曲线，截面应力分布是直线（根据材料力学，假定其为直线），墙为弯曲变形。

② 联肢墙的内力及侧移与 α 值有关。大致可分为 3 种情况：

当连梁很小、整体系数 $\alpha \leqslant 1$ 时，其约束弯矩很小而可忽略，可假定其为铰接杆，则墙肢是两个单肢悬臂墙，每个墙肢弯矩图与应力分布和①相同。

当连梁刚度较大、$\alpha \geqslant 10$ 时，截面应力分布接近直线，由于连梁约束弯矩而在楼层处形成锯齿形弯矩图，如果锯齿形不大，大部分层墙肢弯矩没有反弯点，剪力墙接近整体悬臂墙，截面应力接近直线分布，侧移曲线主要还是弯曲型的。

当连梁与墙肢相比刚度介于上面两者之间即 $1 < \alpha < 10$ 时，为典型的联肢墙，连梁约

束弯矩造成的锯齿较大，截面应力不再为直线分布，此时墙的侧移仍以弯曲型为主。

③ 当剪力墙开洞很大时，墙肢相对较弱，这种情况的 α 值较大（$\alpha \gg 10$），最极端的情况就是框架（把框架看成洞口很大的剪力墙），如图 5-25 (c) 所示，这时弯矩图中各层"墙肢"（柱）都有反弯点，原因就是"连梁"（框架梁）相对于框架柱而言，其刚度较大，约束弯矩较大所致。从截面应力分布来看，墙肢拉、压力较大，两个墙肢的应力图相连几乎是一条直线。具有反弯点的杆件会造成层间变形较大，因此，当洞口加大而墙肢减短时，其变形向剪切型接近，即向框架的侧移曲线接近。

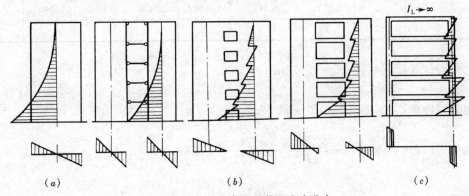

图 5-25 剪力墙弯矩及截面应力分布
(a) 悬臂墙；(b) 联肢墙；(c) 框架

由以上分析可见，剪力墙是平面结构，框架是杆件结构，二者似乎没有关系，但实际上，剪力墙洞口加大，则可能过渡到框架，其内力及侧移由量变到质变。

【例 5-4】计算 12 层剪力墙的墙肢内力及顶点位移。该剪力墙层高 2.9m，总高 34.8m，每层开两个门洞，洞口高均为 2.2m。截面如图 5-26 所示，C40 级混凝土，各层水平地震作用见表 5-8。

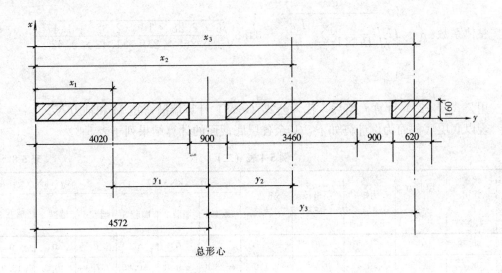

图 5-26 例 5-4 图（一）

【解】用连续化方法计算。墙肢几何参数计算见表 5-7。

墙肢	A_i (m²)	x_i (m)	$A_i x_i$	至总形心距离 y_i (m)	I_i (m⁴)	$A_i y_i^2$ (m⁴)	$\dfrac{I_i}{\sum I_i}$	$\dfrac{I_i}{I}$	$2c_i$ (m)
1	0.643	2.01	1.2928	2.562	0.8662	4.221	0.6091	0.0823	4.64
2	0.554	6.65	3.6814	2.078	0.5523	2.392	0.3884	0.0525	2.94
3	0.099	9.59	0.9513	5.018	0.0032	2.498	0.0023	0.0003	
Σ	1.296		5.925		1.422	9.11			

总形心位置：$x_0 = \dfrac{5.925}{1.296} = 4.572\text{m}$

组合惯性矩：$I = 1.42 + 9.10 = 10.52\text{m}^4$

轴向变形影响系数：$T = \dfrac{\sum A_i y_i^2}{I} = \dfrac{9.1}{10.52} = 0.865$

连梁惯性矩（两个连梁相同）：$I_l = \dfrac{bh_l^3}{12} = 4.2 \times 10^{-3}\text{m}^4$

连梁计算跨度（两个连梁相同）：$2a_{li} = l + \dfrac{h_l}{4} \times 2 = 0.9 + \dfrac{0.68}{2} = 1.24\text{m}$

连梁折算惯性矩：$\tilde{I}_{li} = \dfrac{I_{li}}{1 + 0.7\dfrac{h_l^2}{a_{li}^2}} = \dfrac{4.2 \times 10^{-3}}{1 + 0.7\dfrac{0.9^2}{0.62^2}} = 2.28 \times 10^{-3}\text{m}^4$

整体系数：$\alpha = H\sqrt{\dfrac{6}{Th\sum I_i}\displaystyle\sum_{i=1}^{2}\dfrac{\tilde{I}_{li}c_i^2}{a_i^3}} = 34.8\sqrt{\dfrac{6 \times 2.28 \times 10^{-3}(2.32^2 + 1.47^2)}{0.865 \times 2.9 \times 1.42 \times 0.62^3}}$

$= 12.2$

用公式（5-29）计算 k 值后，代入公式（5-28）计算墙肢弯矩 M 和轴力 N。

现以底层底截面为例计算如下，其余各层底截面的计算结果列于表 5-8。

楼层号	地震作用 F_j (kN)	层剪力 V_j (kN)	倾覆力矩 M_{pj} (kN·m)	层坐标 ξ	系数 k	M_{ij} (kN·m)			N_{ij} (kN)		
						墙肢1	墙肢2	墙肢3	墙肢1	墙肢2	墙肢3
12	60.5	0	0	0	0	0	0	0	0	0	0
11	38.7	60.5	175.4	0.083	2.110	-88.4	-56.1	-0.28	57.9	40.6	18.0
10	35.1	99.2	463.1	0.167	1.358	-49.6	-31.0	-0.14	98.4	68.9	30.6
9	31.6	134.3	852.6	0.250	1.165	-4.3	-1.7	-0.02	155.4	108.8	48.4

楼层号	地震作用 F_j (kN)	层剪力 V_j (kN)	倾覆力矩 M_{pj} (kN·m)	层坐标 ξ	系数 k	M_{ij} (kN·m)			N_{ij} (kN)		
						墙肢1	墙肢2	墙肢3	墙肢1	墙肢2	墙肢3
8	28.3	165.9	1333.7	0.333	1.088	48.0	30.7	0.20	227.0	159.0	70.7
7	24.7	194.2	1896.9	0.417	1.051	104.3	68.3	0.40	311.9	218.3	97.1
6	21.1	218.9	2531.6	0.500	1.031	167.1	108.9	0.63	408.3	285.8	127.1
5	17.6	240.0	3227.6	0.583	1.019	232.4	151.7	0.87	514.5	360.2	160.1
4	14.0	257.6	3974.7	0.667	1.000	325.2	210.7	1.20	621.6	420.9	193.6
3	10.6	271.6	4762.3	0.750	0.999	395.3	252.4	1.40	744.3	521.0	231.4
2	7.0	282.2	5580.7	0.833	0.983	507.8	329.3	1.80	858.3	601.0	267.3
1	3.5	289.2	6419.4	0.917	0.952	686.9	442.9	2.40	956.5	669.5	297.3
0	0	292.7	7268.2	1.000	0.879	1060.3	680.7	3.70	999.6	699.8	301.8

底层底截面 $\xi=1.0$，外荷载产生的倾覆力矩 $M_p=7268.2$kN·m，则

$\alpha=12.2$，$\alpha^2=148.84$

$\text{sh}\alpha=99394.03286$，$\text{ch}\alpha=99395.11828$

$$k=\frac{3}{\xi^2(3-\xi)}\left[\frac{2}{\alpha^2}(1-\xi)+\xi^2\left(1-\frac{\xi}{3}\right)-\frac{2}{\alpha^2}\text{ch}\alpha\xi+\left(\frac{2\text{sh}\alpha}{\alpha}+\frac{2}{\alpha^2}-1\right)\frac{\text{sh}\alpha\xi}{\alpha\text{ch}\alpha}\right]=0.879$$

由式（5-28）计算各墙肢弯矩和轴力：

墙肢1：

$$M_1=kM_p\frac{I_1}{I}+(1-k)M_p\frac{I_1}{\sum I_i}$$

$$=7268.2\times[0.879\times0.082+(1-0.879)\times0.61]=1060.3\text{kN·m}$$

$$N_1=kM_p\frac{A_1y_1}{I}=0.879\times7268.2\times\frac{0.643\times2.56}{10.52}=999.6\text{kN}$$

墙肢2：

$$M_2=kM_p\frac{I_2}{I}+(1-k)M_p\frac{I_2}{\sum I_i}$$

$$=7268.2\times[0.879\times0.053+(1-0.879)\times0.389]=680.7\text{kN·m}$$

$$N_2=kM_p\frac{A_2y_2}{I}=0.879\times7268.2\times\frac{0.554\times2.08}{10.52}=699.8\text{kN}$$

墙肢3：

$$M_3=kM_p\frac{I_3}{I}+(1-k)M_p\frac{I_3}{\sum I_i}$$

$$=7268.2\times[0.879\times0.0003+(1-0.879)\times0.002]=3.68\text{kN·m}$$

$$N_3=kM_p\frac{A_3y_3}{I}=0.879\times7268.2\times\frac{0.099\times5.02}{10.52}=301.8\text{kN}$$

墙肢1的弯矩图和轴力图见图 5-27。连续化方法计算结果是没有"锯齿"的光滑曲

线，实际的弯矩图应该如虚线所示，对墙肢 1 来说，可能只有部分楼层有反弯点，具体情况在计算连梁的弯矩以后才能确定（本图仅示意）。在本剪力墙中，可以判断墙肢 3 各层都会出现反弯点（墙肢 3 截面很小，连梁相对刚度大），"锯齿"在弯矩图中所占比例很大，而由连续化给出的墙肢 3 的弯矩偏小很多。

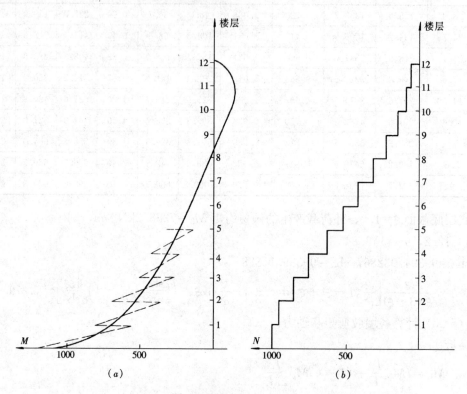

图 5-27   例 5-4 图（二）

（a）弯矩图；（b）轴力图

用式（5-30b）计算剪力墙的等效刚度，取 C40 混凝土弹性模量，得：

$$E = 3.25 \times 10^7 \, \text{kN/m}^2, \ G = 0.42E$$

$$\gamma^2 = \frac{E \sum I_i}{H^2 G \sum A_i / \mu_i} = \frac{1.422}{34.8^2 \times 0.42 \times \dfrac{1.296}{1.2}} = 0.0026$$

$T = 0.865$，由表 5-6 查 ψ_a，$\psi_a = 0.021$。

用式（5-32）计算剪力墙等效刚度：

$$EI_{eq} = \frac{E \sum I_i}{1 + 3.64\gamma^2 - T + \psi_a T}$$

$$= \frac{3.25 \times 10^7 \times 1.422}{1 + 3.64 \times 0.0026 - 0.865 \times (1 - 0.021)}$$

$$= 2.8417 \times 10^8 \, \text{kN} \cdot \text{m}^2$$

用式（5-31）计算剪力墙顶点位移：

$$\Delta = \frac{11}{60}\frac{V_0 H^3}{EI_{eq}} = \frac{11}{60}\frac{292.7 \times 34.8^3}{2.8417 \times 10^8} = 0.00796\text{m} = 7.96\text{mm}$$

5.4 框架-剪力墙结构的近似计算方法

框架-剪力墙结构是由两种变形性质不同的抗侧力单元框架和剪力墙通过楼板协调变形而共同抵抗竖向荷载及水平荷载的结构,见图 5-28。框架-剪力墙结构的剪力墙可以分散布置在结构平面内,也可以集中布置在楼电梯间。

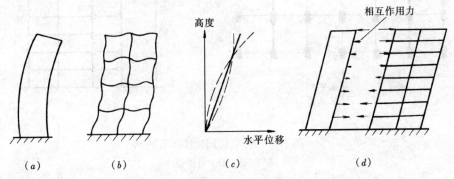

图 5-28 框架-剪力墙结构协同工作
(a) 剪力墙变形;(b) 框架变形;(c) 变形协调;(d) 内力协调

在竖向荷载作用下,按各自的承载面积计算每榀框架和每片剪力墙的竖向荷载,分别计算内力。

在水平荷载作用下,因为框架与剪力墙的变形性质不同,不能直接把总水平剪力按抗侧刚度的比例分配到每榀结构上,而是必须采用协同工作方法得到侧移和各自的层剪力及内力。

框架-剪力墙结构计算的近似方法,简称框-剪协同工作计算方法,也采用 5.1 节的假定,需要将结构分解成平面结构单元,它适用于比较规则的结构,而且只能计算平移时的剪力分配;如果有扭转,要单独进行扭转计算,再将两部分内力叠加。这种方法概念清楚,结果的规律性较好。

5.4.1 简化假定及计算简图

除了 5.1 节的基本假定以外,该方法将结构中所有的框架集合成总框架,采用 D 值法计算其抗侧刚度及内力,因此该方法需要采用 D 值法的假定;该方法又将所有的墙肢集合成总剪力墙,按照悬臂墙方法计算其抗侧刚度,该方法也需要采用关于悬臂墙计算的假定;墙肢间的连梁以及墙肢与框架柱之间的梁统称为连系梁,所有连系梁集合成总连系梁,总连系梁简化成带刚域杆件。

协同工作方法计算的主要目的是计算在总水平荷载作用下的总框架层剪力 V_f、总剪力墙的总层剪力 V_w 和总弯矩 M_w、总连系梁的梁端弯矩 M_l 和剪力 V_l,然后按照框架的规律把 V_f 分配到每根柱,按照剪力墙的规律把 V_w、M_w 分配到每片墙,按照连梁刚度把 M_l 和剪力 V_l 分配到每根梁,这样就可以得到每一根杆件截面设计需要的内力。

协同工作方法有两种计算简图：

（1）铰接体系。如图 5-29 所示的框架-剪力墙结构，墙肢之间没有连梁，或者有连梁而连梁很小（$\alpha \leqslant 1$），墙肢与框架柱之间也没有梁，剪力墙和框架柱之间仅靠楼板协同工作，所有剪力墙和框架在每层楼板标高处的侧移相等，可得到如图 5-29（b）所示的计算简图，总框架与总剪力墙之间为铰接连杆。

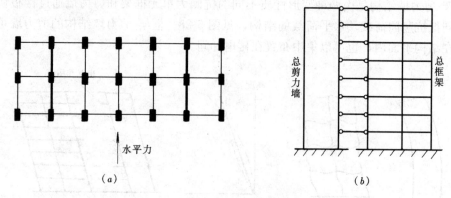

图 5-29 框-剪协同铰接体系
（a）结构平面；（b）计算简图

（2）刚接体系。图 5-30（a）与图 5-29（a）的结构平面不同，墙肢之间有连梁（$\alpha \geqslant 1$）和/或墙肢与框架柱之间有梁（图中用符号"//"标明者）相连，这些梁对墙肢和框架柱有约束作用，需要采用如图 5-30（b）所示的刚接体系计算简图。图中的总连系梁刚度为所有连梁和梁的刚度之和。

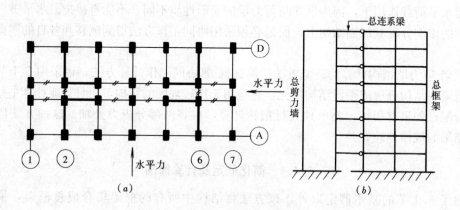

图 5-30 框-剪协同刚接体系
（a）结构平面；（b）计算简图

5.4.2 协同工作的基本原理及刚度特征值

框-剪协同工作简化计算方法也是采用连续化方法，把总连系梁分散到全高，成为连续杆件，然后将连杆切开，分成剪力墙及框架两个基本体系。以铰接体系为例予以说明，见图 5-31。

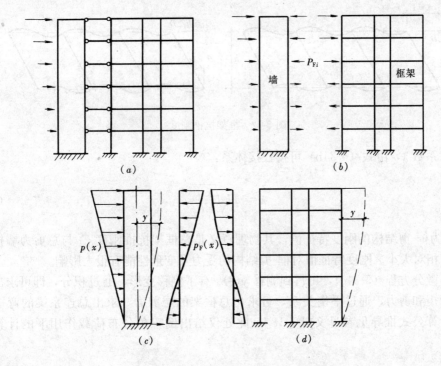

图 5-31　铰接体系的基本体系

　　总剪力墙是悬臂杆，按照静定的弯曲杆件计算变形，用弯曲刚度 EI_{eq} 计算总剪力墙；用 D 值法计算框架层刚度；连杆切断处侧移必须相等，作用力、反作用力必须平衡，根据变形协调条件就可建立一个四阶常微分方程。

$$\frac{\mathrm{d}^4 y}{\mathrm{d}x^4} - \frac{C_f}{EI_w}\frac{\mathrm{d}^2 y}{\mathrm{d}x^2} = \frac{p(x)}{EI_w} \tag{5-34a}$$

令

$$\lambda^2 = H^2\frac{C_f}{EI_w},\ \xi = \frac{x}{H} \tag{5-34b}$$

则微分方程可改写成

$$\frac{\mathrm{d}^4 y}{\mathrm{d}\xi^4} - \lambda^2\frac{\mathrm{d}^2 y}{\mathrm{d}\xi^2} = \frac{H^4}{EI_w}p(\xi) \tag{5-34c}$$

式中　EI_w——总剪力墙刚度，为 k 片剪力墙等效刚度之和，即

$$EI_w = \sum_{j=1}^{k} EI_{eqj} \tag{5-35}$$

C_f——总框架抗推刚度，为 s 根柱抗推刚度之和，即 $C_f = \sum\limits_{j=1}^{s} C_{fj}$，抗推刚度为产生单位层间变形所需的水平力。柱抗推刚度可由柱 D 值计算，由图 5-32，总框架抗推刚度为：

$$C_f = h\sum_{j=1}^{s} D_j \tag{5-36}$$

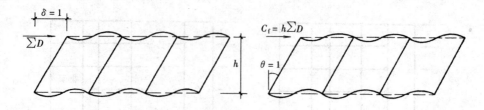

图 5-32 框架抗推刚度

注意系数 λ，由式（5-34b）可得铰接体系：

$$\lambda = H\sqrt{\frac{C_{\mathrm{f}}}{EI_{\mathrm{w}}}} \tag{5-37}$$

λ 称为框-剪结构的刚度特征值，其物理意义是总框架抗推刚度 C_{f} 与总剪力墙抗弯刚度 EI_{w} 的相对大小。刚度特征值对框-剪结构的受力及变形性能有很大影响。

求解微分方程（5-34c），可得到侧移 $y(\xi)$。有了侧移变形，通过积分，即可求出总剪力墙的弯矩和剪力，通过平衡关系，可求出总框架的层剪力，求出总连系梁的弯矩 M_{L}，详细的计算公式推导见参见文献［18］，此处仅给出倒三角分布荷载作用下的计算公式如下：

$$y = \frac{qH^2}{C_{\mathrm{f}}}\left[\left(1+\frac{\lambda\,\mathrm{sh}\lambda}{2}-\frac{\mathrm{sh}\lambda}{\lambda}\right)\frac{\mathrm{ch}\lambda\xi-1}{\lambda^2\mathrm{ch}\lambda}+\left(\frac{1}{2}-\frac{1}{\lambda^2}\right)\left(\xi-\frac{\mathrm{sh}\lambda\xi}{\lambda}\right)-\frac{\xi^3}{6}\right]$$

$$M_{\mathrm{w}} = \frac{qH^2}{\lambda^2}\left[\left(1+\frac{\lambda\,\mathrm{sh}\lambda}{2}-\frac{\mathrm{sh}\lambda}{\lambda}\right)\frac{\mathrm{ch}\lambda\xi}{\mathrm{ch}\lambda}-\left(\frac{\lambda}{2}-\frac{1}{\lambda}\right)\mathrm{sh}\lambda\xi-\xi\right] \tag{5-38}$$

$$V_{\mathrm{w}} = \frac{qH}{\lambda^2}\left[\left(1+\frac{\lambda\,\mathrm{sh}\lambda}{2}-\frac{\mathrm{sh}\lambda}{\lambda}\right)\frac{\lambda\,\mathrm{sh}\lambda\xi}{\mathrm{ch}\lambda}-\left(\frac{\lambda}{2}-\frac{1}{\lambda}\right)\lambda\,\mathrm{ch}\lambda\xi-1\right]$$

y、M_{w}、V_{w} 各函数中自变量为 λ 和 ξ，为使用方便，已将公式分别制成曲线，见图 5-33～图 5-35，图中纵坐标分别是位移系数 $y(\xi)/f_{\mathrm{H}}$、弯矩系数 $M_{\mathrm{w}}(\xi)/M_0$、剪力系数 $V_{\mathrm{w}}(\xi)/V_0$。f_{H}、M_0、V_0 分别为悬臂墙的顶点位移、底截面弯矩、底截面剪力，其值已示于相应的曲线图中。使用时根据该结构的 λ 值和所求截面的坐标 ξ 从曲线中查出系数，代入式（5-39）即可求得该结构的侧移及总剪力墙的内力。

$$y = \left(\frac{y(\xi)}{f_{\mathrm{H}}}\right) \cdot f_{\mathrm{H}}$$

$$M_{\mathrm{w}} = \left(\frac{M_{\mathrm{w}}(\xi)}{M_0}\right) \cdot M_0 \tag{5-39}$$

$$V_{\mathrm{w}} = \left(\frac{V_{\mathrm{w}}(\xi)}{V_0}\right) \cdot V_0$$

总框架剪力 $V_{\mathrm{f}}(\xi)$ 可由水平荷载的总剪力 $V_{\mathrm{p}}(\xi)$ 减去总剪力墙剪力 $V_{\mathrm{w}}(\xi)$ 得到：

$$V_{\mathrm{f}}(\xi) = V_{\mathrm{p}}(\xi) - V_{\mathrm{w}}(\xi) \tag{5-40}$$

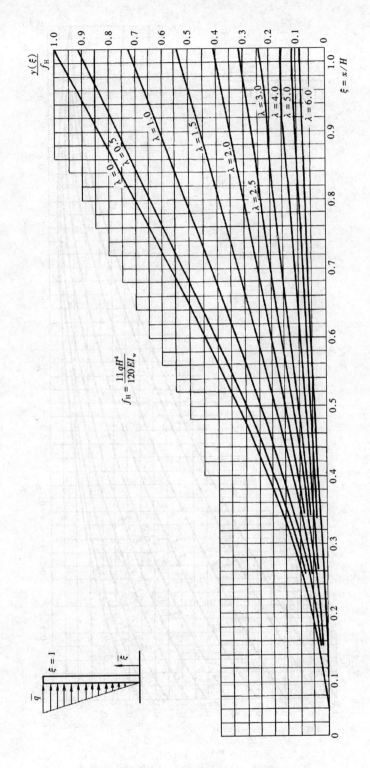

图 5-33 倒三角分布荷载下位移系数

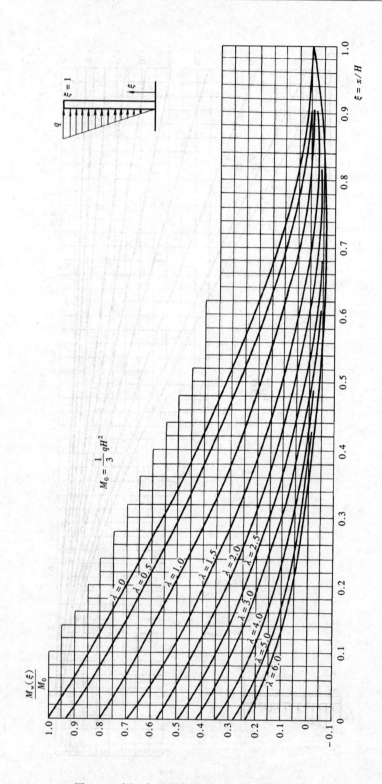

图 5-34 倒三角分布荷载下剪力墙的弯矩系数

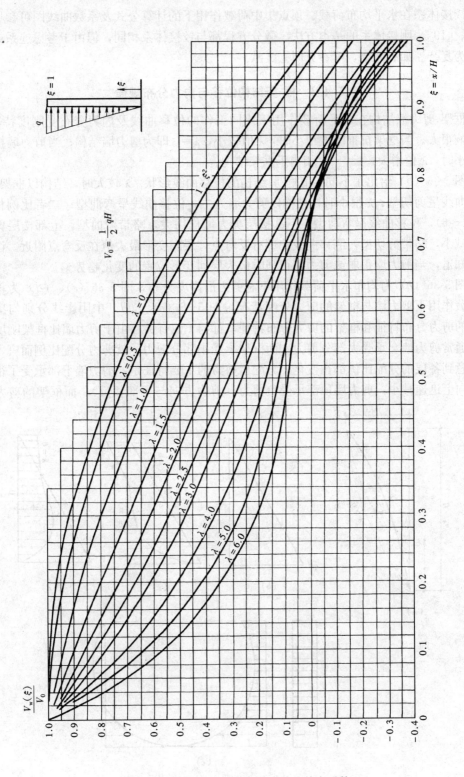

图 5-35 倒三角分布荷载下剪力墙的剪力系数

铰接体系在水平均布荷载、顶点集中荷载作用下的计算公式及系数曲线图可参见文献[18]、[19]。刚接体系的基本方法、微分方程都与铰接体系相同，但由于考虑连系梁，计算略为复杂。如有需要，可参见同上文献。

5.4.3　框-剪结构位移与内力分布规律

框架-剪力墙结构在水平荷载作用下协同工作的位移曲线及内力分布受刚度特征值 λ 的影响很大。当框架抗推刚度很小时，λ 值较小，λ＝0 即为剪力墙结构；当剪力墙抗弯刚度减小时，λ 值增大，λ＝∞ 时相当于框架结构。

图 5-36 (a) 给出了不同 λ 值框-剪结构的位移曲线形状。λ 较大时，结构以框架为主，位移曲线呈剪切型；λ 很小时，结构以剪力墙为主，位移曲线呈弯曲型；二者比例相当时 (λ＝1～6)，位移曲线呈弯剪型，下部楼层剪力墙作用大，略带弯曲型，上部楼层剪力墙作用减小，略带剪切型，侧移曲线中部有反弯点，层间变形最大值在反弯点附近。读者很容易知道，当剪力墙很弱或剪力墙很强时最大层间变形位置的变化趋势。

图 5-36 (b) 为均布水平荷载作用下总剪力沿高度分布，图 5-36 (c)、(d) 为均布水平荷载作用下剪力墙与框架的剪力分配情况，图 5-36 (c)、(d) 中阴影线分别勾出了剪力墙的剪力分布特征和框架的剪力分布特征，都与 λ 值有关。由于剪力墙比框架刚度大很多，通常剪力墙会承受大部分剪力，而框架承受小部分剪力。就剪力分配比例而言，特别要注意到各层的分配比例都在变化。分配后剪力的主要特征是：剪力墙下部承受了很大剪力，向上迅速减小，剪力墙顶部承受负剪力（剪力方向与下部相反）；而框架的剪力分布

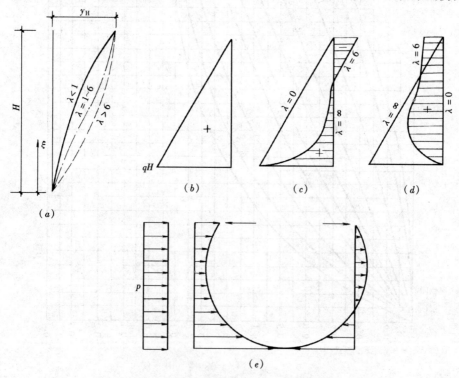

图 5-36　框-剪结构侧移曲线及剪力分配

(a) 框-剪结构侧移曲线；(b) V_p 图；(c) V_w 图；(d) V_f 图；(e) 框-剪结构荷载分配

特征则是中间某层最大，向上、向下都逐渐减小。

图 5-36（e）为框架与剪力墙之间的水平荷载分配关系图。在均布水平荷载作用下，剪力墙下部承受的荷载大于外荷载，而框架下部的荷载与外荷载的作用方向相反，在框架与剪力墙的顶部有方向相反的集中力。

由图 5-28（c）可见，弯曲型变形为主的剪力墙与剪切型变形为主的框架由于楼板的作用变形协调，剪力墙下部变形加大，上部减小，而框架正好相反。由于变形协调造成了上述荷载分配与剪力分配的特征。

需要说明的是，图 5-36 中的剪力是用连续化计算结果表示的，实际内力分布应该是台阶形的，框架底层柱的剪力也不是零，读者可画出实际内力图。

【例 5-5】框架-剪力墙结构，12 层，结构平面图示于图 5-37，1 与 9 轴、4 与 6 轴剪力墙的立面图示于图 5-38。抗震设防烈度为 8 度，地震分组为第二组，Ⅰ类场地。计算短向水平地震作用下框架及剪力墙的内力及位移。结构的基本自振周期为 0.96s。

【解】

1. 柱截面特性

柱截面特性计算结果列于表 5-9。

柱截面特性计算结果　　　　　　　　　　　　表 5-9

楼层号	截面尺寸 $(cm \times cm)$	混凝土强度等级	I_c (cm^4)	I_c/h (cm^3)	$i_c = E \dfrac{I_c}{h}(kN \cdot m)$
12	45×45	C30	3.42×10^5	$\dfrac{3.42}{3.8} \times 10^3 = 900$	$0.90 \times 3.00 \times 10^4 = 2.70 \times 10^4$
8-11	45×45	C30	3.42×10^5	$\dfrac{3.42}{3.0} \times 10^3 = 1140$	$1.14 \times 3.00 \times 10^4 = 3.41 \times 10^4$
4-7	45×45	C35	3.42×10^5	$\dfrac{3.42}{3.0} \times 10^3 = 1140$	$1.14 \times 3.15 \times 10^4 = 3.59 \times 10^4$
2-3	45×45	C40	3.42×10^5	$\dfrac{3.42}{3.0} \times 10^3 = 1140$	$1.14 \times 3.25 \times 10^4 = 3.7 \times 10^4$
1	50×50	C40	5.21×10^5	$\dfrac{5.21}{6.0} \times 10^3 = 868$	$0.87 \times 3.25 \times 10^4 = 2.82 \times 10^4$

梁：25cm×55cm，C30 级混凝土，则

$I_b = 1.5 \times 25 \times 55^3 / 12 = 5.20 \times 10^5 cm^4$（1.5 为考虑 T 形截面惯性矩的放大系数）

$i_b = EI_b / l = 3.00 \times 10^4 MPa \times 5.20 \times 10^5 / 600 = 2.60 \times 10^4 kN \cdot m$

2. 框架刚度计算

用 D 值法计算。中柱 5 根，边柱 14 根。

标准层：$\alpha = K/(2+K)$，$K = \sum i_b / 2i_c$，

底层：$\alpha = (0.5+K)/(2+K)$，$K = \sum i_b / i_c$，

框架刚度：$C_f = Dh = \sum 12\alpha i_c / h$

计算结果列于表 5-10。

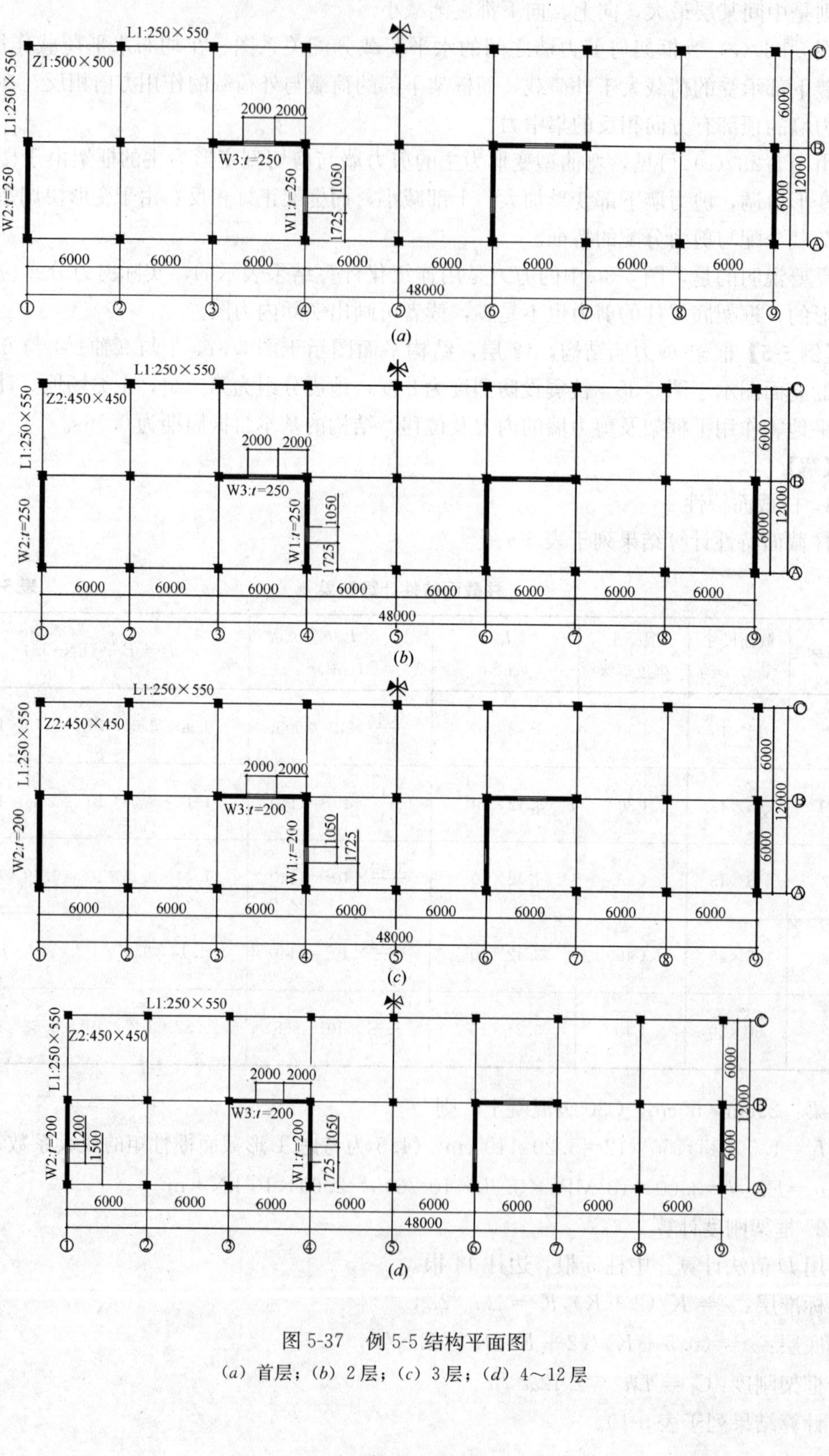

图 5-37 例 5-5 结构平面图

(a) 首层；(b) 2 层；(c) 3 层；(d) 4~12 层

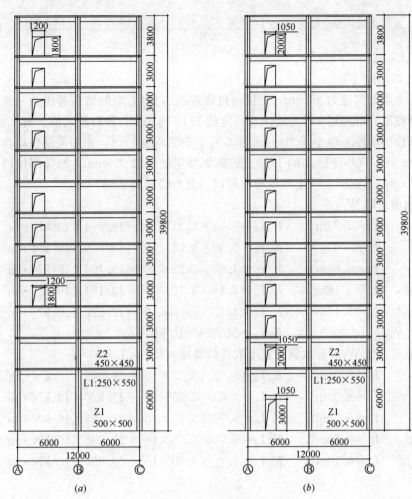

图 5-38 例 5-5 剪力墙立面图

(a) 1、9 轴剪力墙；(b) 4、6 轴剪力墙

框架刚度计算结果 表 5-10

楼层号	中 柱			边 柱			总刚度
	K	α	C (kN)	K	α	C (kN)	C_f (kN)
12	$\dfrac{4 \times 2.60 \times 10^4}{2 \times 2.70 \times 10^4}$ $=1.928$	$\dfrac{1.928}{2+1.928}$ $=0.491$	$5 \times 0.491 \times$ $2.70 \times 10^4 \times$ $\dfrac{12}{3.8} = 2.091$ $\times 10^5$	$\dfrac{2 \times 2.60 \times 10^4}{2 \times 2.70 \times 10^4}$ $=0.964$	$\dfrac{0.964}{2+0.964}$ $=0.325$	$14 \times 0.325 \times$ $2.70 \times 10^4 \times$ $\dfrac{12}{3.8} = 3.878$ $\times 10^5$	5.968×10^5
8~11	1.522	0.432	2.953×10^5	0.761	0.276	5.274×10^5	8.227×10^5
4~7	1.449	0.420	3.015×10^5	0.725	0.266	5.344×10^5	8.359×10^5
2~3	1.405	0.413	3.055×10^5	0.702	0.260	5.388×10^5	8.443×10^5
1	$\dfrac{2 \times 2.60 \times 10^4}{2.82 \times 10^4}$ $=1.843$	$\dfrac{0.5+1.843}{2+1.843}$ $=0.610$	1.720×10^5	$\dfrac{2 \times 2.60 \times 10^4}{2.820 \times 10^4}$ $=0.922$	$\dfrac{0.5+0.922}{2+0.922}$ $=0.487$	3.844×10^5	5.564×10^5

平均总刚度

$$C_f = \frac{5.968 \times 3.8 + 8.227 \times 12 + 8.359 \times 12 + 8.443 \times 6 + 5.564 \times 6}{39.8} \times 10^5$$

$$= 76.82 \times 10^4 \text{kN}$$

3. 剪力墙刚度计算

结构剪力墙的高度为 39.8m，根据《抗震规范》，剪力墙的抗震等级为一级，底部加强部位的高度取底部两层 9m 与墙体总高度的 1/10 约 4m 二者的较大值。对一级抗震墙，底部加强部位的墙厚不应小于 200mm 且不宜小于层高的 1/16，非加强部位墙体厚度不应小于 160mm 且不宜小于层高的 1/20。底部加强层墙厚取 250mm，加强部位以上的剪力墙厚度取 200mm。混凝土强度等级与柱相同。剪力墙截面见图 5-39。

1、9 轴剪力墙 W_2：

首层　　　　$I_w = 5.72\text{m}^4$，　　$E_w I_w = 5.72 \times 3.25 \times 10^7 = 18.594 \times 10^7 \text{kN} \cdot \text{m}^2$

2 层　　　　$I_w = 5.39\text{m}^4$，　　$E_w I_w = 5.39 \times 3.25 \times 10^7 = 17.509 \times 10^7 \text{kN} \cdot \text{m}^2$

3 层　　　　$I_w = 4.68\text{m}^4$，　　$E_w I_w = 4.68 \times 3.25 \times 10^7 = 15.194 \times 10^7 \text{kN} \cdot \text{m}^2$

4～7 层　　$I_w = 4.18\text{m}^4$，　　$E_w I_w = 4.18 \times 3.15 \times 10^7 = 13.154 \times 10^7 \text{kN} \cdot \text{m}^2$

8～12 层　$I_w = 4.18\text{m}^4$，　　$E_w I_w = 4.18 \times 3.00 \times 10^7 = 12.528 \times 10^7 \text{kN} \cdot \text{m}^2$

平均　　　　　　　　　　　$E_w I_w = 14.208 \times 10^7 \text{kN} \cdot \text{m}^2$

4、6 轴剪力墙 W_1：有效翼缘宽度取 6 倍墙厚=1.2m/1.5m

首层　　　　$I_w = 8.92\text{m}^4$，　　$E_w I_w = 8.92 \times 3.25 \times 10^7 = 29.005 \times 10^7 \text{kN} \cdot \text{m}^2$

2 层　　　　$I_w = 8.59\text{m}^4$，　　$E_w I_w = 8.59 \times 3.25 \times 10^7 = 27.920 \times 10^7 \text{kN} \cdot \text{m}^2$

3 层　　　　$I_w = 6.70\text{m}^4$，　　$E_w I_w = 6.70 \times 3.25 \times 10^7 = 21.768 \times 10^7 \text{kN} \cdot \text{m}^2$

4～7 层　　$I_w = 6.70\text{m}^4$，　　$E_w I_w = 6.70 \times 3.15 \times 10^7 = 21.098 \times 10^7 \text{kN} \cdot \text{m}^2$

8～12 层　$I_w = 6.70\text{m}^4$，　　$E_w I_w = 6.70 \times 3.00 \times 10^7 = 20.093 \times 10^7 \text{kN} \cdot \text{m}^2$

平均

$$E_w I_w = \frac{(29.005 \times 6 + 27.920 \times 3 + 21.768 \times 3 + 21.098 \times 12 + 20.093 \times 15.8) \times 10^7}{39.8}$$

$$= 22.456 \times 10^7 \text{kN} \cdot \text{m}^2$$

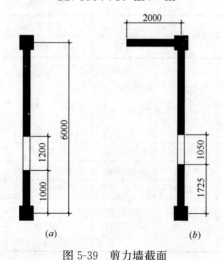

图 5-39 剪力墙截面

(a) 1、9 轴剪力墙 W_2；(b) 4、6 轴剪力墙 W_1

总剪力墙刚度 $\Sigma E_w I_w = 73.327 \times 10^7 \text{kN} \cdot \text{m}^2$

4. 地震作用计算

查表 3-11，由Ⅰ类场地与设计地震分组为第二组，可知 $T_g = 0.3\text{s}$。查表 3-10，得 $\alpha_{\max} = 0.16$。

按铰接体系（不考虑梁的约束弯矩）计算地震作用，已知计算自振周期 0.96s，考虑周期修正后的计算周期为：

$$T_1 = 0.8 \times 0.96 = 0.768\text{s}$$

阻尼比为 0.05，由图 3-20，$\alpha_1 = (T_g/T)^{0.9} \alpha_{\max}$
$= (0.3/0.768)^{0.9} \times 0.16 = 0.0687$

由式（3-16），结构底部总剪力为：

$$F_{EK} = \alpha_1 G_{eq} = 0.0687 \times 0.85 \times 89437.6 = 5222.7\text{kN}$$

由表 3-14 查顶部附加地震作用系数，采用式

(3-18) 计算顶部附加地震作用：

$$\Delta F_n = (0.08T_1 + 0.07)F_{EK} = 0.131 \times 5222.7 = 684.4\text{kN}$$

由式（3-17）计算水平地震作用沿高度分布：

$$F_i = \frac{(F_{EK} - \Delta F_n)G_i h_i}{\sum G_i h_i} = 4538.3 \frac{G_i h_i}{\sum G_i h_i}$$

F_i、V_i、$F_i h_i$ 的计算值见表 5-11，其中顶部地震作用为 $F_{12} + \Delta F_n$。

F_i、V_i、$F_i h_i$ 计算值 表 5-11

楼层号	h_i (m)	G (kN)	$G_i h_i \times 10^5$ (kN·m)	$\dfrac{G_i h_i}{\sum G_i h_i}$	F_i (kN)	V_i (kN)	$F_i h_i \times 10^3$ (kN·m)
12	39.8	7076.4	2.82	0.141	1325.6	1325.6	52.76
11	36	7652.4	2.75	0.138	627.6	1953.2	22.59
10	33	7309.8	2.41	0.121	549.6	2502.8	18.14
9	30	7309.8	2.19	0.110	499.6	3002.4	14.99
8	27	7309.8	1.97	0.099	449.6	3452.1	12.14
7	24	7309.8	1.75	0.088	399.7	3851.8	9.59
6	21	7309.8	1.54	0.077	349.7	4201.5	7.34
5	18	7309.8	1.32	0.066	299.8	4501.2	5.40
4	15	7309.8	1.10	0.055	249.8	4751.1	3.75
3	12	7309.8	0.88	0.044	199.8	4950.9	2.40
2	9	7309.8	0.66	0.033	149.9	5100.8	1.35
1	6	8920.6	0.54	0.027	121.9	5222.7	0.73
Σ		89437.6	19.92	1.000	5222.7		151.18

按基底弯矩相等，将水平地震作用换算成倒三角形分布，计算结果列于表 5-12。

水平地震作用计算结果 表 5-12

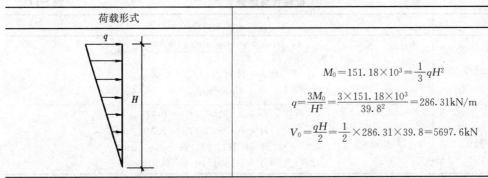

荷载形式	
	$M_0 = 151.18 \times 10^3 = \dfrac{1}{3}qH^2$
	$q = \dfrac{3M_0}{H^2} = \dfrac{3 \times 151.18 \times 10^3}{39.8^2} = 286.31\text{kN/m}$
	$V_0 = \dfrac{qH}{2} = \dfrac{1}{2} \times 286.31 \times 39.8 = 5697.6\text{kN}$

5. 框架与剪力墙协同工作计算

（1）由 λ 值及荷载类型查图表计算内力

$$\lambda = H\sqrt{C_f/E_w J_w} = 39.8\sqrt{76.821 \times 10^4 / 73.327 \times 10^7} = 1.288$$

① 各层剪力墙底截面内力 M_w、V_w，倒三角形分布荷载下的系数查图 5-34 及图 5-35。

② 表 5-13 中框架层剪力按下式计算，系数 $\dfrac{V_f'}{V_0}$ 由下式中括弧内数据计算所得：

$$V_f' = \left(\frac{V_f'}{V_0}\right) \times V_0 = V - V_w = \frac{qH(1-\xi^2)}{2} - V_w = \left[(1-\xi^2) - \frac{V_w}{V_0}\right] \times V_0$$

③ 各层总框架柱剪力 V_f 应由上、下楼层处 V_f' 值平均计算，V_f' 由系数计算。

$$V_{fi} = (V_{fi-1}' + V_{fi}')/2$$

计算结果见表 5-13，表中数值单位：M 为 "kN·m"，V 为 "kN"。

框架剪力计算结果　　　　　　　　　　　　　　　表 5-13

楼层号	标高 x (m)	$\xi = \dfrac{x}{H}$	$\dfrac{M_w}{M_0}$	$M_w \times 10^3$	$\dfrac{V_w}{V_0}$	$V_w \times 10^3$	$\dfrac{V'_f}{V_0}$	$V'_f \times 10^3$	$V_f \times 10^3$
12	39.8	1.0	0	0.00	-0.23	-1.2	0.23	1.20	1.18
11	36	0.905	-0.015	-2.27	-0.04	-0.2	0.22	1.16	1.21
10	33	0.829	-0.025	-3.78	0.07	0.4	0.24	1.27	1.24
9	30	0.754	-0.01	-1.51	0.2	1.0	0.23	1.21	1.18
8	27	0.679	0.02	3.02	0.32	1.7	0.22	1.15	1.14
7	24	0.603	0.08	12.09	0.42	2.2	0.22	1.13	1.14
6	21	0.528	0.12	18.14	0.5	2.6	0.22	1.16	1.12
5	18	0.452	0.19	28.72	0.59	3.1	0.21	1.07	1.03
4	15	0.377	0.26	39.31	0.67	3.5	0.19	0.98	0.99
3	12	0.302	0.33	49.89	0.72	3.8	0.19	0.99	0.86
2	9	0.226	0.43	65.01	0.81	4.2	0.14	0.73	0.64
1	6	0.151	0.52	78.61	0.87	4.5	0.11	0.56	0.28
	0		0.74	111.87	1	5.2	0.00	0.00	—

（2）位移计算

查图 5-33，位移计算结果列于表 5-14。

位移计算结果　　　　　　　　　　　　　　　表 5-14

	$\lambda = 1.288$
顶点位移	$f_H = \dfrac{11}{120}\dfrac{qH^4}{EI} = \dfrac{11}{120}\dfrac{286.31 \times 39.8^4}{73.327 \times 10^7} = 0.0898\text{m}$ 当 $x = H$ 时，$y_H / f_H = 0.60$ $y_H = 53.88\text{mm}$
层间位移	5 层 $x/H = 0.452$，$y_7 / f_H = 0.177$ 6 层 $x/H = 0.528$，$y_8 / f_H = 0.240$ $\delta_{max} = (0.24 - 0.177) \times 53.88 = 5.657\text{mm}$ $(\delta/h)_{max} = 0.5657/300 = 1/530 > [1/800]$

注：弹性层间位移角限值（1/800）见第 4 章表 4-5。

6. 简单讨论

（1）当连系梁刚度很小时，近似计算可忽略其抗弯刚度而按铰接体系计算。本例题的连系梁截面较小，因此考虑与不考虑连系梁的约束计算得到的内力及位移相差不多。

（2）本例题结构层间位移角为 1/530，大于规范限值 1/800，不符合要求，结构刚度偏小。

（3）如果连系梁的约束作用较大，也就是刚接体系情况下，结构刚度特征值 λ 增大，基本自振周期 T_1 减小，地震作用增大，结构底部总剪力增大；剪力墙分担的剪力加大；框架分担的剪力减小；建筑物顶点位移减小，但层间位移加大。

（4）在得到总剪力墙、总框架、总连系梁内力以后，需根据各构件刚度进行第二步分配，才能得到构件控制截面的内力。

5.5 扭转近似计算

5.5.1 概　　述

前几节介绍框架、剪力墙以及框架-剪力墙结构的计算，都是在平移情况下，即水平荷载合力作用线通过结构刚度中心的情况。当水平荷载合力作用线不通过刚度中心时，结构不仅发生平移变形，还会出现扭转。例如图 5-40 的结构，矩形平面，水平风荷载的合力通过平面形心 O_1 点，但抗侧力结构布置不对称，刚度中心 O_D 显然偏左下方，结构受扭。

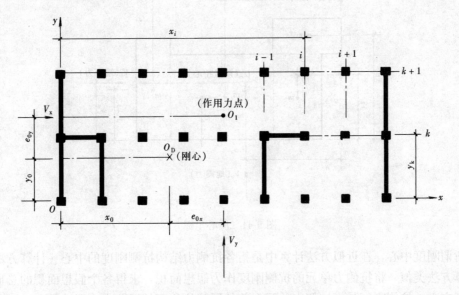

图 5-40　风荷载作用下受扭的结构

在地震或风载作用下结构常常出现扭转，地震作用下扭转反应加重结构的破坏程度。扭转作用无法精确计算，即使是完全对称的结构，地震作用下亦不可避免地会出现扭转。工程设计中，要着重通过建筑体形、抗侧力结构布置等，一方面尽可能减小扭转，另一方面尽可能加强结构的抗扭能力，计算仅作为一种补充手段。

严格说，本节介绍的近似方法不能得到真正的扭转效应，但是近似计算方法概念清楚，计算简便，适合于手算，对比较规则的结构可以对扭转反应有大致的估计。更重要的是，通过扭转计算的讨论，可使读者建立起如何减小结构扭转、增大结构抗扭能力的设计概念。

扭转近似计算仍然建立在平面结构及楼板在自身平面内无限刚性这两个基本假定的基础上，一般是先作平移下内力分析，然后考虑扭转作用对内力及位移作修正。

5.5.2　质量中心、刚度中心及扭转偏心距

在近似方法中，要先确定水平力作用线及刚度中心，二者之间的距离为扭转偏心距。风荷载的合力作用线位置已在第 3 章中讨论，见 3.1.2 节及例 3-1。

　　水平地震作用点即惯性力的合力作用点，与质量分布有关，称为质心。计算时可用重量代替质量，具体方法是：将建筑面积分为若干个质量均匀分布的单元，如图 5-41 所示，在参考坐标系 xoy 中确定重心坐标 x_m、y_m。

$$\left.\begin{array}{l} x_m = \sum x_i m_i / \sum m_i = \sum x_i w_i / \sum w_i \\ y_m = \sum y_i m_i / \sum m_i = \sum y_i w_i / \sum w_i \end{array}\right\} \tag{5-41}$$

式中　m_i、w_i——分别为第 i 个面积单元的质量和重量；

　　　x_i、y_i——第 i 个面积单元的重心坐标。

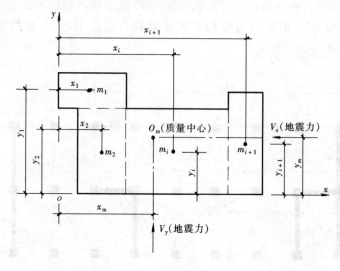

图 5-41　质心坐标

　　所谓刚度中心，在近似方法计算中是指各抗侧力结构抗侧刚度的中心。计算方法与形心计算方法类似。将抗侧力单元的抗侧刚度作为假想面积，求得各个假想面积的总形心就是刚度中心。抗侧刚度是指抗侧力单元在单位层间位移下的层剪力，即

$$\left.\begin{array}{l} D_{yi} = V_{yi}/\delta_y \\ D_{xk} = V_{xk}/\delta_x \end{array}\right\} \tag{5-42}$$

式中　V_{yi}——与 y 轴平行的第 i 榀结构剪力；

　　　V_{xk}——与 x 轴平行的第 k 榀结构剪力；

　　δ_x、δ_y——分别为该结构在 x 方向、y 方向的层间位移。

　　以图 5-40 的结构平面为例计算刚度中心。任选参考坐标 xoy，与 y 轴平行的抗侧力单元以 1，2，…，i 系列编号，抗侧移刚度为 D_{yi}；与 x 轴平行的抗侧力单元以 1，2，…，k 系列编号、抗侧移刚度为 D_{xk}；则刚度中心坐标分别为：

$$\left.\begin{array}{l} x_0 = \sum D_{yi} x_i / \sum D_{yi} \\ y_0 = \sum D_{xk} y_k / \sum D_{xk} \end{array}\right\} \tag{5-43a}$$

下面分别讨论框架结构、剪力墙结构和框架-剪力墙结构刚心位置的计算方法。

1. 框架结构

框架柱的 D 值就是抗侧移刚度。所以分别计算每根柱在 y 方向和 x 方向的 D 值后，直接代入式（5-43a）求 x_0 及 y_0，式中求和符号表示对所有柱求和。

2. 剪力墙结构

根据式（5-42）的定义计算剪力墙的抗侧刚度。式中 V_{yi} 与 V_{xk} 是在剪力墙结构平移变形时第 i 榀及第 k 片墙分配到的剪力，因为剪力是按各片墙的等效抗弯刚度分配的，所以剪力墙结构的刚度中心可以用等效抗弯刚度计算，同一层中各片剪力墙弹性模量相同，故刚心坐标可由下式计算：

$$\left. \begin{aligned} x_0 &= \sum J_{eqyi} x_i / \sum J_{eqyi} \\ y_0 &= \sum J_{eqrk} y_k / \sum J_{eqrk} \end{aligned} \right\} \tag{5-43b}$$

计算时注意纵向及横向剪力墙要分别计算，式中求和符号表示对同一方向各片剪力墙求和。

3. 框架-剪力墙结构

在框-剪结构中，框架柱的抗推刚度和剪力墙的等效抗弯刚度都不能直接使用。可以根据抗推刚度的定义，将式（5-42）代入式（5-43a），这时注意将平行于 y 轴的框架与剪力墙按统一顺序编号，与 x 轴平行的也按统一顺序编号。可得到：

$$\left. \begin{aligned} x_0 &= \frac{\sum \left[(V_{yi}/\delta_y) x_i \right]}{\sum (V_{yi}/\delta_y)} = \frac{\sum V_{yi} x_i}{\sum V_{yi}} \\ y_0 &= \frac{\sum \left[(V_{xk}/\delta_x) y_k \right]}{\sum (V_{xk}/\delta_x)} = \frac{\sum V_{xk} y_k}{\sum V_{xk}} \end{aligned} \right\} \tag{5-43c}$$

式（5-43c）中 V_{yi} 与 V_{xk} 分别是框－剪结构 y 方向和 x 方向平移变形下协同工作计算得到的各榀抗侧力单元所分配到的剪力。对于框-剪结构，先做平移的协同工作计算（即不考虑扭转），得到各榀平面结构分配到的剪力后，再按式（5-43c）近似计算刚心位置。

从式（5-43c），也可给刚度中心一个新的解释：刚度中心是在不考虑扭转情况下各抗侧力单元地震层剪力的合力中心。因此，在其他类型的结构中，当已经知道各抗侧力单元抵抗的地震层剪力后，也可直接由层剪力计算刚心位置。

在确定了质心（或风力合力作用线）和刚度中心后，二者的距离 e_{0x} 和 e_{0y} 就分别是 y 方向作用力（剪力） V_y 和 x 方向作用力（剪力） V_x 的计算偏心距，见图 5-42。

为了安全，在高层建筑结构抗震设计时，需要考虑偶然偏心的影响，将偏心距增大，得到设计偏心距，通常，可按下式计算：

$$\left. \begin{aligned} e_x &= e_{0x} \pm 0.05 L_x \\ e_y &= e_{0y} \pm 0.05 L_y \end{aligned} \right\} \tag{5-44}$$

式中　L_x、L_y——与力作用方向相垂直的建筑总长。

5.5.3　考虑扭转作用的层剪力修正

图 5-42(a) 中的虚线表示结构在偏心的层剪力作用下发生的层间变形情况。层剪力 V_y 距刚心 O_D 为 e_x，因而有扭矩 $M_t = V_y e_x$。在 V_y 及 M_t 共同作用下，既有平移变形，又有扭转变形，图 5-42 (a) 可分解为图 5-42 (b) 和 (c)，图 5-42 (b) 中结构只有相对层间平移 δ，而图 5-42 (c) 中只有相对层间转角 θ。可以利用叠加原理得到各榀抗侧力单元的侧移及内力。

由于假定楼板在自身平面内无限刚性，楼板上任意一点的位移都可由 δ 及 θ 描述，将

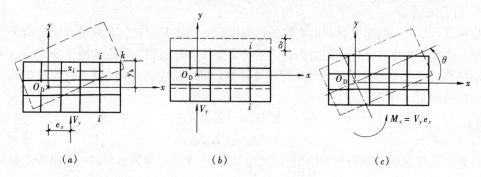

图 5-42 结构平移及扭转变形

坐标原点设在刚心 O_D 处，并设坐标轴的正方向如图 5-42 所示，规定与坐标轴正方向相一致的位移为正，θ 角则以反时针旋转为正，则各榀结构在其自身平面方向的侧移可表示如下：

与 y 轴平行的第 i 榀结构沿 y 方向层间位移：

$$\delta_{yi} = \delta + \theta x_i \tag{5-45a}$$

与 x 轴平行的第 k 榀结构沿 x 方向层间位移：

$$\delta_{xk} = -\theta y_k \tag{5-45b}$$

式中 x_i、y_k——分别为 i 榀及 k 榀结构形心在 yO_Dx 坐标系中的坐标值，为代数值。

由抗侧刚度的定义可求得：

$$V_{yi} = D_{yi}\delta_{yi} = D_{yi}\delta + D_{yi}\theta x_i \tag{5-45c}$$

$$V_{xk} = D_{xk}\delta_{xk} = -D_{xk}\theta y_k \tag{5-45d}$$

式中 V_{yi}、V_{xk}——分别为 i 榀及 k 榀结构在层剪力 V_y 及扭矩 M_y 作用下的剪力。

由力平衡条件 $\sum Y = 0$ 及 $\sum M = 0$，可得：

$$\delta = V_y / \sum D_{yi} \tag{5-45e}$$

$$\theta = \frac{V_y e_x}{\sum D_{yi} x_i^2 + \sum D_{xk} y_k^2} \tag{5-45f}$$

$\sum D_{yi}$——结构在 y 方向的抗推刚度，式（5-45e）是平移时的力和位移关系；式（5-45f）是扭矩与转角关系，分母 $\sum D_{yi} x_i^2 + \sum D_{xk} y_k^2$ 称为结构的抗扭刚度。

将计算得到的 δ、θ 代入式（5-45c）和式（5-45d），经整理得：

$$V_{yi} = \frac{D_{yi}}{\sum D_{yi}} V_y + \frac{D_{yi} x_i}{\sum D_{yi} x_i^2 + \sum D_{xk} y_k^2} V_y e_x \tag{5-46a}$$

$$V_{xk} = -\frac{D_{xk} y_k}{\sum D_{yi} x_i^2 + \sum D_{xk} y_k^2} V_y e_x \tag{5-46b}$$

同理，当 x 方向作用有偏心剪力 V_x 时，在 V_x 和扭矩 $V_x e_y$ 作用下也可推得类似公式：

$$V_{xk} = \frac{D_{xk}}{\sum D_{xk}} V_x + \frac{D_{xk} y_k}{\sum D_{yi} x_i^2 + \sum D_{xk} y_k^2} V_x e_y \tag{5-47a}$$

$$V_{yi} = -\frac{D_{yi} x_i}{\sum D_{yi} x_i^2 + \sum D_{xk} y_k^2} V_x e_y \tag{5-47b}$$

以上四式是分别在 x 和 y 方向有扭矩作用时各抗侧力单元的剪力。上式说明，无论在哪个方向水平荷载有偏心而引起结构扭转时，两个方向的抗侧力单元都能参与抗扭，但是平移变形时，与力作用方向相垂直的抗侧力单元不起作用（这是平面结构假定导致的结果）。

式（5-46a）和式（5-47a）都是 V_{yi}（y 方向抗侧力单元的剪力），分别是 y 方向水平荷载作用下和 x 方向水平荷载作用下的剪力值，但式（5-46a）的 V_{yi} 大于式（5-47b）的 V_{yi}，从抗侧力单元中构件设计的角度看，应采用式（5-46a）所得内力设计这些抗侧力单元。同理，在设计与 x 轴平行的那些抗侧力单元时，应采用式（5-47a）求出 V_{xk}。也就是说，式（5-46b）求出的 V_{xk} 和式（5-47b）求出的 V_{yi} 都不是控制内力，不用于设计。

将式（5-46a）及式（5-47a）改写成下式：

$$V_{yi} = \left(1 + \frac{e_x x_i \sum D y_{yi}}{\sum D_{yi} x_i^2 + \sum D_{xk} y_k^2}\right) \frac{D_{yi}}{\sum D_{yi}} V_y \tag{5-48a}$$

$$V_{xk} = \left(1 + \frac{e_y y_k \sum D_{xk}}{\sum D_{yi} x_i^2 + \sum D_{xk} y_k^2}\right) \frac{D_{xk}}{\sum D_{xk}} V_x \tag{5-48b}$$

或简写为：

$$V_{yi} = \alpha_{yi} \frac{D_{yi}}{\sum D_{yi}} V_y \tag{5-49a}$$

$$V_{xk} = \alpha_{xk} \frac{D_{xk}}{\sum D_{xk}} V_x \tag{5-49b}$$

上式说明，考虑扭转后，某个抗侧力单元的剪力，可以用平移分配到的剪力乘以修正系数得到，扭转修正系数为：

$$\alpha_{yi} = 1 + \frac{e_x x_i \sum D_{yi}}{\sum D_{yi} x_i^2 + \sum D_{xk} y_k^2} \tag{5-50a}$$

$$\alpha_{xk} = 1 + \frac{e_y y_k \sum D_{xk}}{\sum D_{yi} x_i^2 + \sum D_{xk} y_k^2} \tag{5-50b}$$

在有扭转作用的结构中，各榀结构的层间相对扭转角 θ 由式（5-45f）近似计算，平移与扭转叠加的层间侧移可用式（5-45a）、式（5-45b）近似计算。

5.5.4 讨 论

（1）在同一个结构中，各榀抗侧力单元的扭转修正系数大小不同。式（5-50a）、式（5-50b）的第二项可为正值或负值，即 α 可能大于 1，也可能小于 1。当某榀抗侧力结构的 $\alpha > 1$ 时，表示其剪力在考虑扭转后将增大；$\alpha < 1$ 时，表示考虑扭转后该单元的剪力将减小。离刚心愈远的抗侧力结构，剪力修正愈多。

（2）在扭转作用下，各榀抗侧力结构的侧移及层间变形也不相同，距刚心最远的边缘抗侧力单元的侧移及层间变形最大。扭转愈严重，边缘抗侧力单元的附加侧移也愈大。换句话说，可以用结构中最远点的侧移与平均侧移的比值来考察结构扭转的严重程度，这也就是第 4 章中介绍的不规则结构的判别方法之一。

（3）抗扭刚度由 $\sum D_{yi}x_i^2$ 及 $\sum D_{xk}y_k^2$ 之和组成，也就是说，结构中纵向和横向抗侧力单元都能抵抗扭矩。距离刚心愈远的抗侧力单元对抗扭刚度贡献愈大。

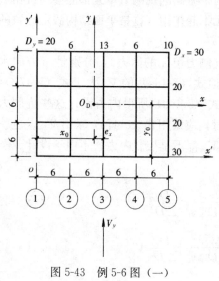

因此，如果能将抗侧刚度较大的剪力墙放在离刚心远一点的位置，抗扭效果较好。此外，如果抗侧力结构为无竖向构件的空间较大的正方形或圆形，就能较充分发挥抗侧力结构的抗扭作用。

（4）在上、下布置相同的框架-剪力墙结构中，各层刚心并不在同一竖轴上，有时刚心位置相差较大。因此各层结构的偏心距和扭矩都会改变，各层结构扭转修正系数也会改变。

【例 5-6】 图 5-43 所示为某一结构的第 j 层平面图。图中除标明各轴线间距离（单位为"m"）外，还给出各榀结构沿 x 方向和 y 方向的抗侧刚度 D 值（单位为"kN/cm"）。已知沿 y 向作用总剪力 $V_y = 1000$kN，计算考虑扭转作用后各榀结构的剪力。

图 5-43　例 5-6 图 （一）

【解】基本数据计算如表 5-15；选 $x'oy'$ 为参考坐标，计算刚度中心位置。

基本数据计算表　　　　　　　　　　　　　　　　　　　　　　　　　表 5-15

序号	D_{yi} (kN/cm)	x' ($\times 10^2$ cm)	$D_{yi}x'$ ($\times 10^2$ kN)	x'^2 ($\times 10^4$ cm²)	$D_{yi}x'^2$ ($\times 10^4$ kN·cm)
1	20	0	0	0	0
2	6	6	36	36	216
3	13	12	156	144	1872
4	6	18	108	324	1944
5	10	24	240	576	5760
Σ	55		540		9792

序号	D_{xk} (kN/cm)	y' ($\times 10^2$ cm)	$D_{xk}y'$ ($\times 10^2$ kN)	y'^2 ($\times 10^4$ cm²)	$D_{xk}y'^2$ ($\times 10^4$ kN·cm)
1	30	0	0	0	0
2	20	6	120	36	720
3	20	12	240	144	2880
4	30	18	540	324	9720
Σ	100		900		13320

刚度中心

$$x_0 = \frac{\sum D_{yi} x'}{\sum D_{yi}} = \frac{540 \times 10^2}{55} = 982 \text{cm}$$

$$y_0 = \frac{\sum D_{xk} y'}{\sum D_{xk}} = \frac{900 \times 10^2}{100} = 900 \text{cm}$$

偏心距

$$e_x = 1200 - 982 = 218 \text{cm}$$

$$e_y = 0$$

以刚度中心为原点，建立坐标系统 $xO_\text{D}y$，因为 $y = y' - y_0$，$\sum D_{xk} y' = y_0 \sum D_{xk}$，所以：

$$\sum D_{xk} y_\text{k}^2 = \sum D_{xk}(y' - y_0)^2 = \sum D_{xk} y'^2 - 2y_0 \sum D_{xk} y' + \sum D_{xk} y_0^2$$

$$= \sum D_{xk} y'^2 - 2y_0^2 \sum D_{xk} + y_0^2 \sum D_{xk} = \sum D_{xk} y'^2 - y_0^2 \sum D_{xk}$$

$$= (13320 - 9^2 \times 100) \times 10^4 = 5220 \times 10^4 \text{kN} \cdot \text{cm}$$

同理可得：

$$\sum D_{yi} x_i^2 = \sum D_{yi} x'^2 - x_0^2 \sum D_{yi} = (9792 - 9.82^2 \times 55) \times 10^4$$

$$= 4488 \times 10^4 \text{kN} \cdot \text{cm}$$

由式（5-45f）计算结构层扭转角：

$$\theta = \frac{V_y e_x}{\sum D_{yi} x_i^2 + \sum D_{xk} y_\text{k}^2} = \frac{1000 \times 2.18 \times 10^2}{(4488 + 5220) \times 10^4} = 0.00225 \text{ cm}^{-1}$$

由式（5-45e）计算结构平移层位移：

$$\delta = \frac{V_y}{\sum D_{yi}} = \frac{1000}{55} = 18.18 \text{cm}$$

由式（5-45a）、式（5-45b）计算各榀结构层位移，计算结果列于表 5-16，并示意于图 5-44。

结构层位移计算结果   表 5-16

序号	y 向		序号	x 向	
	x_i (10^2cm)	δ_{yi} (cm)		y_k (10^2cm)	δ_{xk} (cm)
1	−9.82	15.97	1	−9.0	2.03
2	−3.82	17.32	2	−3.0	0.67
3	2.18	18.67	3	3.0	−0.67
4	8.18	20.02	4	9.0	−2.03
5	14.18	21.37			

由式（5-50a）：

$$\alpha_{yi} = 1 + \frac{(\sum D_{yi}) e_x x_i}{\sum D_{yi} x_i^2 + \sum D_{xk} y_\text{k}^2} = 1 + \frac{55 \times 2.18 \times 10^2}{(4488 + 5220) \times 10^4} x_i$$

$$= 1 + 0.01235 x_i \times 10^{-2}$$

各榀结构的 α_y 值如下：

$x_1 = -9.82 \times 10^2$，$\alpha_{y1} = 1 - 0.01235 \times 9.82 = 0.879$

$x_2 = -3.82 \times 10^2$，$\alpha_{y2} = 1 - 0.01235 \times 3.82 = 0.953$

$x_3 = 2.18 \times 10^2$，$\alpha_{y3} = 1 + 0.01235 \times 2.18 = 1.026$

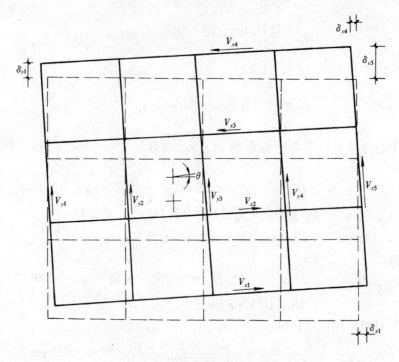

图 5-44 例 5-6 图（二）

$x_4 = 8.18 \times 10^2$，$\alpha_{y4} = 1 + 0.01235 \times 8.18 = 1.101$

$x_5 = 14.18 \times 10^2$，$\alpha_{y5} = 1 + 0.01235 \times 14.18 = 1.175$

由式（5-49a）计算各榀结构承担的剪力为：

$$V_{y1} = \alpha_{y1} \frac{D_{y1}}{\sum D_y} V_y = 0.879 \times \frac{22}{55} \times 1000 = 319.6 \text{kN}$$

$$V_{y2} = 0.953 \times \frac{6}{55} \times 1000 = 104.0 \text{kN}$$

$$V_{y3} = 1.026 \times \frac{13}{55} \times 1000 = 242.5 \text{kN}$$

$$V_{y4} = 1.101 \times \frac{6}{55} \times 1000 = 120.1 \text{kN}$$

$$V_{y5} = 1.175 \times \frac{10}{55} \times 1000 = 213.6 \text{kN}$$

思 考 题

5.1 平面结构和楼板在自身平面内为无限刚性这两个基本假定是什么含义？在框架、剪力墙、框架-剪力墙结构的近似计算中为什么要用这两个假定？

5.2 分别画出一榀三跨 4 层框架在竖向荷载（各层各跨满布均布荷载）和水平荷载作用下的弯矩图形、剪力图形和轴力图形。

5.3 抗侧刚度 D 和 d 的物理意义是什么？有什么区别？应用的条件是什么？

5.4 影响水平荷载下柱反弯点位置的主要因素是什么？框架顶层、底层和中部各层柱反弯点位置有什么变化？反弯点高度比大于1的物理意义是什么？

5.5 梁、柱的弯曲变形和柱的轴向变形对框架侧移有什么影响？水平力作用下框架为什么为剪切型侧移曲线？

5.6 什么是剪力墙结构的等效抗弯刚度？整体墙、联肢墙、单独墙肢等计算方法中，等效抗弯刚度有何不同？怎样计算？

5.7 剪力墙连续化方法的基本假定是什么？基本假定对该计算方法的应用范围有什么影响？

5.8 剪力墙连续化方法中，连梁未知力 $\tau(x)$ 和 $m(x)$ 是什么？$\tau(x)$ 沿高度分布有什么特点？$m(x)$ 与墙肢内力有什么关系？

5.9 联肢墙的内力分布和侧移变形曲线的特点是什么？整体系数 α 对内力分布和变形有什么影响？为什么？

5.10 整体墙、联肢墙、单独墙肢沿高度的内力分布和截面应变分布有什么区别？

5.11 框架-剪力墙结构协同工作计算的目的是什么？总剪力在框-剪结构各榀抗侧力结构间的分配原则与在剪力墙结构、框架结构各榀抗侧力结构间的分配原则有什么区别？

5.12 框架-剪力墙结构微分方程中的未知量 y 是什么？

5.13 求得总框架和总剪力墙的剪力后，怎样求各杆件的 M、N、V？

5.14 框架-剪力墙结构近似计算时，什么情况下采用铰接体系，什么情况下采用刚接体系？

5.15 D 值和 C_f 值物理意义有什么不同？两者有什么关系？

5.16 什么是刚度特征值 λ？λ 对内力分配、侧移变形有什么影响？

5.17 公式（5-39）中，$y(\xi)/f_H$，$M_w(\xi)/M_0$，$V_w(\xi)/V_0$ 是什么？如何从给出的曲线查这些值？各有什么用处？怎样利用上述曲线求框架总剪力 V_f？

5.18 连梁刚度乘以刚度降低系数后，内力会有什么变化？

5.19 什么是质量中心？风荷载的合力作用点与质心计算有什么不同？

5.20 什么是刚心？怎样用近似方法求框架结构、剪力墙结构和框-剪结构的刚心？各层刚心是否在同一位置？什么时候位置会发生变化？

5.21 为什么说很难精确计算扭转效应？设计中可采取哪些措施减小扭转对结构受力性能的不利影响？

5.22 扭转修正系数 α 的物理意义是什么？为什么各榀抗侧力结构 α 值不同？什么情况下 α 大于1，什么情况下 α 等于1或小于1？

5.23 怎样近似计算结构的层间扭转角及相对地面的总扭转角？扭转对结构各榀抗侧力单元的侧移及层间变形有什么影响？

5.24 构件的弯曲、剪切、轴向变形对结构的内力分布、侧向位移有什么影响？如果忽略柱轴向及剪切变形，结构的计算位移增大还是减小？

第6章 钢筋混凝土框架设计

框架和剪力墙可以分别组成框架结构和剪力墙结构，同时，框架和剪力墙也是钢筋混凝土房屋建筑两种基本结构单元，组成广泛用于高层建筑的框架-剪力墙结构、框架-核心筒结构和筒中筒结构等结构类型。本章介绍钢筋混凝土框架设计，主要包括延性框架抗震设计原则、框架梁设计、框架柱设计、梁-柱节点核心区设计以及钢筋连接和锚固。

6.1 延性框架抗震设计原则

基于多遇地震即小震设计的混凝土建筑结构，具有在小震作用下保持弹性的承载能力和一定的侧向刚度，在预估的罕遇地震即大震作用下，部分构件屈服，结构进入弹塑性，承载能力降低，结构变形（如：层间位移）远大于小震作用下的弹性变形。为了避免大震作用下房屋建筑倒塌，结构的弹塑性变形能力必须大于大震作用下的弹塑性变形，结构的承载能力仍能支承结构的重力荷载及地震作用产生的内力（弯矩、剪力和轴力）。总结地震震害的经验和教训，以及试验研究、工程实践和理论分析的成果，为避免大震作用下倒塌，钢筋混凝土框架的抗震设计应采取以下原则。

1. 强柱弱梁

在重力荷载代表值和水平地震作用组合作用下，框架梁柱两端的弯矩大于中间区段的弯矩，梁柱两端纵向受力钢筋受拉屈服、混凝土压坏，形成尚有一定抗弯能力的塑性铰。框架梁柱除两端以外，中间区段一般不会发生地震引起的破坏。

钢筋混凝土框架的屈服机制（塑性铰的位置）可以归纳为3类：梁铰机制（图6-1a），也称整体机制，各层梁端纵向钢筋屈服、形成塑性铰，除底层柱的嵌固端形成塑性铰外，其他柱端不出塑性铰；柱铰机制（图6-1b），也称局部机制或楼层机制，同一层所有柱的上、下端形成塑性铰，而梁端没有屈服；混合铰机制（图6-1c），若干层梁端、柱端出现塑性铰。"底层"是指结构计算嵌固端所在层。无地下室时或有地下室但计算嵌固端为基础顶面时，底层柱嵌固端为柱与基础连接的一端；有地下室且地下室顶板为计算嵌固端时，首层即为底层，首层柱的下端即为底层柱嵌固端。

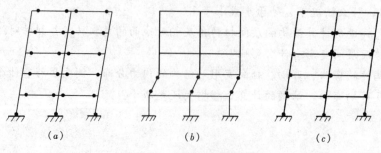

图 6-1 框架屈服机制

(a) 梁铰机制；(b) 柱铰机制；(c) 混合铰机制

梁铰机制框架的抗震性能优于柱铰机制框架的抗震性能，主要因为下述 4 方面的原因：(1) 梁铰机制在各层梁端形成塑性铰，结构的弹塑性变形分散在各楼层，对各层的弹塑性变形能力即延性的要求相对较低；梁是受弯构件，设计合理的梁的弹塑性变形能力大，容易满足地震对各层弹塑性变形能力的要求；梁是水平构件，梁端形成塑性铰一般不会引起结构倒塌。(2) 柱铰机制的塑性铰出现在同一层所有柱的上、下端，结构的塑性变形集中在该层，柱是压弯构件，尤其是轴压比大的柱，弹塑性变形能力相对较小，地震作用下结构的弹塑性变形有可能超过这一层柱的弹塑性变形能力，导致结构倒塌。(3) 梁只承担本层一定范围内的重力荷载，梁破坏、失效可能引起结构局部坍塌；柱是竖向构件，承担本层及以上所有层的一定范围内的重力荷载，柱破坏、失效可能引起结构整体倒塌，后果比梁失效严重得多。(4) 梁铰机制在各层梁端及底层柱嵌固端形成塑性铰，若底层柱嵌固端的塑性铰具有足够大的弹塑性变形能力，则沿结构高度层间位移分布比较均匀，降低了结构局部破坏的可能性。因此，使塑性铰出现在梁端，同时，通过加大底层柱嵌固端截面的承载能力、塑性变形能力，实现梁铰机制，是保证大震作用下钢筋混凝土框架免于倒塌的主要设计理念。

图 6-2 所示为都江堰都江之春在 2008 年汶川地震中破坏的照片。都江之春为 6 层钢筋混凝土框架结构，首层为停车场，除楼梯间外没有砖填充墙，2～6 层为公寓，建筑四周、中间走道两侧、各房间之间都砌筑砖填充墙。砖填充墙增大了 2～6 层的刚度和承载力，使首层成为薄弱层和软弱层。地震中，首层柱上下两端形成塑性铰，成为柱铰机制；2～6 层梁柱没有出现塑性铰，砖墙基本没有开裂。地震后，首层的残余层间位移约有 250mm。由于首层柱的弹塑性变形能力较大，结构未倒塌。

(a)   (b)

图 6-2 框架柱铰机制破坏
(a) 底层柱两端形成塑性铰；(b) 底层柱上端塑性铰

梁铰机制是框架理想的屈服机制，为实现梁铰机制，就必须采取"强柱弱梁"的设计原则。强柱弱梁是指：梁柱节点上、下柱端截面在轴压力作用下顺时针或反时针方向的偏心受压正截面承载力对应的弯矩（以下简称为受弯承载力）之和，大于该节点左、右梁端截面反时针或顺时针方向的受弯承载力之和。

按照强柱弱梁设计的框架，若节点处柱的受弯承载力之和仅略大于梁的受弯承载力之和，由于下述原因，还是不能实现理想的梁铰机制：楼板作为梁的翼缘，其有效宽度范围内的钢筋参与工作，增大了梁的受弯承载力，楼板的有效宽度随着梁受弯屈服的程度而变化，即使在计算梁的受弯承载力时考虑了一定范围内楼板的钢筋，但随着梁屈服程度加大，还有可能小于实际的有效宽度，梁的实际受弯承载力还可能大于计算受弯承载力；柱的受弯承载力与作用在柱上的轴力大小有关，大震时柱的轴力与小震时的轴力不同，由于轴力变化，大震时柱的受弯承载力可能小于小震时的受弯承载力；梁纵向钢筋的实际强度超过计算采用的强度较多，虽然柱纵向钢筋的实际强度也可能超过计算采用的强度，但梁钢筋超强对其受弯承载力的影响更大些。按照强柱弱梁设计的框架，柱端还有可能屈服，形成梁端、柱端都有塑性铰的混合铰机制。

2. 梁（柱）延性受弯（压弯）破坏

混合铰机制框架的部分梁端及部分柱端屈服、形成塑性铰，因此，框架每个节点的梁端和柱端的塑性铰都应具有满足抗震要求的弹塑性变形能力，实现延性受弯或压弯破坏。

为实现上述目标，梁端及柱端的塑性铰长度范围应设置为箍筋加密区，配置比中间区段更多的箍筋。研究表明，塑性铰长度为梁截面高或柱截面长边长的1～2倍。通过加密箍筋，提高塑性铰区混凝土的受压变形能力，同时，箍筋作为纵向钢筋的支点，防止塑性铰区纵向钢筋在混凝土压坏以前压曲。纵向钢筋压曲会导致钢筋侧向鼓出，将保护层混凝土崩掉，降低梁柱的承载力。

大偏心受压破坏的钢筋混凝土柱，其延性和耗能能力高于小偏心受压破坏的柱。主要是因为：当达到正截面受压承载力时，大偏心受压破坏的柱，截面相对受压区高度小于小偏心受压破坏的柱；受弯承载力下降至85%时（此时，柱尚能承担作用于其上的竖向力及水平地震剪力，若受弯承载力下降更多，柱将失效，不能继续承载），截面相对受压区高度变化不大，受压区边缘混凝土达到其极限压应变。混凝土极限压应变相同时，大偏心受压破坏的混凝土柱，其截面极限曲率大，而大、小偏心受压破坏的混凝土柱的截面屈服曲率相差不多。因此，大偏心受压破坏的柱，其截面曲率延性大于小偏心受压破坏的柱。此外，小偏心受压破坏的柱，其力—变形滞回曲线捏拢相对严重些，耗能能力低于大偏心受压破坏的柱。因此，要尽可能使框架柱实现大偏心受压破坏。

3. 避免非延性破坏

剪切破坏、轴压破坏、钢筋粘结锚固破坏、节点核心区破坏都属于非延性破坏。

梁、柱剪切破坏属于脆性破坏。图6-3（a）所示为柱剪切破坏震害的照片。剪切破坏的梁、柱，达到其受剪承载力后，随变形增大承载力很快下降，弹塑性变形能力小；其力—变形滞回曲线"捏拢"严重，耗能能力差。柱剪切破坏还会降低其轴向受压承载力，引起柱轴压破坏。因此，框架梁、柱应按"强剪弱弯"设计，即梁、柱的受剪承载力应大于其受弯承载力对应的剪力。

图6-3   钢筋混凝土柱非延性破坏

（a）剪切破坏；（b）轴压破坏；（c）核心区破坏

柱的轴压力过大，地震中有可能发生轴压破坏（图 6-3b），轴压破坏的柱很快丧失其承载力，承担的轴力转移到相邻的柱，引起相邻柱轴压破坏、丧失承载力，最终可能导致结构连续倒塌。小震设计时限制柱的轴压比，是防止框架柱轴压破坏的关键。

核心区是连接梁和柱、使梁柱成为整体的关键部位。在地震往复作用下，核心区破坏（图 6-3c）导致框架的整体性降低，甚至可能导致框架倒塌。而伸入核心区的框架梁纵筋与混凝土之间的粘结破坏，导致纵筋强度不能充分发挥，降低梁的受弯承载力。粘结破坏导致纵筋在核心区滑移，梁端转角增大，从而增大层间位移。因此，框架设计的原则之一是强核心区、强锚固，即：核心区的受剪承载力大于左、右梁端截面顺时针或反时针方向受弯承载力之和对应的核心区剪力，在梁端塑性铰区充分发展前，避免核心区剪切破坏；伸入核心区的梁、柱纵向钢筋，在核心区内应有足够的锚固长度，避免地震作用下粘结破坏。

4. 避免非结构构件对框架抗震的不利影响

对框架结构抗震可能造成不利影响的非结构构件主要是砖填充墙和现浇钢筋混凝土楼梯。

与框架柱没有拉结的砖填充墙，在地震中容易破坏、塌落（图 6-4），造成财产损失，甚至人员伤亡。

由于砖填充墙有一定的刚度和承载力，布置不合理将对框架结构抗震产生不利影响，甚至改变框架或梁柱的抗震性能，主要包括：砖填充墙增大了框架梁的抗弯刚度和受弯承载力，汶川地震中，很少有梁端出现塑性铰的震害，砖填充墙的影响是原因之一；造成软弱层或薄弱层，形成柱铰机制，甚至导致结构坍塌；使结构刚度偏心，扭转造成破坏；使长柱变成短柱，造成剪切破坏。

图 6-4 框架结构中的砖填充墙坍塌

图 6-2 所示的都江之春底层形成柱铰机制，原因就是 2～6 层的砖填充墙使其刚度和承载力远大于底层，底层成为软弱层和薄弱层。图 6-5 所示为汶川地震中底部 2 层坍塌的 5 层框架结构建筑，该建筑 3～5 层的砖填充墙比底部 2 层的多，底部 2 层成为软弱层而坍塌。图 6-6 所示为扭转引起的 4 层框架结构的震害，底层东侧横向砖填充墙比西侧多，造成刚度偏心，汶川地震中，西侧底层外墙、内横墙破坏严重，西侧底层角柱上端破坏。图 6-7 所示的框架柱，砖填充墙使其净高减小成为短柱，地震中剪切破坏。

图 6-5 底部 2 层坍塌　　图 6-6 扭转引起的震害　图 6-7 剪切破坏的短柱

楼梯是框架结构地震时的逃生通道。汶川地震中许多梯梁、梯段板破坏，还有梯段板坍塌的震害（图 6-8），造成逃生通道堵塞、中断；楼梯两侧的砖墙倒塌，堆积在楼梯上，堵住了逃生通道。支承楼梯平台板的混凝土柱，由于平台板的作用，柱的净高减小，长柱变为短柱，地震中破坏（图 6-9）。

图 6-8   梯段板断裂坍塌   图 6-9   楼梯平台板造成短柱破坏

为了避免非结构构件的震害及其对框架抗震的不利影响，应对非结构构件进行抗震设计，对非结构构件特别是有刚度和承载力的砖填充墙与结构的连接进行抗震设计。如果能够用好非结构构件的刚度和承载力，可以有效增大钢筋混凝土框架结构的抗地震倒塌能力。

非结构构件的抗震及其与结构抗震的关系，不属于本章的内容。上述钢筋混凝土框架的抗震设计原则 1～3，将在下面各节给出具体实施的设计方法。

6.2   框 架 梁 设 计

梁是钢筋混凝土框架的主要耗能构件。影响梁的延性和耗能的主要因素有：破坏形态，截面混凝土相对受压区高度，梁端塑性铰区混凝土约束程度等。

6.2.1   框架梁的破坏形态

框架梁的破坏形态可以归纳为两类：弯曲破坏和剪切破坏。剪切破坏属延性小、耗能差的脆性破坏，通过强剪弱弯设计，可以避免剪切破坏，实现弯曲破坏。

梁的弯曲破坏有三种形态：少筋破坏、超筋破坏和适筋破坏。图 6-10 为三种弯曲破坏形态梁的截面弯矩—曲率曲线示意图。少筋梁的纵筋屈服后，很快被拉断而发生破坏，梁的承载力小，且达到峰值后，承载力下降快；超筋梁在受拉纵筋屈服前，受压区混凝土被压碎而发生破坏，虽然承载力大，但与少筋梁类似，达到峰值后承载力很快下降。少筋梁没有发挥混凝土的受压变形能力，超筋梁没有发挥钢筋的受拉变形能力，这两种破坏形态都属于延性小的脆性破

图 6-10   不同破坏形态的
梁截面弯矩-曲率曲线

坏。适筋梁的纵筋屈服后，其塑性变形继续增大，同时，截面混凝土受压区高度减小，在梁端形成塑性铰，达到峰值后承载力下降缓慢。适筋梁充分发挥钢筋的受拉变形能力和混凝土的受压变形能力，属于延性破坏。

6.2.2 框架梁抗弯设计

1. 梁端截面纵向配筋与相对受压区高度

钢筋混凝土框架梁应按适筋梁设计。在适筋梁的情况下，截面曲率延性大小还有差别。相对受压区高度大，截面曲率延性小；反之，相对受压区高度小，截面曲率延性大。图 6-11 所示的矩形截面钢筋混凝土适筋梁，由于纵向钢筋的配筋量不同，受压区边缘混凝土达到其极限压应变 ε_{cu} 时的受压区高度不同。截面的极限曲率分别用 $\phi_{u1} = \varepsilon_{cu}/x_1$ 和 $\phi_{u2} = \varepsilon_{cu}/x_2$ 计算，显然，$\phi_{u2} > \phi_{u1}$，即相对受压区高度小，截面的极限曲率大。

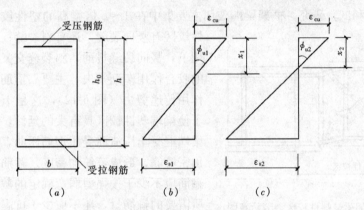

图 6-11 适筋梁截面极限变形时的应变分布
(a) 矩形截面双筋梁；(b) 应变分布 1；(c) 应变分布 2

由受弯极限状态平衡条件，双筋矩形截面适筋梁的相对受压区高度 ξ（$\xi = x/h_{b0}$，x 为受压区高度，h_{b0} 为截面有效高度）可以用下式计算：

$$\xi = \frac{\rho_s f_y}{\alpha_1 f_c} - \frac{\rho_s' f_y'}{\alpha_1 f_c} \tag{6-1}$$

式中　α_1——与混凝土强度等级有关的等效矩形应力图的应力系数，不超过 C50 时取 1.0，C80 时取 0.94，C50 与 C80 之间时取线性插值；

　　ρ_s、ρ_s'——分别为受拉钢筋和受压钢筋的配筋率；

　　f_y、f_y'——分别为受拉钢筋和受压钢筋的抗拉强度设计值，一般情况下，$f_y = f_y'$；

　　f_c——混凝土轴心抗压强度设计值。

由式（6-1）可见，增大受拉钢筋的配筋率，相对受压区高度增大；增大受压钢筋的配筋率，相对受压区高度减小。因此，为实现延性框架梁，应限制梁端上部受拉钢筋的配筋率，同时，必须在框架梁端底部配置一定量的受压钢筋，以减小框架梁端塑性铰区截面的相对受压区高度。

2. 梁截面抗弯验算

框架梁的受弯承载力用下式验算：

持久、短暂设计状况

$$M_b \leqslant (A_s - A'_s)f_y(h_{b0} - 0.5x) + A'_s f_y(h_{b0} - a') \tag{6-2a}$$

地震设计状况

$$M_b \leqslant \frac{1}{\gamma_{RE}}[(A_s - A'_s)f_y(h_{b0} - 0.5x) + A'_s f_y(h_{b0} - a')] \tag{6-2b}$$

式中　M_b——梁端控制截面（即与柱交界的截面）组合的弯矩设计值；

　A_s、A'_s——分别为受拉钢筋截面面积和受压钢筋截面面积；

　a'——受压钢筋合力点至截面受压边缘的距离；

　γ_{RE}——承载力抗震调整系数，取 0.75。

6.2.3　框架梁抗剪设计

1. 框架梁端塑性铰区箍筋

根据震害和试验研究，框架梁端破坏主要集中在 1～2 倍梁高的塑性铰区范围内。塑

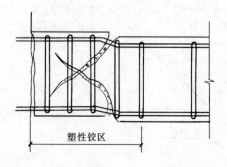

图 6-12　框架梁端塑性铰区裂缝示意图

性铰区有竖向裂缝，还有斜裂缝；在地震往复作用下，竖向裂缝贯通，斜裂缝交叉，混凝土骨料的咬合作用渐渐丧失，主要靠箍筋和纵筋的销键作用传递剪力（图 6-12），这是十分不利的。为了使梁端塑性铰区具有大的延性，同时为了防止梁端混凝土压溃前受压钢筋压曲，应在梁的两端加密箍筋，形成箍筋加密区。箍筋加密区配置的箍筋应不少于按强剪弱弯确定的截面受剪承载力所需要的箍筋量，还不应少于抗震构造措施要求配置的最低箍筋量，这是保证梁端塑性铰区延性

及避免纵筋过早压曲的最低配箍要求。

2. 剪力设计值

根据强剪弱弯的抗震设计原则，框架梁端箍筋加密区应按图 6-13 所示的计算简图，以弯矩平衡计算得到的剪力作为剪力设计值，进行受剪承载力验算。其中，梁端截面的受弯承载力应按梁实际配置的纵向钢筋计算。工程设计中，梁端实配钢筋不超过计算配筋的 10% 时，可以采用简化的方法，将承载力之间相对大小的关系，转换为内力设计值的关系，采用剪力增大系数代替实配计算，并对不同抗震等级的框架梁采用不同的剪力增大系数。对于一级框架结构的梁以及 9 度一级框架的梁，需按梁端实际配置的纵向钢筋的抗震

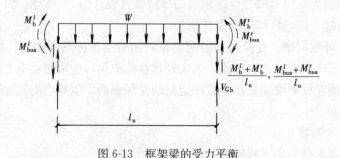

图 6-13　框架梁的受力平衡

受弯承载力确定剪力设计值，即使按增大系数得到的剪力设计值大于按实配纵向钢筋计算的剪力设计值，也可不采用增大系数得到的剪力设计值。

特一、一、二、三级框架的梁端截面组合的剪力设计值按下式计算：

$$V = \eta_{vb}(M_b^l + M_b^r)/l_n + V_{Gb} \tag{6-3a}$$

一级框架结构的梁及 9 度一级框架的梁，按梁端实配的纵向钢筋的抗震受弯承载力确定剪力设计值，即：

$$V = 1.1(M_{bua}^l + M_{bua}^r)/l_n + V_{Gb} \tag{6-3b}$$

式中　　V——梁端截面组合的剪力设计值；

　　　　l_n——梁的净跨；

　　　　V_{Gb}——梁在重力荷载代表值（9 度时高层建筑还包括竖向地震作用标准值）作用下，按简支梁计算的梁端截面剪力设计值；

　M_b^l、M_b^r——分别为梁左、右端截面反时针或顺时针方向组合的弯矩设计值，特一、一级框架两端均为负弯矩时，绝对值较小的弯矩取零；

M_{bua}^l、M_{bua}^r——分别为梁左、右端截面反时针或顺时针方向实配的正截面抗震受弯承载力所对应的弯矩值，$M_{bua} = M_{bu}/\gamma_{RE}$，$M_{bu}$ 为根据实配钢筋面积（计入受压钢筋和相关楼板钢筋）和材料强度标准值计算的梁端截面受弯承载力，γ_{RE} 为承载力抗震调整系数，取 0.75；

　　　η_{vb}——梁端剪力增大系数，特一级取 1.6，一级取 1.3，二级取 1.2，三级取 1.1。

公式（6-3b）中的系数 1.1 是考虑了钢筋的实际强度可能大于规范规定的强度标准值。由于地震是往复作用的，$M_b^l + M_b^r$ 和 $M_{bua}^l + M_{bua}^r$ 须取反时针方向之和以及顺时针方向之和两者的较大者。

特一、一、二、三级框架梁端箍筋加密区以外的中间区段以及四级框架梁，其剪力设计值取最不利组合剪力计算值。

3. 受剪承载力验算

仅配置箍筋的一般框架梁的受剪承载力按下列公式验算：

持久、短暂设计状况

$$V \leqslant 0.7f_t bh_0 + f_{yv}A_{sv}h_0/s \tag{6-4a}$$

地震设计状况

$$V \leqslant (0.42f_t bh_0 + f_{yv}A_{sv}h_0/s)/\gamma_{RE} \tag{6-4b}$$

式中　V——梁端剪力设计值；

　　　f_t——混凝土抗拉强度设计值；

　　　f_{yv}——箍筋抗拉强度设计值；

　b、h_0——分别为梁截面宽度和有效高度；

　　　A_{sv}——配置在同一截面内箍筋各肢的全部截面面积；

　　　s——沿构件长度方向的箍筋间距；

　　　γ_{RE}——承载力抗震调整系数，取 0.85。

持久、短暂设计状况时，梁内可以配置弯起抗剪钢筋，受剪承载力验算公式（6-4a）中，没有计入弯起钢筋的作用。由于弯起钢筋只能抵抗单方向的剪力，而地震是往复作用，因此，抗震设计状况时，框架梁不配置弯起钢筋。

6.2.4　框架梁基本抗震构造措施

1. 最小截面尺寸

框架梁的截面尺寸应满足三方面的要求：承载力要求、构造要求、抗剪截面要求（即剪压比限值要求）。承载力要求通过承载力验算实现，后两者通过抗震构造措施实现。

框架主梁的截面高度可按（1/18～1/10）l_b 确定，l_b 为主梁计算跨度，满足此要求时，在一般荷载作用下，可不验算挠度。框架梁的截面宽度不小于 200mm，截面高宽比不大于 4，净跨与截面高度之比不小于 4。

如式（6-4）所示，梁的受剪承载力由混凝土和箍筋两部分的受剪承载力组成。当配置的箍筋超过一定量后，增加箍筋不能推迟斜裂缝出现，同时，混凝土剪切破坏时，箍筋尚未屈服，增加箍筋对受剪承载力的提高作用很小。为避免出现斜压脆性破坏，梁的抗剪截面不能过小，即梁的剪力设计值或梁的名义剪应力不能过大，应符合下列要求，不符合时可加大截面尺寸或提高混凝土强度等级：

持久、短暂设计状况

$$V \leqslant 0.25\beta_c f_c b h_0 \tag{6-5a}$$

地震设计状况

跨高比大于 2.5 的梁　　　$V \leqslant (0.2\beta_c f_c b h_0)/\gamma_{RE}$ 　　　(6-5b)

跨高比不大于 2.5 的梁　　$V \leqslant (0.15\beta_c f_c b h_0)/\gamma_{RE}$ 　　(6-5c)

式中　β_c——混凝土强度影响系数，混凝土强度等级不大于 C50 时取 1.0，C80 时取 0.8，高于 C50、低于 C80 时取线性插值。

2. 相对受压区高度和纵向钢筋

为使梁端塑性铰区截面有比较大的曲率延性、具有良好的塑性转动能力成为延性耗能梁，计入受压钢筋作用时，梁端截面混凝土受压区高度应满足以下要求：

特一、一级框架梁　　　　　　$x \leqslant 0.25h_0$ 　　　　　　　　　(6-6a)

二、三级框架梁　　　　　　　$x \leqslant 0.35h_0$ 　　　　　　　　　(6-6b)

式中　x——等效矩形应力图的混凝土受压区高度，计入受压钢筋；

　　　h_0——梁截面有效高度。

特一、一、二、三级框架梁塑性铰区以外的中间区段以及四级框架梁，只要求不出现超筋破坏，即 $x \leqslant \xi_b h_0$，ξ_b 为界限相对受压区高度。

研究表明，钢筋混凝土梁的延性随受拉钢筋配筋率的提高而降低；配置受压钢筋可以增大梁的延性，当配置不少于受拉钢筋 50% 的受压钢筋时，梁的延性可以与低配筋率的梁相当。框架梁端底面配置的受压钢筋面积，除按计算确定外，与顶面受拉钢筋面积的比值应满足以下要求：

特一、一级框架梁　　　　　　$A'_s/A_s \geqslant 0.5$ 　　　　　　　　(6-7a)

二、三级框架梁　　　　　　　$A'_s/A_s \geqslant 0.3$ 　　　　　　　　(6-7b)

式中　A_s、A'_s——分别为梁端顶面受拉钢筋面积和底面受压钢筋面积。

框架梁端顶面纵向受拉钢筋的配筋率不宜大于 2.5%，不应大于 2.75%，以避免成为超筋梁；当大于 2.5% 时，应配置不少于受拉钢筋 50% 的受压钢筋。框架梁端顶面纵向受拉钢筋也不应过少，以避免成为少筋梁，其最小配筋百分率列于表 6-1。表 6-1 中，f_t 为混凝土抗拉强度设计值。

框架梁纵向受拉钢筋最小配筋百分率（％）　　　　　　表 6-1

截面	抗震等级		
	特一、一级	二级	三、四级
支座（取较大值）	0.4 和 $80f_t/f_y$	0.3 和 $65f_t/f_y$	0.25 和 $55f_t/f_y$
跨中（取较大值）	0.3 和 $65f_t/f_y$	0.25 和 $55f_t/f_y$	0.2 和 $45f_t/f_y$

梁的纵筋配置还需满足以下要求：沿梁全长顶面和底面的纵筋，特一、一、二级不少于 2 根直径 14mm 的钢筋，且分别不小于梁两端顶面和底面纵向钢筋中较大截面面积的 1/4；三、四级不少于 2 根直径 12mm 的钢筋。为防止在地震往复作用下梁的纵筋在核心区粘结破坏、出现滑移，特一、一、二、三级框架贯通梁柱中节点核心区的梁纵筋直径不宜过大，对矩形截面柱，不大于柱在该方向截面尺寸的 1/20，对圆形截面柱，不大于纵向钢筋所在位置柱截面弦长的 1/20。

3. 梁端箍筋加密区

框架梁端箍筋加密区的长度不小于可能的塑性铰长度；加密区的箍筋配置，除了要满足受剪承载力的要求外，还要满足不大于最大间距和不小于最小直径的构造要求。规定箍筋最大间距和最小直径的目的，除了约束混凝土、给纵筋提供支点外，还为了控制剪切斜裂缝的宽度，保证每一条斜裂缝穿过一定数量的箍筋。梁端箍筋加密区的长度、箍筋最大间距和最小直径列于表 6-2。当梁端纵向受拉钢筋配筋率大于 2％时，表中箍筋最小直径的数值还要增大 2mm。框架梁非加密区箍筋最大间距不大于加密区箍筋最大间距的 2 倍。

框架梁端箍筋加密区的长度、箍筋的最大间距和最小直径　　　表 6-2

抗震等级	加密区长度（mm）（取较大值）	箍筋最大间距（mm）（取最小值）	箍筋最小直径（mm）
特一、一	$2.0h_b$，500	$h_b/4$，$6d$，100	10
二	$1.5h_b$，500	$h_b/4$，$8d$，100	8
三	$1.5h_b$，500	$h_b/4$，$8d$，150	8
四	$1.5h_b$，500	$h_b/4$，$8d$，150	6

注：1. d 为纵向钢筋直径，h_b 为梁截面高度；

2. 特一、一、二级框架梁，当箍筋直径大于 12mm、数量不少于 4 肢且肢距不大于 150mm 时，最大间距可放宽到 150mm。

4. 箍筋构造

梁端箍筋加密区的箍筋肢距，特一、一级不大于 200mm 和 20 倍箍筋直径的较大值，二、三级不大于 250mm 和 20 倍箍筋直径的较大值，四级不大于 300mm。

地震往复作用下，梁端塑性铰区混凝土开裂、压坏，体积膨胀，为了防止箍筋弯钩拉开、破坏混凝土保护层及纵向钢筋失去支点而压曲，要采用端部为 135°弯钩的整体封闭箍（图 6-14a）或焊接封闭箍（图 6-14b），整体封闭箍 135°弯钩的直段长度不小于箍筋直径的 10 倍和 75mm 的较大者。有些情况下，如叠合梁的非箍筋加密区，也可以采用由开

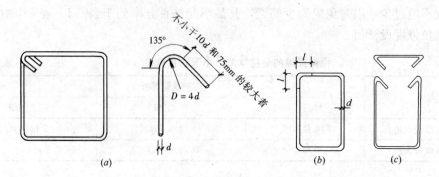

图 6-14　箍筋形式

(a) 端部为 135°弯钩的整体封闭箍；(b) 焊接封闭箍；(c) 组合封闭箍

图 (b) 中：d 为箍筋直径，l 为焊接长度。双面焊时不小于 5d，单面焊时不小于 10d。

口箍筋和箍筋帽组成的组合封闭箍（图 6-14c），开口箍筋上方两端弯钩不小于 135°，弯钩直段长度不小于箍筋直径的 10 倍，箍筋帽两端为 135°弯钩，也可一端为 135°弯钩、另一端为 90°弯钩，135°弯钩和 90°弯钩沿纵向钢筋方向交错布置，135°弯钩直段长度及 90°弯钩平直段长度不小于箍筋直径的 10 倍。

在纵向钢筋搭接长度范围内的箍筋间距，纵向钢筋受拉时不大于搭接钢筋较小直径的 5 倍，且不大于 100mm；纵向钢筋受压时不大于搭接钢筋较小直径的 10 倍，且不大于 200mm。

箍筋的量也不能过少。箍筋过少不能起到控制斜裂缝开展的作用，骨料咬合力的抗剪作用消失。特别是梁发生斜拉破坏时，临界斜裂缝一旦出现，过少箍筋不足以负担原来由混凝土承受的拉力，箍筋屈服，不能起到提高受剪承载力的作用，实际受剪承载力将小于式（6-4）的计算结果，框架梁不安全。为此，规定了沿框架梁全长箍筋的面积配筋率：

特一级　　　　　　　　$\rho_{sv} \geqslant 0.33 f_t / f_{yv}$　　　　　　　　　　（6-8a）

一级　　　　　　　　　$\rho_{sv} \geqslant 0.3 f_t / f_{yv}$　　　　　　　　　　（6-8b）

二级　　　　　　　　　$\rho_{sv} \geqslant 0.28 f_t / f_{yv}$　　　　　　　　　（6-8c）

三、四级　　　　　　　$\rho_{sv} \geqslant 0.26 f_t / f_{yv}$　　　　　　　　　（6-8d）

式中　ρ_{sv}——沿框架梁全长箍筋的面积配筋率。

6.3　框架柱设计

框架柱是竖向构件，承受竖向力以及地震往复水平剪力作用，处于压弯剪状态或拉弯剪状态，受力状态比框架梁复杂；地震时柱破坏和丧失承载能力比梁破坏和丧失承载能力更容易引起框架倒塌，是比梁重要的结构构件。

6.3.1　框架柱的破坏形态

在国内外历次大地震中，钢筋混凝土柱的震害主要表现在：柱端混凝土压碎、箍筋拉断、纵筋压屈呈灯笼状；沿柱全高混凝土破碎，纵筋压曲；剪切破坏，出现 X 形斜裂缝；角柱比中柱破坏严重。考察地震破坏的框架柱可以发现，这些柱的箍筋直径小、间距大，且大都是普通箍，箍筋对混凝土的约束作用小，也不能防止纵向钢筋过早压曲。

地震作用下，柱的破坏形态包括偏心受压破坏和剪切破坏，偏心受压破坏包括大偏心受压破坏和小偏心受压破坏，剪切破坏包括剪压破坏和斜拉破坏。

6.3.2　框架柱正截面承载力验算

1. 轴力、弯矩设计值

持久、短暂设计状况，取最不利内力组合计算值作为轴力、弯矩设计值；地震设计状况，特一、一、二、三、四级框架柱，轴力取最不利内力组合计算值作为设计值，弯矩设计值要根据强柱弱梁及局部加强等要求，对弯矩组合计算值进行调整、增大，作为设计值。

（1）按强柱弱梁确定柱端弯矩设计值

图 6-15 为框架梁-柱节点梁端、柱端弯矩示意图。根据强柱弱梁设计原则，在框架梁-柱节点处，上、下柱端在竖向力作用下顺时针或反时针方向的实际抗震受弯承载力之和，应大于左、右梁端反时针或顺时针方向的实际抗震受弯承载力之和。在工程设计中，采用两种方法进行强柱弱梁设计，方法一为增大系数法，将实际抗震受弯承载力的关系转为内力设计值的关系，柱端组合的弯矩计算值乘以一个大于 1.0 的增大系数，成为承载力验算采用的弯矩设计值；方法二为实配方法，采用梁端按实际配置的钢筋等计算得到的抗震受弯承载力对应的弯矩，确定柱端组合的弯矩设计值。

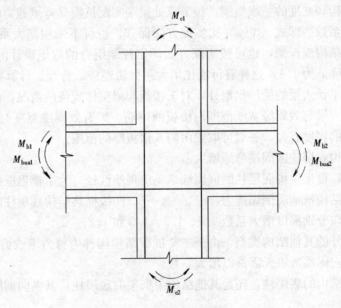

图 6-15　框架节点梁、柱端弯矩示意图

特一、一、二、三、四级框架柱采用增大系数法确定柱端组合的弯矩设计值时，按下式计算确定：

$$\sum M_c = \eta_c \sum M_b \tag{6-9a}$$

一级框架结构和 9 度的一级框架不采用增大系数法，而是采用梁端实配抗震受弯承载力确定柱端组合的弯矩设计值：

$$\sum M_c = 1.2 \sum M_{bua} \qquad (6\text{-}9\text{b})$$

式中 $\sum M_c$——节点上、下柱端截面顺时针或反时针方向组合的弯矩设计值之和，上下柱端各自的弯矩设计值，可按弹性分析所得的上下柱端截面弯矩之比分配；

$\sum M_b$——节点左、右梁端截面反时针或顺时针方向组合的弯矩设计值之和，特一、一级框架节点左右梁端均为负弯矩时，绝对值较小的弯矩取零；

$\sum M_{bua}$——节点左、右梁端截面反时针或顺时针方向实配的正截面抗震受弯承载力对应的弯矩值之和，根据实配钢筋面积（计入梁受压钢筋和梁有效翼缘宽度范围内的楼板钢筋）和材料强度标准值并考虑承载力抗震调整系数确定；

η_c——柱端弯矩增大系数；对框架结构，二、三、四级分别取 1.5、1.3、1.2；其他结构类型中的框架（包括框支框架），特一级取 1.7，一级取 1.4，二级取 1.2，三、四级取 1.1。

当框架柱的反弯点不在层高范围内时，说明这些层框架梁的刚度相对较弱。为避免在竖向荷载和地震共同作用下变形集中，柱压曲失稳，柱端截面组合的弯矩设计值也要乘以上述柱端弯矩增大系数。

框架顶层柱和轴压比小于 0.15 的柱，由于轴压比小，具有比较大的变形能力，可取最不利组合弯矩计算值作为设计值，而不按式（6-9）确定弯矩设计值。

一级框架结构和 9 度的一级框架，按节点处梁端实配抗震受弯承载力确定柱端弯矩设计值，即使增大系数法即式（6-9a）比实配方法保守，也可不采用增大系数法。对于二、三、四级的框架结构或框架，也可按实配方法确定柱端组合的弯矩设计值，但式（6-9b）中的系数 1.2 可降低为 1.1，这样有可能比增大系数法经济、合理。计算梁端实配抗震受弯承载力时，除了计入梁的受压钢筋外，对于楼板与梁整体现浇的情况，由于楼板与梁共同工作，还要计入梁有效翼缘宽度范围内楼板的钢筋。梁有效翼缘宽度与地震作用下梁、楼板进入弹塑性的程度有关，一般可取梁两侧 6 倍板厚的范围。

（2）框架结构底层柱嵌固端弯矩增大

强震作用下，框架结构底层柱的嵌固端难免出现塑性铰。为了推迟框架结构柱嵌固端屈服，提高框架结构抗地震倒塌能力，一、二、三、四级框架结构底层柱的下端截面组合的弯矩计算值，应分别乘以增大系数 1.7、1.5、1.3 和 1.2。

框架结构以外的其他结构类型，由于主要抗震结构构件为剪力墙或剪力墙围成的筒，因此，其框架柱嵌固端弯矩无需乘以增大系数。

无论是框架结构的底层柱，还是其他结构中框架的底层柱，其纵向钢筋应按上、下端的不利情况配置。

（3）框支柱

为了避免框支柱过早破坏，部分框支剪力墙结构的框支柱内力设计值要通过调整确定。

当框支柱的数量不少于 10 根时，框支柱地震剪力设计值之和不小于结构底部总剪力的 20%；当框支柱的数量少于 10 根时，每根框支柱的地震剪力设计值不小于结构底部总地震剪力的 2%。框支柱的弯矩设计值按上述要求作相应调整。

框支柱正截面承载力验算时，由地震作用产生的轴压力乘以增大系数，特一、一、二级框支柱的增大系数分别为 1.8、1.5 和 1.2。计算轴压比时，地震作用产生的轴力不乘该增大系数。

框支层顶层柱的上端与水平转换构件（如转换大梁）连接，转换构件的受弯承载力大，难以按式（6-9）强柱弱梁的要求确定其组合的弯矩设计值，可将其组合的弯矩计算值乘以增大系数作为弯矩设计值，特一级为 1.8，一、二级为 1.5；框支层底层柱的下端为嵌固端，其组合的弯矩计算值乘以增大系数作为弯矩设计值，特一级为 1.8，一、二级为 1.25；框支层中间各层梁柱节点需满足式（6-9a）的要求。

（4）角柱

地震作用下角柱的受力最为不利。在两个主轴方向地震作用下，角柱除了双向受弯外，两个方向的地震都对角柱产生轴压力。因此，特一、一、二、三、四级框架的角柱，按上述方法调整后的组合弯矩设计值，应再乘以不小于 1.10 的增大系数。

2. 柱正截面承载力验算

柱端截面的轴力、弯矩设计值确定后，按压弯构件验算其正截面承载力。角柱按双向偏心受压构件验算其压弯承载力。

地震设计状况与持久、短暂设计状况的验算公式相同，但地震设计状况需计入构件承载力抗震调整系数。

6.3.3 框架柱受剪承载力验算

1. 剪力设计值

框架柱和框支柱都需满足强剪弱弯的要求。特一、一、二、三、四级框架柱和框支柱采用增大系数确定剪力设计值，即

$$V = \eta_{vc}(M_c^b + M_c^t)/H_n \tag{6-10a}$$

一级框架结构和 9 度的一级框架不采用增大系数法，而采用实配方法确定剪力设计值：

$$V = 1.2(M_{cua}^b + M_{cua}^t)/H_n \tag{6-10b}$$

式中　V——柱截面组合的剪力设计值，框支柱的剪力设计值还需符合上述框支柱承受最小地震剪力的要求；

　　　H_n——柱的净高；

M_c^t、M_c^b——分别为柱的上、下端顺时针或反时针方向截面的组合的弯矩设计值（取调整增大后的弯矩设计值，包括角柱的增大系数），且取顺时针方向之和及反时针方向之和两者的较大值，框支柱的弯矩设计值还需符合上述框支柱弯矩设计值的要求；

M_{cua}^t、M_{cua}^b——分别为偏心受压柱的上、下端顺时针或反时针方向实配的抗震受弯承载力所对应的弯矩值，根据实配钢筋面积、材料强度标准值和轴力等确定；

　　　η_{vc}——柱剪力增大系数，一、二、三、四级框架结构分别取 1.5、1.3、1.2、1.1，对其他结构类型的框架，特一级取 1.7，一级取 1.4，二级取 1.2，三、四级取 1.1。

2. 斜截面受剪承载力验算

矩形截面偏心受压柱的斜截面受剪承载力按下列公式验算：

持久、短暂设计状况

$$V \leqslant \frac{1.75}{\lambda+1} f_t b h_0 + f_{yv} \frac{A_{sv}}{s} h_0 + 0.07N \tag{6-11a}$$

地震设计状况

$$V \leqslant \frac{1}{\gamma_{RE}} \left(\frac{1.05}{\lambda+1} f_t b h_0 + f_{yv} \frac{A_{sv}}{s} h_0 + 0.056N \right) \tag{6-11b}$$

式中　N——与剪力设计值相应的轴压力设计值，当 $N > 0.3 f_c A_c$ 时，取 $N = 0.3 f_c A_c$，A_c 为柱截面面积；

　　　λ——验算截面的剪跨比；当 $\lambda < 1$ 时，取 $\lambda = 1$；$\lambda > 3$ 时，取 $\lambda = 3$；

　　　γ_{RE}——承载力抗震调整系数，取 0.85。

当轴力为拉力时，斜截面受剪承载力降低，可将式（6-11）右边最后一项改为 $-0.2N$；当式（6-11）右边括号内的计算值小于 $f_{yv} \frac{A_{sv}}{s} h_0$ 时，取等于 $f_{yv} \frac{A_{sv}}{s} h_0$，且不小于 $0.36 f_t b h_0$。

6.3.4　影响框架柱延性和耗能的主要因素

混凝土强度等级、纵向钢筋配筋率等都是影响框架柱延性和耗能的因素，而主要影响因素为剪跨比、轴压比和箍筋配置。

1. 剪跨比

剪跨比反映了柱端截面承受的弯矩和剪力的相对大小。柱的剪跨比定义为：

$$\lambda = M^c / (V^c h_0) \tag{6-12}$$

式中　λ——剪跨比；

　　　M^c——柱端截面未经内力调整的组合弯矩计算值，取上、下端的较大值；

　　　V^c——柱端截面与组合弯矩计算值对应的组合剪力计算值；

　　　h_0——计算方向柱截面的有效高度。

剪跨比大于 2 的柱为长柱，长柱一般为偏心受压破坏；剪跨比不大于 2 但大于 1.5 的柱为短柱，短柱一般为剪切破坏，若配置足够多的箍筋，也可能实现有一定延性的剪压破坏；剪跨比不大于 1.5 的柱为极短柱，极短柱容易发生剪切斜拉破坏，工程中应尽量避免极短柱。

2. 轴压比

柱的轴压比定义为柱组合的轴压力设计值与柱的全截面面积和混凝土轴心抗压强度设计值乘积的比值，即：

$$n = N / (f_c b h) \tag{6-13}$$

式中　n——柱轴压比；

　　　N——轴压力设计值；

　b、h——分别为柱截面的宽度和高度；

　　　f_c——混凝土轴心抗压强度设计值。

框架柱是小偏心受压破坏还是大偏心受压破坏，与柱截面混凝土相对受压区高度有关；而对称配筋柱截面混凝土相对受压区高度与其轴压比有关，因此，框架柱是小偏心受压破坏还是大偏心受压破坏也与轴压比有关。增大轴压比，也就是增大相对受压区高度。相对受压区高度超过界限值时就成为小偏心受压破坏。对于短柱，增大相对受压区高度可能由剪切受压破坏变为脆性的剪切斜拉破坏。相对受压区高度的界限值可由平衡破坏的条件计算得到。

图 6-16（a）和图 6-16（b）为两个轴压比试验值分别为 0.267 和 0.459 的框架柱在往复水平力作用下的实测水平力-位移滞回曲线。轴压比较大的试件，达到峰值承载力后，承载力下降较快，塑性变形能力相对小一些；滞回曲线的捏拢现象严重些，耗能能力不如轴压比小的试件。

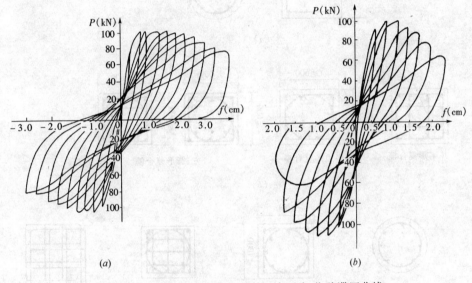

图 6-16　不同轴压比框架柱试件的水平力-位移滞回曲线
(a) 轴压比为 0.267；(b) 轴压比为 0.459

为了使框架柱具有较大的延性和良好的耗能能力，在我国设计规范中，采取的措施之一是限制柱的轴压比。

3. 箍筋

框架柱的箍筋主要有三个作用：抵抗剪力，对混凝土提供约束，防止纵筋过早压屈。箍筋对混凝土的约束程度是影响柱的延性和耗能能力的主要因素之一。约束程度与配箍量、箍筋的抗拉强度以及混凝土强度有关，可以用一个综合指标配箍特征值度量；约束程度同时还与箍筋的形式有关。箍筋配箍特征值用下式计算：

$$\lambda_v = \rho_v \frac{f_{yv}}{f_c} \tag{6-14}$$

式中　λ_v——箍筋配箍特征值；

　　　f_{yv}——箍筋或拉筋的抗拉强度设计值；

　　　ρ_v——箍筋（包括拉筋）的体积配箍率。

配置箍筋的混凝土棱柱体和混凝土柱的轴心受压试验表明，轴向压应力接近峰值时，箍筋约束的核心混凝土迅速膨胀，横向变形增大，箍筋限制了核心混凝土的横向变形，使核心混凝土处于三向受压状态，混凝土的轴心抗压强度和对应的轴向应变得到提高，同时，轴心受压应力-应变曲线的下降段趋于平缓，混凝土的极限压应变增大。

箍筋的形式对混凝土的约束效果也有影响。图 6-17 所示为工程中常用的箍筋形式，包括：普通箍，指单个矩形箍或单个圆形箍；复合箍，指由矩形、多边形、圆形箍或拉筋组成的箍筋；螺旋箍，指螺旋状的箍筋；复合螺旋箍，指由螺旋箍与矩形、多边形、圆形箍或拉筋组成的箍筋；连续复合矩形螺旋箍，指用一根通长钢筋加工而成的箍筋。

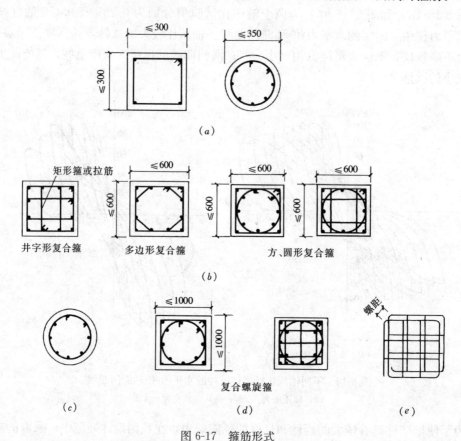

图 6-17　箍筋形式

(*a*) 普通箍；(*b*) 复合箍；(*c*) 螺旋箍；(*d*) 复合螺旋箍；(*e*) 连续复合矩形螺旋箍

柱承受轴向压力时，普通矩形箍在四个转角区域对混凝土提供约束，在直段上不能提供约束；复合箍的箍筋相交点配置纵筋，纵筋和箍筋构成网格式骨架，约束效果好于普通箍；螺旋箍均匀受拉，对混凝土提供均匀的侧压力，螺旋箍、复合螺旋箍和连续复合矩形螺旋箍的约束效果优于普通箍和复合箍。

箍筋的间距对约束的效果也有影响。箍筋间距大于柱的截面尺寸时，对混凝土几乎没有约束；箍筋间距小，对混凝土的约束均匀，约束效果好。箍筋对纵向钢筋提供支点，为了避免纵筋过早压曲，箍筋间距不能过大，直径不能过小。

6.3.5　框架柱基本抗震构造措施

1. 最小截面尺寸

柱的截面尺寸宜符合下列各项要求：截面的宽度和高度，四级或不超过 2 层时不小于

300mm，特一、一、二、三级且超过 2 层时不小于 400mm；圆柱直径，四级或不超过 2 层时不小于 350mm，特一、一、二、三级且超过 2 层时不小于 450mm；剪跨比宜大于 2；截面长边与短边的边长比不宜大于 3。

与框架梁类似，框架柱要满足最小抗剪截面要求，即柱的混凝土强度、截面尺寸确定后，其允许的最大剪力设计值也就确定了：

持久、短暂设计状况

$$V \leqslant 0.25\beta_c f_c bh_0 \tag{6-15a}$$

地震设计状况

$$\text{剪跨比大于 2 的柱} \qquad V \leqslant (0.2\beta_c f_c bh_0)/\gamma_{RE} \tag{6-15b}$$
$$\text{剪跨比不大于 2 的柱、框支柱} \qquad V \leqslant (0.15\beta_c f_c bh_0)/\gamma_{RE} \tag{6-15c}$$

式中 β_c——混凝土强度影响系数，取值见式（6-5）。

2. 纵向钢筋

柱纵向钢筋的配筋量，要满足正截面承载力的要求，同时还要满足表 6-3 列出的柱截面纵向钢筋的最小总配筋率的要求，承载力要求的配筋低于表 6-3 的最小总配筋率时，要按表 6-3 的最小总配筋率配置纵筋。规定最小配筋率的目的是控制混凝土的徐变以及避免混凝土开裂前纵筋屈服。角柱的受力性能比其他柱复杂，其最小总配筋率高于中柱和边柱。此外，柱截面纵向钢筋配置还要满足下述要求：柱截面每一侧配筋率不小于 0.2%；建造于 IV 类场地且较高的高层建筑，表中数值需增加 0.1；框架柱纵向钢筋强度标准值小于 400MPa 时，表中数值增加 0.1，纵向钢筋强度标准值为 400MPa 时，表中数值增加 0.05；混凝土强度等级高于 C60 时，上述数值增加 0.1（如：建造于 IV 类场地且较高的高层建筑、纵向钢筋强度标准值为 400MPa、混凝土强度等级高于 C60，则表中数值增加 0.25）。

框架柱的纵向配筋还需符合下列各项要求：对称配置；截面边长大于 400mm 的柱，纵筋间距不大于 200mm；总配筋率不大于 5%，以避免由于钢筋密集而引起浇筑混凝土困难；剪跨比不大于 2 的一级框架柱，每侧纵向钢筋配筋率不大于 1.2%；地震设计状况下，边柱、角柱及剪力墙端柱为小偏心受拉时，柱的纵筋总截面面积比计算值增加 25%；柱纵筋的绑扎搭接接头设置在受力较小的部位，避开柱端箍筋加密区。

柱截面纵向钢筋的最小总配筋率（%）　　　　　　　　表 6-3

类别	抗 震 等 级				
	特一	一	二	三	四
中柱和边柱	1.4	0.9 (1.0)	0.7 (0.8)	0.6 (0.7)	0.5 (0.6)
角柱	1.6	1.1	0.9	0.8	0.7
框支柱	1.6	1.1	0.9	—	—

注：表中括号内数值用于框架结构柱。

3. 轴压比限值

柱轴压比的计算公式见式（6-10），式中轴力取地震设计状况组合的轴力设计值；对于可不进行地震作用计算的结构，如 6 度设防的乙、丙、丁类建筑，取持久、短暂设计状况组合的轴力设计值。

表 6-4 给出了剪跨比大于 2、混凝土强度等级不高于 C60 的柱的轴压比限值。剪跨比
不大于 2 的柱，轴压比限值应降低 0.05；剪跨比小于 1.5 的柱，轴压比限值应专门研究
并采取特殊的构造措施。

柱轴压比限值   表 6-4

结构类型	抗震等级			
	特一、一	二	三	四
框架结构	0.65	0.75	0.85	0.90
框架-剪力墙，板柱-剪力墙，框架-核心筒及筒中筒	0.75	0.85	0.90	0.95
部分框支剪力墙	0.6	0.7	—	

框架-剪力墙、板柱-剪力墙、框架-核心筒及筒中筒结构中，剪力墙或筒体是主要抗震
结构单元，框架是次要抗震结构单元，可适当放宽柱轴压比限值，比框架结构柱的轴压比
限值大 0.05 或 0.10；部分框支剪力墙结构中框支柱破坏将极大削弱框支层的抗震能力，
框支柱轴压比限值比框架结构柱严一些。

如前所述，复合箍的约束效果好于普通箍、螺旋箍、复合螺旋箍和连续复合矩形螺旋
箍的约束效果好于复合箍；试验研究还表明，在柱截面中部附加纵筋并用箍筋约束形成的
矩形芯柱（图 6-18），可以提高柱的受压承载力及柱的变形能力。因此，沿柱全高采用井
字复合箍、或复合螺旋箍、或连续复合矩形螺旋箍，且箍筋直径、肢距、间距或螺距满足
一定要求时，或在柱截面中部设置满足一定要求的矩形芯柱时，轴压比限值可增加 0.1 或
0.05，但轴压比不应大于 1.05，详见《抗震规范》的规定。

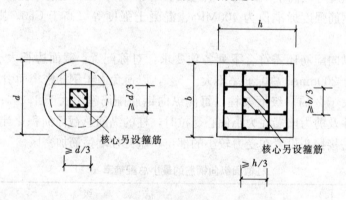

图 6-18   柱截面中部的芯柱

4. 箍筋加密区范围

在地震作用下框架柱可能屈服、形成塑性铰的区段，应设置箍筋加密区，使混凝土成
为延性好的约束混凝土。

剪跨比大于 2 的柱，箍筋加密区的范围（图 6-19）为：①柱的两端取矩形截面高度
（或圆形截面直径）、柱净高的 1/6 和 500mm 三者的最大者；②底层柱的下端不小于柱净
高的 1/3；③ 当为刚性地面时，取刚性地面上下各 500mm。

剪跨比不大于 2 的柱，因设置填充墙等形成的柱净高与柱截面高度之比不大于 4 的
柱，框支柱，特一级、一级和二级框架的角柱，箍筋加密区的范围为柱的全高。需要提高

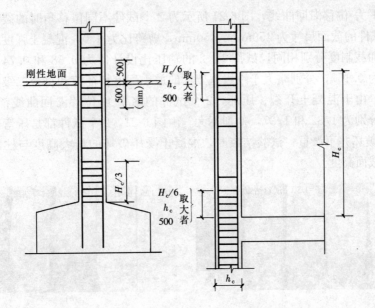

图 6-19 剪跨比大于 2 的柱的箍筋加密区范围

变形能力的柱，箍筋加密区的范围也是柱的全高。

5. 箍筋加密区的箍筋配置

柱箍筋加密区配置的箍筋除应满足受剪承载力要求外，还应符合箍筋肢距、配箍特征值、箍筋间距和箍筋直径的最低要求。

柱箍筋加密区的箍筋肢距，特一、一级不大于 200mm，二、三级不大于 250mm，四级不大于 300mm。至少每隔一根纵向钢筋在两个方向有箍筋或拉筋约束；采用拉筋复合箍时，拉筋紧靠箍筋并勾住纵筋，或紧靠纵向钢筋并勾住箍筋。

柱箍筋加密区的最小配箍特征值与框架的抗震等级、柱的轴压比以及箍筋形式有关，列于表 6-5。抗震等级相同、箍筋形式相同时，轴压比大，则箍筋配箍特征值也大；抗震等级相同、轴压比相同时，普通箍、复合箍的配箍特征值大于螺旋箍、复合螺旋箍或连续复合矩形螺旋箍；箍筋形式相同、轴压比相同时，抗震等级高，则配箍特征值大。这样规定的目的，可以使抗震等级高的柱具有比抗震等级低的柱具有更大的延性和耗能能力，而轴压比不同的柱具有接近的延性和耗能能力。图 6-20 所示为配置拉筋复合箍的 2 个框架

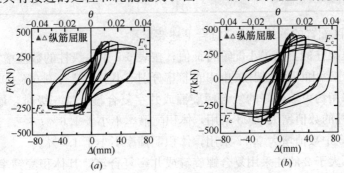

图 6-20 框架柱试件的水平力-位移滞回曲线

(a) 轴压比设计值 0.58；(b) 轴压比设计值 0.74

柱试件的水平力-位移滞回曲线，图 6-21 所示为 2 个试件不同位移角时的裂缝分布及破坏情况。2 个试件的截面尺寸为 450mm×450mm，剪跨比为 4.0，混凝土强度等级、纵向钢筋、水平力加载制度分别相同，试件 1、2 的轴压比设计值为 0.58 和 0.74，配箍特征值设计值都是为 0.157，分别略大于一级框架柱的最小配箍特征值和符合二级框架柱的最小配箍特征值。由于混凝土开裂、压坏，2 个试件的水平力-位移滞回曲线都有一些捏拢，极限位移角分别为 1/32 和 1/37，差别不大。由图 6-21，2 个试件都是压弯破坏，位移角 1/50 时，柱破坏并不严重；试验结束时，混凝土受压破坏的最大高度与柱截面高度相同或略大于柱截面高度。

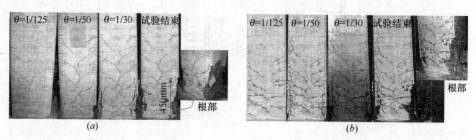

图 6-21　框架柱试件不同位移角时的裂缝分布及破坏情况

(a) 轴压比设计值 0.58；(b) 轴压比设计值 0.74

柱箍筋加密区的箍筋最小配箍特征值　　　　　　　　　　　　　　　表 6-5

抗震等级	箍筋形式	柱轴压比								
		≤0.3	0.4	0.5	0.6	0.7	0.8	0.9	1.0	1.05
一	普通箍、复合箍	0.10	0.11	0.13	0.15	0.17	0.20	0.23	—	—
	螺旋箍、复合或连续复合矩形螺旋箍	0.08	0.09	0.11	0.13	0.15	0.18	0.21	—	—
二	普通箍、复合箍	0.08	0.09	0.11	0.13	0.15	0.17	0.19	0.22	0.24
	螺旋箍、复合或连续复合矩形螺旋箍	0.06	0.07	0.09	0.11	0.13	0.15	0.17	0.20	0.22
三、四	普通箍、复合箍	0.06	0.07	0.09	0.11	0.13	0.15	0.17	0.20	0.22
	螺旋箍、复合或连续复合矩形螺旋箍	0.05	0.06	0.07	0.09	0.11	0.13	0.15	0.18	0.20

柱箍筋加密区配置的箍筋，还要符合下述要求：

① 特一级框架柱的箍筋最小配箍特征值，按表 6-5 中一级柱的数值增大 0.02 采用。

② 一、二、三级和四级框架柱的体积配箍率分别不小于 0.8%、0.6%、0.4% 和 0.4%。

③ 框支柱采用约束效果好的复合螺旋箍或井字复合箍。特一级时，最小配箍特征值按表 6-5 中一级柱的数值增大 0.03 采用，体积配箍率不小于 1.6%；一、二级时，最小配箍特征值按表 6-5 中数值增大 0.02 采用，体积配箍率不小于 1.5%。

④ 剪跨比不大于 2 的柱采用复合螺旋箍或井字复合箍，其体积配箍率不小于 1.2%，9 度一级时不小于 1.5%。

⑤ 计算复合螺旋箍的体积配箍率时，其非螺旋箍的体积应乘以折减系数 0.80。

工程设计中，根据框架的抗震等级等由表 6-5 得到最小配箍特征值，即可计算体积配箍率：

$$\rho_v \geqslant \lambda_v f_c / f_{yv} \tag{6-16}$$

式中 ρ_v——柱箍筋加密区的体积配箍率；

λ_v——柱箍筋加密区的最小配箍特征值；

f_c——混凝土轴心抗压强度设计值，强度等级低于 C35 时按 C35 计算；

f_{yv}——箍筋或拉筋抗拉强度设计值。

箍筋的体积配箍率按下式计算：

$$\rho_v = a_{sk} l_{sk} / (l_1 l_2 s) \tag{6-17}$$

式中 a_{sk}——箍筋单肢截面面积；

l_{sk}——一个截面内箍筋的总长，扣除重叠部分的箍筋长度；

l_1、l_2——外围箍筋包围的混凝土核心的两条边长，可取箍筋的中心线计算；

s——箍筋间距。

柱箍筋加密区箍筋的最大间距和最小直径，一般情况下按表 6-6 采用。

柱箍筋加密区箍筋的最大间距和最小直径 表 6-6

抗震等级	箍筋最大间距（取较小值，mm）	箍筋最小直径（mm）
特一、一	$6d$，100	10
二	$8d$，100	8
三	$8d$，150（柱根 100）	8
四	$8d$，150（柱根 100）	6（柱根 8）

注：d 为柱纵向钢筋直径，柱根指底层柱下端箍筋加密区。

箍筋可以为整体封闭箍或焊接封闭箍，整体封闭箍钢筋的末端必须为 135°弯钩，弯钩的要求与梁箍筋相同，见图 6-14。

框架柱箍筋非加密区的箍筋配置，除应符合受剪承载力要求外，其体积配箍率不小于加密区的 50%；箍筋间距，特一、一、二级框架柱不大于 10 倍纵向钢筋直径，三、四级框架柱不大于 15 倍纵筋直径。

6.4 梁柱节点核心区抗震设计

在竖向荷载和地震作用下，梁柱节点核心区受力复杂，但主要是压力和剪力。若节点核心区的受剪承载力不足，在剪压作用下出现斜裂缝，如图 6-22 所示，在地震往复作用下形成交叉裂缝，混凝土挤压破碎，纵向钢筋压屈呈灯笼状。避免核心区过早剪切破坏的主要措施是配置足够多的箍筋。框架梁、柱的混凝土强度等级不同时，一般情况下，核心区的混凝土强度等级与柱的混凝土强度等级相同，施工中要采取措施保证节点核心区的混凝土强度和密

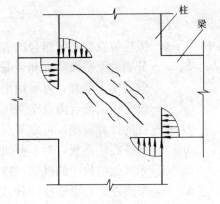

图 6-22 梁柱节点核心区的斜裂缝

实性。

6.4.1　核心区剪力设计值

根据强核心区的抗震设计原则，在梁端钢筋屈服时，核心区不应剪切屈服。因此，取梁端截面达到受弯承载力时的核心区剪力作为其剪力设计值。图 6-23 为中柱节点受力简图，取上半部分为隔离体，由平衡条件可得核心区剪力 V_j，并由梁柱平衡得到 V_c 代入：

$$V_j = (f_{yk}A_s^b + f_{yk}A_s^t) - V_c$$
$$= \frac{M_b^l + M_b^t}{h_{b0} - a_s'} - \frac{M_c^b + M_c^t}{H_c - h_b} = \frac{M_b^l + M_b^t}{h_{b0} - a_s'}\left(1 - \frac{h_{b0} - a_s'}{H_c - h_b}\right) \quad (6\text{-}18)$$

式中　f_{yk}——钢筋抗拉强度标准值，其余符号见图 6-23。

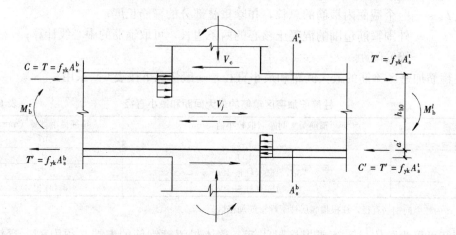

图 6-23　中柱节点受力简图

工程设计中，仍然采用梁端弯矩设计值代替梁端受弯承载力，以简化计算。特一、一、二、三级框架的梁柱核心区组合的剪力设计值用下式计算：

$$V_j = \frac{\eta_{jb}\sum M_b}{h_{b0} - a_s'}\left(1 - \frac{h_{b0} - a_s'}{H_c - h_b}\right) \quad (6\text{-}19a)$$

一级框架结构和 9 度的一级框架采用梁端实配的抗震受弯承载力计算核心区的剪力设计值：

$$V_j = \frac{1.15\sum M_{bua}}{h_{b0} - a_s'}\left(1 - \frac{h_{b0} - a_s'}{H_c - h_b}\right) \quad (6\text{-}19b)$$

式中　V_j——梁柱节点核心区组合的剪力设计值；

　h_b、h_{b0}——分别为梁截面高度和梁截面有效高度，节点两侧梁截面高度和/或梁截面有效高度不等时，可采用平均值；

　a_s'——梁受压钢筋合力点至受压边缘的距离；

　H_c——柱的计算高度，可取节点上、下柱反弯点之间的距离；

　η_{jb}——强核心区系数，对于框架结构，一、二、三级分别取 1.5、1.35 和 1.2，对于其他结构中的框架，特一和一、二、三级分别取 1.35、1.2 和 1.1；

　$\sum M_b$——节点左、右梁端反时针或顺时针方向组合弯矩设计值之和，特一、一级框架节点左、右梁端均为负弯矩时，绝对值较小的弯矩取零；

$\sum M_{bua}$——节点左、右梁端反时针或顺时针方向实配的抗震受弯承载力所对应的弯矩值之和，可根据实配钢筋面积（计入受压钢筋）和材料强度标准值确定。

6.4.2　核心区受剪承载力验算

框架梁柱节点核心区截面的抗震受剪承载力按下式验算：

$$V_j \leqslant \frac{1}{\gamma_{RE}}\left(1.1\eta_j f_t b_j h_j + 0.05\eta_j N \frac{b_j}{b_c} + f_{yv} A_{svj} \frac{h_{b0} - a'_s}{s}\right) \tag{6-20a}$$

9 度的一级框架梁柱节点核心区截面的抗震受剪承载力按下式验算：

$$V_j \leqslant \frac{1}{\gamma_{RE}}\left(0.9\eta_j f_t b_j h_j + f_{yv} A_{svj} \frac{h_{b0} - a'_s}{s}\right) \tag{6-20b}$$

式中　N——对应于组合剪力设计值的上柱组合轴力较小值，当 $N > 0.5 f_c b_c h_c$ 时取 $N = 0.5 f_c b_c h_c$，当 N 为拉力时取 $N = 0$；

b_j——核心区截面有效验算宽度，可按式（6-21）确定；

h_j——核心区截面高度，可采用验算方向的柱截面高度；

A_{svj}——核心区有效验算宽度范围内同一截面验算方向箍筋的总截面面积；

η_j——正交梁的约束影响系数；楼板为现浇、梁柱中线重合、四侧各梁截面宽度不小于该侧柱截面宽度的 1/2，且正交方向梁高度不小于框架梁高度的 3/4 时，可采用 1.5，符合上述规定的 9 度的一级采用 1.25；其他情况均采用 1.0。

节点核心区截面有效验算宽度，按下列规定采用。当验算方向的梁截面宽度不小于该侧柱截面宽度的 1/2 时，可采用该侧柱截面宽度；当小于该侧柱截面宽度的 1/2 时，可采用下列二者的较小值：

$$b_j = b_b + 0.5 h_c \tag{6-21a}$$

$$b_j = b_c \tag{6-21b}$$

当梁、柱的中线不重合且偏心距不大于柱宽的 1/4 时，可采用上述两式和下式计算结果的较小值：

$$b_j = 0.5(b_b + b_c) + 0.25 h_c - e \tag{6-21c}$$

式中　b_c、h_c——分别为验算方向柱截面宽度和高度；

e——梁与柱中线偏心距。

为了避免核心区过早出现斜裂缝、混凝土压坏，核心区的抗剪截面不应过小，即平均剪应力不应过高。核心区组合的剪力设计值应符合下式要求：

$$V_j \leqslant \frac{1}{\gamma_{RE}}(0.30\eta_j \beta_c f_c b_j h_j) \tag{6-22}$$

6.4.3　核心区基本抗震构造措施

框架梁柱节点核心区箍筋的最大间距和最小直径，与柱端箍筋加密区的要求（表 6-6）相同。此外，特一和一级、二、三级框架节点核心区的配箍特征值，分别不小于 0.12、0.10 和 0.08，且体积配箍率分别不小于 0.6%、0.5% 和 0.4%；柱剪跨比不大于 2 的节点核心区，其体积配箍率不小于核心区上、下柱端体积配箍率的较大者。

6.5　钢筋连接和锚固

由于钢筋长度不够或设置施工段时，构件的纵向钢筋需要连接。纵向钢筋的连接以及纵向钢筋在核心区的锚固都需要仔细设计，并保证施工质量。

6.5.1　钢　筋　连　接

纵向受力钢筋的连接应能保证两根钢筋之间有效传力。现浇钢筋混凝土结构构件纵向受力钢筋连接方法主要有下列三种：搭接连接、焊接连接和机械连接。搭接连接用的钢筋多，对于直径较大的钢筋，搭接连接的传力性能不好。焊接连接应用较多，由于在施工现场人工焊接，质量较难保证，几次大地震中都有焊接连接破坏的震害。机械连接是指通过钢筋与接头连接件的机械咬合作用或钢筋端面的承压作用、将一根钢筋中的力传至另一根钢筋的连接方法。机械连接接头以性能好、连接方便、质量可靠、综合经济效益高的特点得到广泛应用，常用的机械连接方法主要有：滚轧直螺纹套筒连接、镦粗直螺纹套筒连接、锥螺纹套筒连接及挤压套筒连接。

纵向受力钢筋的连接接头宜设置在构件受力较小的部位，尽量不要在梁端、柱端箍筋加密区连接，若无法避开时，最好采用机械连接，且同一截面钢筋接头百分率不超过 50%。

一些重要构件的纵向受力钢筋以采用机械连接为好，如框支梁，框支柱，特一、一级框架的梁。有些构件最好采用机械连接，也可采用搭接连接或焊接连接，例如抗震等级为特一、一、二级的框架柱，三级框架的底层柱，三级框架底层以上各层柱和四级框架柱，二、三、四级框架梁可以采用搭接连接或焊接连接。受拉钢筋直径大于 25mm、受压钢筋直径大于 28mm 时，尽可能不采用搭接连接。

同一连接区段内受力钢筋搭接连接的百分率（该区段内搭接连接的纵向受力钢筋与全部纵向受力钢筋截面面积的比值），对梁类、板类及墙类构件，不宜大于 25%，对柱类构件，不宜大于 50%。对板、墙、柱及预制构件的拼接处，可根据实际情况放宽。

纵向受力钢筋采用搭接连接时，在钢筋搭接长度范围内应配置箍筋或横向钢筋，其直径不小于搭接钢筋较大直径的 1/4。钢筋搭接连接是通过粘结应力将一根钢筋的力传递给另一根钢筋，搭接段外围混凝土承受 2 根钢筋产生的劈裂力，当混凝土保护层厚度不足，或没有箍筋或横向钢筋时，容易出现纵向劈裂裂缝。

持久、短暂设计状况时，纵向受拉钢筋的搭接长度，不应小于下式的计算值，且不应小于 300mm：

$$l_l = \zeta_l l_a \tag{6-23}$$

式中　l_l——持久、短暂设计状况时受拉钢筋的搭接长度；

　　　l_a——持久、短暂设计状况时受拉钢筋的锚固长度，按现行《混凝土规范》的规定采用；

　　　ζ_l——受拉钢筋搭接长度修正系数，按表 6-7 取用。当搭接钢筋的面积百分率为表中数值的中间值时，修正系数可取线性插值。

纵向受拉钢筋搭接长度修正系数			表 6-7
纵向搭接钢筋面积百分率（%）	≤25	50	100
ζ_l	1.2	1.4	1.6

抗震设计状况时，纵向受力钢筋的锚固和连接应符合下列要求：

最小锚固长度按下列规定采用：

特一、一、二级　　　　　　　　$l_{aE}=1.15 l_a$ （6-24a）

三级　　　　　　　　　　　　　$l_{aE}=1.05 l_a$ （6-24b）

四级　　　　　　　　　　　　　$l_{aE}=1.00 l_a$ （6-24c）

当采用搭接连接时，其搭接长度不应小于下式的计算值：

$$l_{lE} = \zeta_l l_{aE}$$ （6-24d）

式中　l_{aE}——抗震设计状况时受拉钢筋的最小锚固长度。

6.5.2 核心区钢筋锚固

持久、短暂设计状况和抗震设计状况的框架，梁、柱纵向钢筋在核心区的锚固要求分别见图 6-24 和图 6-25。梁的上部钢筋贯穿中间接点，梁的下部钢筋可以切断并锚固于节点核心区内。

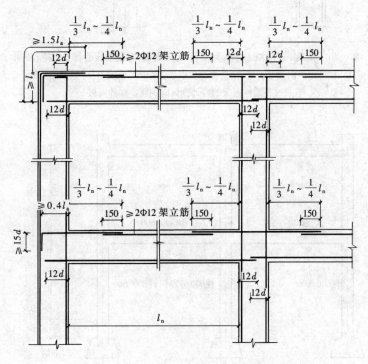

图 6-24　持久、短暂设计状况的框架梁柱
纵向钢筋在节点核心区的锚固要求

【例 6-1】框架抗震设计算例

10 层钢筋混凝土框架结构，总高 38m，8 度抗震设防，Ⅱ类场地。其中一榀框架的轴

线尺寸及 1、2 层梁柱截面尺寸如图 6-26 所示。1、2 层梁柱控制截面的最不利组合的内力
计算值示于表 6-8。梁端 $V_{Gb} = 125.0\text{kN}$。梁、柱混凝土强度等级分别为 C30 和 C40，纵
筋采用 HRB400 级热轧钢筋，箍筋采用 HRB335 级热轧钢筋。设计第 1 层 AB 跨梁、第 1
层中柱及其核心区配筋。

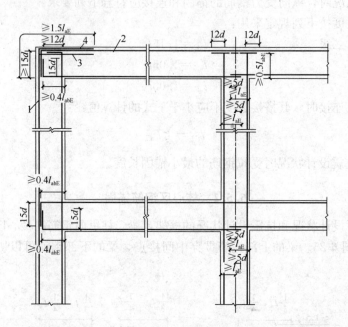

图 6-25   抗震设计状况的框架梁柱纵向钢筋在节点核心区的锚固要求

1—柱外侧纵向钢筋；2—梁上部纵向钢筋；3—伸入梁的柱外侧纵向钢筋；

4—不能伸入梁的柱外侧纵向钢筋，可伸入板

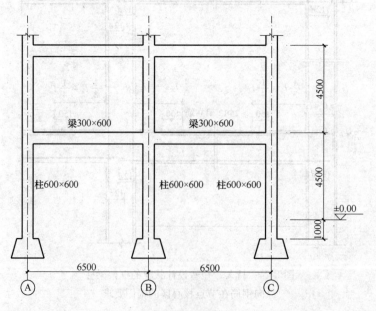

图 6-26   例 6-1 图

1、2 层梁柱控制截面的最不利组合的内力计算值 表 6-8

层号	边柱				中柱				梁			
	$M_\text{上}$	$M_\text{下}$	N	V	$M_\text{上}$	$M_\text{下}$	N	V	M_A	$M_\text{中}$	M_B	V
	kN·m		kN		kN·m		kN		kN·m			kN
2	303.0	398.6	2500	120.1	260.0	375.2	2100	125.1	—	—	—	—
1	364.2	534.5	2800	128.2	295.0	430.1	2400 $N_\text{max}=$ 3500	130.5	-460.5 $+183.1$	$+274.7$	-614.6 $+216.5$	214.5

【解】

根据结构类型、抗震设防烈度和结构高度，框架的抗震等级为一级。

由《混凝土规范》，查得混凝土及钢筋的强度，见表 6-9。

混凝土和钢筋的强度（单位：MPa） 表 6-9

混凝土强度等级	f_c	f_ck	f_t	f_tk	钢筋强度	f_y	f_yk
C40	19.1	26.8	1.71	2.39	HRB400 级钢筋	360	400
C30	14.3	20.1	1.43	2.01	HRB335 级钢筋	300	335

1. AB 跨梁正截面受弯配筋

（1）B 端负弯矩配筋

采用双筋截面，梁底配置压筋 2Φ20＋2Φ22，即 $A_\text{s}^\text{b} = A_\text{s}' = 1388\ \text{mm}^2$

$M' = A_\text{s}'f_\text{y}(h_{\text{b}0}-a') = 1388 \times 360 \times (540-40) = 249.8 \times 10^6\ \text{N·mm}$

$$\alpha_\text{s} = \frac{\gamma_\text{RE}M-M'}{\alpha_1 f_\text{c}b_\text{b}h_{\text{b}0}^2} = \frac{(0.75 \times 614.6 - 249.8) \times 10^6}{1.0 \times 14.3 \times 300 \times 540^2} = 0.17 < \alpha_\text{s,max}$$

查表得 $\xi = 0.19$，$\gamma_\text{s} = 0.906$

$$A_\text{s1} = \frac{\gamma_\text{RE}M-M'}{\gamma_\text{s}f_\text{y}h_{\text{b}0}} = \frac{(0.75 \times 614.6 - 249.8) \times 10^6}{0.906 \times 360 \times 540} = 1198.9\ \text{mm}^2$$

$$A_\text{s}^\text{t} = A_\text{s1} + A_\text{s}' = 1198.9 + 1388 = 2586.9\ \text{mm}^2$$

梁顶配筋 4Φ18＋4Φ22，$A_\text{s}^\text{t} = 2537\ \text{mm}^2 > 2586.9\ \text{mm}^2$

B 端截面：

相对受压区高度 $\dfrac{x}{h_{\text{b}0}} = (\rho_\text{s}' - \rho_\text{s})\dfrac{f_\text{y}}{\alpha_1 f_\text{c}} = \dfrac{2537-1388}{300 \times 540} \times \dfrac{360}{1.0 \times 14.3} = 0.18 < 0.25$

受压钢筋与受拉钢筋之比 $A_\text{s}^\text{b}/A_\text{s}^\text{t} = 0.55 > 0.5$

均满足要求。

（2）B 端正弯矩配筋

由上面的计算 $A_\text{s}^\text{t} > A_\text{s}^\text{b}$，取 $x = 2a'$，则

$$M = A_\text{s}^\text{b}f_\text{y}(h_{\text{b}0}-a') = 1388 \times 360 \times (560-60)$$

$$= 249.8 \times 10^6\ \text{N·mm} > \gamma_\text{RE} \cdot 216.5\ \text{kN·m}$$

$$= 0.75 \times 216.5\ \text{kN·m} = 162.4\ \text{kN·m}$$

满足要求。

（3）跨中正弯矩配筋

设 $h_{b0} = 560mm$

则 $\alpha_s = \dfrac{\gamma_{RE}M}{\alpha_1 f_c b h_{b0}^2} = \dfrac{0.75 \times 274.7 \times 10^6}{1.0 \times 14.3 \times 300 \times 560^2} = 0.153$

查表得 $\xi = 0.17$，$\gamma_s = 0.917$

$$A_s = \frac{\gamma_{RE}M}{\gamma_s f_y h_{b0}} = \frac{0.75 \times 274.7 \times 10^6}{0.917 \times 360 \times 560} = 1114.4 \text{ mm}^2$$

梁底配筋 $2 \oplus 20 + 2 \oplus 22$，$A_s^t = 1388 \text{ mm}^2$；梁顶跨中为构造配筋。

（4）A端配筋

B端梁底配筋 $2 \oplus 20 + 2 \oplus 22$ 直通 A 端，则 A 端抵抗负弯矩时，$A_s' = 1388 \text{ mm}^2$，因此

$$M' = A_s' f_y (h_{b0} - a') = 1388 \times 360 \times (540 - 40) = 249.8 \times 10^6 \text{ N} \cdot \text{mm}$$

$$\alpha_s = \frac{\gamma_{RE}M - M'}{\alpha_1 f_c b_b h_{b0}^2} = \frac{(0.75 \times 460.5 - 249.8) \times 10^6}{1.0 \times 14.3 \times 300 \times 540^2} = 0.076$$

查表得 $\xi = 0.08$，$\gamma_s = 0.960$

$$A_{s1} = \frac{\gamma_{RE}M - M'}{\gamma_s f_y h_{b0}} = \frac{(0.75 \times 460.5 - 249.8) \times 10^6}{0.960 \times 360 \times 540} = 512.1 \text{ mm}^2$$

$$A_s^t = A_{s1} + A_s' = 512.1 + 1388 = 1900.1 \text{ mm}^2$$

梁顶配筋 $5 \oplus 22$，$A_s^t = 1900 \text{ mm}^2$，满足 1900.1mm^2 的配筋需求。

A端正截面受弯承载力：

$$M = A_s^b \cdot f_y (h_{b0} - a') = 1388 \times 360 \times (540 - 40)$$
$$= 249.8 \times 10^6 \text{ N} \cdot \text{mm} > \gamma_{RE} \cdot 183.1 \text{kN} \cdot \text{m} = 137.3 \text{kN} \cdot \text{m}$$

满足要求。

A端截面：

相对受压区高度　　$x/h_{b0} = 0.08 < 0.25$

受压钢筋与受拉钢筋之比 $A_s^b / A_s^t = 0.73 > 0.5$

均满足要求。

2. 梁箍筋计算及剪压比验算

梁端箍筋加密区剪力设计值由强剪弱弯要求计算，取左端（A端）正弯矩及右端（B端）负弯矩组合。

由梁端弯矩设计值计算剪力设计值：

$$V = \eta_{vb}(M_b^l + M_b^r)/l_n + V_{Gb} = 1.3 \times (183.1 + 614.6)/(6.5 - 0.6) + 125$$
$$= 300.8 \text{kN}$$

由梁端实配抗震受弯承载力计算剪力设计值：

$$M_{bua}^l = \frac{1}{\gamma_{RE}} [A_s^b f_{yk}(h_{b0} - a')] = \frac{1}{0.75} \times [1388 \times 400 \times (560 - 60)]$$
$$= 370.1 \times 10^6 \text{ N} \cdot \text{mm}$$

$$M_{bua}^r = \frac{1}{0.75} \times [2537 \times 400 \times (540 - 40)] = 676.5 \times 10^6 \text{ N} \cdot \text{mm}$$

$$V_b = 1.1 \frac{(M_{bua}^l + M_{bua}^r)}{l_n} + V_{Gb} = 1.1 \times \frac{370.1 + 676.5}{6.5 - 0.6} + 125$$

$$=320.1\text{kN}>300.8\text{kN}$$

按剪力设计值为 320.1kN 计算抗剪配筋：

$$\frac{A_{sv}}{s}=\frac{\gamma_{RE}V_b-0.42f_tb_bh_{b0}}{f_{yv}h_{b0}}=\frac{0.85\times320.1\times10^3-0.42\times1.43\times300\times540}{300\times540}$$

$$=1.08$$

配双肢箍，直径 10mm，$A_{sv}=157\ \text{mm}^2$

$$s=\frac{A_{sv}}{1.08}=\frac{157}{1.08}=145\text{mm}$$

由构造要求（$h_b/4$、6d、100mm 的最小值），取Φ10@100

非加密区由组合剪力值计算箍筋：

$$\frac{A_{sv}}{s}=\frac{0.85\times214.5\times10^3-0.42\times1.43\times300\times540}{300\times540}=0.52$$

配双肢箍，直径 8mm，$A_{sv}=101\ \text{mm}^2$

$$s=\frac{A_{sv}}{0.52}=\frac{101}{0.52}=194\text{mm}$$

由箍筋的最小配筋率要求：

$$\rho_{sv}=\frac{A_{sv}}{bs}=0.30\frac{f_t}{f_{yv}}=0.30\times\frac{1.43}{300}=0.143\%$$

$$s=\frac{A_{sv}}{b\rho_{sv}}=\frac{101\times100}{300\times0.143}=235\text{mm}$$

非加密区箍筋为Φ8@200

梁端截面剪压比验算：

$$\frac{\gamma_{RE}V_b}{\beta_cf_cb_bh_{b0}}=\frac{0.85\times320.1\times10^3}{1.0\times14.3\times300\times540}=0.117<0.2$$

满足要求。

3. 中柱轴压比验算及抗弯配筋计算

用最大轴力设计值验算轴压比：

$$n=\frac{N_{max}}{f_cb_ch_c}=\frac{3500\times10^3}{19.1\times600\times600}=0.51<0.65$$

满足要求。

由梁端弯矩设计值计算柱弯矩设计值：

$$\sum M_c=\eta_c\sum M_b=1.7\times(614.6+183.1)=1356.1\text{kN}\cdot\text{m}$$

由梁端实配抗震受弯承载力计算柱弯矩设计值：

$$\sum M_c=1.2\sum M_{bua}=1.2\times(370.1+676.5)=1255.9\text{kN}\cdot\text{m}<1356.1\text{kN}\cdot\text{m}$$

采用由增大系数计算的节点柱弯矩设计值 1356.1kN·m 作为 1 层柱顶和 2 层柱底的弯矩设计值，在 1 层柱顶和 2 层柱底分配：

1 层柱顶　　　$M_c^t=1356.1\times\dfrac{295.0}{375.2+295.0}=596.9\text{kN}\cdot\text{m}$

2 层柱底　　　$M_c^b=1356.1\times\dfrac{375.2}{375.2+295.0}=759.2\text{kN}\cdot\text{m}$

表 6-8 中 1 层中柱底截面弯矩计算值乘以增大系数 1.7 作为柱底截面弯矩设计

值，即：

$$M^b = 1.7 \times 430.1 = 731.2 \text{kN} \cdot \text{m}$$

柱底截面弯矩设计值大于柱顶截面弯矩试件值，采用柱底截面弯矩设计值配筋：

$$e_0 = \frac{731.2}{2400} = 0.305 \text{m}$$

$$\frac{l_0}{i} = \frac{5500}{600/\sqrt{12}} = 31.75 < 34 - 12(M_1/M_2)$$

不考虑挠度对偏心距的影响，$\eta = 1.0$

取附加偏心距 $e_a = 20 \text{mm}$，则 $\eta e_i = \eta(e_0 + e_a) = 0.325 \text{m} > 0.343 h_{c0} = 0.189 \text{m}$

$$e = \eta e_i + \frac{h_c}{2} - a = 0.325 + 0.3 - 0.05 = 0.575 \text{m}$$

$N_b = \alpha_1 f_c b_c \xi_b h_{c0} = 1.0 \times 19.1 \times 600 \times 0.518 \times 550 = 3265 \text{kN} > N = 2400 \text{kN}$，为大偏压柱

对称配筋 $x = \dfrac{\gamma_{RE} N}{\alpha_1 f_c b_c} = \dfrac{0.8 \times 2400 \times 10^3}{1.0 \times 19.1 \times 600} = 167.5 \text{mm}$

$$A_s = A_s' = \frac{\gamma_{RE} Ne - \alpha_1 f_c b_c x(h_{c0} - x/2)}{f_y(h_{c0} - a')}$$

$$= \frac{0.8 \times 2400 \times 10^3 \times 575 - 1.0 \times 19.1 \times 600 \times 167.5 \times (550 - 167.5/2)}{360 \times (550 - 50)}$$

$$= 1161.2 \text{mm}^2$$

用 $2 \, \Phi \, 20 + 2 \, \Phi \, 22$，$A_s = A_s' = 1388 \text{mm}^2$，配筋率为 0.39%，满足一侧配筋率不小于 0.2% 的要求。

柱截面纵向钢筋最小总配筋率为 1.05%，可得柱最小总配筋面积为：

$$\frac{1.05}{100} \times 600 \times 600 = 3780 \text{ mm}^2$$

全截面配筋为 $8 \, \Phi \, 20 + 4 \, \Phi \, 22$，纵向钢筋总面积为 4033mm^2，满足要求（注意，柱在另一方向的纵向钢筋还需根据另一方向的配筋计算结果确定，此处取 4 个侧面配筋相同）。

中柱在计算方向的抗弯配筋为：$A_s = A_s' = 2 \, \Phi \, 20 + 2 \, \Phi \, 22$。

4. 中柱箍筋计算及剪压比验算

按强剪弱弯要求，由柱上、下端组合弯矩计算值计算柱剪力设计值：

$$V_c = 1.5\left(\frac{M_c^t + M_c^b}{H_{c0}}\right) = 1.5 \times \frac{501.5 + 731.2}{5500 - 600} \times 10^6 = 377.4 \text{kN}$$

由柱在轴压力作用下的实配抗震受弯承载力计算剪力设计值：

$$x = \frac{N}{\alpha_1 f_{ck} b_c} = \frac{2400 \times 10^3}{1.0 \times 26.8 \times 600} = 149 \text{mm}$$

$$M_{cua}^b = M_{cua}^t = \frac{1}{\gamma_{RE}}\left[\alpha_1 f_{ck} b_c x(h_{c0} - 0.5x) + f_{yk} A_s(h_{c0} - a') - N\left(e_0 + \frac{h_c}{2} - a\right)\right]$$

$$= \frac{1}{0.8} \times [1.0 \times 26.8 \times 600 \times 149 \times (550 - 0.5 \times 149) + 400 \times 1388$$

$$\times (550 - 50) - 2400 \times 10^3 \times (20 + 300 - 50)] = 961.1 \times 10^6 \text{N} \cdot \text{mm}$$

$$V_c = 1.2\left(\frac{M_{cua}^t + M_{cua}^b}{H_{c0}}\right) = 1.2 \times \frac{2 \times 961.1 \times 10^6}{5500 - 600} = 470.7 \text{kN} > 377.4 \text{kN}$$

用 470.7kN 进行抗剪配筋计算：

$$\gamma_{RE} = 0.85, \lambda = \frac{M_{中}}{V_c h_{c0}} = \frac{430.1 \times 10^6}{130.5 \times 10^3 \times 550} = 5.99 > 3, 取 \lambda = 3$$

$$N = 0.3 f_c A = 0.3 \times 19.1 \times 600 \times 600 = 2062.8 \text{kN}, 取 N = 2062.8 \text{kN}$$

$$\frac{A_{sv}}{s} = \frac{1}{f_{yv} h_{c0}} \Big[\gamma_{RE} V_c - \Big(\frac{1.05}{\lambda+1} f_t b_c h_{c0} + 0.056 N \Big) \Big]$$

$$= \frac{1}{300 \times 550} \times \Big[0.85 \times 470.7 \times 10^3 - \frac{1.05}{3+1} \times 1.71 \times 600$$

$$\times 550 - 0.056 \times 2062.8 \times 10^3 \Big]$$

$$= 0.83$$

采用复合箍，4 肢，$\Phi 10$（抗震构造要求最小直径为 10mm），则

$$A_{sv} = 4 \times 78.5 = 314 \text{ mm}^2$$

$$s = \frac{A_{sv}}{0.83} = \frac{314}{0.83} = 378 \text{mm}$$

复合箍的最小配箍特征值 $\lambda_v = 0.13$，混凝土强度等级 C40，计算体积配箍率：

$$\rho_v = \frac{0.13 \times 19.1}{300} = 0.83\%$$

$$s = \frac{a_k l_k}{\rho_v l_1 l_2} = \frac{78.5 \times 8 \times 550}{550 \times 550 \times 0.0083} = 137.6 \text{mm}$$

加密区箍筋为 4 肢 $\Phi 10$，间距 100mm，满足要求。

长柱的柱端箍筋加密区长度取 $H_{c0}/6$、h_c 及 500mm 三者中最大值。$H_{c0}/6$ 为 800mm，h_c 为 600mm，最大值为 800mm。

非加密区，取 4 肢 $\Phi 10$，间距 200mm。

柱剪压比验算：

$$\frac{\gamma_{RE} V_c}{\beta_c f_c b_c h_{c0}} = \frac{0.85 \times 470.7 \times 10^3}{1.0 \times 19.1 \times 600 \times 550} = 0.06 < 0.2$$

满足要求。

5. 中柱节点核心区箍筋计算

由梁端组合弯矩设计值计算核心区剪力设计值：

$$V_j = \frac{\eta_{jb} \sum M_b}{h_{b0} - a_s'} \Big(1 - \frac{h_{b0} - a_s'}{H_c - h_b} \Big)$$

$$= \frac{1.5 \times (183.1 + 614.6)}{540 - 40} \times 10^6 \times \Big(1 - \frac{540 - 40}{5500 - 600} \Big)$$

$$= 2148.9 \text{kN}$$

由梁的实配抗震受弯承载力计算核心区剪力设计值：

$$V_c = 1.15 \Big(\frac{M_{bua}^r + M_{bua}^l}{h_{b0} - a'} \Big) \Big(1 - \frac{h_{b0} - a_s'}{H_c - h_b} \Big)$$

$$= 1.15 \times \Big(\frac{370.1 + 676.5}{540 - 40} \times 10^6 \Big) \times \Big(1 - \frac{540 - 40}{5500 - 600} \Big)$$

$$= 2161.5 \text{kN} > 2148.9 \text{kN}$$

核心区取 $\eta_j = 1.5$，取核心区混凝土等级与梁相同，为 C40。

因 $N=2400\text{kN}<0.5f_cb_ch_c=0.5\times19.1\times600\times600=3438\text{kN}$

取 $b_j=b_c$，$h_j=h_c$。

用剪力设计值 2161.5kN 进行抗震受剪承载力验算：

$$f_{yv}\frac{A_{svj}}{s}(h_{b0}-a'_j)\geqslant\gamma_{RE}V_j-\left(1.1\eta_jf_tb_jh_j+0.05\eta_jN\frac{b_j}{b_c}\right)$$

$$=0.85\times2161.5\times10^3-(1.1\times1.5\times1.43\times600\times600$$

$$+0.05\times1.5\times2400\times10^3\times1)=807.9\text{kN}$$

$$\frac{A_{svj}}{s}=\frac{807.9\times10^3}{f_{yv}(h_{b0}-a')}=\frac{807.9\times10^3}{300\times(540-40)}=5.39$$

核心区箍筋与柱端加密区相同，取 4 肢Φ10，则

$$s=\frac{4\times78.5}{5.39}=58.3\text{mm}$$

取核心区箍筋 4 肢Φ10@55

核心区剪压比验算：

$$\frac{\gamma_{RE}V_j}{\eta_jf_cb_jh_j}=\frac{0.85\times2161.5\times10^3}{1.5\times14.3\times600\times600}=0.238<0.30$$

满足要求。

思 考 题

6.1　为了使钢筋混凝土框架成为延性耗能框架，应采用哪些抗震设计原则？

6.2　为什么梁铰机制比柱铰机制对抗震有利？

6.3　为什么减少梁端相对受压区高度可以增大梁的延性？设计中采取什么措施减少梁端相对受压区高度？梁端相对受压区高度的限值是多少？

6.4　什么是强剪弱弯？框架梁、柱如何实现强剪弱弯？

6.5　影响框架柱延性和耗能的主要因素有哪些？这些因素是如何影响框架柱的延性和耗能能力的？

6.6　什么是强柱弱梁？如何实现强柱弱梁？

6.7　除了通过强柱弱梁调整柱的弯矩设计值外，还有哪些情况需要调整柱的弯矩设计值？为什么在这些情况下要调整柱的弯矩设计值？

6.8　框架柱的箍筋有哪些作用？为什么轴压比大的柱配箍特征值也大？如何计算体积配箍率？

6.9　为什么要限制框架梁、柱和核心区的剪压比？为什么跨高比不大于 2.5 的梁、剪跨比不大于 2 的柱的剪压比限制要严一些？

6.10　梁柱核心区的可能破坏形态是什么？如何避免核心区破坏？

第7章　钢筋混凝土剪力墙设计

7.1　剪　力　墙　分　类

　　钢筋混凝土房屋建筑各结构类型中，除框架结构外，其他结构类型都有剪力墙（剪力墙也称为抗震墙）。剪力墙是高层建筑钢筋混凝土房屋的主要抗侧力结构单元。剪力墙的刚度大，风或小震作用下的变形小，容易满足弹性层间位移角的限值及风作用下的舒适度的要求；剪力墙的承载能力大；合理设计的剪力墙具有良好的延性和耗能能力，抗地震倒塌能力强；与框架一起抗侧力时，剪力墙是第一道抗震防线，框架是第二道防线，框架的抗震措施可以低于相同抗震等级的框架结构。

　　剪力墙和柱都是竖向结构构件。矩形截面两边之比不大于 3 时称为柱，截面两边之比大于 4 时称为剪力墙，不大于 4 时也按柱设计；截面厚度不大于 300mm、两边之比为 4 ~ 8 时，称为短肢剪力墙。柱是线型构件，墙是板型构件，在竖向力和平面内水平力作用下，两者的受力性能不同，其设计方法也不同。

　　按立面形状分类，剪力墙可以分为 3 类（图 7-1）：实体墙，有多排洞口（门洞、窗洞）的联肢墙（仅一排洞口时称为双肢墙），框支剪力墙。联肢墙由墙肢和连接墙肢的连梁组成，墙肢和连梁与框架中的柱和梁类似，是联肢墙的 2 个基本结构构件，联肢墙的受力性能与墙肢和连梁的受力性能都有关。习惯上，实体墙和联肢墙都称为剪力墙。框支剪力墙为支承在框架上的剪力墙，也有实体墙和联肢墙两类。

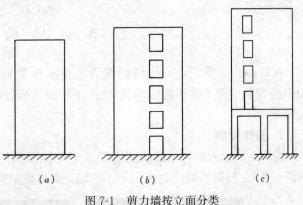

图 7-1　剪力墙按立面分类

（*a*）实体墙；（*b*）联肢墙；（*c*）框支墙

　　实体墙按截面形状分类，可以分为（图 7-2）：矩形截面墙、带端柱墙、带翼墙墙。矩形截面墙为未开门窗洞的剪力墙，联肢墙两端墙肢以外的中间墙肢也是矩形截面。带端

图 7-2　剪力墙按截面形状分类

（*a*）矩形截面墙；（*b*）带端柱墙；（*c*）带翼墙墙

柱墙的两端或一端为框架柱，一般为框架一剪力墙结构中的墙，端柱之间的墙为实墙或联肢墙。带翼墙剪力墙的截面包括 T 形、L 形、槽形和工形。T 形墙一般为联肢墙的端墙肢，其翼墙为平面内另一方向的剪力墙，L 形墙一般为角部（阳角和阴角）的墙肢，槽形墙一般为剪力墙结构的山墙或筒体结构的核心筒或内筒的外墙，剪力墙结构住宅的分户墙或旅馆建筑两个客房的分隔墙为工形截面墙较多，工形截面的翼墙为另一方向的墙。受端柱或翼墙的影响，带端柱墙和带翼墙墙的受力性能与矩形截面墙的受力性能不完全相同。

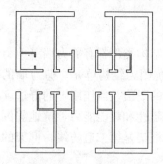

图 7-3 剪力墙围成的
核心筒和内筒

剪力墙结构和框架-剪力墙结构的电梯井、框架-核心筒结构的核心筒以及筒中筒结构的内筒，都是由剪力墙围成的井筒（图 7-3），其抗扭刚度比分散的剪力墙大得多；核心筒和内筒除周边布置剪力墙外，筒内也布置剪力墙，一般情况下，周边外墙比筒内内墙的厚度大，一方面是由于外墙承担的竖向荷载大，另一方面是可以增大筒的抗扭刚度。

按墙的剪跨比 λ 分类，实体墙可以分为高墙、中高墙和矮墙。剪跨比 $\lambda = M/(Vh_{w0})$，工程设计中，M 为墙肢截面未经调整的组合弯矩计算值，V 为与组合弯矩计算值对应的未经调整的组合剪力计算值，h_{w0} 为墙肢截面有效高度。$\lambda \geqslant 2.5$ 的剪力墙为高墙，$1.5 < \lambda < 2.5$ 的剪力墙为中高墙，$\lambda \leqslant 1.5$ 的剪力墙为矮墙。在竖向力和平面内水平力作用下，高墙、中高墙和矮墙的受力性能、破坏形态不同。

7.2 剪力墙的震害

在以往的地震中，剪力墙的震害远少于框架的震害。由 2008 年汶川 7.8 级地震、2010 年智利中部 8.8 级地震以及 2001 年新西兰基督城 6.2 级地震，总结剪力墙的主要震害如下。

1. 整体倾倒

图 7-4 所示为智利地震中剪力墙住宅整体倾倒的震害。1977 年罗马尼亚 7.2 级地震中，一幢 10 层剪力墙住宅的端单元倒塌。剪力墙结构倒塌的震害很少。

(a)   (b)

图 7-4 整体倾倒的剪力墙结构高层建筑
（a）地震前；（b）地震后

2. 墙底混凝土压溃，竖向钢筋压曲、拉断

图 7-5 (a) 所示为智利地震中剪力墙的震害，墙底混凝土压溃，竖向钢筋压曲。这是智利地震中最普遍的剪力墙震害，究其原因，一是墙的轴压比大，二是墙端没有设置约束边缘构件。这与智利的设计规范有关。智利大部分高层建筑为剪力墙结构，主要参考美国规范 ACI318 进行设计，但不要求按 ACI318 的规定设置约束边缘构件。这一规定导致在 2010 年地震中大量钢筋混凝土剪力墙发生破坏。由图 7-5 (a)，剪力墙配置的竖向钢筋的直径不小、间距不大，水平钢筋的间距也不大，但由于没有约束边缘构件，还是出现竖向钢筋压曲、混凝土压溃的震害。

(a)　　　　　　　　　(b)　　　　　　　　　(c)

图 7-5　墙底混凝土压溃，竖向钢筋压曲、拉断
(a) 墙底混凝土压溃，竖筋压曲；(b) 边缘构件底部保护层混凝土压溃，竖筋压曲；
(c) 竖向钢筋压曲、拉断

图 7-5 (b) 所示为汶川地震中剪力墙的震害，墙端边缘构件底部竖向钢筋压曲、保护层混凝土破坏。由于墙端边缘构件箍筋的约束作用，箍筋内的混凝土没有压溃，纵向钢筋没有压曲。

图 7-5 (c) 所示为新西兰地震中剪力墙边缘竖向钢筋受压屈曲、往复拉压作用下断裂的震害。震害的主要原因是剪力墙水平分布钢筋的间距过大，墙端没有设置边缘构件，竖向钢筋没有箍筋作为支点，同时，竖筋的直径小，地震作用下，竖筋往复压曲、拉伸，最终拉断。

3. 墙顶混凝土压溃，竖向钢筋压曲、拉断

图 7-6 (a)、(b) 所示分别为智利地震中首层剪力墙顶部及地下室剪力墙顶部混凝土压溃、竖向钢筋压曲的震害；图 7-6 (c) 所示为智利地震中剪力墙顶部混凝土压溃、竖向

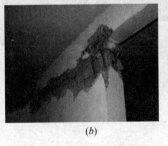

(a)　　　　　　　　　(b)　　　　　　　　　(c)

图 7-6　墙顶震害
(a) 首层墙顶混凝土压溃，竖向钢筋压曲；(b) 地下室墙顶混凝土压溃，竖向钢筋压曲；
(c) 墙顶混凝土压溃，钢筋拉断

钢筋拉断的震害。

4. 剪力墙剪切破坏

图 7-7 (a) 所示为汶川地震中剪力墙剪切破坏的震害，图 7-7 (b) 所示为智利地震中窗间竖向墙肢剪切破坏的震害；图 7-7 (c) 所示为新西兰地震中剪力墙剪切破坏的震害。

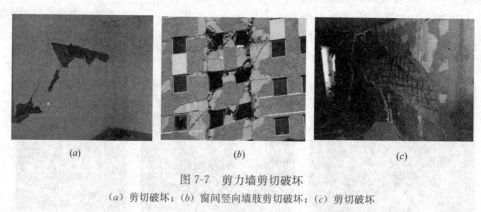

图 7-7   剪力墙剪切破坏
(a) 剪切破坏；(b) 窗间竖向墙肢剪切破坏；(c) 剪切破坏

5. 剪力墙压曲、失稳破坏

智利地震中出现独立矩形截面剪力墙压曲、平面外失稳的震害（图 7-8a）。在新西兰地震中，出现 L 形截面剪力墙的腹板压曲、平面外失稳的震害（图7-8b）。这是由于墙的厚度薄、轴压力大引起的震害。

6. 剪切滑移破坏

图 7-9 所示为汶川地震中剪切滑移的震害。水平施工缝开裂，剪力墙沿施工缝滑移，穿过施工缝的竖向分布钢筋被剪断。

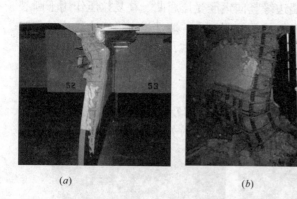

图 7-8   剪力墙平面外失稳
(a) 独立矩形截面剪力墙；(b) L 形截面剪力墙

图 7-9   剪力墙沿施工缝滑移破坏

7. 连梁剪切破坏

剪力墙连梁的震害主要是剪切破坏。图 7-10 (a)、(b) 所示分别为汶川地震和智利地震中连梁剪切破坏的震害。

虽然剪力墙的震害比框架少，且即使严重破坏的剪力墙也没有倒塌，达到大震不倒的

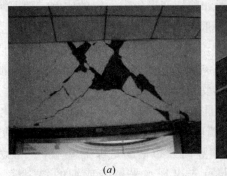

(a)   (b)

图 7-10 连梁剪切破坏

(a) 汶川地震震害；(b) 智利地震震害

设防目标，但是，破坏的剪力墙及连梁难以修复，或者修复的代价高、不经济。避免剪力墙在大震中严重破坏，是剪力墙抗震设计的目标之一。

7.3 剪力墙的破坏形态

7.3.1 墙肢的破坏形态

总结地震震害和试验研究成果，在轴压力和水平力作用下，剪力墙墙肢的破坏形态与其剪跨比 λ 有关。

λ≥2.5 的高墙以弯曲变形为主，其破坏形态一般为弯曲破坏（图 7-11a）。受拉端的水平裂缝从墙底向上发展，达到墙截面长 1 倍高度以上，裂缝分布均匀，墙端竖向钢筋配置足够时，裂缝宽度也比较均匀，不会出现宽度比其他裂缝大很多的主裂缝；达到峰值承载力前，钢筋受拉屈服；最终由于受压端底部混凝土压溃而丧失承载能力。

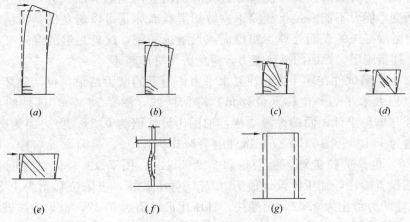

图 7-11 单调荷载作用下剪力墙裂缝形态示意图

（图中未表示混凝土受压破坏，图 7-13 和图 7-14 同）

(a) 弯曲破坏；(b) 弯剪破坏；(c) 剪压破坏；(d) 剪拉破坏；(e) 斜压破坏；

(f) 平面外失稳破坏；(g) 剪切滑移破坏

1.5＜λ＜2.5 的中高墙，弯曲变形和剪切变形各占一定的比例，随剪跨比减小，剪切变形的比例增大。中高墙的破坏形态一般为弯剪破坏（图 7-11b）。墙肢在竖向力和水平力共同作用下，受拉端出现多条水平裂缝；随水平力增加，水平裂缝发展为向下倾斜的斜裂缝，斜裂缝向受压端发展，没有形成主斜裂缝，受压区墙底角部混凝土压溃而丧失承载能力。达到峰值承载力前，墙端竖向钢筋受拉屈服。墙肢有一定的延性。

λ≤1.5 的矮墙以剪切变形为主，且随着剪跨比减小，剪切变形的比例增大。根据剪跨比以及分布钢筋的配置情况，矮墙剪切破坏包括下述形态：（1）剪压破坏（图 7-11c）。剪跨比大于 1、水平分布钢筋和竖向分布钢筋足够的矮墙，可能发生剪压破坏，这是期望的矮墙剪切破坏形态。墙肢首先出现水平裂缝或细的斜裂缝。水平力增加，水平裂缝发展为斜裂缝，并延伸扩展，混凝土受压区减小，最后斜裂缝尽端的受压区混凝土在剪应力和压应力共同作用下破坏。剪压破坏的矮墙，其水平分布钢筋屈服，极限位移角可以达到 1/100，有一定的延性。（2）剪拉破坏（图 7-11d）。剪跨比为 1.0 左右、分布钢筋配置不足的墙肢，可能发生剪拉破坏。斜裂缝始于墙的受拉端，穿过墙面，发展至墙的受压区边缘，成为主斜裂缝，使墙肢劈裂为两部分而破坏。剪拉破坏属脆性破坏，通过配置足够的水平分布钢筋和竖向分布钢筋，可以避免剪拉破坏。（3）斜压破坏（图 7-11e）。剪跨比小于 1.0、剪压比过大的矮墙，容易发生斜压破坏。斜裂缝将墙肢分割为多个斜的受压混凝土柱体，柱体内混凝土被压溃而丧失承载能力。为防止斜压破坏，应限制墙肢截面的剪压比（剪压比是指剪力设计值与其截面面积和混凝土轴心抗压强度乘积的比值）。

高墙、中高墙和矮墙，都有可能发生平面外非弹性屈曲破坏即平面外失稳破坏（图 7-11f）和剪切滑移破坏（图 7-11g）。通过限制上、下楼板之间墙的净高与墙厚之比，配置足够的竖向钢筋，可以避免平面外失稳。剪切滑移破坏一般发生在新老混凝土的交界面，如施工缝。水平力作用下，穿过交界面的竖向钢筋受拉屈服，拉应变使施工缝张开，水平力反向作用时，残余拉应变不能完全恢复，裂缝不能闭合，导致剪力墙沿交界面滑移，剪力墙滑移有可能将穿过交界面的竖向钢筋剪断。剪切滑移破坏是脆性破坏，其变形能力不能满足抗震要求。剪切滑移破坏是可以避免的：清洁老混凝土的表面，将老混凝土的表面处理为粗糙面或设置抗剪键，配置足够的穿过交界面的钢筋，采取上述措施增大界面的抗剪能力，避免剪切滑移破坏。

图 7-12 为矮墙试件在轴压力和往复水平力作用下的试验结果，包括破坏后的照片和裂缝图，以及水平力—位移（位移角）滞回曲线。图 7-12（a）试件的剪跨比为 1.59，按强弯弱剪设计，两端设置端柱，轴压比设计值为 0.21，剪力墙为剪拉破坏，极限位移角为 1/138；图 7-12（b）试件的剪跨比为 1.03，两端设置端柱，轴压比设计值为 0.25，也是剪拉破坏，极限位移角为 1/122；图 7-12（c）试件的剪跨比为 1.03，两端设置端柱，轴压比设计值为 0.25，剪压破坏，极限位移角为 1/85；图 7-12（d）试件的剪跨比为 0.92，无端柱，轴压比设计值为 0.22，也是剪压破坏，由于没有端柱，极限位移角为 1/151。有端柱、剪压破坏的试件，弹塑性变形能力满足规范要求；无端柱、剪压破坏的试件，以及剪拉破坏的试件，弹塑性变形能力都不满足规范要求。

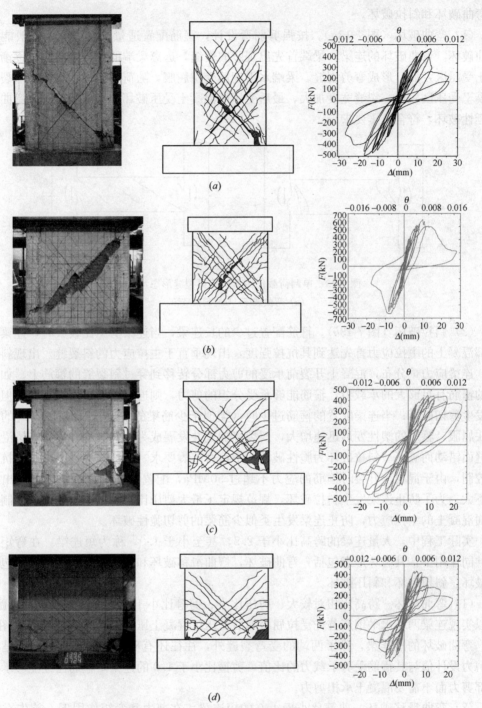

图 7-12 矮墙试件在轴压力和往复水平力作用下的试验结果

(a) 剪跨比为 1.59;(b) 剪跨比为 1.03;(c) 剪跨比为 1.03;(d) 剪跨比为 0.92

7.3.2 连梁的破坏形态

跨高比(连梁净跨与高度之比)大于 5 的连梁按框架梁设计。

跨高比为 5 与 2.5 之间的连梁称为长连梁,在弯矩、剪力共同作用下,其破坏形态包括弯曲破坏和斜拉破坏。

（1）弯曲破坏（图7-13a）。按强剪弱弯设计，箍筋配置适量的长连梁，一般能实现弯曲破坏。弯曲破坏的连梁，梁端首先出现竖向裂缝，远离梁端的部分竖向裂缝逐渐向混凝土受压区发展，形成弯剪裂缝。梁端水平钢筋受拉屈服，随荷载增加，梁端竖向裂缝向混凝土受压区发展，裂缝宽度加大，最后受压区混凝土受压破坏，形成塑性铰。弯曲破坏为延性破坏，符合抗震要求。

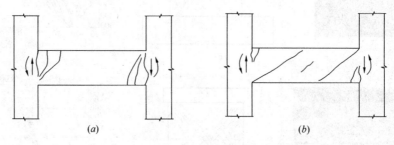

图7-13　单调荷载作用下长连梁裂缝形态示意图

(a) 弯曲破坏；(b) 斜拉破坏

（2）斜拉破坏（图7-13b）。箍筋配置过少的长连梁，当连梁剪压比较大时，连梁截面中部混凝土的主拉应力首先达到其抗拉强度，出现垂直于主拉应力的斜裂缝。出现斜裂缝后，连梁应力重分布，混凝土开裂前承受的剪力部分转移到穿过斜裂缝的箍筋上。如果配置的箍筋有足够大的承载力，箍筋能够承受分担的剪力，则连梁虽然出现斜裂缝，但是不会发生剪切破坏；当连梁配置的箍筋过少时（类似于少筋梁的情况），穿过斜裂缝的箍筋很快屈服，箍筋的塑性变形迅速增大，斜裂缝加宽并发展成为主斜裂缝，最终连梁沿主斜裂缝面错动而破坏。斜拉破坏为脆性破坏，不符合抗震要求。斜拉破坏受混凝土的抗拉强度控制，由于混凝土开裂时箍筋的应力不超过50MPa，配置箍筋对控制斜裂缝的出现效果不大。为了防止连梁发生斜拉破坏，规范规定了最大剪压比与最低配箍要求，限制连梁截面混凝土的主拉应力，防止连梁发生类似少筋梁的剪切脆性破坏。

实际工程中，大量连梁的跨高比小于2.5，甚至小于1.0，称为短连梁。在弯矩、剪力共同作用下，其破坏形态包括：弯曲破坏，弯曲滑移破坏和剪切破坏，剪切破坏包括剪压破坏、斜拉破坏和斜压破坏。

（1）弯曲破坏。跨高比相对较大、剪压比小、剪箍比小于1.0的短连梁，合理配筋，可以实现连梁两端水平钢筋首先受拉屈服然后受压区混凝土压碎的延性弯曲破坏（图7-14a），弯曲破坏的短连梁，除了两端的受弯裂缝外，往往还有剪切斜裂缝。剪箍比是指连梁剪力设计值与其箍筋受剪承载力的比值，剪箍比小于1.0的连梁，箍筋已经能够承担其全部剪力而不需要混凝土承担剪力。

（2）弯曲滑移破坏。剪箍比小于1.0的短连梁，在剪力和弯矩作用下，首先在连梁两端出现受弯裂缝，随连梁变形增大，裂缝数量增多、裂缝宽度增大。水平钢筋屈服前连梁中部出现斜裂缝，随连梁变形增大，斜裂缝发展、数量增多，连梁表面出现多道近似平行的斜裂缝。连梁两端塑性铰区混凝土受弯裂缝加宽，裂缝向受压区混凝土伸展，混凝土受压区高度减小，连梁承受的剪力主要通过受压区混凝土传递到墙肢。在压剪共同作用下梁端受压区混凝土保护层脱落，最后因受压区混凝土抗剪能力不足

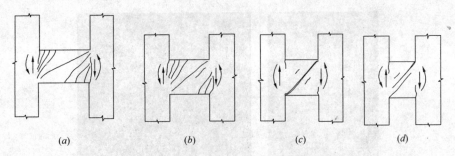

图 7-14　单调荷载作用下短连梁裂缝形态示意图

(a) 弯曲破坏；(b) 剪压破坏；(c) 斜拉破坏；(d) 斜压破坏

而发生连梁与墙肢之间的剪切错动，受压区水平钢筋弯折成"Z"形。在往复荷载作用下，连梁可能发生弯曲滑移破坏；单调荷载作用下，连梁不会发生滑移破坏。弯曲滑移破坏属于延性破坏，符合抗震要求。

(3) 剪切破坏。跨高比大于 1.0、配置适量箍筋的短连梁，连梁两端出现受弯裂缝，中部出现指向混凝土受压对角的斜裂缝，由于跨越斜裂缝的箍筋受拉屈服，其中一条斜裂缝不断扩展而连梁达到受剪承载力，这时水平钢筋不一定受拉屈服，称为剪压破坏（图 7-14b）。跨高比为 1.0 左右、箍筋配置不足的短连梁，在连梁中部出现斜裂缝后，跨越斜裂缝的箍筋很快受拉屈服，发展成为一条主斜裂缝，连梁沿主斜裂缝面张开后发生错动，丧失受剪承载能力，这种破坏称为斜拉破坏（图 7-14c）。跨高比小于 1.0、箍筋配置过多的连梁，斜裂缝间的混凝土达到抗压强度而发生破坏，箍筋尚未屈服（图 7-14d）。剪压破坏的短连梁有一定的延性，尚能符合抗震要求；斜拉破坏和斜压破坏的短连梁为脆性破坏，不符合抗震要求。连梁通常按强剪弱弯设计，通过小震计算时连梁的刚度乘以小于 1.0 的数，降低连梁的内力设计值，使连梁首先发生延性较好的弯曲破坏，防止首先发生剪切脆性破坏。

图 7-15 所示为连梁破坏形态的照片，分别为：单调加载和往复加载、跨高比为 2.0 的连梁弯曲破坏照片（图 7-15a、b），往复加载、跨高比为 1.75 的连梁弯曲滑移破坏照片（图 7-15c），单调加载和往复加载、跨高比为 1.17 的连梁剪压破坏照片（图 7-15d、e）。

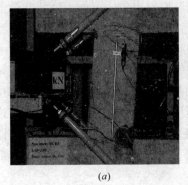

(a)　　　　　　　　(b)　　　　　　　　(c)

图 7-15　短连梁破坏形态照片（一）

(a) 单调加载弯曲破坏；(b) 往复加载弯曲破坏；(c) 弯曲滑移破坏；

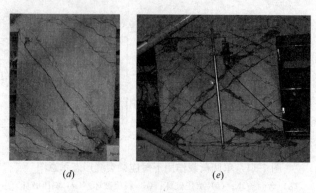

图 7-15 短连梁破坏形态照片（二）

(d) 单调加载剪压破坏；(e) 往复加载剪压破坏

7.4 剪力墙的抗震设计原则

高层建筑剪力墙抗震设计应符合以下原则。

1. 强剪弱弯

墙肢和连梁都应符合强剪弱弯的抗震设计原则。弯曲破坏的墙肢和连梁，其延性和耗能能力远大于剪切破坏的墙肢和连梁。对于短连梁，特别是跨高比小于 1.0 的短连梁，通过采取措施，使其实现弯曲破坏或剪压破坏，成为延性耗能连梁。

2. 预设屈服机制

图 7-16 所示为剪力墙理想的"强墙肢弱连梁"屈服机制：连梁两端受弯屈服，墙肢底部压弯屈服，塑性铰在连梁的两端及墙肢的底部，且连梁屈服（不要求全部连梁）先于墙肢屈服。连梁分散在整个楼层及结构整个高度，连梁受弯屈服使结构的延性和耗能分散在整个楼层及各层，避免了塑性变形集中在楼层的局部部位或集中在某些楼层。将墙肢的塑性铰预设在其底部，一方面是因为墙肢底部的弯矩最大，最有可能出现塑性铰；另一方面是塑性铰的部位明确，通过采取措施，增大墙肢底部出铰的可能，降低其他部位出铰的可能；再一方面，可以有针对地采取措施，使墙肢塑性铰区具有足够大的弹塑性变形能力和耗能能力，成为延性剪力墙。

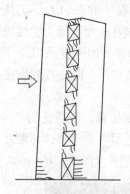

图 7-16 剪力墙理想的
屈服机制示意图

我国规范将预设塑性铰的剪力墙底部称为底部加强部位，规范规定了底部加强部位的高度。底部加强部位从两方面加强剪力墙：提高底部加强部位墙肢的受剪承载力，实现强剪弱弯；墙肢两端一定长度范围内设置约束边缘构件，约束边缘构件内配置箍筋和竖向钢筋，提高墙肢的弹塑性变形能力。由于高振型、结构设计等因素的影响，高层建筑结构剪力墙墙肢的中上部也可能屈服，一般情况下，屈服程度比底部加强部位轻。

连梁是剪力墙的主要耗能构件，因此，每一道墙应尽可能设置连梁，成为联肢墙或双肢墙。

3. 墙肢配置水平分布钢筋和竖向分布钢筋

墙肢配置水平分布钢筋和竖向分布钢筋的目的，除了防止出现收缩、徐变等非受力裂缝外，水平分布钢筋起到抵抗水平剪力、竖向分布钢筋抵抗弯矩的作用，剪跨比小于1.0的矮墙的竖向分布钢筋也有抗剪的作用。

分布钢筋抵抗水平剪力的机理，可以用斜压杆-拉杆模型也称桁架模型予以说明。图7-17所示为在水平力作用下高墙、中高墙及矮墙的斜压杆-拉杆模型，图中，虚线为斜压杆，实线为拉杆；斜压杆为斜裂缝之间的混凝土，拉杆为分布钢筋，斜压杆与水平面的夹角一般为45°，也可以是其他角度。图7-17表明，高墙和中高墙均需要由水平拉杆的拉力平衡斜压杆的压力；剪跨比小于1.0的矮墙除需要设置水平拉杆外，还需要由竖向拉杆的拉力平衡斜压杆的压力。可见，从抗剪的需要，高墙和中高墙需配置水平分布钢筋，矮墙需配置水平分布钢筋和竖向分布钢筋。

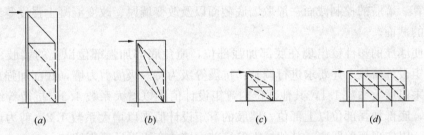

(a)　　　　　　(b)　　　　　　(c)　　　　　　(d)

图 7-17　剪力墙抵抗水平剪力的斜压杆-拉杆模型
（图中，实线为拉杆，虚线为压杆）
(a) 高墙；(b) 中高墙；(c) 矮墙；(d) 矮墙

4. 墙肢设置边缘构件

边缘构件分为约束边缘构件和构造边缘构件两类。约束边缘构件需要配置箍筋或箍筋和拉筋，以约束混凝土，提高混凝土的受压变形能力，也就是提高墙肢的弹塑性变形能力。剪力墙预设的屈服机制是墙肢的塑性铰在其底部，因此，轴压比大于一定值的墙肢，底部潜在的塑性铰区内，需设置约束边缘构件。塑性铰区以上，可以设置构造边缘构件。构造边缘构件可以不配箍筋，但需配拉筋。

约束边缘构件和构造边缘构件都需要集中配置竖向钢筋。对于正截面受压承载力，剪力墙的竖向钢筋可以有2种不同的配置方式：墙肢两端边缘构件内集中配置一部分竖向钢筋，同时，墙内配置竖向分布钢筋；墙肢均匀配置竖向钢筋，不在两端集中配筋。钢筋截面面积相同、其他参数相同时，2种配筋方式剪力墙的正截面受压承载力差别不大，但在竖向力和水平力作用下，两者的裂缝形态不同、变形能力不同。在墙的受压区内，集中配置的竖向钢筋比均匀配置的竖向钢筋承担了更多的由弯矩产生的压力，混凝土受压区高度小，从而增大了截面的曲率延性及墙的变形能力。墙端集中配置的竖向钢筋使受弯裂缝分散在一定高度范围内，竖向钢筋沿墙高屈服的范围大，塑性铰区的高度大，墙的变形能力大。竖向钢筋均匀配置的墙，墙端配筋率低，出现一条或很少几条受弯裂缝后，极端情况下，竖向钢筋已不能阻止混凝土继续开裂，其中一条裂缝宽度加大，其他裂缝不再发展，结果，竖向钢筋仅在该裂缝附近屈服，剪力墙的塑性铰区的高度小，墙的变形能力小。

5. 限制墙肢轴压比

与钢筋混凝土柱相同，轴压比是影响墙肢延性的主要因素之一。轴压比低的墙，其延性比轴压比高的墙大。轴压比超过一定值的墙，即使增加约束边缘构件的箍筋，也难以成为延性剪力墙。由于剪力墙是板形竖向构件，其轴压比限制比框架柱更严。

7.5　墙　肢　设　计

7.5.1　内 力 设 计 值

剪力墙应分别按持久、短暂设计状况以及地震设计状况进行荷载和荷载效应组合，取控制截面的最不利组合内力值或对其调整后的组合内力值（统称为内力设计值）进行截面承载力验算。墙肢的控制截面一般取墙底截面以及改变墙厚、改变混凝土强度等级、改变竖向配筋的截面。

为了使墙肢的塑性铰出现在底部加强部位，避免底部加强部位以上的墙肢出现塑性铰，其弯矩设计值按下述要求进行调整：抗震等级为特一级的剪力墙，底部加强部位的弯矩设计值乘以增大系数 1.1，其他部位的弯矩设计值乘以增大系数 1.3；抗震等级为一级的剪力墙，底部加强部位以上部位，墙肢的弯矩设计值乘以增大系数 1.2。剪力设计值作相应调整，以实现强剪弱弯。其他抗震等级剪力墙的弯矩设计值不调整。

小偏心受拉的墙肢全截面受拉，混凝土开裂贯通整个截面，抗震能力、受剪承载力极大地降低。小震作用下，部分框支剪力墙结构的落地剪力墙，不应出现小偏心受拉的墙肢。双肢剪力墙的一个墙肢为小偏心受拉时，其刚度严重降低，内力重分布使部分地震剪力转移至另一个受压墙肢，因此，需提高受压墙肢的承载能力，其剪力设计值、弯矩设计值乘以增大系数 1.25。地震是往复作用，双肢剪力墙的一个墙肢为小偏心受拉时，2 个墙肢的剪力设计值、弯矩设计值都要乘以增大系数 1.25。工程设计中，要尽可能避免小震时墙肢出现小偏心受拉。

为了加强特一、一、二、三级剪力墙底部加强部位的抗剪承载力，避免过早出现剪切破坏，实现强剪弱弯，墙肢截面组合的剪力设计值按式（7-1）调整；特一、一、二、三级剪力墙的其他部位、四级剪力墙的剪力设计值可不调整。

$$V = \eta_{vw} V_w \qquad (7\text{-}1a)$$

9 度一级剪力墙底部加强部位不按乘以增大系数调整剪力设计值，而按剪力墙的实际受弯承载力调整剪力设计值，即按下式调整：

$$V = 1.1 \frac{M_{wua}}{M_w} V_w \qquad (7\text{-}1b)$$

式中　V——底部加强部位墙肢截面组合的剪力设计值；

　　　V_w——底部加强部位墙肢截面组合的剪力计算值；

　　　M_{wua}——墙肢底部截面按实配竖向钢筋面积、材料强度标准值和竖向力等计算的抗震受弯承载力所对应的弯矩值，有翼墙时应计入墙两侧各一倍翼墙厚度范围内的竖向钢筋；

　　　M_w——墙肢底部截面组合的弯矩设计值；

η_{vw}——墙肢剪力放大系数，特一级为 1.9（底部加强部位以上的其他部位为 1.4），一级为 1.6，二级为 1.4，三级为 1.2。

7.5.2 墙肢偏心受压正截面承载力验算

剪力墙的墙肢在轴压力和弯矩作用下的偏心受压正截面承载力验算与柱相似，区别在于墙肢除在端部边缘构件集中配置竖向钢筋外，还在端部以外区段配置竖向分布钢筋，计算偏心受压正截面承载力时应包括部分受拉竖向分布钢筋的作用。分布钢筋的直径一般比较小，容易压曲，为简化计算，不考虑受压竖向分布钢筋的作用。

1. 大偏心受压承载力验算

在极限状态下，墙肢截面相对受压区高度 ξ 不大于其界限相对受压区高度 ξ_b 时，为大偏心受压破坏。

采用以下假定建立墙肢截面大偏心受压承载力计算公式：①截面变形符合平截面假定；②不考虑受拉混凝土的作用；③受压区混凝土的应力图用等效矩形应力图替换，应力达到 $\alpha_1 f_c$（f_c 为混凝土轴心抗压强度，α_1 为与混凝土强度等级有关的等效矩形应力图的应力系数）；④墙肢端部的竖向受拉、受压钢筋屈服；⑤从受压区边缘算起 $1.5x$（x 为等效矩形应力图受压区高度）范围以外的受拉竖向分布钢筋全部屈服并参与受力计算，$1.5x$ 范围以内的竖向分布钢筋未受拉屈服或为受压，不参与受力计算。由上述假定，极限状态下矩形截面墙肢的截面应力图形如图 7-18 所示。根据 $\sum N=0$ 和 $\sum M=0$ 两个平衡条件，建立方程。

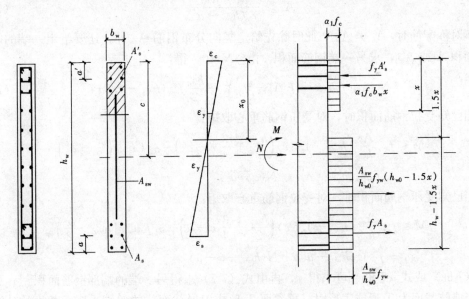

图 7-18　大偏心受压墙肢截面应变和应力分布

对称配筋时，$A_s = A'_s$，由 $\sum N=0$ 计算等效矩形应力图受压区高度 x：

$$N = \alpha_1 f_c b_w x - f_{yw} \frac{A_{sw}}{h_{w0}} (h_{w0} - 1.5x) \tag{7-2a}$$

$$x = \frac{N + f_{yw} A_{sw}}{\alpha_1 f_c b_w + 1.5 f_{yw} A_{sw}/h_{w0}} \tag{7-2b}$$

式中　α_1——应力系数，当混凝土强度等级不超过 C50 时取 1.0，C80 时取 0.94，C50
　　　　　和 C80 之间时取线性插值。

对受压区中心取矩，由 $\sum M = 0$ 可得：

$$M = f_{yw} \frac{A_{sw}}{h_{w0}} (h_{w0} - 1.5x) \left(\frac{h_{w0}}{2} + \frac{x}{4} \right) + N \left(\frac{h_{w0}}{2} - \frac{x}{2} \right) + f_y A_s (h_{w0} - a') \quad (7\text{-}3a)$$

忽略式中 x^2 项，化简后得：

$$M = \frac{f_{yw} A_{sw}}{2} h_{w0} \left(1 - \frac{x}{h_{w0}} \right) \left(1 + \frac{N}{f_{yw} A_{sw}} \right) + f_y A_s (h_{w0} - a') \quad (7\text{-}3b)$$

上式第一项是竖向分布钢筋抵抗的弯矩 M_{sw}，第二项是端部竖向钢筋抵抗的弯矩 M_0，分别为：

$$M_{sw} = \frac{f_{yw} A_{sw}}{2} h_{w0} \left(1 - \frac{x}{h_{w0}} \right) \left(1 + \frac{N}{f_{yw} A_{sw}} \right) \quad (7\text{-}4a)$$

$$M_0 = f_y A_s (h_{w0} - a') \quad (7\text{-}4b)$$

截面承载力验算要求：

$$M \leqslant M_0 + M_{sw} \quad (7\text{-}5)$$

式中　M——墙肢的弯矩设计值。

工程设计时，先给定竖向分布钢筋的截面面积 A_{sw}，一般可按构造要求配置，由式
（7-2b）计算 x 值，代入式（7-4a），得到 M_{sw}，然后按下式计算端部钢筋面积 A_s：

$$A_s \geqslant \frac{M - M_{sw}}{f_y (h_{w0} - a')} \quad (7\text{-}6)$$

不对称配筋时，$A_s \neq A_s'$，此时除先给定竖向分布钢筋 A_{sw} 外，还要给定一端的端部
钢筋面积 A_s 或 A_s'，求另一端钢筋面积。由 $\sum N = 0$，得：

$$N = \alpha_1 f_c b_w x + f_y A_s' - f_y A_s - \frac{h_{w0}}{2} f_{yw} (h_{w0} - 1.5x) \quad (7\text{-}7)$$

当已知受拉钢筋面积时，对受压钢筋重心取矩：

$$M \leqslant f_{yw} \frac{A_{sw}}{h_{w0}} (h_{w0} - 1.5x) \left(\frac{h_{w0}}{2} + \frac{3}{4} x - a' \right) - \alpha_1 f_c b_w x \left(\frac{x}{2} - a' \right)$$

$$+ f_y A_s (h_{w0} - a') + N(c - a') \quad (7\text{-}8a)$$

当已知受压钢筋面积时，对受拉钢筋重心取矩：

$$M \leqslant f_{yw} \frac{A_{sw}}{h_{w0}} (h_{w0} - 1.5x) \left(\frac{h_{w0}}{2} - \frac{3}{4} x - a \right) - \alpha_1 f_c b_w x \left(h_{w0} - \frac{x}{2} \right)$$

$$- f_y A_s' (h_{w0} - a') + N(h_{w0} - c - a) \quad (7\text{-}8b)$$

由式（7-8a）或式（7-8b）可求得 x，再由式（7-7）求得另一端的端部钢筋面积。

当墙肢截面为 T 形或工形时，可参照 T 形或工形截面柱的偏心受压承载力的计算方
法计算配筋。首先判断中和轴的位置，然后计算钢筋面积。计算中按上述原则考虑竖向分
布钢筋的作用。

混凝土受压区高度应符合 $x \geqslant 2a'$ 的条件，否则按 $x = 2a'$ 计算。

2. 小偏心受压承载力验算

在极限状态下，墙肢截面混凝土相对受压区高度 ξ 大于其界限相对受压区高度 ξ_b 时为
小偏心受压。墙肢截面小偏心受压与柱小偏心受压相同，截面大部分或全部受压，压应变

较大一端的混凝土达到极限压应变而丧失承载力。压应变较大端的端部竖向钢筋及竖向分布钢筋屈服，但计算中不考虑受压竖向分布钢筋的作用。受拉区的竖向分布钢筋未受拉屈服，计算中也不考虑其作用。这样，墙肢截面极限状态的应力分布与小偏心受压柱完全相同（图 7-19），承载力计算方法也相同。

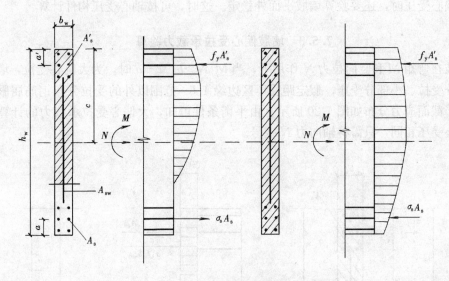

图 7-19　小偏心受压墙肢截面应力分布

根据 $\sum N = 0$ 和 $\sum M = 0$ 两个平衡条件建立基本方程：

$$N = \alpha_1 f_c b_w x + f_y A'_s - \sigma_s A_s \tag{7-9a}$$

$$Ne = \alpha_1 f_c b_w x \left(h_{w0} - \frac{x}{2} \right) + f_y A'_s (h_{w0} - a') \tag{7-9b}$$

$$e = e_0 + e_a + \frac{h_w}{2} - a \tag{7-9c}$$

式中　e_0——轴压力对截面重心的偏心距，$e_0 = M/N$；

　　　e_a——附加偏心距。

对称配筋时，截面相对受压区高度 ξ 值可用下述近似公式计算：

$$\xi = \frac{N - \alpha_1 \xi_b f_c b_w h_{w0}}{\dfrac{Ne - \alpha_{s,av} \alpha_1 f_c b_w h_{w0}^2}{(\beta_1 - \xi_b)(h_{w0} - a')} + \alpha_1 f_c b_w h_{w0}} + \xi_b \tag{7-10}$$

式中　$\alpha_{s,av}$——截面弹塑性抵抗矩系数平均值，$\alpha_{s,av} = [\xi_b(1 - 0.5\xi_b) + 0.5]/2$；

　　　β_1——与混凝土强度等级有关的等效矩形应力图的高度系数，混凝土强度等级不超过 C50 时取 0.8，C80 时取 0.74，C50 和 C80 之间时取线性插值；

　　　ξ_b——界限相对受压区高度，HRB400 级钢筋、混凝土强度等级不超过 C50 时为 0.518，C60 时为 0.499。

由式（7-8b）和式（7-9），可得：

$$A_s = A'_s = \frac{Ne - \xi(1 - 0.5\xi)\alpha_1 f_c b_w h_{w0}^2}{f_y(h_{w0} - a')} \tag{7-11}$$

非对称配筋时，可先按端部构造配筋要求给定 A_s，然后由式（7-10）和式（7-9b）求

解 ξ 及 A'_s。如果 $\xi \geqslant h_w/h_{w0}$，为全截面受压，取 $x = h_w$，A'_s 可由下式计算得到：

$$A'_s = \frac{Ne - \alpha_1 f_c b_w h_w (h_{w0} - h_w/2)}{f_y (h_{w0} - a')} \qquad (7\text{-}12)$$

竖向分布钢筋按构造要求设置。地震设计状况时，应计入承载力抗震调整系数。

小偏心受压时，还要验算墙肢平面外稳定。这时，可按轴心受压构件计算。

7.5.3   墙肢偏心受拉承载力验算

墙肢在弯矩 M 和竖向拉力 N 作用下，当 $M/N > h_w/2 - a$ 时，为大偏心受拉，墙肢截面大部分受拉、小部分受压。假定距受压区边缘 $1.5x$ 范围以外的受拉分布钢筋屈服并参与工作，截面应力分布如图 7-20 所示。由平衡条件可知，大偏心受拉承载力的计算公式与大偏心受压相同，只需将轴向力 N 变号。

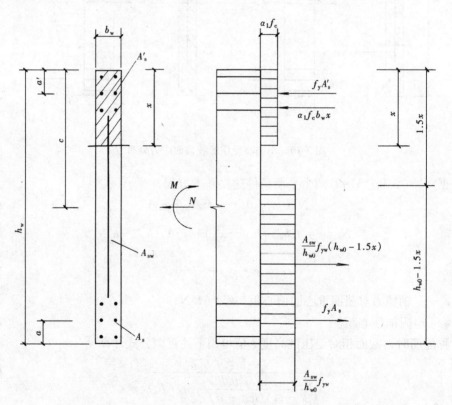

图 7-20   大偏心受拉墙肢截面应力分布

矩形截面对称配筋时，压区高度 x 可由下式确定：

$$x = \frac{f_{yw} A_{sw} - N}{\alpha_1 f_c b_w + 1.5 f_{yw} A_{sw}/h_{w0}} \qquad (7\text{-}13)$$

与大偏压承载力公式类似，可得到竖向分布钢筋抵抗的弯矩为：

$$M_{sw} = \frac{f_{yw} A_{sw}}{2} h_{w0} \left(1 - \frac{x}{h_{w0}}\right) \left(1 - \frac{N}{f_{yw} A_{sw}}\right) \qquad (7\text{-}14)$$

端部钢筋抵抗的弯矩为：

$$M_0 = f_y A_s (h_{w0} - a') \tag{7-15}$$

与大偏心受压相同，先给定竖向分布钢筋面积 A_{sw}。为保证截面有受压区，即要求 $x > 0$，由式（7-13）可得竖向分布钢筋面积应符合下式：

$$A_{sw} \geqslant \frac{N}{f_{yw}} \tag{7-16}$$

同时，竖向分布钢筋应满足最小配筋率要求，在两者中选择较大的 A_{sw}，然后按下式计算端部钢筋面积：

$$A_s \geqslant \frac{M - M_{sw}}{f_y (h_{w0} - a')} \tag{7-17}$$

当拉力较大、偏心距 $M/N < h_w/2 - a$ 时，全截面受拉，属于小偏心受拉。

上述计算式（7-2）～式（7-17）适用于持久、短暂设计状况，用于地震设计状况时，承载力计算式应除以承载力抗震调整系数 γ_{RE}，γ_{RE} 取 0.85。以对称配筋、大偏心受压承载力验算为例说明如下：式（7-2a）、式（7-3a）、式（7-3b）等号的右边除以 γ_{RE}，式（7-2b）、式（7-3a）、式（7-3b）、式（7-4a）中的 N 乘以 γ_{RE}，式（7-5）、式（7-6）中的 M 乘以 γ_{RE}。

7.5.4 墙肢斜截面受剪承载力验算

1. 偏心受压墙肢斜截面受剪承载力验算

偏心受压墙肢斜截面受剪承载力计算公式主要建立在剪压破坏的基础上。受剪承载力由两部分组成：混凝土的受剪承载力和水平钢筋的受剪承载力。作用在墙肢上的轴压力加大了截面的受压区，提高受剪承载力；竖向拉力对抗剪不利，降低受剪承载力。计算墙肢斜截面受剪承载力时，应计入竖向力的有利或不利影响。

在压力和水平力共同作用下，剪跨比不大于 1.5 的墙肢以剪切变形为主，在受拉端出现剪切斜裂缝，裂缝部分的混凝土即退出工作。偏于安全，取混凝土出现剪切斜裂缝时的剪力作为混凝土部分的受剪承载力。剪跨比大于 1.5 的墙肢在压力和水平力共同作用下，首先在墙端出现水平裂缝，裂缝向下倾斜形成弯剪裂缝，可能导致斜截面剪切破坏。以出现弯剪裂缝时混凝土所承担的剪力作为混凝土受剪承载力偏于安全。对于带端柱墙及带翼墙墙，只考虑腹板混凝土的抗剪作用。试验表明，斜裂缝出现后，穿过斜裂缝的水平钢筋拉应力突然增大，说明水平钢筋与混凝土共同抗剪。试验还表明，往复水平力作用下墙肢的受剪承载力，低于单调水平力作用下墙肢的受剪承载力。

综合上述各因素，偏心受压墙肢的斜截面受剪承载力验算公式为：

持久、短暂设计状况

$$V \leqslant \frac{1}{\lambda - 0.5} \left(0.5 f_t b_w h_{w0} + 0.13 N \frac{A_w}{A} \right) + f_{yh} \frac{A_{sh}}{s} h_{w0} \tag{7-18a}$$

地震设计状况

$$V \leqslant \frac{1}{\gamma_{RE}} \left[\frac{1}{\lambda - 0.5} \left(0.4 f_t b_w h_{w0} + 0.1 N \frac{A_w}{A} \right) + 0.8 f_{yh} \frac{A_{sh}}{s} h_{w0} \right] \tag{7-18b}$$

式中 b_w、h_{w0}——分别为墙肢腹板截面厚度和有效高度；

A、A_w——分别为墙肢全截面面积和墙肢腹板截面面积；矩形截面 $A_w = A$；

N——墙肢的轴压力设计值，地震设计状况时，考虑地震作用效应组合，当 N 大于 $0.2f_cb_wh_w$ 时，取 $0.2f_cb_wh_w$；

f_{yh}——水平分布钢筋抗拉强度设计值；

s、A_{sh}——分别为水平分布钢筋间距及同一截面内水平分布钢筋面积之和；

λ——计算截面的剪跨比，当 λ 小于 1.5 时取 1.5，当 λ 大于 2.2 时取 2.2，当计算截面与墙肢底截面之间的距离小于 $0.5h_{w0}$ 时，λ 取距墙肢底截面 $0.5h_w$ 处的值；

γ_{RE}——承载力抗震调整系数，取 0.85。

2. 偏心受拉墙肢斜截面受剪承载力验算

大偏心受拉时，墙肢截面还有部分受压区，混凝土仍可以抗剪，但竖向拉力对抗剪不利。受剪承载力验算公式为：

持久、短暂设计状况

$$V \leqslant \frac{1}{\lambda - 0.5}\left(0.5f_tb_wh_{w0} - 0.13N\frac{A_w}{A}\right) + f_{yh}\frac{A_{sh}}{s}h_{w0} \tag{7-19a}$$

地震设计状况

$$V \leqslant \frac{1}{\gamma_{RE}}\left[\frac{1}{\lambda - 0.5}\left(0.4f_tb_wh_{w0} - 0.1N\frac{A_w}{A}\right) + 0.8f_{yh}\frac{A_{sh}}{s}h_{w0}\right] \tag{7-19b}$$

式（7-19a）右端的计算值小于 $f_{yh}\frac{A_{sh}}{s}h_{w0}$ 时，取 $f_{yh}\frac{A_{sh}}{s}h_{w0}$；式（7-19b）右端方括号内的计算值小于 $0.8f_{yh}\frac{A_{sh}}{s}h_{w0}$ 时，取 $0.8f_{yh}\frac{A_{sh}}{s}h_{w0}$。

3. 抗剪切滑移验算

特一级和一级剪力墙采用下述公式进行水平施工缝抗剪切滑移验算，避免发生剪切滑移破坏：

$$V_{wj} \leqslant \frac{1}{\gamma_{RE}}(0.6f_yA_s + 0.8N) \tag{7-20}$$

式中　V_{wj}——墙肢水平施工缝处剪力设计值；

A_s——水平施工缝处墙肢竖向分布钢筋、边缘构件竖向钢筋以及有足够锚固长度的附加插筋的总面积，不包括翼墙的竖向钢筋；

N——水平施工缝处考虑地震作用组合的竖向力设计值，压力取正值，拉力取负值；

γ_{RE}——承载力抗震调整系数，取 0.85。

7.5.5　墙肢构造要求

1. 混凝土强度等级

筒体结构的核心筒和内筒的混凝土强度等级不低于 C30，其他结构剪力墙的混凝土强度等级不低于 C20。剪力墙的混凝土强度等级不宜高于 C60。

2. 最小截面厚度

剪力墙截面的厚度，应符合墙体稳定验算要求。墙体稳定验算方法，可按《混凝土高

《规》的规定执行。剪力墙截面的厚度，还要符合下列规定。

剪力墙结构及部分框支剪力墙结构中，联（双）肢墙、有翼墙的独立墙的最小截面厚度列于表7-1（a），矩形截面独立墙最小截面厚度列于表7-1（b），取表中三个数值的最大者。表7-1中，h为层高，l为剪力墙的无支长度，无支长度是指与该剪力墙垂直的相邻两道剪力墙的间距（图7-21）。

剪力墙（部分框支剪力墙）结构中的联肢墙、有翼墙的
独立墙的最小截面厚度（取最大值）　　　　表7-1（a）

部　位	抗震等级	
	特一、一、二级	三、四级
底部加强部位	200mm，$h/16$，$l/16$	160mm，$h/20$，$l/20$
其他部位	160mm，$h/20$，$l/20$	140mm，$h/25$，$l/25$

剪力墙（部分框支剪力墙）结构中的矩形截面独立墙的
最小截面厚度（取最大值）　　　　表7-1（b）

部　位	抗震等级	
	特一、一、二级	三、四级
底部加强部位	200mm，$h/12$，$l/12$	160mm，$h/16$，$l/16$
其他部位	160mm，$h/16$，$l/16$	140mm，$h/20$，$l/20$

框架-剪力墙结构中剪力墙厚度，框架-核心筒结构核心筒剪力墙厚度，以及筒中筒结构内筒剪力墙的厚度，底部加强部位不小于200mm、$h/16$及$l/16$中的最大者，其他部位不小于160mm、$h/20$及$l/20$中的最大者。核心筒及内筒底部加强部位及相邻上一层，一般情况下剪力墙的厚度不变。

板柱-剪力墙结构中剪力墙的厚度，不小于160mm、$h/20$及$l/20$中的最大者；房屋高度大于12m时，墙厚不小于200mm。

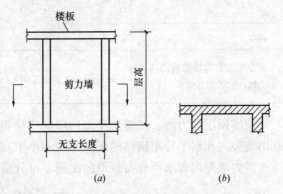

图7-21　剪力墙无支长度示意图
(a) 立面图；(b) 剖面图

试验表明，墙肢截面面积太小、剪压比大于一定值时，将过早出现斜裂缝，即使增加水平分布钢筋，也不能提高其受剪承载力，很可能在水平钢筋未屈服的情况下，墙肢发生斜压破坏。为了避免斜压破坏，墙肢截面应大于最小抗剪截面。通过限制墙肢截面在剪力设计值作用下的平均剪应力与混凝土轴心抗压强度的比值，即限制剪压比，使墙肢截面不小于最小抗剪截面：

持久、短暂设计状况

$$V \leqslant 0.25\beta_c f_c b_w h_{w0} \tag{7-21a}$$

地震设计状况

剪跨比$\lambda > 2.5$时

$$V \leqslant \frac{1}{\gamma_{RE}} 0.2\beta_c f_c b_w h_{w0} \tag{7-21b}$$

剪跨比 $\lambda \leqslant 2.5$ 时　　　　　　$V \leqslant \dfrac{1}{\gamma_{RE}} 0.15\beta_c f_c b_w h_{w0}$　　　　　　(7-21c)

式中　V——墙肢截面剪力设计值，特一、一、二、三级剪力墙底部加强部位墙肢截面的剪力设计值按式（7-1）调整；

　　　β_c——混凝土强度影响系数，混凝土强度等级不超过 C50 时取 1.0，强度等级为 C80 时取 0.8，其间取线性插值；

　　　λ——计算截面处的剪跨比，即 $M/(Vh_{w0})$，其中 M、V 分别取同一组合的、未调整的弯矩和剪力计算值。

3. 分布钢筋配置

剪力墙结构及部分框支剪力墙结构墙肢的竖向和水平分布钢筋的最小配筋见表 7-2。表 7-2 中，b_w 为墙肢的厚度。框架-剪力墙、板柱-剪力墙、框架-核心筒、筒中筒结构中，墙肢的竖向和水平分布钢筋的最小配筋率不小于 0.25%，钢筋直径不小于 10mm，间距不大于 300mm。各类结构的特一级剪力墙，底部加强部位的竖向和水平分布钢筋的最小配筋率为 0.4%，一般部位的竖向和水平分布钢筋的最小配筋率为 0.35%。

剪力墙（部分框支剪力墙）结构墙肢竖向和水平分布钢筋的最小配筋要求　　表 7-2

抗震等级或部位	最小配筋率（%）	最大间距（mm）	最小直径（mm）		最大直径（mm）
			竖向	水平	
一、二、三级	0.25	300	10	8	$b_w/10$
四级	0.20				
部分框支剪力墙结构的落地剪力墙底部加强部位	0.30	200			

房屋顶层剪力墙、长矩形平面房屋的楼梯间和电梯间剪力墙、端开间纵向剪力墙以及端山墙竖向和水平分布钢筋的配筋率均不小于 0.25%，间距均不大于 200mm。

剪力墙竖向和水平分布钢筋的配筋率可分别按下式计算：

$$\rho_{sw} = A_{sw}/(b_w s)　　　　　　(7\text{-}22a)$$
$$\rho_{sh} = A_{sh}/(b_w s)　　　　　　(7\text{-}22b)$$

式中　ρ_{sw}、ρ_{sh}——分别为竖向、水平分布钢筋的配筋率；

　　　A_{sw}、A_{sh}——分别为同一截面内竖向、水平分布钢筋各肢面积之和；

　　　s——竖向、水平分布钢筋间距。

为避免剪力墙表面出现温度收缩裂缝，为使混凝土均匀受力，剪力墙厚度大于 140mm 时，要采用双排或多排竖向、水平分布钢筋。墙的厚度不大于 400mm 时，可采用双排配筋；大于 400mm、不大于 700mm 时，可采用 3 排配筋；大于 700mm 时，可采用 4 排配筋。各排分布钢筋之间设置拉筋，拉筋间距不大于 600mm，可按梅花形布置，直径不小于 6mm，在底部加强部位，拉筋间距适当加密。

4. 底部加强部位高度

地震作用下，墙肢塑性铰预设于其底部的一定高度范围内，我国规范将其称为底部加强部位。剪力墙底部加强部位的高度，采用下述规定确定：（1）有地下室的房屋建筑，底部加强部位的高度从地下室顶板算起。（2）部分框支剪力墙结构，底部加强部位的高度取框支层加框支层以上两层的高度及落地剪力墙总高度的 1/10 二者的较大值。（3）部分框支剪力墙结构以外的其他结构，房屋高度不大于 24m 时，底部加强部位的高度取底部一层；房屋高度大于 24m 时，取底部两层和墙体总高度的 1/10 二者的较大值。（4）当结构计算嵌固端位于地下一层的底板或以下时，底部加强部位向下延伸到计算嵌固端。

剪力墙底部加强部位是其重点设防部位，除了提高底部加强部位的受剪承载力、实现强剪弱弯外，还需要加强其抗震构造措施，轴压比大于一定值时，墙肢两端设置约束边缘构件，以提高整体结构的抗震能力。

5. 轴压比限值

随着建筑高度的增加，剪力墙墙肢的轴压力增大。与钢筋混凝土柱相同，轴压比是影响墙肢弹塑性变形能力的主要因素之一。相同情况的墙肢，轴压比低的，其弹塑性变形能力大，轴压比高的，其变形能力小。通过在墙肢端部一定长度范围内设置约束边缘构件、集中配置竖向钢筋及配置箍筋，可以提高墙肢的弹塑性变形能力。但轴压比大于一定值后，即使在墙端设置约束边缘构件，在强地震作用下，墙肢仍有可能因混凝土压溃而丧失承载能力。因此，有必要限制剪力墙的轴压比。各类结构的特一、一、二、三级剪力墙在重力荷载代表值作用下墙肢的轴压比限值见表 7-3。

剪力墙轴压比限值　　　　　　　　　　　　　　表 7-3

抗震等级	一级（9 度）	特一级、一级（6、7、8 度）	二、三级
轴压比限值	0.4	0.5	0.6

剪力墙轴压比 $n_w = N/(f_c A)$，N 为重力荷载代表值作用下墙肢的轴压力设计值（分项系数取 1.2），f_c 为混凝土轴心抗压强度设计值，A 为墙肢截面面积。一般情况下，底部加强部位高度范围内，剪力墙厚度不变，混凝土强度等级不变，因此，只需计算墙肢底截面的轴压比；若底部加强部位的墙肢厚度或混凝土强度等级有变化，则还应计算变化截面的轴压比。

6. 设置边缘构件

剪力墙墙肢两端设置边缘构件是改善剪力墙延性的重要措施。边缘构件分为约束边缘构件和构造边缘构件两类。试验研究表明，轴压比低的墙肢，即使其端部设置构造边缘构件，在轴向力和水平力作用下仍然有比较大的弹塑性变形能力。特一、一、二、三级剪力墙底层墙肢底截面的轴压比不大于表 7-4 的规定时，以及四级剪力墙的墙肢，可不设约束边缘构件而设构造边缘构件。

特一、一、二、三级剪力墙底层墙肢底截面的轴压比大于表 7-4 的规定时，以及部分框支剪力墙结构的剪力墙，应在底部加强部位及相邻的上一层设置约束边缘构件；除上述部位外，剪力墙可设置构造边缘构件；B 级高度的高层建筑，其高度比较高，为避免边缘构件的箍筋急剧减少不利于抗震，剪力墙在约束边缘构件层与构造边缘构件层之间需设置 1～2 层过渡层，过渡层剪力墙边缘构件配置的箍筋，可低于约束边缘构件的要求，需高于构造边缘构件的要求。

剪力墙可不设约束边缘构件的最大轴压比　　　　　　　　　　　表 7-4

抗震等级	一级（9 度）	特一级、一级（6、7、8 度）	二、三级
轴压比	0.1	0.2	0.3

约束边缘构件包括暗柱（矩形截面墙的两端，带端柱墙的矩形端，带翼墙墙的矩形端）、端柱和翼墙（图 7-22）三种形式。端柱截面边长不小于 2 倍墙厚，翼墙长度不小于其 3 倍厚度，不足时视为无端柱或无翼墙，按暗柱要求设置约束边缘构件；部分框支剪力墙结构的落地剪力墙（指整片墙，不是指墙肢）的两端应有端柱，或与另一方向的剪力墙相连即有翼墙。

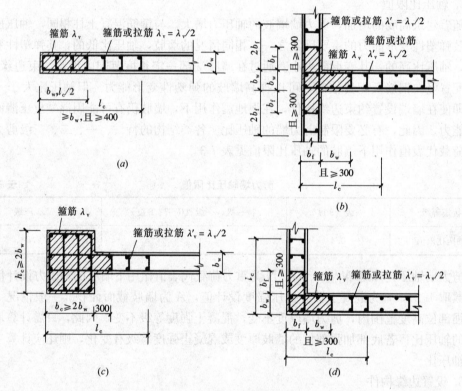

图 7-22　剪力墙约束边缘构件

(*a*) 暗柱；(*b*) 有端柱；(*c*) 有翼墙；(*d*) 转角墙（L 形墙）

约束边缘构件的构造主要包括三个方面：沿墙肢的长度 l_c、箍筋配箍特征值 λ_v 以及竖向钢筋最小配筋率。表 7-5 列出了约束边缘构件沿墙肢的长度 l_c 及箍筋配箍特征值 λ_v、竖向钢筋等配筋要求。竖向钢筋还应符合承载力要求。约束边缘构件沿墙肢的长度除应符合表 7-5 的规定外，约束边缘构件为暗柱时，还不应小于墙厚和 400mm 的较大者，有端柱或有翼墙时，还不应小于端柱沿墙肢方向截面高度或翼墙厚度加 300mm。端柱承受集中荷载时，其竖向钢筋、箍筋直径和间距按框架柱的构造要求配置。计算约束边缘构件竖向钢筋面积时，A_c 为图 7-22 中阴影部分的面积。由表 7-5 可以看出，约束边缘构件沿墙肢长度、配箍特征值与设防烈度、剪力墙的抗震等级和墙肢轴压比有关，而约束边缘构件沿墙肢长度还与其形式有关。

剪力墙约束边缘构件沿墙肢长度及配筋要求　　表 7-5

项　目	特一级		一级（9度）		一级（6、7、8度）		二、三级	
	$n_w \leqslant 0.2$	$n_w > 0.2$	$n_w \leqslant 0.2$	$n_w > 0.2$	$n_w \leqslant 0.3$	$n_w > 0.3$	$n_w \leqslant 0.4$	$n_w > 0.4$
l_c（暗柱）	$0.20h_w$	$0.25h_w$	$0.20h_w$	$0.25h_w$	$0.15h_w$	$0.20h_w$	$0.15h_w$	$0.20h_w$
l_c（翼墙或端柱）	$0.15h_w$	$0.20h_w$	$0.15h_w$	$0.20h_w$	$0.10h_w$	$0.15h_w$	$0.10h_w$	$0.15h_w$
λ_v	0.15	0.24	0.12	0.20	0.12	0.20	0.12	0.20
竖向钢筋（取较大值）	$0.014A_c$，$8\phi18$		$0.012A_c$，$8\phi16$		$0.012A_c$，$8\phi16$		$0.010A_c$，$6\phi16$（三级 $6\phi14$）	
箍筋及拉筋沿竖向间距	100mm		100mm		100mm		150mm	

注：h_w 为墙肢截面长度；ϕ 表示钢筋直径。

由配箍特征值不能直接确定箍筋的配置，需要换算为体积配箍率，才能确定箍筋的直径、肢数和间距。箍筋体积配箍率 ρ_v 按下式计算：

$$\rho_v = \lambda_v \frac{f_c}{f_{yv}} \tag{7-23}$$

计算 ρ_v 时，混凝土强度等级低于 C35 时，f_c 取 C35 的混凝土轴心抗压强度设计值。计算约束边缘构件的体积配箍率时，除了计入箍筋、拉筋外，还可计入在墙端有可靠锚固的水平分布钢筋，水平分布钢筋之间应设置足够的拉筋形成复合箍。由于水平分布钢筋同时为抗剪钢筋，且竖向间距往往大于约束边缘构件的箍筋间距，因此，计入的水平分布钢筋的体积配箍率不大于总体积配箍率的 30%。

约束边缘构件长度 l_c 范围内的箍筋配置分为两部分：图 7-22 中的阴影部分为墙肢端部，其压应力大，要求的约束程度高，其配箍特征值取表 7-5 规定的数值，且应配置箍筋；图 7-22 中约束边缘构件的无阴影部分，压应力比较小，其配箍特征值可为表 7-5 规定值的一半即 $\lambda_v/2$，且不必全部为箍筋，可以配置拉筋。

框架-核心筒结构的核心筒转角部位的边缘构件按下列规定加强：底部加强部位，约束边缘构件沿墙肢的长度取墙肢截面长度的 1/4，约束边缘构件长度范围内宜全部采用箍筋；底部加强部位以上的全部高度按图 7-22（d）转角墙（L 形墙）的要求设置约束边缘构件。

除了要求设置约束边缘构件的各种情况外，剪力墙墙肢两端要设置构造边缘构件。如：底层墙肢轴压比不大于表 7-4 的特一、一、二、三级剪力墙，四级剪力墙，特一、一、二、三级剪力墙约束边缘构件以上部位。

构造边缘构件沿墙肢的长度取图 7-23 的阴影部分。构造边缘构件的配筋除要符合承载力的要求外，还要符合表 7-6 的构造要求。表 7-6 中，A_c 为边缘构件的截面面积，即图 7-23 剪力墙的阴影部分；底部加强部位构造边缘构件的要求比其他部位高一些，底部加强部位采用箍筋，其他部位可以采用拉筋，拉筋的水平间距不大于竖向钢筋间距的 2 倍，转角处采用箍筋。端柱承受集中荷载时，其竖向钢筋、箍筋直径和间距按框架柱的构造要求配置。

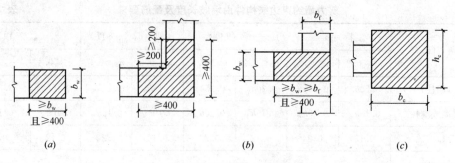

图 7-23　剪力墙构造边缘构件范围

(*a*) 暗柱；(*b*) 翼墙；(*c*) 端柱

剪力墙构造边缘构件的配筋要求　　　　　　　　　　　表 7-6

抗震等级	底部加强部位			其他部位		
	竖向钢筋最小量（取较大值）	箍筋		竖向钢筋最小量（取较大值）	拉筋	
		最小直径（mm）	沿竖向最大间距（mm）		最小直径（mm）	沿竖向最大间距（mm）
特一	$0.012A_c$，$6\Phi18$	8	100	$0.012A_c$，$6\Phi18$	8	150
一	$0.010A_c$，$6\Phi16$	8	100	$0.008A_c$，$6\Phi14$	8	150
二	$0.008A_c$，$6\Phi14$	8	150	$0.006A_c$，$6\Phi12$	8	200
三	$0.006A_c$，$6\Phi12$	6	150	$0.005A_c$，$4\Phi12$	6	200
四	$0.005A_c$，$4\Phi12$	6	200	$0.004A_c$，$4\Phi12$	6	250

7. 钢筋锚固和连接

剪力墙竖向钢筋的最小锚固长度 l_{aE} 与墙的抗震等级有关，特一、一、二级时不小于 $1.15l_a$，三级时不小于 $1.05l_a$，四级时不小于 $1.00l_a$。l_a 为受拉钢筋的锚固长度，按现行国家标准《混凝土结构设计规范》GB 50010—2010（2015 年版）的规定采用。

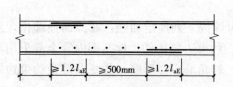

图 7-24　墙肢水平分布钢筋搭接连接示意图

墙肢竖向及水平分布钢筋通常采用绑扎搭接连接。特一、一、二级剪力墙的底部加强部位，搭接位置应错开，同一截面连接的钢筋数量不超过总数的 50%，错开净距不小于 500mm（图 7-24）；其他情况剪力墙的钢筋可以在同一截面连接；搭接长度不小于 $1.2l_{aE}$。暗柱及端柱内竖向钢筋锚固和连接要求，与框架柱相同。

8. 短肢剪力墙构造要求

短肢墙是指：截面厚度不大于 300mm、各墙肢截面长度与厚度之比大于 4 不大于 8 的联肢剪力墙；截面厚度不大于 300mm、墙肢截面长度与厚度之比大于 4 不大于 8 的独立剪力墙。

高层建筑不应全部采用短肢剪力墙；B 级高度的建筑，9 度 A 级高度的建筑，不采用短肢剪力墙。短肢剪力墙截面的厚度，底部加强部位不小于 200mm，其他部位不小于 180mm。一、二、三级短肢剪力墙的轴压比，分别不宜大于 0.45、0.50 和 0.55，矩形截面独立短肢墙的轴压比相应减少 0.1；一、二级大于 0.2、三级大于 0.3 时，底部加强部位设置约束边缘构件。短肢墙底部加强部位的剪力设计值按公式（7-1）调整，一、二、三级其他部位剪力设计值分别乘以增大系数 1.4、1.2 和 1.1。短肢墙全部竖向钢筋的配筋率，底部加强部位一、二级不小于 1.2%，三、四级不小于 1.0%；其他部位一、二级不小于 1.0%，三、四级不小于 0.8%。

7.6 连 梁 设 计

按照延性剪力墙强墙肢弱连梁的设计原则，地震作用下连梁屈服应先于墙肢屈服，连梁首先形成塑性铰耗散地震能量；连梁应为强剪弱弯，避免剪切破坏。

7.6.1 连梁内力设计值

1. 弯矩设计值

为了使连梁弯曲屈服，小震内力计算时，对连梁的刚度进行折减，从而减小连梁的弯矩和剪力，折减系数不小于 0.5。小震位移计算时，连梁刚度不折减。为了避免正常使用条件下或比小震还小的地震作用下连梁出现裂缝，刚度折减后连梁的弯矩、剪力设计值不应低于持久、短暂设计状况下的值。

2. 剪力设计值

四级剪力墙的连梁，取最不利组合的剪力计算值作为其剪力设计值。特一、一、二、三级剪力墙的连梁，按强剪弱弯要求调整连梁端截面组合的剪力计算值，调整后的剪力作为设计值，即连梁截面剪力设计值 V_b 按下式计算：

$$V_b = \eta_{vb}(M_b^l + M_b^r)/l_n + V_{Gb} \tag{7-24a}$$

9 度特一、一级剪力墙的连梁可不按上式调整，但应符合下式要求：

$$V_b = 1.1(M_{bua}^l + M_{bua}^r)/l_n + V_{Gb} \tag{7-24b}$$

式中　V_b—— 连梁端截面组合的剪力设计值；

M_b^l、M_b^r——分别为连梁左、右端反时针或顺时针方向组合的弯矩设计值；

M_{bua}^l、M_{bua}^r——分别为连梁左、右端反时针或顺时针方向实配的正截面抗震受弯承载力所对应的弯矩值（实配的正截面受弯承载力对应的弯矩值除以承载力抗震调整系数），根据实配钢筋面积（计入受压钢筋和相关楼板钢筋）和材料强度标准值确定；

　　l_n——连梁的净跨；

　V_{Gb}——连梁在重力荷载代表值作用下，按简支梁计算的连梁端截面剪力设计值，在连梁跨度不大的情况下，V_{Gb} 比较小，可以忽略；

　η_{vb}——连梁剪力增大系数，特一、一级可取 1.3，二级可取 1.2，三级可取 1.1。

7.6.2 截面承载力验算

1. 受弯承载力验算

连梁可按普通梁的方法验算受弯承载力。连梁通常采用对称配筋，$A_s = A_s'$，验算公式可以简化如下：

持久、短暂设计状况 $\qquad M_b \leqslant f_y A_s (h_{b0} - a')$ (7-25a)

地震设计状况 $\qquad M_b \leqslant \dfrac{1}{\gamma_{RE}} f_y A_s (h_{b0} - a')$ (7-25b)

式中　M_b——连梁组合的弯矩设计值；

　　　A_s——受力纵向水平钢筋面积；

$(h_{b0} - a')$——连梁顶面和底面受力纵向水平钢筋重心之间的距离。

2. 斜截面受剪承载力验算

连梁的斜截面受剪承载力按下式验算：

持久、短暂设计状况 $\quad V_b \leqslant 0.7 f_t b_b h_{b0} + f_{yv} \dfrac{A_{sv}}{s} h_{b0}$ (7-26a)

地震设计状况

跨高比大于 2.5 的连梁　$V_b \leqslant \dfrac{1}{\gamma_{RE}} \left(0.42 f_t b_b h_{b0} + f_{yv} \dfrac{A_{sv}}{s} h_{b0} \right)$ (7-26b)

跨高比不大于 2.5 的连梁　$V_b \leqslant \dfrac{1}{\gamma_{RE}} \left(0.38 f_t b_b h_{b0} + 0.9 f_{yv} \dfrac{A_{sv}}{s} h_{b0} \right)$ (7-26c)

式中　V_b——连梁组合的剪力设计值；

　　　f_t——混凝土轴心抗拉强度设计值；

b_b、h_{b0}——分别为连梁截面宽度和有效高度；

　　　A_{sv}——同一截面内竖向箍筋的全部截面面积；

　　　s——箍筋间距；

　　　f_{yv}——箍筋抗拉强度设计值。

7.6.3　连 梁 构 造 要 求

1. 最小抗剪截面

为避免斜裂缝过早出现和混凝土过早剪坏，连梁截面不宜过小，通过限制截面名义剪应力，使连梁截面不小于最小抗剪截面：

持久、短暂设计状况 $\qquad V_b \leqslant 0.25 \beta_c f_c b_b h_{b0}$ (7-27a)

地震设计状况

跨高比大于 2.5 的连梁　$V_b \leqslant \dfrac{1}{\gamma_{RE}} (0.20 \beta_c f_c b_b h_{b0})$ (7-27b)

跨高比不大于 2.5 的连梁　$V_b \leqslant \dfrac{1}{\gamma_{RE}} (0.15 \beta_c f_c b_b h_{b0})$ (7-27c)

2. 纵向钢筋配筋率

连梁的水平纵向钢筋配置，不宜小于最小配筋率，也不宜大于最大配筋率。

跨高比 l_n / h_b 不大于 1.5 的连梁，纵向钢筋的最小配筋率见表 7-7；跨高比大于 1.5 的连梁，纵向钢筋的最小配筋率按框架梁的要求采用。

跨高比不大于 1.5 的连梁纵向钢筋最小配筋率（％）　　　　　　表 7-7

跨　高　比	最小配筋率（采用较大值）
$l_n / h_b \leqslant 0.5$	0.20，$45 f_t / f_y$
$0.5 < l_n / h_b \leqslant 1.5$	0.25，$55 f_t / f_y$

连梁纵向钢筋的最大配筋率为 2.5%；连梁底面及顶面单侧纵向钢筋的最大配筋率见表 7-8，如不满足，应按实配钢筋进行强剪弱弯验算。

连梁纵向钢筋最大配筋率（%） 表 7-8

跨 高 比	最大配筋率
$l_n/h_b \leqslant 1.0$	0.6
$1.0 < l_n/h_b \leqslant 2.0$	1.2
$2.0 < l_n/h_b \leqslant 2.5$	1.5

3. 配筋构造

连梁配筋构造（图 7-25）应满足下列要求：

连梁顶面、底面纵向水平钢筋伸入墙肢的长度不小于 l_{aE} 和 600mm 的较大值；沿连梁全长箍筋的最大间距和最小直径与框架梁端箍筋加密区的箍筋构造要求相同；顶层连梁纵向钢筋伸入墙肢的长度范围内，配置间距不大于 150mm 的箍筋，其直径与该连梁的箍筋直径相同；截面比较高的连梁，要配置腰筋（图 7-26）。连梁截面高度大于 700mm 时，其两侧面配置的腰筋直径不小于 8mm，间距不大于 200mm；跨高比不大于 2.5 的连梁，两侧腰筋的总面积配筋率不小于 0.3%。连梁高度范围内的墙肢水平分布钢筋可拉通作为连梁的腰筋。

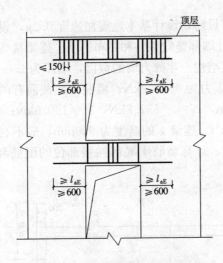

图 7-25 连梁配筋构造示意图

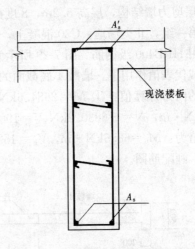

图 7-26 高连梁配置腰筋示意图

跨高比小的高连梁，可以开设水平缝（图 7-27），形成双连梁或多连梁，成为跨高比大的连梁，实现弯曲破坏。

除配置普通箍筋外，截面宽度不小于 250mm 的短连梁，可增配交叉斜向钢筋（图 7-28a）；截面宽度不小于 400mm 的短连梁，可增配对角交叉斜向钢筋（图 7-28b），或增配对角交叉斜向暗撑（图 7-28c），以增大连梁的受剪承载力，增大连梁的变形能力。也可以作为构造措施增配交叉斜筋，以改善短连梁抗剪性能。

配置对角暗撑的短连梁，每根暗撑应配置不少于 4 根纵向钢筋，

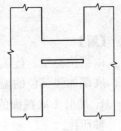

图 7-27 开缝连梁示意图

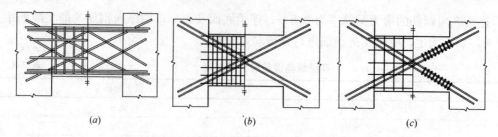

图 7-28 增配斜向交叉钢筋的短连梁

(*a*) 增配交叉斜筋连梁；(*b*) 增配对角斜筋连梁；(*c*) 增配对角暗撑连梁

直径不小于 14mm。连梁的全部剪力设计值由对角暗撑承担。地震设计状况时，其总面积 A_s 按下式计算：

$$A_s \geqslant \frac{\gamma_{RE} V_b}{2 f_y \sin\alpha} \tag{7-28}$$

式中 α——暗撑与水平线的夹角。

为防止纵筋压屈，对角暗撑必须配置矩形箍筋或螺旋箍筋，箍筋直径不小于 8mm，间距不大于 150mm。纵筋伸入墙肢的长度，不小于 l_{aE}，且不小于 600mm。配置对角暗撑的框筒梁和连梁，箍筋间距不大于 200mm。

【例 7-1】墙肢和连梁截面配筋算例

16 层剪力墙结构，层高 3.2m，8 度抗震设防，设计基本地震加速度 0.2g，设计地震分组为第一组，Ⅱ 类场地，C30 混凝土，墙肢端部竖向钢筋和分布钢筋、连梁抗弯钢筋和箍筋采用 HRB400 级钢筋。图 7-29 所示为该结构一片剪力墙的截面，墙厚为 200mm。在重力荷载代表值作用下，墙肢 1 底截面的轴压力为 4536.2kN；墙肢 1 底截面有两组最不利组合的内力计算值：① $M = 2684.6$kN·m，$N = -551.8$kN，$V = 190.5$kN；② $M = 2684.6$kN·m，$N = -6830.2$kN，$V - 190.5$kN。连梁 1 的高度为 900mm，最不利内力组合计算值为：$M_b = 68.5$kN·m，$V_b = 152$kN。计算墙肢 1 底部加强部位的配筋和连梁 1 的配筋，画配筋图。

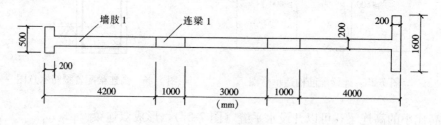

图 7-29 剪力墙截面

【解】

由结构类型、抗震设防烈度和结构高度，查表 4-7，该结构剪力墙的抗震等级为二级。底部加强部位的墙厚满足最小厚度的要求（不小于 200mm）。

1. 墙肢 1 底截面的轴压比及边缘构件

轴压比：

$$n_w = \frac{N}{f_c A} = 4536.2 \times 10^3 / (14.3 \times 200 \times 4200) = 0.378 > 0.3$$

轴压比大于 0.3，由表 7-4，二级剪力墙底部加强部位墙肢两端应设置约束边缘构件。墙肢左端有翼墙，但其长度为 500mm，小于翼墙厚的 3 倍（600mm），视为无翼墙。由表 7-5，轴压比小于 0.4 时，约束边缘构件的长度 $l_c = 0.15h_w = 630$mm；由图 7-23，约束边缘构件阴影部分的长度取墙肢截面厚 b_w、约束边缘构件长的一半 $l_c/2$ 及 400mm 的最大者。b_w 为 200mm，$l_c/2$ 为 320mm，都小于 400mm，取约束边缘构件阴影部分的长度为 400mm。由表 7-5，在墙端 400mm 长度范围内竖向钢筋不少于 $0.01A_c$，且不少于 6 根直径 16mm。竖向钢筋的合力点至截面近边缘的距离取 $a = 400/2 = 200$mm，因此 $h_{w0} = (4200 - 200) = 4000$mm。

2. 墙肢竖向钢筋计算

竖向和水平分布钢筋都取 Φ 8@200，双层钢筋网，配筋率为：

$$\rho_v = \frac{2 \times 50.3}{200 \times 200} = 0.25\%$$

满足二级剪力墙竖向和水平分布钢筋配筋率不小于 0.25% 的要求。

$$A_{sw} = 4200 \times 200 \times 0.25\% = 2100\text{mm}^2$$

第一组轴压力设计值较小，取为配筋设计依据。由式（7-2b）：

$$x = \frac{\gamma_{RE}N + f_{yw}A_{sw}}{\alpha_1 f_c b_w + 1.5 f_{yw}A_{sw}/h_{w0}} = \frac{0.85 \times 551.8 \times 10^3 + 360 \times 2100}{1.0 \times 14.3 \times 200 + 1.5 \times 360 \times 2100/4000}$$

$$= 389.7\text{mm}$$

$$x > 2a'$$

$$\xi = 389.7/4000 = 0.097 < 0.55$$

$\xi < \xi_b$，为大偏心受压

由式（7-4a）计算分布钢筋抵抗弯矩值：

$$M_{sw} = \frac{f_{yw}A_{sw}}{2} h_{w0} \left(1 - \frac{x}{h_{w0}}\right) \left(1 + \frac{\gamma_{RE}N}{f_{yw}A_{sw}}\right)$$

$$= \frac{360 \times 2100 \times 4000}{2} \left(1 - \frac{389.7}{4000}\right) \left(1 + \frac{0.85 \times 551.8 \times 10^3}{360 \times 2100}\right)$$

$$= 2211.4\text{kN} \cdot \text{m}$$

由式（7-6），端部配筋为：

$$A_s = \frac{\gamma_{RE}M - M_{sw}}{f_y(h_{w0} - a')} = \frac{(0.85 \times 2684.6 - 2211.4) \times 10^6}{360 \times (4000 - 160)} = 51\text{mm}^2$$

在约束边缘构件端部 400mm 长度范围内，竖向钢筋构造要求取 $0.01A_c$ 和 6Φ16 的较大者：

$$A_s = 0.01 \times 200 \times 400 = 800\text{mm}^2$$

大于按承载力要求的配筋 51mm²；6Φ16 的面积为 1206mm²，大于 800mm²。因此，取 6Φ16 为约束边缘构件端部 400mm 长度范围内的竖向钢筋。

3. 墙肢水平分布钢筋计算

水平分布钢筋取 Φ8@200，双排，$A_{sh} = 101$mm²。

由式（7-1a）计算剪力设计值：

$$V = \eta_{vw}V_w = 1.4 \times 190.5 = 266.7\text{kN}$$

按剪压比校核截面尺寸：

剪跨比 $\lambda = M/(Vh_{w0}) = 2684.6 \times 10^3/(190.5 \times 4000) = 3.52 > 2.2$

用式（7-20b）校核截面尺寸：

$$\frac{1}{\gamma_{RE}}(0.2\beta_c f_c b_w h_{w0}) = (0.2 \times 1.0 \times 14.3 \times 200 \times 4000)/0.85$$

$$= 2692\text{kN} > 266.7\text{kN}$$

满足要求。

用式（7-18b）验算截面抗剪承载力：

$$\frac{1}{\gamma_{RE}}\left[\frac{1}{\lambda-0.5}\left(0.4f_t b_w h_{w0} + 0.1N\frac{A_w}{A}\right) + 0.8f_{yh}\frac{A_{sh}}{s}h_{w0}\right]$$

$$= \frac{1}{0.85} \times \left[\frac{1}{2.2-0.5} \times (0.4 \times 1.43 \times 200 \times 4000 + 0.1 \times 551.8 \times 10^3)\right.$$

$$\left. + 0.8 \times 360 \times \frac{101}{200} \times 4000\right]$$

$$= 1039.3\text{kN} > 266.7\text{kN}$$

满足要求。

4. 约束边缘构件配箍

墙肢 1 底截面的轴压比为 0.378，小于 0.4，约束边缘构件端部 400mm 长度内的配箍特征值取 λ_v=0.12。由式（7-23），体积配箍率为：

$$\rho_v = \lambda_v \frac{f_c}{f_{yv}} = 0.12 \times 14.3/360 = 0.48\%$$

采用双肢箍，Φ8@100，体积配箍率为 1.01%。   满足要求

5. 连梁抗弯钢筋计算（连梁弯矩不调幅）

h_b=900mm，h_{b0}=900－40=860mm

由式（7-25b）：

$$A_s = \frac{\gamma_{RE}M_b}{f_y(h_{b0}-a')} = \frac{0.75 \times 68.5 \times 10^6}{360 \times (860-40)} = 174\text{mm}^2$$

选用 2Φ12，A_s=226mm²

两侧应配置腰筋，面积配筋率不小于 0.3%：

A=0.003×200×900=540mm²   每侧配置 4Φ10，总面积 628mm²，间距不大于 200mm。

6. 连梁抗剪验算

用式（7-24a）计算剪力设计值（忽略重力荷载代表值产生的剪力 V_{Gb}）：

$$V = \eta_{vb}(M_b^l + M_b^r)/l_n + V_{Gb} = 1.2 \times (68.5+68.5) \times 10^3/1000$$

$$= 164.4\text{kN} > 152\text{kN}$$

连梁跨高比不大于 2.5，按式（7-27c）验算抗剪截面尺寸：

$$\frac{1}{\gamma_{RE}}(0.15\beta_c f_c b_b h_{b0}) = (0.15 \times 1.0 \times 14.3 \times 200 \times 860)/0.85$$

$$= 434\text{kN} > 164.4\text{kN}$$

满足要求。

按式（7-26c）计算箍筋：

$$\frac{A_{sv}}{s} = (\gamma_{RE}V_b - 0.38f_t b_b h_{b0})\frac{1}{0.9f_{yv}h_{b0}}$$

$$= (0.85 \times 164.4 \times 10^3 - 0.38 \times 1.43 \times 200 \times 860)/(0.9 \times 360 \times 860)$$

$$= 0.166$$

配置$\Phi 8$箍筋：$A_{sv} = 101 mm^2$，则$s = 101/0.166 = 608 mm$

按梁端箍筋加密区的构造要求配箍：$\Phi 8@100$

图 7-30 为墙肢 1 截面配筋图和连梁 1 配筋立面图。

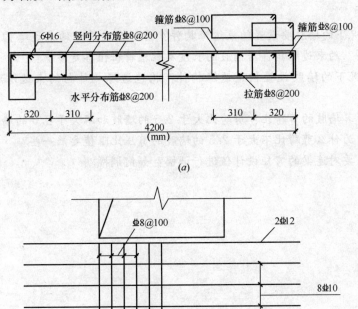

图 7-30　例 7-1 剪力墙算例配筋图

(a) 墙肢 1 截面配筋图；(b) 连梁 1 配筋立面图

思　考　题

7.1　剪力墙抗震设计的原则是什么？为什么要按强墙肢弱连梁设计剪力墙？什么是强墙肢弱连梁？

7.2　简述墙肢在轴力、弯矩和剪力作用下可能出现的正截面破坏形态和斜截面破坏形态。

7.3　为什么剪力墙要设置底部加强部位？剪力墙结构、部分框支剪力墙结构底部加强部位的高度为多高？一栋 22 层、层高 2.9m 的剪力墙结构，3 层地下室，地下室层高 2.6m，若计算嵌固端在地下室顶板，如何取其底部加强部位？底部加强部位的总高度为多高？若计算嵌固端在地下室二层的顶板，如何取其底部加强部位？底部加强部位的总高度为多高？

7.4   如何调整一级剪力墙墙肢组合的弯矩设计值？为什么要调整？

7.5   为什么要调整剪力墙墙肢和连梁组合的剪力计算值？如何调整？

7.6   在墙肢大、小偏心受压和大偏心受拉正截面承载力验算中，作了哪些假定？忽略哪一范围内的竖向分布钢筋对承载力贡献？为什么？

7.7   简述对称配筋和不对称配筋墙肢大偏心受压正截面承载力验算中竖向钢筋计算过程。

7.8   什么情况下的墙肢要设置约束边缘构件？为什么要设置约束边缘构件？约束边缘构件有哪些类型？约束边缘构件沿墙肢的长度及配箍特征值各是多少？

7.9   什么情况下的墙肢设置构造边缘构件？构造边缘构件与约束边缘构件有什么不同？

7.10   如何计算墙肢的剪跨比？剪跨比大于 2.5 的墙肢和不大于 2.5 的墙肢的剪压比限值有什么不同？为什么剪跨比不大于 2.5 的墙肢的剪压比限值要严一些？

7.11   为什么要对连梁的弯矩设计值进行调幅？如何调幅？

第8章 结构程序计算及简体结构设计要点

房屋建筑的高度不断增加，不规则建筑、复杂建筑结构越来越多，近似计算与现代工程建设已不相适应，平面结构的假定已不能满足现代高层建筑结构计算的需要，计算机技术迅速发展，结构计算程序不断更新，使空间计算成为结构计算的主要方法。

目前，结构工程师一般都能掌握结构程序计算技术，熟练应用计算程序。但是，应当注意的是：第一，近似计算仍然是工程师的基本功，近似计算概念清楚，计算结果简单明了，常常能为工程师判断程序计算结果是否合理提供依据。第二，计算程序多种多样，其计算原理及方法各异，计算结果的表达方式也各不相同，因此，首先要选用可信度高、经过应用考验的计算程序，还要判断程序采用的计算假定及结构计算简图是否适用于所计算的结构，要了解其计算内容是否满足设计需要，计算结果表达形式是否简明且方便用于结构设计。了解计算程序、掌握其原理和计算方法、善于选择及运用程序、判断程序的计算结果是否正确合理，是结构工程师的又一个基本功。

本章主要介绍高层建筑结构空间计算程序的原理，同时对一些复杂高层建筑结构，如简体结构等的设计概念作进一步的分析与介绍。

8.1 建筑结构有限元计算方法及计算假定

建筑结构的形式多种多样，例如框架结构、剪力墙结构、框架-剪力墙结构、框架-支撑结构、简体结构等，其基本结构构件包括梁、柱、支撑等一维受力构件，楼板、剪力墙等二维受力构件，转换厚板、各种曲面薄壳等三维受力构件，阻尼器以及构件之间的连接节点等，对应的分析单元有一维的杆单元（包括平面杆单元，空间杆单元，桁架单元，弹簧单元等）、平面单元（包括平面应力单元，轴对称单元，平面膜单元等）、板单元（包括薄板与厚板等）、壳单元（包括薄壳与厚壳等）、三维实体单元、阻尼器单元以及连接单元等。通过合理选择上述不同单元的集成，可以模拟实际结构的特性。

建筑结构计算方法大体分为三种：(1) 有限元法，将结构离散为杆单元、平面单元、板单元、实体单元等，运用有限元方法进行结构计算；(2) 有限条法，将结构离散为平面或空间的连续条元，采用有限条法进行结构计算；(3) 有限元线法，将结构离散为平面或空间的不同方向的连续线元，建立不同线元的微分方程组，利用求解器求解微分方程组，进行结构计算。在这三种方法中，有限条法单元数量少，计算效率高，但是要求被分析的结构比较规则，当结构不规则，或规则结构但沿结构高度方向几何参数与材料强度参数变化较多时，需要分块分段划分条元，导致数值求解难度增大。基于有限条法的成熟软件少，工程应用不普遍。有限元线法是有限条法与有限元法的结合，基于专用常微分方程求解器求解，与有限条法类似，工程应用不普遍。

基于矩阵位移法的有限元法是目前工程结构计算分析中普遍使用的方法。随着结构通用分析软件与专用分析软件的成熟与普及推广，特别是计算机硬件的不断改进与数值分析技术的提高，相关软件使用越来越方便。部分建筑结构专业软件为用户提供通用型材的截面数据库，对工程结构中常用的构件截面形式提供截面类型库供用户选择与修改，按照结构设计规范的要求自动提取审查指标汇总文件等，使用十分方便，提高了工程结构设计的工作效率。

常规结构的计算分析与设计离不开相关有限元软件，大型复杂结构的计算分析与设计更依赖于商业有限元软件，学习结构有限元分析的基本知识、基本方法与不同结构构件的有限元模型的选取原则，对正确使用有限元软件、建立符合工程结构实际情况的有限元计算模型、获得结构响应并完成结构设计十分重要。熟练使用相关结构计算分析软件已经成为工程结构设计人员的基本技能。

8.1.1　有限元法计算高层建筑结构的基本假定

矩阵位移法的要点如下：

（1）将结构离散为基本单元，取节点位移为基本未知量，采用局部坐标建立单元刚度方程，即单元节点的力向量与节点位移向量间的平衡方程：

$$\{F\}^e = [k]^e \{\delta\}^e \tag{8-1}$$

式中　　$\{F\}^e$——单元 e 的节点力向量；

　　　　$[k]^e$——单元 e 的刚度矩阵；

　　　　$\{\delta\}^e$——单元 e 的节点位移向量。

（2）将单元在整体坐标系内集合成整体结构模型，并使其满足节点处的位移连续条件和平衡条件，将局部坐标转换为整体坐标，建立结构的整体刚度方程，即结构节点变形向量与节点荷载向量间的平衡方程：

$$[K]\{\Delta\} = \{P\} \tag{8-2}$$

式中　　$\{P\}$　——结构的节点荷载向量；

　　　　$[K]$　——结构的整体刚度矩阵；

　　　　$\{\Delta\}$　——结构的节点位移向量。

（3）代入支座条件及其他位移约束条件，简化式（8-2）。

（4）解式（8-2），得到节点位移，然后回代入式（8-1），计算各杆的节点力与内力。

上述计算过程是一种静力计算，计算竖向恒载与活荷载、风荷载等荷载作用下构件的内力与结构变形，不考虑动力荷载及结构的动力响应，不计惯性作用与阻尼的影响，按照静力学方法求解静力方程。如果荷载作用下结构有显著的动力响应，例如地震作用或高层建筑考虑风振效应等，需要按照结构的动力分析要求，考虑惯性质量与阻尼影响，建立结构的运动方程，通过求解运动方程获得结构的动力响应，如加速度、速度、位移等时程以及构件的内力时程等。

反应谱方法计算结构的地震响应，已经将作用在结构基础的地震加速度时程转换为施加在结构上的静力水平地震作用或静力竖向地震作用，采用静力方法进行结构计算，所以，这种计算为拟静力计算。

采用矩阵位移法计算高层建筑结构时，有以下几方面的基本假定。

（1）平面结构和空间结构

房屋结构都是空间结构，因为结构是由不同方向的构件组成，能抵抗任意方向的力。

结构计算时，可以采用空间结构假定，也可以采用平面结构假定以简化计算。

平面结构：当将位于同一平面内的构件组成的结构作为平面结构计算时，只考虑其在平面内变形和受力，即假定结构只在其平面内有刚度，不考虑结构平面外刚度，结构是二维的，每个节点有 3 个独立的位移（u、w、θ），即每个节点有 3 个自由度，见图 8-1（a）。

空间结构：将结构视为空间结构时，构件在平面内、平面外都有刚度，成为空间构件，结构是三维的，每个节点有 6 个独立的位移（沿 3 个轴的位移 u、v、w 及绕 3 个轴的转角 θ_x、θ_y、θ_z），见图 8-1（b），即每个节点有 6 个自由度，结构计算自由度将大大增加，但较符合实际。

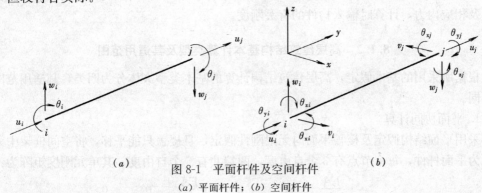

图 8-1 平面杆件及空间杆件

（a）平面杆件；（b）空间杆件

（2）刚性楼盖和弹性楼盖

楼盖的作用除了承受竖向荷载外，在水平荷载作用下，楼盖将各抗侧力结构联系在一起，共同受力。在水平荷载作用下，是否考虑楼盖在其自身平面内的变形，也是计算的假定。

考虑楼盖在其自身平面内的变形，在水平荷载作用下，楼盖平面内有弯曲变形、拉压变形与剪切变形，称为弹性楼盖假定。在弹性楼盖假定下，不同竖向构件在同一楼盖平面内的杆端有相对变形，节点的计算自由度（或未知量）都是独立的。

为了简化计算，假定在水平荷载作用下，楼盖在其自身平面内没有变形，即楼盖在其平面内的刚度为无限大，称为刚性楼盖假定。通常同时假定楼盖平面外没有刚度。在刚性楼盖假定下，不同竖向构件在同一楼盖平面内的杆端没有相对变形，即平移自由度不独立，可大大减少计算未知量。通常房屋建筑楼盖面积大，楼盖在其自身平面内的变形很小，一般情况下，刚性楼盖假定符合实际情况。对于多塔楼或超长超宽结构或楼板局部开洞较大的情况，也可引入楼盖局部无限刚性的假定，即局部区域内的楼盖在其自身平面内没有变形，局部区域以外为弹性楼盖，需要考虑其平面内变形的影响。

刚性楼盖假定下有两种情况：

1）刚性楼盖假定下结构平面受力计算（图 8-2）。楼盖只能在其自身平面内沿受力方

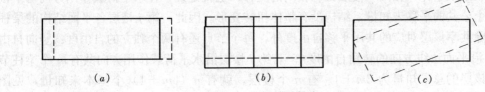

图 8-2 刚性楼盖假定

（a）楼盖 x 方向平移；（b）楼盖 y 方向平移；（c）楼盖 x、y 方向平移及绕 z 轴转动

向刚体平移，即每个楼层平面只有一个公共平移自由度 u（或 v），同一楼盖上的所有节点除共用该平移自由度外，每个节点还有两个独立的面外自由度，即竖向平移自由度 w 与绕垂直加载方向的转动自由度 θ_x 或 θ_y。

2）刚性楼盖假定下结构的空间受力计算。楼盖在其自身平面内发生刚体转动，即在每个楼层平面有三个公共自由度 u、v、θ_z。同一楼盖上的所有节点共用该三个自由度，每个节点还有三个独立的面外自由度，即竖向平移自由度 w 与绕 x 轴、y 轴方向的转动自由度 θ_x、θ_y。

（3）构件具有轴向、弯曲、剪切、扭转刚度，对应于构件的轴向、弯曲、剪切及扭转变形及相应内力，计算时输入构件的有关刚度。

8.1.2　高层建筑结构基本计算类型及其适用范围

根据所采用的基本假定，高层建筑结构计算的基本类型大体分为四类，其适用范围有所不同。

1. 平面协同计算

采用平面结构假定及楼盖平面内无限刚性假定，且楼盖只能平移，将空间框架中梁柱简化为平面杆件，每个节点有 3 个自由度，两端共有 6 个自由度，其单元刚度矩阵为：

$$[k]^e = \begin{bmatrix} \dfrac{EA}{l} & 0 & 0 & -\dfrac{EA}{l} & 0 & 0 \\[2mm] 0 & \dfrac{12i}{l^2} & -\dfrac{6i}{l} & 0 & -\dfrac{12i}{l^2} & -\dfrac{6i}{l} \\[2mm] 0 & -\dfrac{6i}{l} & 4i & 0 & \dfrac{6i}{l} & 2i \\[2mm] -\dfrac{EA}{l} & 0 & 0 & \dfrac{EA}{l} & 0 & 0 \\[2mm] 0 & -\dfrac{12i}{l^2} & \dfrac{6i}{l} & 0 & \dfrac{12i}{l^2} & \dfrac{6i}{l} \\[2mm] 0 & -\dfrac{6i}{l} & 2i & 0 & \dfrac{6i}{l} & 4i \end{bmatrix} \tag{8-3}$$

式中　i——单元线刚度，$i = \dfrac{EI}{l}$；

　　　　l——杆件长度。

剪力墙简化为平面应力问题或平面膜问题，分别选取不同的平面应力单元或平面膜单元建立计算模型。

根据平面结构假定，沿水平荷载作用方向将结构拆分为若干个平面结构，平面结构通过楼盖联系成整体，在同一楼层具有相同的侧移，也就是说，在水平荷载作用方向每个楼层有一个公共的平移未知量，结构没有整体扭转变形。因此，第 j 楼层各平面结构的梁柱节点，除共享该层对应的共用平移自由度外，每个节点还有两个独立的自由度：竖向自由度 w 与沿平面法线方向的转角自由度 θ。若第 j 楼层沿水平荷载作用方向共有 m 个梁柱节点，则该层的总未知量为 $2m+1$。有 n 个楼层，就有 n（$2m+1$）个基本未知量，见图 8-2（a）、（b）。两个方向的平面结构各自独立，分别计算。

平面协同计算与近似计算类似，不考虑与水平力作用方向相垂直的结构承受水平力。

虽然平面协同计算比近似计算略为精确一些，但是不考虑扭转，不能计算平面复杂的结构，工程设计中已不用这种计算方法。

2. 空间协同计算

采用平面结构假定和楼盖平面内无限刚性假定，楼盖有整体平移位移与整体扭转角，每个楼层有 3 个公共自由度。

与平面协同计算相同，将结构分为若干个平面子结构，杆件单元刚度矩阵同式（8-3）。

计算方法与平面协同计算基本相同，不同之处在于空间协同计算时每个楼层有 3 个共用自由度（u、v、θ_z）。当第 j 楼层有刚体位移 u_j、v_j、θ_j 时，坐标原点 o 点位移至 o' 点，且扭转一个角度，如图 8-3 所示，由几何关系可以得到各平面结构 s 在该楼层的位移值如下（注意正负方向）：

$$u_j^s = u_j - y_s\theta_j$$
$$v_j^s = v_j + x_s\theta_j \tag{8-4}$$

每楼层各平面结构的梁柱节点除共享该楼层对应的平移自由度 u_j^s 或 v_j^s 外，每个梁柱节点还有两个独立的自由度：竖向自由度 w 与沿平面法线方向的转角自由度 θ。若第 j 楼层有 m 个梁柱节点，每个节点均是两个正交平面结构的交点，由于同一梁柱节点在每个平面结构内有两个独立的自由度，每一个梁柱节点除共享 3 个楼层共用自由度外，还有 4 个独立的自由度（2 个竖向自由度与 2 个转角自由度），则该层的基本未知量为 $4m+3$，有 n 个楼层就有 n（$4m+3$）个基本未知量。

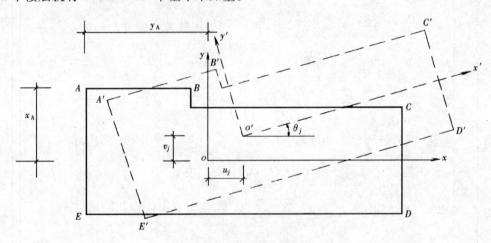

图 8-3 平面结构空间协同计算

空间协同计算可以计算不对称结构，可以计算结构扭转，比平面协同计算适用面广。但是，由于采用了平面结构假定，必须把结构分解成多个平面结构，相互垂直的各个平面结构即使相交，共用交线处单元的竖向平动自由度也互相独立，结构同一点在不同方向的平面结构计算模型中的竖向位移不一致，与实际结构受力的情况有差异；与水平荷载方向垂直的平面结构只参与抗扭。空间协同计算只在结构可以划分成明确的互相正交的平面结构时才可以应用。

实际上，在许多情况下，空间结构无法划分成明确的平面结构，如果能够划分成平面结构，各平面结构相交处的竖向位移不相同，造成计算误差。图 8-4 中的结构都不能采用

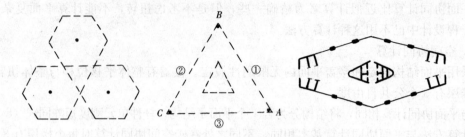

图 8-4　不能采用空间协同计算的结构平面

平面结构假定。以平面为三角形的结构为例，如果将三角形的 3 个边框架分成①、②、③三榀平面框架，则 A、B、C 三根柱将各有 2 个不同的竖向位移，造成位移不连续，计算结果误差较大。因此，在计算机能力极大发展的今天，这类结构完全可以采用更为精确的方法进行计算。下面介绍的空间结构计算方法，已经成为目前高层建筑结构计算的主要方法。

3. 空间结构计算（刚性楼盖假定）

框架杆件为空间杆件，每个节点有 6 个自由度，两端共有 12 个杆端位移及节点力，构件单元刚度矩阵为 12×12 阶，其刚度矩阵如下：

$$
\begin{bmatrix} X_1 \\ Y_1 \\ Z_1 \\ M_{x_1} \\ M_{y_1} \\ M_{z_1} \\ X_2 \\ Y_2 \\ Z_2 \\ M_{x_2} \\ M_{y_2} \\ M_{z_2} \end{bmatrix}^{e}
=
\begin{bmatrix}
\frac{EA}{l} & 0 & 0 & 0 & 0 & 0 & -\frac{EA}{l} & 0 & 0 & 0 & 0 & 0 \\[4pt]
0 & \frac{12i_z}{l^2} & 0 & 0 & 0 & \frac{6i_z}{l} & 0 & -\frac{12i_z}{l^2} & 0 & 0 & 0 & \frac{6i_z}{l} \\[4pt]
0 & 0 & \frac{12i_y}{l^2} & 0 & \frac{6i_y}{l} & 0 & 0 & 0 & -\frac{12i_y}{l^2} & 0 & -\frac{6i_y}{l} & 0 \\[4pt]
0 & 0 & 0 & \frac{GI_t}{l} & 0 & 0 & 0 & 0 & 0 & -\frac{GI_t}{l} & 0 & 0 \\[4pt]
0 & 0 & \frac{-6i_y}{l} & 0 & (4+\beta_y)i_y & 0 & 0 & 0 & \frac{6i_y}{l} & 0 & (2-\beta_y)i_y & 0 \\[4pt]
0 & \frac{6i_z}{l} & 0 & 0 & 0 & (4+\beta_z)i_z & 0 & \frac{-6i_z}{l} & 0 & 0 & 0 & (2-\beta_z)i_z \\[4pt]
-\frac{EA}{l} & 0 & 0 & 0 & 0 & 0 & \frac{EA}{l} & 0 & 0 & 0 & 0 & 0 \\[4pt]
0 & \frac{-12i_z}{l^2} & 0 & 0 & 0 & \frac{6i_z}{l} & 0 & \frac{12i_z}{l^2} & 0 & 0 & 0 & \frac{-6i_z}{l} \\[4pt]
0 & 0 & \frac{-12i_y}{l^2} & 0 & \frac{6i_y}{l} & 0 & 0 & 0 & \frac{12i_y}{l^2} & 0 & \frac{6i_y}{l} & 0 \\[4pt]
0 & 0 & 0 & \frac{-GI_t}{l} & 0 & 0 & 0 & 0 & 0 & \frac{GI_t}{l} & 0 & 0 \\[4pt]
0 & 0 & \frac{-6i_y}{l} & 0 & (2-\beta_y)i_y & 0 & 0 & 0 & \frac{6i_y}{l} & 0 & (4+\beta_y)i_y & 0 \\[4pt]
0 & \frac{6i_z}{l} & 0 & 0 & 0 & (2-\beta_z)i_z & 0 & \frac{-6i_z}{l} & 0 & 0 & 0 & (4+\beta_z)i_z
\end{bmatrix}
\begin{bmatrix} u_1 \\ v_1 \\ w_1 \\ \theta_{x_1} \\ \theta_{y_1} \\ \theta_{z_1} \\ u_2 \\ v_2 \\ w_2 \\ \theta_{x_2} \\ \theta_{y_2} \\ \theta_{z_2} \end{bmatrix}
$$

(8-5a)

式中　　i_y、i_z——分别为杆件截面绕 y 轴和 z 轴的线刚度，如果考虑剪切变形，其表达式
如下：

$$i_y = \frac{EI_y}{(1+\beta_y)l}, \beta_y = \frac{12\mu EI_y}{GAl^2} \tag{8-5b}$$

$$i_z = \frac{EI_z}{(1+\beta_z)l}, \beta_z = \frac{12\mu EI_z}{GAl^2} \tag{8-5c}$$

剪力墙或实腹筒体可以采用平面单元（忽略平面外刚度）或壳单元（考虑平面外刚度）或三维实体单元模拟。楼盖平面内无限刚性，平面外按照薄板单元模拟，对转换厚板等特殊构件，可以用厚板单元或三维实体单元模拟。

由于假定楼盖平面内无限刚性，每个楼层有 3 个共用自由度（u、v、θ_z），梁柱节点的独立自由度数量减少，可大大减少结构自由度及未知量。每层梁柱节点除共享该层的 3 个共用自由度外，每个梁柱节点还有 3 个独立的自由度：竖向自由度 w 与沿 x、y 方向的转角自由度 θ_x 和 θ_y。若每层有 m 个梁柱节点，则该层的基本未知量为 $3m+3$，有 n 个楼层就有 $n(3m+3)$ 个基本未知量。

空间结构计算与空间协同计算不同，空间结构是整体计算，凡是相交的各个杆件都互相关联。空间计算要求节点位移连续，水平荷载作用下无论哪个方向的杆件在相交的节点变形必须一致，杆端竖向位移也必须协调。不过，由于刚性楼盖假定，在楼盖平面内的杆件两端仍然没有相对位移，无法计算这些杆件的轴向变形和内力。

应当说明的是，对于大多数建筑结构，楼盖平面内无限刚性假定是符合实际情况的，计算结果误差不大，楼盖平面内梁的轴向力也很小，可以忽略。这种空间结构计算应用十分广泛，可以满足工程设计需要。只在下列两种情况下需要考虑更精确的、弹性楼盖假定的计算方法。

（1）结构平面狭长，或由于楼板开大洞或局部凸出，造成楼盖有狭长部分，在水平荷载作用下楼盖作为受水平力作用的梁有较大变形，见图 8-5，这时必须采用弹性楼盖假定进行计算。

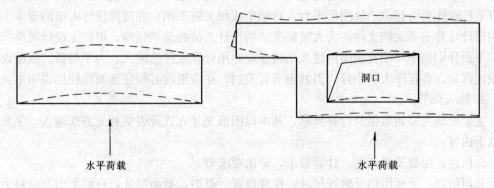

图 8-5　变形较大的楼盖平面

（2）结构有转换层或有加强层时，需要得到转换构件或伸臂构件上、下弦杆的轴力，而上、下弦杆都在楼盖平面内，采用楼盖平面内无限刚性的假定不能得到弦杆的轴力。对于这种情况，转换构件或伸臂构件所在楼层的楼板刚度取为零，即采用无楼板的模型进行计算。

4. 完全空间结构计算（弹性楼盖假定）

空间杆件的每个节点有 6 个独立的自由度，楼盖在其平面内有变形。若每层有 m 个节点，则该层的基本未知量为 $6m$，有 n 个楼层就有 $6nm$ 个基本未知量。这种计算方法既可得到梁、柱、剪力墙等构件的所有变形和内力（包括梁的轴力及轴向变形），又可以计算结构扭转和楼盖变形，是相对更为精确的一种计算方法。

随着计算机硬件的发展，结合矩阵存储技术与求解技术的提高，所有商用分析软件均支持用户使用这种计算方法。

上述四类计算由简到繁，计算结果的正确程度也随之提高。但是，由于基于矩阵位移法的有限元方法本身的局限，又对构件刚域及剪力墙的计算模型作了一些假定，即便是最后一种计算方法，其计算结果也不是绝对正确的。在选择计算类型时，要根据需要和可能，结合结构的实际情况，分析简化可能造成的误差，确定所花的代价是否值得。目前，第一种与第二种计算类型已基本不用。采用现浇楼盖或装配整体式楼盖以及满足楼盖无限刚性的假定时，可以采用计算类型 3。

8.1.3　计算软件应用简介

实际工程设计时，主要采用商用计算软件，例如 SATWE 软件，SAP2000 与 ETABS 软件，Midas Building 软件，Abaqus 软件等。结构商用计算软件又有通用计算软件和建筑结构专业专用计算软件两大类，通用计算软件不但能计算建筑结构，而且能计算其他结构，例如飞机、机械、特殊结构等，当采用通用计算软件计算建筑结构时，需要用户按照自己的要求输入具体内容与输出内容，一般不包括相关设计规范的内容与要求，例如，达索系统公司开发的 Abaqus 分析软件。而建筑结构专业专用计算程序专门针对建筑结构的特点，例如，建筑层的概念，标准层的概念，结构与构件的设计要求，风荷载体型系数，地震影响系数曲线等，应用十分方便。更为方便的是，部分建筑结构分析与设计软件不仅有力学分析部分，还包括了符合我国、美国等相关设计规范的荷载分布图形、默认荷载效应组合和截面承载力验算、构造措施等，有些程序还和施工图程序接力，绘制施工图，如 SATWE 软件利用 PMCAD 图形平台，自动生成相关施工图，并按照设计人员的要求生成结构设计计算书等文档文件，大大减轻了结构设计人员的劳动强度，提高了设计效率。

下面分别简单介绍我国国内建筑结构专业专用计算软件的输入、力学分析、截面设计和输出部分。各程序大同小异，但其细节有差别，在应用前必须仔细阅读使用说明书。

1. 输入部分

主要是输入原始数据及计算要求，基本以图形交互方式及表格补充方式输入，主要包括以下内容：

总信息：层数及总高度，计算要求，输出要求等。

几何信息：平面图形及轴线尺寸，构件位置、类型，截面尺寸，材料类型与材料力学参数选取等。

荷载信息：分别输入竖向荷载、风荷载和地震作用参数，例如活荷载折减系数，风荷载标准值及体型系数（沿高度分段分别输入以考虑建筑体型的变化），计算地震作用的基本设防烈度、建筑场地类别、特征周期、计算振型数、阻尼比及计算地震作用的结构周期折减系数等。还要输入荷载效应组合要求，包括组合工况要求、组合系数等。

其他设计需要的系数：例如塑性调幅系数、各类截面验算调整系数等，分别在有关信息中输入。

2. 力学分析及荷载效应组合部分

分为以下两个部分：

动力特性计算：可得到结构的计算周期及对应振型，程序可自动按输入要求的振型数计算振型及周期；弹性结构计算周期要乘以周期折减系数；有效质量系数应大于 0.9。

内力和位移计算与组合：分别完成每一种荷载作用下的内力及位移分析，然后按所要求的荷载效应组合类型分别组合，可得到指定组合工况下的位移、内力及各种组合工况的最大位移与最大内力等。

设计荷载下的内力与位移计算都是弹性计算，必要的内力调整在程序计算过程中都应执行。例如：框架梁在竖向荷载下的塑性内力重分布应在荷载组合前；钢筋混凝土剪力墙连梁的抗弯刚度在计算地震作用前折减；框架-剪力墙结构在地震作用下，完成振型组合后对框架构件进行剪力与弯矩的增大调整，然后与其他荷载效应进行组合。

3. 截面设计部分

截面设计包括钢筋混凝土梁、柱、墙、楼板的配筋计算与钢结构构件的稳定校核与截面强度验算等，有的软件有型钢（钢骨）混凝土构件的截面验算及配筋计算和钢管混凝土柱截面验算等。这部分计算与相关的设计规范、规程的规定密切相关，不同国家的设计规范有不同的具体规定与要求，软件中除包含部分基本要求的内容外，用户可指定设计规范与具体要求，很多选择或参数设置需要用户完成。

4. 输出部分

一般是用文件方式与图形方式输出计算与设计结果，图形输出功能发挥着更加重要的作用。通过直观的二维或三维图形的方式输出，特别是动画显示功能等，方便用户判断结构的响应与设计结果是否合理。部分软件考虑建筑结构设计专业的需求，直接形成完整的结构设计计算书，并提供控制参数的列表输出或图形输出，提供不能满足规范要求的构件或节点的信息与具体原因等。

输出的内容根据用户的选择确定，各种软件输出文件的格式不尽相同。

8.1.4　程序计算结果的分析与采用

对软件的计算结果，应进行分析判断，确认其合理、有效后方可作为工程设计的依据。

例如自振周期，可以用经验公式作比较，如果出入较大，那么有两种可能，一是建模出错导致结果不正确，一种是原定的结构刚度不恰当，需要修改设计。

由于内力、位移输出结果都经过组合，已经不符合平衡条件，很难从是否满足平衡来直接检查其正确与否，特别是地震作用效应的计算结果，因为地震作用效应经过振型组合，有时没有规律。对于不符合常规的计算结果要查对，直到能做出合理的解释。必要时可以用单种荷载（风荷载或第一振型）对程序进行节点平衡校核，或置换某些输入数据，比较计算结果以检验其正确性。

体型复杂、结构布置复杂以及 B 级高度的高层建筑结构，应采用至少两个不同力学模型的结构分析软件进行整体计算。

　　在进行概念分析的基础上，有足够的经验和依据时，需要对某些计算结果进行修正，加强某些部分，或减弱某些局部。

　　总之，计算只是结构设计的一个部分，在计算机和计算程序发达的今天，要防止过分依赖计算机而忽视结果分析，忽视概念设计等倾向。

8.2　框　架　结　构　计　算

　　框架由梁、柱两类构件组成，一般采用杆件有限元方法计算，弹塑性计算时，也可采用纤维模型进行计算。所有的结构专用计算程序中，凡是框架，包括框架结构以及其他结构体系中的框架，采用杆件模型时，其弹性计算结果相差不大。本节通过几个问题的对比分析，说明框架结构计算模型对计算结果的影响。

8.2.1　空间框架与平面框架计算结果比较

　　图 8-6 所示为某 10 层框架结构的平面图，比较水平荷载作用下空间结构计算模型及平面结构计算模型的计算结果。该框架结构层高 4.0m，跨度均为 6.0m，所有梁的截面尺寸相同，为 300mm×600mm，所有柱的截面尺寸相同，为 800mm×800mm。在楼盖高度沿 X 方向作用水平力，水平力作用在楼盖的质心位置。水平力的大小，从 10 层楼盖至 1 层楼盖分别为：20.3kN、19.2kN、18.1kN、16.9kN、15.7kN、14.4kN、13.0kN、11.4kN、9.6kN、7.3kN。

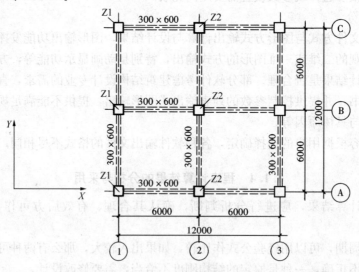

图 8-6　10 层框架结构平面图

　　该框架结构是空间结构，但也可以在两个主轴方向分别简化为三榀几何尺寸完全相同的平面框架。因此，可以采用空间框架计算模型，也可以采用不考虑扭转的平面框架协同计算模型。在相同水平荷载作用下，两种计算模型得到的位移与内力分布基本相同，见图 8-7。因为本例结构两个方向都对称，水平荷载没有偏心，没有扭转，三榀框架的水平位移相同，相同位置对应的柱轴向变形也相同，Y 方向的框架梁几乎没有内力，在平面协同计算模型中忽略 Y 方向梁的刚度对计算结果没有影响。只要类似矩形的规则结构，

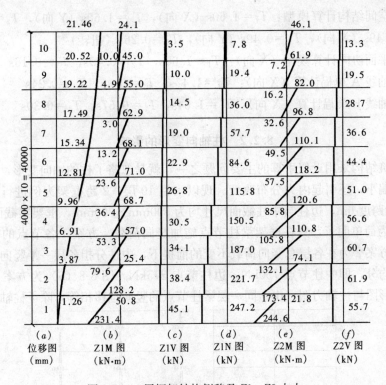

图 8-7 10 层框架结构侧移及 Z1、Z2 内力

(a) 侧移；(b) Z1 弯矩；(c) Z1 剪力；(d) Z1 轴力；(e) Z2 弯矩；(f) Z2 剪力

且分成的各榀平面框架没有共用柱，空间框架计算模型和平面框架计算模型的计算结果差别不大。不对称结构或水平荷载偏心的结构等其他情况下，两个计算模型所得结果不相同。

采用两个计算模型进行动力分析。空间结构计算模型可同时得到两个方向的平移振型与扭转振型，而一个方向平面协同计算模型得不到扭转周期和另一方向的周期；由于结构两个方向均对称，所以对于 X 方向而言，两个计算模型所得到的周期相同，见周期比较(1) 和 (2)。注意，空间计算模型得到的 6 个周期包括 2 个 X 方向的周期、2 个 Y 方向的周期和 2 个扭转周期。

在平面结构假定情况下，如果将结构拆成三榀框架分别计算，忽略现浇楼板对框架梁抗弯刚度的增大作用，将水平荷载平均分配给三榀框架，其内力与上述两个模型计算结果也相同 (图 8-7)，但是所得周期则完全不同。因为周期和总刚度及质量有关，三榀框架和一榀框架的总刚度、质量都相差甚多，计算周期必然不相同，周期比较见 (2)、(3)、(4)。虽然 A 轴线与 B 轴线框架刚度相同，但质量并不相同（B 轴框架的质量大），因此 A 轴线与 B 轴线的计算周期也不相同（B 轴框架周期长一些）。这里要特别注意，由于动力特性不同，抗震设计时不能用单榀框架代替整个框架结构进行计算，一定要用整体结构的模型计算结构的动力特性与地震响应，在整体结构地震作用计算完成后，按照各榀框架的侧向刚度分配地震剪力，然后，按照平面框架分别计算内力。

周期计算结果比较如下，注意 T_1、T_2 等和振型方向（X、Y、扭转）的关系，以及互相对应关系：

（1）按空间结构计算模型：$T_1 = 1.60s$（X 向），$T_2 = 1.60s$（Y 向），$T_3 = 1.27s$（扭转），$T_4 = 0.49s$（X 向），$T_5 = 0.49s$（Y 向），$T_6 = 0.26s$（扭转）

（2）按平面协同计算模型（X 向）：$T_1 = 1.60s$，$T_2 = 0.49s$，$T_3 = 0.16s$

（3）按轴线 A 单榀计算（X 向）：$T_1 = 1.47s$，$T_2 = 0.4s$，$T_3 = 0.24s$

（4）按轴线 B 单榀计算（X 向）：$T_1 = 1.84s$，$T_2 = 0.57s$，$T_3 = 0.30s$

8.2.2　柱轴向变形的影响

高层建筑结构采用近似手算的主要问题之一，就是忽略了柱的轴向变形，不仅使水平位移计算值偏小，还引起内力分布改变。现以一榀 10 层、2 跨框架为例进行说明。框架层高 4m，梁跨度 6m，边柱与中柱截面尺寸均为 800mm×800mm，框架梁截面为 300mm×600mm。为简单明了，只在框架梁柱节点施加竖向荷载。方案 1 各节点的竖向荷载均为 500kN，方案 2 为在各层总竖向荷载不变的前提下，中柱分担各层一半竖向荷载，其余荷载两边柱均分，即中柱节点 750kN，边柱节点 375kN。图 8-8 （a）为方案 1 计入柱轴向变形的变形图与柱轴力图。由于同一层梁柱节点的竖向位移相等，除了柱轴力外，该框

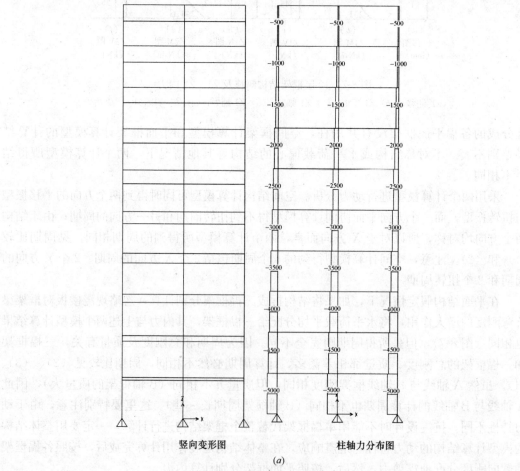

竖向变形图　　　　　　　柱轴力分布图

（a）

图 8-8　10 层框架内力比较（一）

（a）节点竖向荷载方案 1

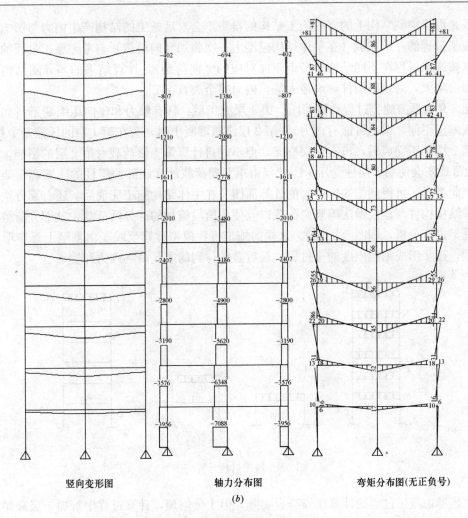

竖向变形图 轴力分布图 弯矩分布图(无正负号)

(b)

图 8-8 10 层框架内力比较（二）

(b) 节点竖向荷载方案 2

架梁、柱都没有弯矩。图 8-8 *(b)* 是方案 2 计入柱轴向变形的变形与内力图。与图 8-8 *(a)* 比较可见，由于中柱与边柱的轴向变形不同，同一楼层的梁柱节点的竖向位移不相同，中柱节点的竖向位移大于边柱节点。除了柱轴力发生变化外，梁、柱都有弯矩（也有剪力，未画）。这是因为中柱截面轴向应力大，压缩变形大；边柱截面轴向应力小，压缩变形小；轴力通过框架梁转移到轴向变形较小的柱上，因此边柱轴力加大，梁和边柱产生了弯矩和剪力。

因此，高层建筑结构计算时忽略竖向构件（柱、墙）的轴向变形会造成计算误差。只有在多层结构或高层建筑结构进行初步设计计算时可以忽略竖向构件（柱、墙）的轴向变形。

在各种结构计算的商用程序中，都计算了竖向承重构件的轴向变形。

8.2.3　竖向荷载加载次序—施工模拟

建筑结构的竖向荷载大部分是由结构自重等恒载产生，由于施工过程，自重产生的竖向荷载是逐步加到结构上的，先施工结构的自重不会对后施工的结构产生内力与影响。不考虑施工过程的一致加载（在整体结构模型上一次施加竖向荷载）与考虑施工过程的分步加载（按施工过程在不同结构模型上施加对应的竖向荷载），计算结果的差异随结构高度的增加而增大，对顶部构件影响最大甚至内力完全失真。

图 8-9 为框架施工过程计算简图。第 1 层施工后，柱有轴力和竖向压缩变形（如果相邻柱压缩量不同，梁也可能有内力）。第 2 层浇筑混凝土时，会在第 1 层的压缩量中找平，因此第 2 层施工完成后，虽有两层框架，但不能再计算第 1 层荷载对第 2 层的影响，而第 2 层的荷载还会使第 1 层柱受压，因此仅由第 2 层荷载计算底部两层柱的压缩和框架梁变形。依此类推，可得到图 8-9 (b) 的计算简图。在主体结构施工完成后，还有部分次要结构、非结构构件与建筑做法等竖向荷载以及使用阶段施加的部分活荷载，这部分荷载应按整体框架进行分析，即图 8-9 (a)。这样的施工过程模拟计算反映了由下至上逐步形成重力荷载，逐步形成结构刚度的全过程，最后叠加得到的才是最终内力和变形。

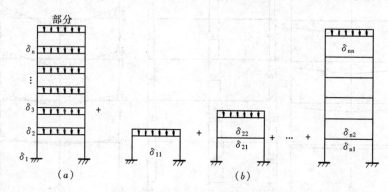

图 8-9   施工过程计算简图

上述考虑施工过程的计算比较符合实际，但十分烦琐，计算过程中每加一层都要形成新的刚度矩阵，分别计算对应的内力和变形，最后叠加得到结构的内力和变形。

目前，常用的施工过程模拟有三种方法，这三种方法都已经被不同的通用软件所采用。

方法一：引入"生死单元"进行施工过程模拟。建立已经施工完成的结构模型，分步"杀死"或"激活"一些构件或部分结构，使结构发生变化，从而实现模拟结构施工过程。单元的"生死"不是添加或删除单元，而是根据装、拆构件的过程使单元失效和重新激活。使单元失效是指将其刚度或其他分析特征矩阵乘以一个足够小的数，同时，"死"单元的单元荷载、质量、阻尼等类似参数设置为 0；重新激活是指将单元刚度矩阵、质量、单元荷载恢复到原来的数值，单元会有残余应变但初应力为零。这种方法也可以模拟结构拆除过程。

方法二：比较符合施工过程的施工模拟计算，但是考虑到程序编写及运行的方便，对施工过程作了重新安排，见图 8-10。该方法一次形成总刚度矩阵，然后由上至下逐层置 0 修正总刚度矩阵，逐层求解施工阶段的内力和变形，逐层叠加，得到施工过程的内力和变形。然后按一般方法参加内力和位移组合。这样处理使总刚度矩阵变换方便简洁，不需多占计算空间，计算机时增加有限，而计算结果误差相对较小。

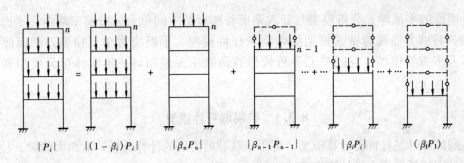

图 8-10 施工模拟方法二

P_i—第 i 层总竖向荷载；$\{\beta_i P_i\}$—第 i 层主体结构施工阶段施加的竖向荷载，一般 $\beta_i = 0.6 \sim 0.9$；

$\{P_i\}$—所有层总竖向荷载；$\{(1 - \beta_i)P_i\}$—主体结构施工完成后第 i 层总竖向荷载

方法三：施工过程计算如图 8-11 所示。结构刚度矩阵一次形成，分成 n 种荷载分别计算。图 8-11（b）计算结果只取第 1 层的变形和内力，图 8-11（c）计算结果只取第 1、2 层的变形和内力，依次类推，最后将分别取出的结果叠加得到计算结果。这种方法是假定第 i 层以下的竖向荷载对第 i 层以上没有影响，第 n 层的内力和变形只由第 n 个图形计算得到。这种方法的底层计算内力与一次加荷计算结果相同，往上则逐渐与精确模拟施工过程接近，顶层内力与精确模拟施工过程相同。由于不需要修改整体刚度矩阵，是一种相对比较适用的方法。

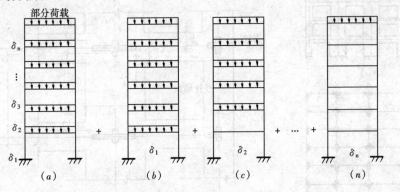

图 8-11 施工模拟方法三

上述三种方法中，方法二、三都作了一定的简化，给计算结果带来一些误差，在应用时需要了解其简化原理，判断其是否适用。

8.3 剪力墙的计算模型

剪力墙是高层建筑结构常用的抗侧力结构单元，其计算模型是程序必不可少的部分。

剪力墙的高度与截面长度远大于其截面厚度，是二维构件，其受力性能较一维杆件的受力性能复杂得多。根据是否开洞，剪力墙可以分为不开洞实体剪力墙与开洞联肢剪力墙。由于洞口的大小与位置变化多样，使计算分析的难度增大。剪力墙不仅有平面内刚度，也有平面外刚度，但平面内刚度远大于平面外刚度。因此，剪力墙的计算模型有忽略平面外刚度的平面单元分析模型与计入平面外刚度的空间单元分析模型两类。平面单元模型包括将剪力墙视为壁式框架的带刚域杆件模型，平面应力单元模型，平面膜单元模型以及多弹簧模型；空间单元分析模型有薄壳单元模型，三维实体单元模型和纤维模型。

8.3.1   带刚域杆件模型

带刚域杆件是杆件类计算模型，可用于联肢剪力墙的计算分析，截面大的梁、柱也可以采用带刚域杆件作为其计算模型。

图 8-12（a）所示为联肢剪力墙的立面。墙肢截面宽，连梁跨度与其高度的比值小，将墙肢视为柱、连梁视为梁，取轴线作为计算模型时，杆件端部刚度比杆件本身刚度大很多，荷载作用下杆端的变形比杆件的变形小很多。假定杆端不变形（无弯曲、剪切、轴向变形），杆件即为带刚域杆件。联肢剪力墙采用带刚域杆件的计算模型称为壁式框架计算模型（图 8-12b）。

图 8-13 所示的粗黑线为杆端刚域，节点处杆端刚域长度取法为：

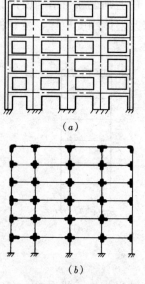

（a）

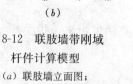

（b）

图 8-12   联肢墙带刚域
        杆件计算模型

（a）联肢墙立面图；

（b）带刚域杆件计算模型

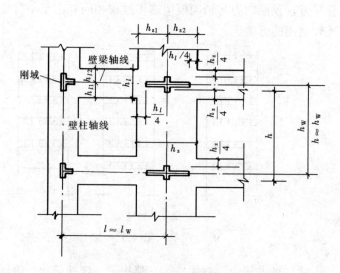

图 8-13   刚域长度

$$左梁刚域 = h_{z1} - \frac{h_l}{4}, \quad 右梁刚域 = h_{z2} - \frac{h_l}{4} \tag{8-6a}$$

$$下柱刚域 = h_{l1} - \frac{h_z}{4}, \quad 上柱刚域 = h_{l2} - \frac{h_z}{4} \tag{8-6b}$$

带刚域杆件单元的内力-变形关系如图 8-14 所示，其特点是杆端刚域没有变形，非刚域部分有弯曲、剪切、轴向变形。

采用结构力学方法，可以推导出带刚域杆件的刚度系数。其弯曲刚度系数示于图

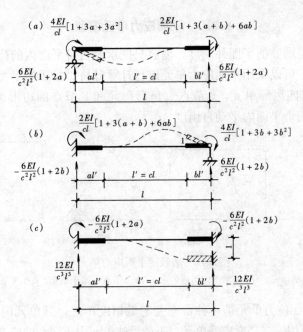

$$(a) \quad \frac{4EI}{cl}[1+3a+3a^2] \qquad \frac{2EI}{cl}[1+3(a+b)+6ab]$$

$$-\frac{6EI}{c^2l^2}(1+2a) \qquad \frac{6EI}{c^2l^2}(1+2a)$$

$$(b) \quad \frac{2EI}{cl}[1+3(a+b)+6ab] \qquad \frac{4EI}{cl}[1+3b+3b^2]$$

$$-\frac{6EI}{c^2l^2}(1+2b) \qquad \frac{6EI}{c^2l^2}(1+2b)$$

$$(c) \quad -\frac{6EI}{c^2l^2}(1+2a) \qquad -\frac{6EI}{c^2l^2}(1+2b)$$

$$\frac{12EI}{c^3l^3} \qquad -\frac{12EI}{c^3l^3}$$

图 8-14 带刚域杆件的弯曲刚度系数

8-14，考虑剪切及轴向变形后，其刚度矩阵见式（8-7）。

$$[k]^e = \begin{bmatrix} \frac{EA}{cl} & 0 & 0 & -\frac{EA}{cl} & 0 & 0 \\ 0 & \frac{12}{1+\beta}\frac{EI}{c^3l^3} & \frac{-6}{1+\beta}\frac{EI}{c^2l^2}(1+2a) & 0 & \frac{-12}{1+\beta}\frac{EI}{c^3l^3} & \frac{-6}{1+\beta}\frac{EI}{c^2l^2}(1+2b) \\ 0 & \frac{-6}{1+\beta}\frac{EI}{c^2l^2}(1+2a) & \frac{4+\beta}{1+\beta}\frac{EI}{cl}(1+3a+3a^2) & 0 & \frac{6}{1+\beta}\frac{EI}{c^2l^2}(1+2a) & \frac{2-\beta}{1+\beta}\frac{EI}{cl}[1+3(a+b)+6ab] \\ -\frac{EA}{cl} & 0 & 0 & \frac{EA}{cl} & 0 & 0 \\ 0 & \frac{-12}{(1+\beta)}\frac{EI}{c^3l^3} & \frac{6}{1+\beta}\frac{EI}{c^2l^2}(1+2a) & 0 & \frac{12}{(1+\beta)}\frac{EI}{c^3l^3} & \frac{6}{1+\beta}\frac{EI}{c^2l^2}(1+2b) \\ 0 & \frac{-6}{1+\beta}\frac{EI}{c^2l^2}(1+2b) & \frac{2-\beta}{1+\beta}\frac{EI}{cl}[1+3(a+b)+6ab] & 0 & \frac{6}{1+\beta}\frac{EI}{c^2l^2}(1+2b) & \frac{4+\beta}{1+\beta}\frac{EI}{cl}[1+3b+3b^2+6ab] \end{bmatrix}$$

$$(8-7)$$

式中，$\beta=\dfrac{12\mu EI}{GAc^2l^2}$，其中 I、A 分别是杆件截面（非刚域）的惯性矩和面积；l 为杆件全长（包括刚域）；cl 为刚域以外部分的长度；μ 为截面剪应力分布不均匀系数。

带刚域杆件的刚度矩阵与一般杆件的刚度矩阵具有同样性质，在取框架轴线为计算简图，采用有限元矩阵位移法计算时，只需采用带刚域杆件的刚度矩阵，其他计算完全相同。但要注意，由节点位移直接得到的是节点处的内力，而设计构件时需要非刚域部分端部的内力，要经过换算才能得到。因此，计算时必须注意程序给出的内力是哪个截面的。

带刚域杆件计算模型较为适用于规则开洞的联肢剪力墙，开洞不规则的剪力墙，其刚域的确定会有很大出入，计算结果误差较大。

8.3.2　平面应力单元模型

如果忽略剪力墙墙肢的平面外刚度，墙肢只能承受自身平面内的荷载与作用，其受力就是一个平面问题，可以采用平面应力单元进行计算分析。常用的平面应力单元有 3 节点三角形单元，4 节点四边形单元，6 节点三角形单元和 8 节点四边形单元（图 8-15）等，单元的每个节点有两个平面内平动自由度。

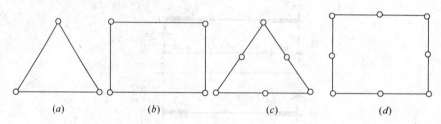

图 8-15　墙肢的平面应力单元

（a）3 节点三角形单元；（b）4 节点四边形单元；（c）6 节点三角形单元；（d）8 节点四边形单元

3 节点三角形平面应力单元是一种常应变的低精度单元，其单元内的位移场是线性变化，单元内各点应变相等，是常应变单元，不能反映单元内不同点的应变变化。为了模拟洞口周围或截面特性变化局部区域内应力集中现象，需要将分析对象细分，提高其计算精度。

4 节点四边形单元的位移模式是具有完全一次式的非完全二次式或双线性位移模式，可以反映单元中应变的线性变化，其计算精度高于 3 节点三角形单元。在某些条件下，如当其中两个相邻节点的位移满足线性变化时，基于剪应力互等原理与假设的位移场，垂直该边方向上不会产生剪切变形，发生单元"剪切自锁"，从而高估了单元的抗剪刚度，导致计算位移偏小，且该单元不能适应单元曲线边界情况。

随着求解问题的复杂，通常需要采用高精度的较少数目的单元求解复杂问题，利用较少的形状规则的单元离散几何形状比较复杂的问题会遇到困难，解决的办法就是寻找适当的方法将局部坐标下形状规则的单元转换到形状任意的单元，如果二者满足特定条件：坐标变换与函数插值采用相同的节点，坐标变换形式与插值函数也相同，则这种变换就是等参变换。

利用等参变换技术，只要构造出满足条件的形函数，就可以构造出高精度的单元。例如 6 节点三角形单元与 8 节点四边形单元是高精度的等参协调单元，由于多了 3 个边中点，位移函数不仅包括普通 3 节点三角形单元位移函数的常数项和完整的一次项 $[1，x，y]$，还包括完全的二次项 $[xy，x^2，y^2]$，在边界上位移按照二阶抛物线分布，而边界上 3 个公共节点正好保证相邻单元位移的连续性，满足了二维单元的协调性要求，是协调单元。

这种单元的应变在两个方向上呈线性变化，应力也呈线性变化，消除了 4 节点四边形单元的剪切自锁问题，其精度高于 3 节点三角形单元与 4 节点四边形单元，且可以提高计算效率。

8.3.3　平面应力膜单元

平面应力膜单元是在平面应力单元的基础上，采用广义协调构造的具有旋转自由度的四边形膜元，每个节点有 3 个自由度：2 个平面内平动自由度与 1 个节点转角自由度，对应的有 2 个节点力与 1 个节点弯矩。平面应力膜单元比 4 节点四边形平面应力单元的精度高，其单元的位移函数包含常数项和完整的一次项，单元的应变在两个坐标轴方向都呈线性变化，应力也呈线性变化，消除了 4 节点四边形单元的剪切自锁问题。

不同的程序采用不同的构造方法。例如，SATWE 软件剪力墙墙肢的墙元模型是一种包含平面应力膜单元的四边形协调元与薄板单元叠加后构造而成。其平面应力膜的构成如下：

单元的节点位移向量为：$\{\delta\}^e = \left[\{\delta_1\}\{\delta_2\}\{\delta_3\}\{\delta_4\}\right]^T$

每个节点的位移向量为：$\{\delta_i\} = \left[u_1 v_1 \theta_1\right]^T$ $(i=1,2,3,4)$

其中，u_i、v_i 为节点平移自由度；θ_i 为节点的平面内转动自由度（图 8-16a）。由于在平面应力 4 节点等参元的基础上引入了节点平面内转动自由度，需要构造满足协调条件的位移场，特引入单元节点刚体转动引起的附加位移场（图 8-16b）。

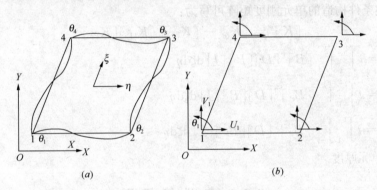

图 8-16 平面膜单元
(a) 四边形膜元；(b) 附加位移场

单元的位移场包括下面三个部分：
$$U = U_0 + U_\theta + U_p \tag{8-8}$$
式中，$U_0 = [U_0，V_0]^T$，为双线性协调位移场，由节点平移自由度计算确定。
$$U_0 = \begin{Bmatrix} u_0 \\ v_0 \end{Bmatrix} = \sum_{i=1}^{4} \begin{bmatrix} N_{0i} & 0 \\ 0 & V_{0i} \end{bmatrix} \begin{Bmatrix} u_i \\ v_i \end{Bmatrix} \tag{8-9}$$
$$N_{0i} = \frac{1}{4}(1+\zeta_i\zeta)(1+\eta_i\eta) \tag{8-10}$$

ζ，η 与 ζ_i，η_i 分别为等参变换后单元对应点与节点 i 的局部坐标。

U_θ 是由单元节点刚体转动 θ_i $(i=1，2，3，4)$ 引起的附加位移场。根据广义协调条件，有：
$$U_\theta = \begin{Bmatrix} u_\theta \\ v_\theta \end{Bmatrix} = \sum_{i=1}^{4} \begin{bmatrix} N_{u\theta i} \\ N_{v\theta i} \end{bmatrix} \theta_i \tag{8-11}$$

式中 $N_{u\theta i} = \frac{1}{8}(\zeta_i(1-\zeta^2)(b_1-b_3\eta_i)(1+\eta_i\eta)+\eta_i(1-\eta^2)(b_2+b_3\zeta_i)(1+\zeta_i\zeta))$

$N_{v\theta i} = \frac{1}{8}(\zeta_i(1-\zeta^2)(a_1+a_3\eta_i)(1+\eta_i\eta)+\eta_i(1-\eta^2)(a_2+a_3\zeta_i)(1+\zeta_i\zeta))$

$$a_1 = \frac{1}{4}\sum_{i=1}^{4}\zeta_i x_i, a_2 = \frac{1}{4}\sum_{i=1}^{4}\eta_i x_i, a_3 = \frac{1}{4}\sum_{i=1}^{4}\zeta_i\eta_i x_i, b_1 = \frac{1}{4}\sum_{i=1}^{4}\zeta_i y_i, b_2$$

$$= \frac{1}{4}\sum_{i=1}^{4}\eta_i y_i, b_3 = \frac{1}{4}\sum_{i=1}^{4}\zeta_i\eta_i y_i$$

x_i，y_i 为单元节点坐标（$i=1$，2，3，4）。

U_P 是为提高单元计算精度而引入的泡状位移场：

$$U_P = \left\{ \begin{matrix} u_P \\ v_P \end{matrix} \right\} = \begin{bmatrix} N_P & 0 \\ 0 & N_P \end{bmatrix} \left\{ \begin{matrix} P_1 \\ P_2 \end{matrix} \right\} \tag{8-12}$$

式中，P_1、P_2 为任意参数。

记 $[N_i] = \begin{bmatrix} N_{0i} & 0 & N_{u\theta i} \\ 0 & N_{0i} & N_{v\theta i} \end{bmatrix}$，则单元的应变场可写为：

$$\{\varepsilon\} = [B]\{\delta\}^e + [B_P]\{P\} \tag{8-13}$$

按照上述条件构造的单元刚度矩阵可写为：

$$[K]^e = [K_{\delta\delta}] - [K_{P\delta}]^T[K_{PP}][K_{P\delta}] \tag{8-14}$$

式中 $[K_{\delta\delta}] = t\int_{-1}^{1}\int_{-1}^{1}[B]^T[D][B]|J|\mathrm{d}\zeta\mathrm{d}\eta$

$\qquad [K_{P\delta}] = t\int_{-1}^{1}\int_{-1}^{1}[B_P]^T[D][B]|J|\mathrm{d}\zeta\mathrm{d}\eta$

$\qquad [K_{PP}] = t\int_{-1}^{1}\int_{-1}^{1}[B_P]^T[D][B_P]|J|\mathrm{d}\zeta\mathrm{d}\eta$

$\qquad t$——单元厚度。

8.3.4 多弹簧模型

多弹簧模型是一种平面剪力墙墙肢的简化计算模型。其基本原理如下：将一片剪力墙

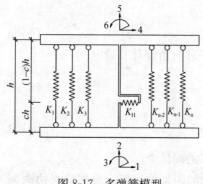

图 8-17 多弹簧模型

沿高度划分为若干个单元，每个单元的高度不一定相同，剪力墙底部可以适当细化，上部可以略粗；对每个单元，沿截面长度方向划分为若干个区域，每个区域分别采用竖向拉压弹簧模拟（简称竖向弹簧）（图8-17），弹簧的刚度取决于该区域剪力墙的截面面积、材料的力学特征以及单元的高度。所有弹簧单元的两端分别连接在一个假想的刚性杆件上，保证单元受力过程中不同竖向弹簧之间满足平截面假定。每个区域可以包含混凝土、钢筋、钢骨、钢管等材料。根据剪力墙两端边缘构件的不同构造与约束情况，采用不同的混凝土应力-应变关系，以模拟非约束混凝土或约束混凝土的力学性能。假定混凝土与钢筋或钢骨完全粘结，不会发生粘结滑移破坏。

钢筋混凝土剪力墙的破坏形态有压/拉弯破坏、压/拉剪破坏及其耦合等多种形式，多竖向弹簧不能反映剪力墙的受剪性能，所以，每个单元在高度 ch 的位置设置一个沿水平方向的弹簧模拟剪力墙的受剪。该水平弹簧两端分别通过一刚性竖杆连接在单元上、下端的刚性杆上，模拟单元受剪后弯矩沿高度的变化。水平弹簧的高度系数 c 取 0.4 左右，与

实际受力特征比较接近，也可根据墙单元沿高度的曲率分布确定。

单元内部的压弯变形与剪切变形不相关。压弯下的受力性能变化不直接影响受剪刚度的变化。压弯性能变化单元可以自动分析计算，但水平弹簧的力-位移关系曲线需要用户根据剪力墙的几何尺寸、材料特征、轴力大小等，确定斜截面受剪开裂荷载、峰值荷载以及压弯屈服弯矩对应的剪力等，从而确定水平弹簧的力-位移关系。

对于受弯破坏的剪力墙，如果忽略剪力墙受弯屈服后水平抗剪刚度有变化，则水平弹簧的力-位移关系可以按线弹性关系输入，通过控制水平弹簧的力-位移关系，实现剪力墙是压弯破坏（考虑或不考虑弯曲屈服后抗剪刚度的降低）、压/拉剪破坏、弯曲屈服后剪切破坏等。

8.3.5 壳 单 元

壳单元的每个节点有 6 个位移分量，包括 3 个平移分量和 3 个转动分量，因而其有平面内刚度，也有平面外刚度。壳单元可以与空间杆单元连接，不需附加约束条件。在空间壳单元中，以能够模拟平面内外刚度的平板薄壳单元应用最广，该单元忽略了沿墙厚方向的剪切变形影响，受力特征是平面膜单元（只有平面内自由度，包括两个平移自由度与一个转角自由度）与薄板单元（只有平面外抗弯刚度，包括两个转角自由度与一个平面外位移自由度）的组合。如果其平面外刚度与平面内刚度相比小很多，忽略平面外刚度即退化为平面应力膜单元或平面应力单元。

如果墙的厚度方向材料均匀，可以用单层薄壳单元模拟，通常采用四边形单元或三角形单元等壳单元。沿墙厚度材料不均匀或采用不同材料时，例如配置双层或多层钢筋网的钢筋混凝土剪力墙，配置钢板的钢板混凝土剪力墙，为了分析钢筋或钢板的内力及其对剪力墙性能的影响，可以通过沿厚度对壳单元细分，成为分层壳模型。分层壳模型的混凝土可以分成若干层，一层钢筋网或钢板为一个钢筋层或一个钢板层（图 8-18）。

8.3.6 实体单元模型

除薄壳单元外，还可以采用实体单元模型对剪力墙进行计算分析。通常采用的实体单元为消除剪切自锁影响的六面体单元（图 8-19），每个节点有 3 个自由度。由于墙肢厚度尺寸较高、宽小很多，为了保证计算精度，沿墙肢高宽方向的单元划分比壳单元的划分更加密集。对于一栋高层建筑剪力墙结构，节点数和未知量太多，计算结果也以单元应力、应变的方式输出，难以直接用于承载力计算。因此实体单元模型一般用于构件受力性能分析或结构关键部位的局部采用实体单元模型。

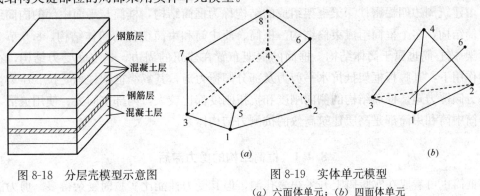

图 8-18　分层壳模型示意图　　　　　图 8-19　实体单元模型

(a) 六面体单元；(b) 四面体单元

8.3.7　连梁计算模型

剪力墙墙肢采用平面应力单元模型、平面膜单元模型或空间分析模型时，连接墙肢的连梁可以采用相同类型的单元如平面应力单元、壳单元或杆单元（图 8-20）。当采用杆单元时（图 8-20c），采用连梁截面的惯性矩，适当考虑现浇楼板的影响。由于连梁两端节点分别只与相邻壳单元的一个节点连接，壳单元对应节点的抗弯约束刚度有限，需要沿杆单元轴线方向向墙内或沿竖向分别延伸不小于连梁截面高度并与相交单元节点耦合（图 8-20c 中的点画线），以弥补杆单元与壳单元间转动约束不足。

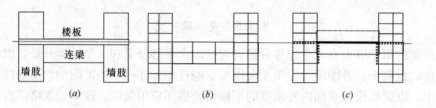

图 8-20　连梁计算模型
（a）墙肢、连梁与楼板；（b）壳单元；（c）空间杆单元

高层建筑结构构件多，如果采用密集网格划分，计算单元数量与总自由度数量巨大，要求计算机有足够大的内存以及外存，高计算速度。同时，不同结构单元的几何尺寸相差较大，造成整体刚度矩阵中元素数值差异大，可能出现"病态"矩阵，从而，对计算机的数值计算精度与有限元数值计算方法的稳定性提出特别要求，计算结果的分析处理也需要高效方法。因此，对普通高层建筑结构，全部采用细分的有限元方法计算是不适合的，可以采用"多尺度"模型，即关键部位采用比较精细的计算模型，一般部位采用简化的或粗略的计算模型。

剪力墙的不同计算模型各有优缺点，有各自的适用对象，对同一对象采用不同计算模型，得到的计算结果会有所不同。而现有各种程序中采用的计算模型不尽相同，应用时须了解所用的程序的计算模型是否适合所分析的结构。对于高度较高或比较复杂的高层建筑结构，需要采用两种不同力学模型的程序进行计算，并对计算结果的合理性进行判断。

8.4　简体结构的受力特点及设计要点

由建筑周边四榀密柱深梁框架组成的结构称为框筒结构，框筒与平面中部的内筒组成筒中筒结构，多个框筒组成束筒结构。框筒、筒中筒和束筒统称为筒体结构，8.5 节介绍的框架-核心筒也属于筒体结构。框筒的框架布置在建筑的周边，是空间受力结构，在水平力作用下，其腹板框架抵抗水平剪力及部分倾覆力矩，其翼缘框架柱承受拉、压力，抵抗部分倾覆力矩。框筒结构的侧向刚度和抗扭刚度都比较大，内部空间大、使用灵活。框筒、筒中筒和束筒都是高层建筑高效的抗侧力结构体系。

8.4.1　框筒结构的剪力滞后

框筒也可看成在实腹筒上开了很多孔洞，但其受力性能比实腹筒复杂得多。剪力滞后

是水平力作用下框筒结构受力性能的主要特点
之一。剪力滞后使水平力作用下翼缘框架各柱
的轴力不均匀，中部柱的轴力小，角柱的轴力
大，见图 8-21。腹板框架与一般平面框架相
似，但由于剪力滞后，柱轴力也不是直线分
布。降低剪力滞后的不利影响，是框筒结构设
计需要解决的主要问题之一。

（1）剪力滞后及内力分布

与水平力方向平行的腹板框架一端受拉，
另一端受压。翼缘框架的轴力是通过与腹板框
架共用的角柱传递过来的。图 8-22 是翼缘框架
变形示意图，角柱受压力缩短，使与其相连的
裙梁产生剪力与弯矩，同时，与裙梁另一端相
连的柱也承受弯矩与轴力；第 2 个柱受压又使
第二跨裙梁受弯剪作用，引起相邻柱承受轴

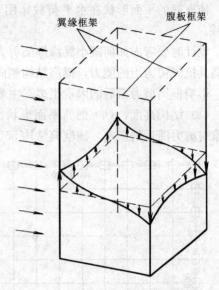

图 8-21 框筒结构的剪力滞后现象

力，从两端的角柱向翼缘中部柱如此传递，使翼缘框架柱承受轴力，裙梁、柱都承受其平
面内的弯矩、剪力。由于裙梁的抗弯刚度不是无限大，裙梁剪切变形，使翼缘框架各柱压
缩变形向中心逐渐递减，柱轴力也逐渐减小，这种翼缘框架柱轴力两端大、中部小的不均
匀分布现象就是剪力滞后；同理，受拉（受压）的翼缘框架也产生柱的拉力（压力）剪力
滞后现象。

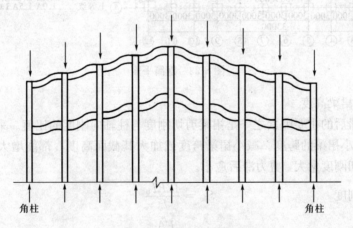

图 8-22 框筒结构翼缘框架变形示意

由于翼缘框架各柱和裙梁的内力是由角柱传来，其内力和变形都在翼缘框架平面内，
腹板框架的内力和变形也在其平面内，这是框筒在水平荷载作用下内力分布形成"筒"的
空间特性。如果楼盖是平板，或者楼面梁和框筒柱铰接，那么楼盖的竖向荷载对于柱就只
产生轴力，不产生弯矩。如果楼面梁与框筒柱刚接，楼盖的竖向荷载产生的梁端弯矩会使
柱产生弯矩。通常，除角柱外，框筒结构要尽量避免周边柱双向受弯，单向受弯的受力性
能较好。

框筒形成空间结构作用，角柱是形成框筒结构空间作用的重要构件；各层楼盖形成隔

板，使框筒的平面形状在水平荷载作用下保持不变，楼盖也是形成框筒空间作用的重要构件。

设计时要考虑如何减小翼缘框架剪力滞后，若能使翼缘框架中间柱的轴力增大，就会提高其抗倾覆力矩的能力，提高结构侧向刚度，也就是提高了结构的抗侧效率。

影响框筒剪力滞后的因素很多，主要因素有：（1）柱距与裙梁高度，（2）角柱截面面积，（3）结构高度，（4）框筒平面形状。下面采用图 8-23 所示的框筒结构平面，分析各因素对剪力滞后的影响，该框筒结构 55 层，层高 3.4m，作用水平荷载。

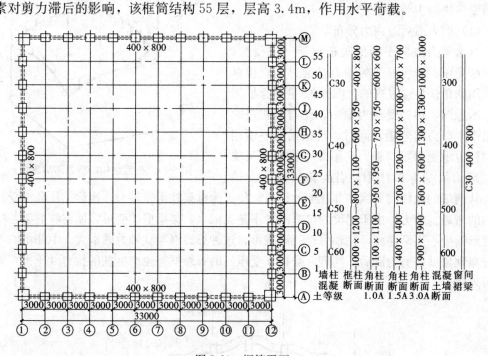

图 8-23　框筒平面

1) 柱距与裙梁高度

影响剪力滞后的主要因素之一是裙梁剪切刚度与柱轴向刚度的比值。采用密柱（小柱距），目的是减小裙梁的跨度。减小裙梁跨度或加大其截面高度，都能增大裙梁的剪切刚度。裙梁的剪切刚度愈大，剪力滞后愈小。

裙梁剪切刚度

$$S_b = \frac{12EI_b}{l^3} \tag{8-15a}$$

柱轴向刚度

$$S_c = \frac{EA_c}{h} \tag{8-15b}$$

式中　l、I_b——分别为裙梁净跨及截面惯性矩；

　　　h、A_c——分别为柱净高及柱截面面积；

　　　E——材料弹性模量。

图 8-24 比较了在柱截面相同时，改变裙梁高度的 5 种情况（裙梁净跨 1800mm），图中各曲线是翼缘框架柱轴力值的连线，并分别列出了 5 种裙梁高度及其 S_b/S_c 的值。裙梁高度为 300mm 时（跨高比 $l/h=6$），剪力滞后现象严重；裙梁高度为 600mm 时（$l/h=3$），剪力滞后现象大为改善。可见，框筒必须采用密柱深梁，否则起不到"筒"的作用。

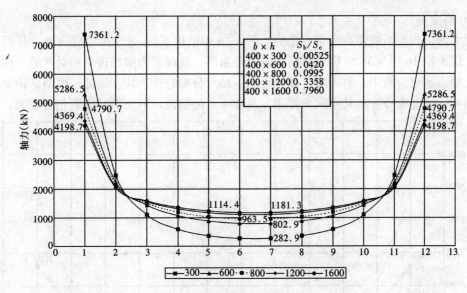

图 8-24 裙梁高度对剪力滞后的影响

裙梁高度继续加大，中间柱轴力仍可增大；但当裙梁高度由 1200mm（$l/h=1.5$）加高到 1600mm（$l/h=1.1$）时，剪力滞后现象改善不大，也就是说，裙梁高度也没有必要太大。

2）角柱面积

角柱面积愈大，其轴向刚度也愈大，承受的轴力也愈大，使翼缘框架的角柱与中柱轴力差愈大。图 8-25 比较了 3 种不同大小的角柱，角柱的轴力随角柱面积加大而加大，但只要裙梁保持一定高度（裙梁高 800mm），中柱轴力没有明显变化。提高角柱及其相邻柱的轴力，翼缘框架的抗倾覆力矩增大，但是带来的问题是在水平荷载作用下角柱出现很大拉力，需要更多的竖向荷载去平衡角柱的拉力。出现拉力对柱是非常不利的。

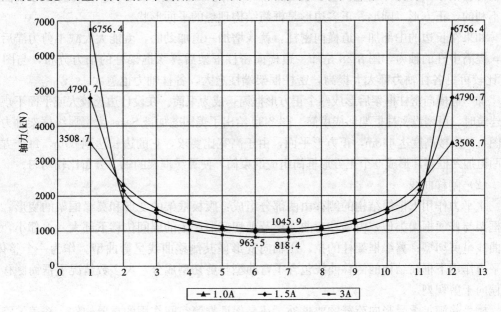

图 8-25 角柱对剪力滞后的影响

3）高度

剪力滞后现象沿框筒高度是变化的，图 8-26 中给出了图 8-23 所示框筒静力分析得到的第 1 层、第 10 层与第 20 层翼缘框架轴力分布图。底部剪力滞后现象相对严重一些，越向上柱轴力绝对值减小，剪力滞后现象缓和，轴力分布趋于平均。因此，框筒结构要达到相当高度，才能充分发挥其空间的作用，高度不大的框筒，剪力滞后影响相对较大。

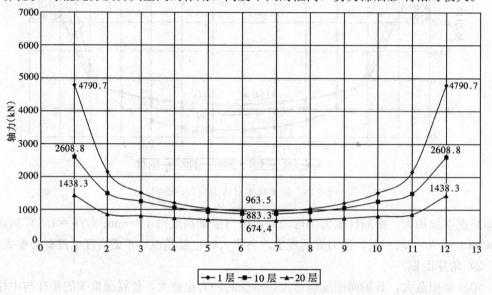

图 8-26　框筒翼缘框架轴力分布沿高度变化

4）平面形状

另一个影响剪力滞后的重要因素是平面形状和边长，翼缘框架愈长，翼缘框架中部柱的轴力会很小，剪力滞后愈严重，见图 8-27。因此，框筒平面尺寸过大或长方形平面都是不利的，正方形、圆形、正多边形是框筒结构理想的平面形状。

如果在长边的中部加一道横向密柱，就像增加一道加劲肋，就能大大减小剪力滞后效应，提高中柱的轴力，图 8-28 是加一道横向密柱框架后翼缘框架柱的轴力分布，与图 8-26 比较可见各柱轴力都大大提高，密柱框架端柱愈大，各柱轴力也愈大。

加一道横向密柱框架后形成两个正方形框筒，成为束筒。在设计边长较大或平面不规则的建筑时，可增设密柱框架形成束筒。图 2-30 给出了美国芝加哥 Sears 大厦翼缘框架轴力分布图，该大楼高度达 443m，正方形平面，由于高宽比要求，它的边长达到 69m，每个方向加两道加劲框架，形成 9 个正方形框筒组成的束筒，使翼缘框架的轴力分布比较均匀。

（2）侧移曲线

水平力作用下框筒结构的侧移由两部分组成：腹板框架的变形和翼缘框架的变形。腹板框架与普通框架类似，由梁柱弯曲变形及剪切变形产生的层间位移下部大、上部小，侧移曲线呈剪切型；翼缘框架柱的拉、压轴向变形使其侧移曲线呈弯曲型。作为一个整体，水平力作用下框筒结构的侧移曲线包含了弯曲型与剪切型成分，大多数情况下框筒侧移曲线偏向于剪切型。

楼盖除满足承受竖向荷载的要求外，还是保证框筒空间作用的重要构件，楼盖的跨度及布置形式必须考虑这两方面的作用。由于框筒各个柱承受的轴力不同，轴向变形也不

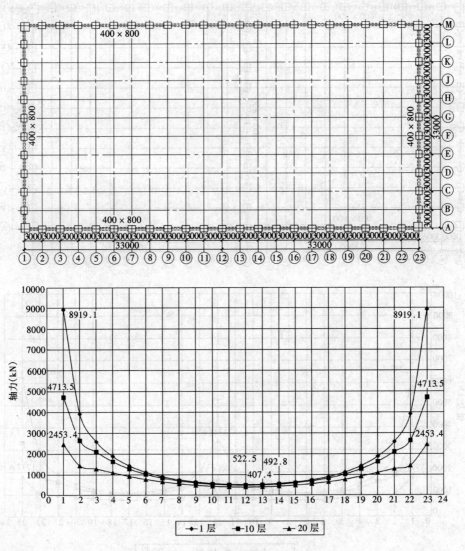

图 8-27 长方形平面的剪力滞后

同，角柱轴力及轴向变形最大（拉伸或压缩），中部柱的轴力小，轴向变形也小，可能使楼盖产生翘曲，底部翘曲严重，向上逐渐减小。

8.4.2 筒中筒结构

　　框筒与位于平面中部的内筒组成筒中筒结构，内筒增大了结构的侧向刚度，框筒与内筒共同抗侧力，成为双重结构体系。内筒以弯曲变形为主，框筒以剪切型变形为主，二者通过楼盖协同工作抵抗水平荷载。与框架-剪力墙结构协同工作类似，框筒与内筒的协同工作可使层间位移沿结构高度变得均匀；框筒上部、下部内力也趋于均匀；框筒以承受倾覆力矩为主，内筒承受大部分剪力；由于框筒布置在建筑周边，使结构具有大的抗扭刚度；此外，设置内筒减小了楼板跨度。因此，筒中筒是一种适用于超高层建筑的结构体系。但密柱深梁的框筒常使建筑外形呆板，窗户小，影响采光与视野。

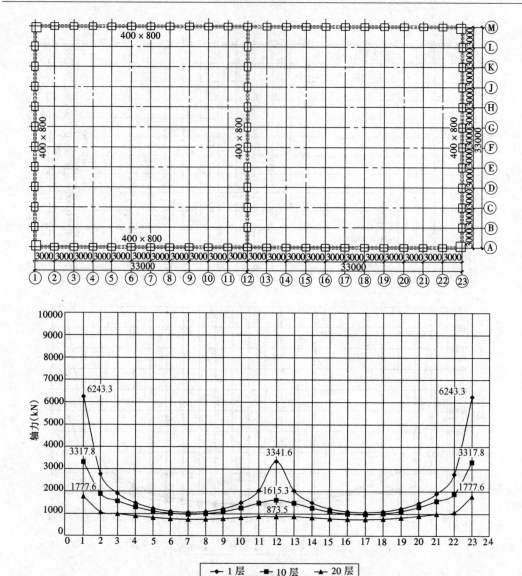

图 8-28 长方形平面做成双框筒后的剪力滞后

8.4.3 布置要点

筒体结构的布置应符合高层建筑的一般布置原则,特别要通过结构布置,减小剪力滞后,充分发挥所有柱的作用。

下面列出的框筒和筒中筒结构的布置要点对形成高效框筒、筒中筒是重要的,但给出的值是工程设计的经验值,并不是形成框筒的必要条件,不符合这些布置要点,空间作用仍然存在,只是剪力滞后会大一些。

(1)周边框架采用密柱深梁,柱距一般为 1~3m,不大于 4.5m,裙梁净跨与高之比不大于 3~4。窗洞面积不超过立面面积的 60%。

(2)平面为方形、圆形或正多边形,矩形平面长短边的比值不宜大于 2。如果长短边的比值大于 2，可以设置横向框架，成为束筒结构。

（3）建筑的高度与宽度之比（H/B）大于 3，高宽比小的结构，不应采用框筒、筒中筒或束筒结构体系。

（4）筒中筒结构内筒边长为外筒边长的 1/2 左右较好，内筒面积约为结构平面面积的 25%～30%，内外筒间距通常为 10～12m，内筒的高宽比不大于 12。

（5）楼盖构件（包括楼板和梁）的高度不宜太大，要尽量减小楼盖构件与柱之间的弯矩传递。采用钢－混凝土组合楼盖时，钢梁与柱的连接可为铰接。钢筋混凝土筒中筒结构可采用平板式楼盖（可为预应力楼盖）或密肋楼盖，以减小梁端弯矩，使框筒结构的空间作用更加明确。框筒、筒中筒及束筒结构可设置只承担竖向荷载的内柱，以减小楼面梁的跨度。

楼盖尽量不采用楼面梁而采用平板或密肋楼盖的另一原因是，在保证建筑净空的条件下，可以减小楼层层高。高层建筑减小层高可以减小建筑总高度或增加建筑层数，对降低造价有明显效果。此外，由于筒中筒结构的侧向刚度较大，设置楼面梁对增加刚度的作用较小。如果要在内外筒之间设置两端刚接、截面较高的楼面梁，那么外框架柱在其平面外有较大弯矩，楼面梁也使内筒剪力墙平面外受到较大弯矩，对剪力墙不利。

（6）楼面梁的布置方式，宜使角柱承受较大竖向荷载，以平衡水平力作用下角柱的拉力。图 8-29 给出了几种筒中筒结构的楼盖布置形式。

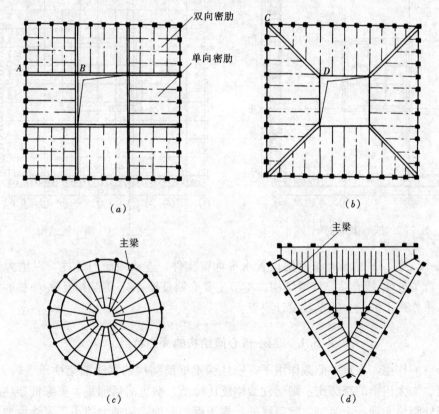

（a）

（b）

（c）

（d）

图 8-29　筒中筒结构楼盖布置示例

（7）外框架的柱截面宜为正方形、扁矩形或 T 形。框筒空间作用产生的梁、柱弯矩主要是在腹板框架和翼缘框架的平面内，当内、外筒之间只有平板或小梁连系时，框架柱平面外的弯矩较小，矩形柱截面的长边应与外框架的方向一致。当内、外筒之间有较大的楼面梁时，柱在两个方向受弯，可采用正方形或T形柱。

（8）角柱截面要适当大于其他柱的截面，以减少其压缩变形。截面太大的角柱也不利，会导致过大的拉力，特别是重力荷载不足以平衡水平力产生的拉力时，成为偏拉柱。一般情况下，角柱面积宜为中柱面积的1.5倍左右。

（9）水平力作用下，筒中筒结构外框筒的柱承受较大轴力、抵抗较大倾覆力矩，有显著的空间作用，因此，内外筒之间不设伸臂构件，即筒中筒结构不设加强层，加强层对增大筒中筒结构刚度的效果不明显，反而使柱的内力发生突变。

8.5　框架-核心筒结构的受力特点及设计要点

由周边框架与平面中部的内筒组成的结构为框架-核心筒结构，框架-核心筒是目前我国高层建筑广为应用的一种结构体系。框架-核心筒结构（图8-30）与筒中筒结构（图8-31）在平面形式上相似，但实质上是两种受力性能不同的结构体系。

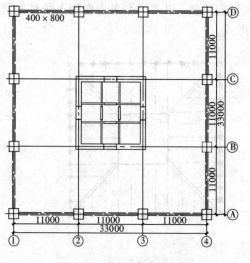

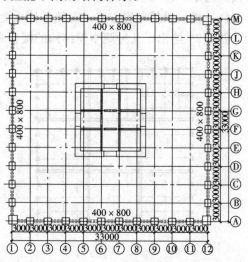

图8-30　框架-核心筒结构　　　　图8-31　筒中筒结构

框架-核心筒结构常常在某些层设置水平伸臂构件，连接内筒与外柱，以增大结构侧向刚度，称为框架-核心筒—伸臂结构。本节主要介绍框架-核心筒结构及框架-核心筒—伸臂结构水平作用下的受力特点及设计要点。

8.5.1　框架-核心筒结构的受力特点

由于空间作用，在水平荷载作用下，密柱深梁框筒结构的翼缘框架柱承受较大轴力，加大柱距、加大裙梁的跨高比，则梁柱线刚度比降低，剪力滞后加重，翼缘框架柱的轴力减小。当柱距增大到一定值时，除角柱外，翼缘框架其他柱的轴力很小，翼缘框架已经不能抵抗倾覆力矩，周边框架不能起到空间结构的作用，成为真正意义上的框架。我国规范将框架-核心筒结构归入"筒体结构"类，但其水平荷载作用下的性能接近于框架-剪力墙结构的性能，与筒中筒结构有很大的不同。

通过图 8-30、图 8-31 所示的框架-核心筒结构和筒中筒结构的比较，进一步说明两种结构类型的区别。两个结构平面尺寸、结构高度、所受水平荷载都相同，楼盖都采用平板。表 8-1 给出了两个结构的基本自振周期及侧移，图 8-32 给出了两个结构翼缘框架柱的轴力分布。

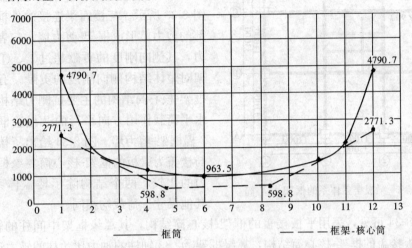

图 8-32 框架-核心筒与筒中筒翼缘框架柱承受轴力比较

框架-核心筒结构与筒中筒结构比较 表 8-1

结构类型	周期 (s)	顶点位移		最大层间位移角
		Δ（mm）	Δ/H	
框架-核心筒	6.65	219.49	1/852	1/647
筒中筒	3.87	70.78	1/2642	1/2106

由表 8-1 可见，框架-核心筒结构的自振周期比筒中筒结构的自振周期长，顶点位移及层间位移都大，表明框架-核心筒结构的侧向刚度比筒中筒结构的侧向刚度小。

框架-核心筒结构翼缘框架柱的数量少，除角柱的轴力较大外，其他柱的轴力都很小，承受的总轴力比框筒结构翼缘框架柱的总轴力小得多，主要依靠①、④轴两榀腹板框架和核心筒抵抗水平力。腹板框架的侧向刚度和抗弯、抗剪能力比筒中筒结构的腹板框架小得多。

比较表 8-2 中给出的框架-核心筒结构与筒中筒结构的内力分配：①框架-核心筒的核心筒承受的剪力占基底总剪力的 80.6%，倾覆力矩占总倾覆力矩的 73.6%，比筒中筒结构内筒承受的剪力和倾覆力矩都大；②框架-核心筒结构外框架承受的倾覆力矩占总倾覆力矩的 26.4%，筒中筒结构的外框筒承受的倾覆力矩占总倾覆力矩的 66%。上述比较说明，框架-核心筒结构的核心筒是主要抗侧力结构单元，而筒中筒结构抗水平剪力以内筒为主，抗倾覆力矩则以外框筒为主。

框架-核心筒结构与筒中筒结构内力分配比较（%） 表 8-2

结构类型	基底剪力		倾覆力矩	
	内筒	周边框架	内筒	周边框架
框架-核心筒	80.6	19.4	73.6	26.4
筒中筒	72.6	27.4	34.0	66.0

图 8-30 所示框架-核心筒结构的楼盖是平板，抗弯刚度较小，其主要作用是承受竖向荷载，以及协调核心筒与周边框架的水平位移。翼缘框架中间两根柱的轴力是通过角柱传

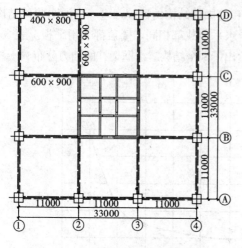

图 8-33 梁板楼盖体系的框架-核心筒

过来的（空间作用），轴力不大。要提高中间柱的轴力从而提高其抗倾覆力矩能力的方法之一，是设置连接外柱与内筒的楼面梁，如图 8-33 所示。与楼面梁连接的外框架柱与中部的剪力墙形成框架-剪力墙，二者共同抗侧力，其侧向刚度的贡献超过①、④轴翼缘框架对整体结构侧向刚度的贡献。有楼面梁的框架-核心筒结构的主要抗侧力结构单元是与水平荷载作用方向平行的 2 榀边框架及中间 2 榀框架-剪力墙。图 8-34 给出了楼盖为平板与楼盖为梁板的框架-核心筒翼缘框架所受轴力的比较，两个结构除了楼盖体系不同外，其他尺寸、荷载均相同。

由图 8-34 可见，采用平板楼盖的框架-核心筒结构，其翼缘框架中间柱的轴力很小，而采用梁板楼盖的框架-核心筒结构，翼缘框架②、③轴柱的轴力比角柱的轴力还大。

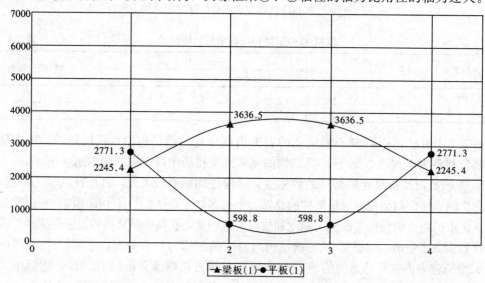

图 8-34 框架-核心筒结构翼缘框架轴力分布比较

表 8-3 给出了两个结构的基本自振周期及顶点位移。可以看到，梁板楼盖使结构的侧向刚度增大，周期缩短，虽然总基底剪力增加，但顶点位移减小。由表 8-4 给出的内力分配比较可见，采用梁板楼盖的框架-核心筒结构，由于翼缘框架柱承受了较大的轴力，周边框架承受的倾覆力矩加大，而核心筒承受的倾覆力矩减少，核心筒承受的剪力略有增加。

不同楼盖的框架-核心筒结构比较　　　　　　　　　　表 8-3

楼盖类型	周期	顶点位移		最大层间位移角
	（s）	Δ（mm）	Δ/H	
平板楼盖	6.65	219.49	1/852	1/647
梁板楼盖	5.14	132.17	1/1415	1/1114

不同楼盖的框架-核心筒结构内力分配比较（％）　　　　　表 8-4

楼盖类型	基底剪力		倾覆力矩	
	内筒	周边框架	内筒	周边框架
平板楼盖	80.6	19.4	73.6	26.4
梁板楼盖	85.8	14.2	54.4	45.6

采用平板楼盖的框架-核心筒结构，其框架虽然也有空间作用而使翼缘框架柱产生轴力，但柱数量少，轴力也小，远远达不到外框筒的作用。采用梁板楼盖，使翼缘框架中间柱的轴力增大，从而发挥翼缘框架柱的作用。但当框架与内筒的间距较大时，楼面梁的截面高度大，为了保持楼层的净空，需要加大层高。对于高层建筑，加大层高并不经济。采用平板楼盖，同时使翼缘框架中间柱承受大的轴力，可以采用框架-核心筒-伸臂结构。

8.5.2　框架-核心筒-伸臂结构的受力特点

1. 伸臂的作用

图 8-35 所示为框架-核心筒-伸臂结构的剖面图及水平力作用下的侧移曲线。伸臂构件

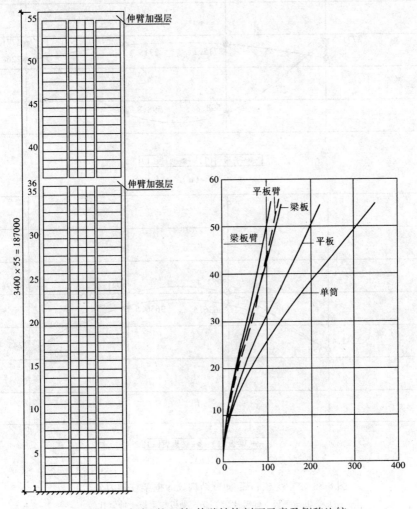

图 8-35　框架-核心筒-伸臂结构剖面示意及侧移比较

是指刚度大、连接内筒和外柱的结构构件。伸臂构件本身刚度大，又加强了结构的侧向刚度，设置伸臂构件的楼层称为加强层。通常沿高度布置一个、两个或几个加强层，伸臂的高度一般为一层或两层，伸臂构件一般采用钢桁架。由于伸臂的刚度大，在水平力作用下，伸臂使外柱受拉或受压，承受较大的轴力，增大了外柱抵抗的倾覆力矩，同时使内筒承受反向弯矩，减小结构的侧移。图中给出了几种情况下结构侧移曲线的比较。

图 8-36 给出了两个框架-核心筒结构翼缘框架柱轴力分布比较，图 8-36（a）是楼盖为平板的框架-核心筒结构与框架-核心筒-伸臂结构（加强层在 36 层、55 层）的比较，图 8-36（b）是楼盖为梁板的框架-核心筒结构与框架-核心筒-伸臂结构（加强层数量、位置分别相同）的比较。由图 8-36 可见，伸臂可以增大翼缘框架中间柱的轴力。

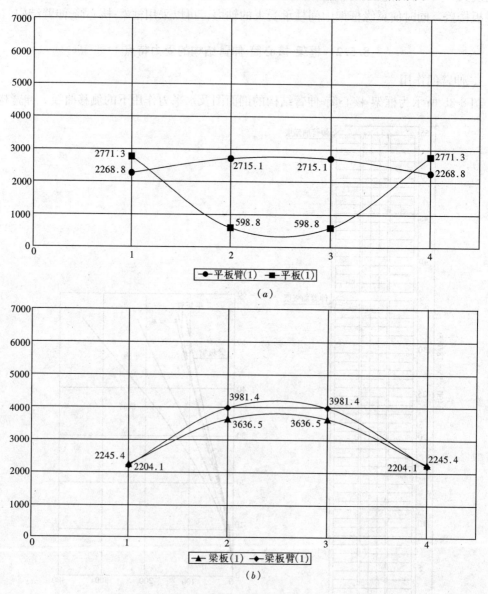

图 8-36　框架-核心筒-伸臂结构翼缘框架柱轴力分布
(a) 平板与平板＋伸臂比较；(b) 梁板与梁板＋伸臂比较

平板＋伸臂结构翼缘框架中间柱的轴力是由伸臂作用产生的（没有楼面梁，就不存在②、③轴带剪力墙的框架）。在增加柱轴力的作用方面，伸臂可以代替楼面梁，而楼盖可采用平板，减小楼层高度或增加净高。

由梁板结构和梁板＋伸臂结构的比较可见，设置楼面梁的结构，设置伸臂还可增大中间柱的轴力，但增大不多。

通常，框架-核心筒结构楼盖的跨度大，很可能需要设置楼面梁，一般情况下，设置伸臂的框架-核心筒结构，楼面梁的高度可小一些，或采用预应力梁、减小梁间距等方法以满足承受竖向荷载的要求，这样有利于减小层高或增加净高。

伸臂对结构受力性能影响是多方面的，增大翼缘框架中间柱轴力、增加刚度、减小侧移、减小内筒弯矩是其主要作用。但是伸臂构件对结构抗震有不利影响：主要是在加强层及其上下相邻层，结构侧向刚度突变，柱内力突变。图8-37给出了框架-核心筒结构有无伸臂时，柱内力沿高度变化的比较。由图 8-37 可见，设置伸臂时，加强层及其上下相邻层的柱弯矩、剪力都有突变，增加了柱配筋设计的困难。上、下柱与一个刚度很大的伸臂构件相连，地震作用下这些柱容易出铰或剪坏。

加强层的柱内力突变的程度与伸臂构件的刚度有关。伸臂构件的刚度愈大，内力突变愈大；伸臂构件的刚度与柱刚度相差愈大，愈容易形成薄弱层（柱端出铰或剪坏）。因此，一般采用钢桁架作为伸臂构件，以减小侧向刚度突变及柱内力突变的程度。

2. 加强层位置及数量

高层建筑结构是否设置加强层、加强层数量及刚度大小都应根据工程实际具体分析。

高层建筑都需要设置避难层和设备层，通常将加强层、避难层、设备层合在同一层。因此，设置加强层时要考虑建筑布置和设备层的位置，同时，也要从结构合理的角度与建筑师协商。

加强层位置及数量要求如下：

（1）设置一个加强层时，最佳位置是在结构计算嵌固端以上 $0.60H \sim 0.67H$ 之间，H 为结构总高度。

（2）设置两个加强层的效果优于一个加强层，侧移会更减小。设置两个加强层时，如果其中一个设置在 $0.7H$ 以上（也可在顶层），则另一个设置在 $0.5H$ 附近，可以得到较好的效果。

（3）设置多个加强层会进一步减小侧移，但侧移减小并不与加强层数量成正比。加强层多于 4 个时，继续减小侧移的效果就不明显了。因此，加强层不宜多于 4 个。当设置多个加强层时，一般可沿结构高度均匀布置。

（4）筒中筒结构设置加强层的作用小，减小侧移的效果不明显，因为外框筒主要靠密柱深梁使翼缘框架各柱受力。因此，筒中筒结构不设置加强层。

8.5.3 结构布置要点

框架-核心筒结构是目前高层建筑应用最为广泛的一种结构体系，可以为钢筋混凝土结构、钢结构或混合结构。

由于框架-核心筒结构的柱数量少、内力大，通常柱的截面尺寸比较大。为了减小柱截面尺寸，常常采用型钢（钢骨）混凝土柱、钢管混凝土柱、钢管混凝土叠合（组合）柱等组合构件作为框架柱。

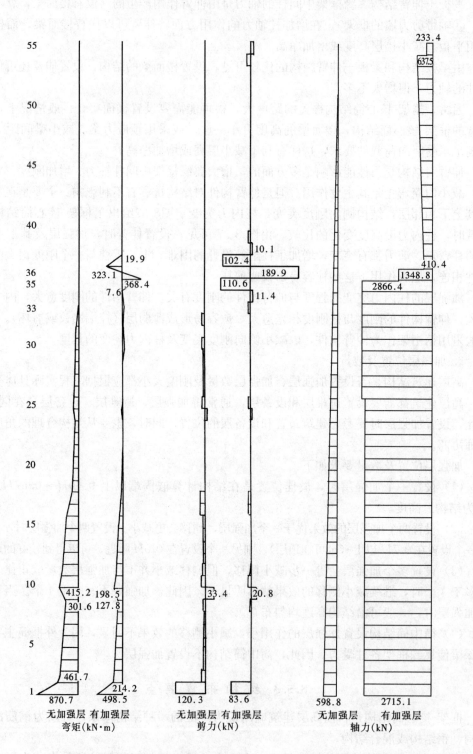

图 8-37   框架-核心筒-伸臂结构柱内力沿高度分布

在结构布置方面，有以下一些要点：

（1）平面为方形、长方形、圆形或其他形状。

结构平面布置刚度对称、均匀，减小扭转影响。内筒在平面的中部，使质量、刚度布置均匀。周边框架的抗扭刚度相对较小，如果内筒偏置一边，则角柱会因扭转而增大层间位移。

（2）核心筒是主要抗侧力结构单元。抗震设计时，对核心筒墙体的承载力和延性要求都高，通过抗震构造措施，提高核心筒墙体的抗震能力。要控制核心筒的高宽比。核心筒墙体沿水平方向不宜连续开洞而过分削弱其整体性。

（3）框架应能承受一定的水平剪力，抗震设计时，框架部分分配的地震剪力标准值的最大值不宜小于结构基底地震剪力标准值的 10%，小于 10% 时，应增大各层框架部分承担的地震剪力标准值，同时，核心筒墙体承担的地震剪力标准值也要增大。

（4）框架与核心筒的间距以 10～12m 为宜。如果间距很大，则要另设内柱，或采用预应力混凝土楼盖，可采用现浇预应力空心板楼盖，以减小楼盖自重及减小楼盖高度。

（5）框架-核心筒结构的楼盖类型及布置与筒中筒结构相似。但框架-核心筒结构柱的数量少，水平力产生的拉力大，为了抵消柱的拉力，楼盖布置更要注意使竖向荷载传递到拉力大的柱上，避免在水平力作用下出现受拉柱。

（6）在平面上，伸臂构件布置要对称，伸臂构件要与核心筒的剪力墙对齐，伸臂构件的钢构件伸进剪力墙。

（7）伸臂构件可采用钢桁架、钢空腹桁架等，为一层或两层层高。

加强层无论是设备层，还是避难层，都要布置通道，钢桁架作伸臂构件，既可减小重量，又可工厂制作后在现场拼装，自然形成通道。

如果伸臂与柱、墙在施工过程中就完全连接，则随着建筑高度增大，外柱和核心筒墙体的压缩量不同，竖向变形差使伸臂产生较大的应力，不利于伸臂构件受力。为了减小竖向变形差引起的应力，可将伸臂构件的一端与竖向构件不完全固定（临时固定或作椭圆孔连接），在主体结构施工完成后，结构在自重下的大部分竖向变形已基本稳定，再将连接节点完全固定。

8.5.4 结构计算要点

在空间通用计算程序已普及、建筑结构计算技术比较成熟的今天，采用空间结构计算框架-核心筒结构或框架-核心筒-伸臂结构能得到满意的结果。空间结构计算才能得到结构的扭转周期和扭转效应，能对所计算的结构是否符合抗震要求作出正确判断。不规则的框架-核心筒结构或框架-核心筒-伸臂结构必须采用空间计算模型进行结构分析。

框架-核心筒-伸臂结构的计算分析还要注意，假定楼盖为无限刚性时，由于楼盖不能变形，伸臂桁架的上下弦没有伸长和缩短，不能得到弦杆、腹杆的正确内力，还可能高估了伸臂桁架的刚度与贡献。因此，整体结构分析模型中，弦杆所在楼层的楼板刚度取为零，即没有楼板；采用弹性楼板计算时，宜取整体分析中的变形作为边界条件及竖向荷载，对伸臂进行单独的计算分析。一定要注意局部结构分析边界的选取。例如，对伸臂与核心筒连接节点的分析，宜选取包括连接节点所在层上、下至少各一层的局部结构为分析对象，引入整体分析计算的边界点位移作为约束条件，以正确模拟节点区的内力与变形特征。

思　考　题

8.1　什么是静力计算？什么是动力计算？在竖向荷载、风荷载、地震作用下所做的内力及位移计算是静力计算还是动力计算？为什么采用反应谱计算地震作用称为拟静力计算？

8.2　什么是杆件有限元方法？什么是单元刚度？典型的杆件有哪些？

8.3　解释下列高层建筑结构的计算类型：（1）平面协同计算，（2）空间协同计算，（3）空间结构计算（刚性楼盖假定），（4）完全空间结构计算（弹性楼盖假定）。各计算类型在什么情况下使用？

8.4　一个窄而长的框架-剪力墙结构，剪力墙间距超过限值，或楼板有很大的开洞，采用刚性楼盖假定进行结构计算存在哪些问题？

8.5　对于平面结构假定，各片平面结构"竖向位移不协调"是什么意思？为什么空间结构计算模型不存在这个问题？

8.6　水平力作用下框架梁的弯曲变形、柱的弯曲和轴向变形对框架的侧移曲线形状有什么影响？如果忽略柱的轴向变形，框架的计算位移偏大还是偏小？

8.7　刚性楼盖假定对楼盖平面内杆件的变形和内力有哪些影响？举例说明。为什么又同时要假定楼盖平面外没有刚度？

8.8　为什么要对程序计算结果的合理性进行分析判断？

8.9　为什么图8-9所示框架结构的空间分析和平面协同分析结果完全一样？空间协同分析的结果会一样吗？

8.10　带刚域杆件和一般等截面杆件的区别是什么？什么情况下需采用带刚域杆件？带刚域杆件和一般等截面杆件的刚度矩阵有什么异同？

8.11　为什么框筒及筒中筒结构要采用三维空间结构模型计算？是否可采用平面结构模型做近似计算？

8.12　水平力作用下框筒结构的翼缘框架柱为什么有轴力？是否有弯矩和剪力？柱轴力是怎样分布的？

8.13　筒中筒结构外框筒和内筒之间的楼面梁对水平荷载下的内力及位移有什么影响？如果有楼面梁，设计中应注意什么问题？

8.14　什么是框筒结构的剪力滞后？是怎样造成的？有哪些影响因素？可采取哪些措施减小剪力滞后？结构布置要注意些什么？

8.15　为什么要适当加大框筒结构的角柱截面？如果不允许设角柱，或角柱很小，对框筒结构的受力性能有什么影响？

8.16　框筒及筒中筒结构的楼盖起什么作用？不同楼盖体系对筒中筒结构受力有什么影响？

8.17　水平力作用下框架-核心筒结构与筒中筒结构受力性能的最大区别是什么？是什么造成的？

8.18　框架-核心筒结构、框架-核心筒-伸臂结构可以用平面结构模型进行结构计算吗? 为什么?

8.19 伸臂构件为什么可以加大结构侧向刚度、减小侧移? 伸臂构件布置有哪些要求?

8.20 比较框架-核心筒结构中每层设置楼面梁和框架-核心筒-伸臂结构的内力有什么异同?

8.21 为什么筒中筒结构不需要布置伸臂构件?

第9章 民用建筑钢结构设计

建筑结构的受力性能，特别是抗震性能，除了与建筑形体、结构体系和结构布置、构件和连接的性能、施工技术等因素有关外，在一定程度上还取决于结构材料。钢材具有匀质、拉压等强、延性好、易加工、强度重量比大、连接整体性好等特点，是抗震房屋建筑结构的理想材料。

自20世纪80年代以来，随着国民经济的发展和综合国力的提高，我国陆续建造了上百栋高层建筑钢结构和钢-混凝土混合结构。目前，不但越来越多的高层公共建筑采用钢结构或混合结构，而且住宅建筑也开始采用钢结构。

本章主要介绍高层民用建筑钢结构的设计。高层民用建筑钢结构是指10层及10层以上或房屋高度大于28m的钢结构住宅建筑以及房屋高度大于24m的其他钢结构民用建筑。

9.1 钢结构震害

房屋建筑钢结构在强烈地震中主要有三种破坏形式：连接节点破坏、构件破坏和结构倒塌。

连接节点破坏主要有两种情况：支撑连接破坏和梁柱刚性连接节点破坏，其他还有柱脚连接破坏等。连接破坏为脆性破坏。梁柱刚性连接节点破坏主要始于梁的下翼缘坡口焊缝处出现的裂缝，一般是由焊缝根部萌生的脆性裂纹引起的。裂纹扩展有多条路径：由焊根进入母材热影响区沿着一条与应力和材料韧性相关的路线发展；横穿柱翼缘扩展至柱腹板，有的甚至穿透柱全宽，导致柱断裂。一旦翼缘焊接破坏，梁腹板与柱之间采用螺栓或者焊缝连接的剪切板往往被拉开，沿连接线扩展。另外，还有节点板域屈曲、剪切板屈服等节点破坏形式。上翼缘连接较少发生破坏。一般认为，混凝土楼板的组合作用使上翼缘避免了破坏，也有认为，上翼缘焊缝根部不像下翼缘那样位于梁的最外侧，焊根的应力较低，使上翼缘连接破坏相对较少。

按裂纹产生位置和扩展路径，梁柱刚性连接节点破坏可以分为以下几类（图9-1）：

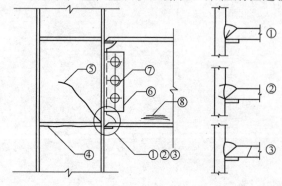

①焊缝内裂纹：源自焊趾，在焊缝内扩展；②柱翼缘裂纹：源自焊趾或焊根，向柱翼缘扩展；③焊缝与梁下翼缘结合面或焊缝与柱翼缘结合面开裂、完全断开或部分断开，焊缝附近梁翼缘开裂；④水平加劲肋与柱腹板焊缝裂纹；⑤裂纹扩展至柱腹板；⑥剪切板与梁腹板焊缝开裂；⑦剪切板的螺栓滑移、松动或者脱落；⑧梁下翼缘和腹板局部屈曲。

图9-1 梁柱刚性连接节点破坏形式

1994年1月美国北岭地震后，调查

了 1000 多幢钢结构房屋建筑，破坏的有 100 多幢，其中，梁下翼缘与柱连接部位裂缝（图 9-2）占 80％以上，裂缝起源于焊缝的占 90％以上。1995 年 1 月日本阪神地震后的调

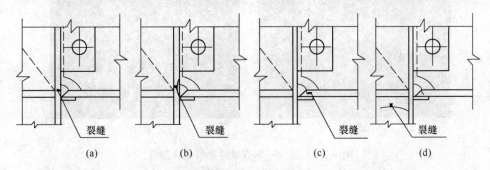

图 9-2　美国北岭地震中梁柱刚性连接节点破坏形式

（a）沿焊缝边缘开裂；（b）柱翼缘表面附近裂开的剥离破坏；（c）沿腹板端部切角工艺孔开始的梁翼缘开裂；（d）从柱翼缘穿透柱腹板断裂破坏

查发现，钢框架结构也出现了梁柱连接破坏的震害，破坏位置主要在扇形切角工艺孔端部，如图 9-3 所示，图中：（1）焊接工艺孔下方母体断裂；（2）梁一侧的热影响区开裂；（3）焊缝开裂；（4）由引弧板至热影响区一侧的裂缝；（5）由引弧板焊缝到隔板的裂缝。美日两国地震中梁柱连接节点破坏形式不同，美国北岭地震中裂缝向柱发展，而日本阪神地震中裂缝向梁发展，造成这种差异的原因与连接构造的差异有关。美国一般采用工字形柱，日本采用箱形柱；在梁翼缘对应位置柱加劲肋的厚度，美国的为梁翼缘厚度的一半，日本的比梁翼缘还要厚；两国梁端腹板焊缝通过孔形状不同；美国

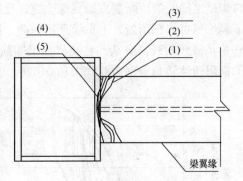

图 9-3　日本阪神地震中梁柱刚性连接节点破坏形式

的梁腹板与连接板采用 1 列螺栓及焊接连接，日本采用 2～3 列螺栓连接。焊缝金属冲击韧性低；因腹板妨碍现场焊接和检查，使梁端下翼缘焊缝中部不连续，焊缝存在缺陷；梁端下翼缘全熔透坡口焊的衬板边缘形成人工缝，地震作用下发展为裂纹；焊缝通过孔边缘应力集中，引发裂缝，并向梁柱扩展。

梁柱连接破坏虽然没有造成结构倒塌，但造成了巨额经济损失。美国北岭地震后对梁柱连接的检查、恢复费用，不需挪动装饰面层时，每个节点为 800～1000 美元；需要挪动装饰面层时，每个节点为 1000～2000 美元；有石膏抹灰和吊顶的建筑，每个节点的检查、恢复费用为 2000～5000 美元。除了造成巨额经济损失外，更重要的是使人们对过去长期采用的钢框架梁柱刚性连接方式在强震中的安全性产生了质疑。

为研究这种长期采用的梁柱连接方式的抗震性能，图 9-4 所示为研究人员完成的 2 个拟静力试验梁柱节点试件破坏后照片。试件采用焊接箱形截面柱和热轧工字形梁，柱截面为 550mm×550mm，板厚 30mm，在梁翼缘对应位置的箱形截面内设置 20mm 厚隔板；梁截面高 588mm，翼缘宽 300mm、厚 20mm，腹板厚 12mm；连接梁腹板与柱翼缘的连接板厚 8mm。试件 1 为标准栓焊连接节点，试件 2 为采用悬臂短梁段连接的全焊接节点，

图 9-4 框架梁柱节点试件梁端破坏照片
(a) 试件 1；(b) 试件 2

悬臂短梁长 975mm。试件的柱固定在试验台座上，在梁端施加往复水平力。试件 1：由于反向加载时梁端破坏，正向不能继续加载，正向加载未破坏；反向加载时，梁下翼缘根部与坡口焊缝之间断裂；试件 2：正向加载时，梁上翼缘根部母材断裂，梁上翼缘根部与坡口焊缝之间断裂，断裂贯通翼缘全宽；反向加载时，梁下翼缘根部与坡口焊缝之间断裂，下翼缘母材局部断裂，上翼缘严重屈曲。图 9-5 (a)、(b) 分别为 2 个试件的弯矩 M-塑性转角 θ_p 滞回曲线，M 为与柱交界面梁端截面的弯矩，θ_p 为梁悬臂端的塑性转角。2 个试件的极限塑性转角分别为 0.021 和 0.026。

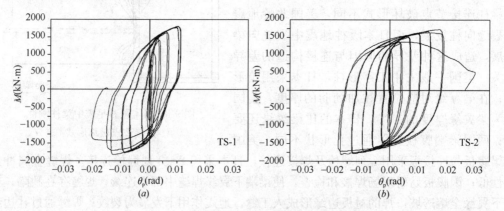

图 9-5 试件弯矩 M-塑性转角 θ_p 滞回曲线
(a) 试件 1；(b) 试件 2

北岭地震及阪神地震后，美、日、欧洲国家等提出了多种钢梁柱连接新方法，并进行了大量的钢梁柱连接节点实验研究。我国《抗震规范》吸取了震害教训和国内外的研究成果，结合我国国情，规定了抗震民用建筑钢结构的连接设计方法。

构件破坏主要包括：框架柱翼缘屈曲、翼缘层状撕裂、拼接处裂缝、脆性断裂；框架梁翼缘屈曲、腹板屈曲、截面扭转屈曲、腹板裂缝；支撑斜杆受拉断裂、受压屈曲、节点板拉断、节点板压屈。结构倒塌是最严重的震害，1985 年墨西哥大地震中有 9 栋钢结构建筑倒塌。但与其他材料的结构相比，钢结构建筑的抗震性能好，震害轻，倒塌的数量少。

9.2 一 般 规 定

9.2.1 结 构 布 置

民用建筑钢结构的抗侧力结构体系主要有：框架结构，框架-支撑（包括：中心支撑、偏心支撑和屈曲约束支撑）结构，框架-延性墙板（包括：钢板剪力墙、无粘结内藏钢板支撑墙板、开竖缝混凝土剪力墙板等）结构，筒体结构（包括框筒、筒中筒、桁架筒和束筒），以及巨型框架结构等。各结构体系适用的最大高度、适用的最大高宽比已在第 2 章中介绍，钢结构的抗震等级已在第 4 章中介绍。

民用建筑钢结构的建筑形体要求、结构布置原则已在第 4 章中介绍。民用建筑钢结构尽可能采用简单、有利于减小横风向振动影响的建筑形体，建筑的立面和竖向剖面尽可能规则；抗侧力结构的平面布置尽可能规则、对称，具有良好的整体性，竖向构件布置连续，侧向刚度沿高度变化均匀，避免抗侧力结构的侧向刚度和承载力突变。对于不规则的钢结构房屋建筑，应采用空间结构计算模型进行小震和大震作用下的结构计算，计入扭转影响，需要时，计入楼板的实际平面刚度；采取有效加强措施，避免或减轻由于不规则引起的可能的地震破坏，例如：加强构件之间的连接，加强结构的整体性，提高关键构件或薄弱部位构件的承载力，形成合理的屈服机制，从上到下设置能起"脊椎"作用的抗侧力结构或构件，设置多道抗震防线等。对于特别不规则的钢结构房屋建筑，需要进行专门研究和论证，采用特别的加强措施。

民用建筑钢结构的布置还应注意以下几点：

（1）采用框架结构时，甲、乙类建筑和丙类高层建筑不应采用单跨框架，丙类多层建筑不宜采用单跨框架。

（2）支撑框架在两个方向的布置均尽可能对称，支撑框架之间楼盖的长宽比不宜大于 3。

（3）抗震等级为一、二级（9 度抗震设防时，8 度抗震设防时高度超过 50m）的钢结构民用建筑，宜采用设置延性墙板、偏心支撑或屈曲约束支撑等消能支撑的框架-支撑结构、框架-延性墙板结构或采用筒体结构。

（4）抗震等级为三、四级（6 度抗震设防时高度超过 50m，7 度抗震设防时，8 度抗震设防时高度不超过 50m）的民用建筑钢结构宜设置中心支撑，也可设置偏心支撑、屈曲约束支撑或延性墙板。

（5）必要时，钢框架-核心筒结构可设置水平伸臂桁架或周边环带桁架或同时设置水平伸臂桁架和周边环带桁架，形成加强层。

（6）民用建筑钢结构宜采用压型钢板现浇钢筋混凝土组合楼板、现浇钢筋桁架混凝土楼板或钢筋混凝土楼板，楼板与钢梁应有可靠连接。

（7）6 度、7 度时高度不超过 50m 的钢结构房屋建筑，可采用装配整体式钢筋混凝土楼板，也可采用装配式楼板或其他轻型楼盖，楼板预埋件与钢梁焊接，或采取其他措施保证楼盖的整体性。

（8）转换层楼板开洞比较大或比较多的情况，可在楼板内设置水平支撑，加强楼板平面内的承载力和刚度。

（9）高度大于 50m 的民用建筑钢结构应设置地下室。为使基础有足够大的抗倾覆能力，其埋置深度，当采用天然地基时，不小于房屋总高度的 1/15，当采用桩基础时，桩承台埋深不小于房屋总高度的 1/20。

（10）钢框架柱至少延伸至计算嵌固端以下一层，以下可采用型钢混凝土柱和钢筋混凝土柱，使竖向荷载直接传至基础。型钢混凝土柱使钢柱下端完全固定，有利于结构受力。

（11）框架-支撑结构、框架-延性墙板结构中，支撑、延性墙板宜沿建筑高度竖向连续布置，并延伸至基础；除底部楼层和伸臂桁架所在楼层外，支撑、延性墙板的形式和布置沿建筑竖向尽可能一致。

（12）支撑框架应符合强连接弱支撑、强柱弱支撑的原则。

9.2.2　结　构　计　算

民用建筑钢结构在水平荷载作用下的内力和位移的弹性计算，其计算模型、计算方法等与其他结构类似或相同，不再赘述，但需要注意下述几点。

1. 阻尼比

多遇地震作用下弹性计算时，高度不大于 50m 时取 0.04，高度大于 50m 且小于 200m 时取 0.03，高度不小于 200m 时取 0.02；当偏心支撑框架部分承担的地震倾覆力矩大于结构总地震倾覆力矩的 50% 时，其阻尼比相应增加 0.005。

罕遇地震作用下，钢筋混凝土楼板开裂，非结构构件损坏，结构构件屈服，连接松动，使结构的阻尼增大。因此，罕遇地震作用下民用建筑钢结构弹塑性分析时，阻尼比取为 0.05。

2. 基本周期

初步设计时可以用底部剪力法估算地震基底剪力，可采用经验公式计算结构的基本周期。根据对国内外 36 栋高层建筑钢结构的实测周期和计算周期的统计，民用建筑钢结构基本周期 T_1 可按 $0.1N$ 计算，N 为建筑物地面以上的层数，不包括出屋面的电梯间、水箱等。

3. 梁柱节点域剪切变形对侧移的影响

梁柱刚性连接的钢框架计入节点域剪切变形对侧移的影响时，可将节点域作为一个单独的剪切单元进行结构整体分析，弹性计算时考虑节点域的弹性剪切变形，弹塑性计算时考虑节点域的弹塑性剪切变形。框架节点域是指框架梁柱刚接处，柱在梁上下翼缘位置设置的加劲肋或隔板之间柱腹板的区域。

弹性计算时，也可按下述计算方法计入节点域弹性剪切变形对结构侧移的影响：H 形截面柱框架，按结构轴线尺寸进行计算，节点域不作为刚域；箱形截面柱框架，按结构轴线尺寸，将节点域作为刚域进行分析，取柱截面宽度和梁截面高度的一半两者的较小值作为梁柱刚域总长度；将上述分析得到的楼层最大层间位移角与该楼层柱下端的节点域在梁端弯矩设计值作用下的剪切变形角平均值相加，即可得到计入节点域剪切变形影响的层间位移角。任一楼层节点域在梁端弯矩设计值作用下的剪切变形角平均值，可按现行《高钢规》的规定计算。

对箱形截面柱框架、中心支撑框架和不超过 50m 的钢结构，也可按结构轴线尺寸进行分析，直接计算得到楼层最大层间位移角。

4. 混凝土楼板对钢梁刚度和承载力的影响

民用建筑钢结构采用压型钢板混凝土组合楼盖时，或采用现浇钢筋混凝土楼板、楼板与钢梁之间有可靠连接时，楼板与钢梁共同工作，楼板可作为钢梁的翼缘，计入其对钢梁刚度的增大作用，两侧有楼板的钢梁其惯性矩取钢梁截面惯性矩的 1.5 倍，一侧有楼板的钢梁其惯性矩取钢梁惯性矩的 1.2 倍。大震作用下，楼板开裂，弹塑性计算时不考虑楼板对钢梁刚度的增大作用。

在与柱连接的框架梁端部，即框架梁的负弯矩区，一般不计入钢筋混凝土楼板对梁的承载力的增大作用；简支梁及框架梁的跨中，可以计入钢筋混凝土楼板对梁的受弯承载力的增大作用。

5. 重力二阶效应

民用建筑钢结构的侧向刚度比较小，地震或风荷载作用下，重力荷载产生的附加弯矩与层剪力产生的弯矩的比值可能较大（大于 0.1），因此，结构弹性和弹塑性分析时，要考虑结构几何非线性的影响，即计入重力二阶效应（也称 P-Δ 效应）对结构水平位移和构件内力的增大作用。

6. 支撑斜杆

钢框架-支撑结构的支撑斜杆两端刚接，其内力有弯矩、剪力和轴力，但弯矩、剪力引起的应力远小于轴力引起的应力，因此，支撑斜杆按两端铰接计算。

中心支撑框架的支撑斜杆轴线偏离梁柱轴线交点不超过支撑杆件的宽度时，仍按中心支撑框架分析，但应计入由于轴线偏离产生的附加弯矩。

7. 延性墙板的计算模型

钢板剪力墙尽可能按不承担竖向荷载设计，但实际工程中，钢板剪力墙与其周边框架梁柱的连接构造难以实现这一点。实际工程中要求，钢板剪力墙承担竖向荷载时，竖向应力导致其受剪承载力的下降不要大于 20%，不能因为钢板剪力墙承担了竖向荷载，减小其周边框架梁柱的截面尺寸。不承担竖向荷载的钢板剪力墙，采用剪切膜单元参与结构整体计算；承担竖向荷载的钢板剪力墙，采用正交异性板的平面应力单元参与结构整体计算。

无粘结内藏钢板支撑墙板的钢板支撑有人字支撑、V 形支撑和单斜杆支撑，布置为中心支撑。采用单斜杆支撑时，在相应柱间成对布置。无粘结内藏钢板支撑墙板，采用与其抗侧能力等效（包括：截面面积、屈服强度和切线模量）的等截面支撑杆件参与结构整体计算。

开竖缝混凝土剪力墙板按不承担竖向荷载设计，即横梁按承担全部竖向荷载设计，两侧立柱按承担其从属面积内全部竖向荷载设计。开竖缝混凝土剪力墙板采用膜单元参与结构整体计算。

9.2.3 框架-支撑结构、框架-延性墙板结构中框架部分地震剪力调整

框架-支撑结构、框架-延性墙板结构是双重抗侧力结构体系，多遇地震作用下按框架与支撑、框架与延性墙板协同工作计算，底部若干层框架部分计算得到的地震剪力比较小。在罕遇地震作用下，一般情况为支撑、延性墙板首先屈服，结构刚度降低，地震剪力

重分布，框架部分的地震剪力增大。为了避免框架部分破坏严重、出现局部倒塌而引起结构整体倒塌，在多遇地震作用下框架部分的地震层剪力标准值不能太小。对于框架部分按刚度分配计算得到的地震层剪力标准值不小于结构底部总地震剪力标准值 25% 和框架部分计算最大层剪力 1.8 倍二者的较小值的楼层，采用计算结果进行结构设计；小于上述二者较小值的楼层，应乘以调整系数放大地震层剪力，达到不小于结构底部总地震剪力的25% 和框架部分计算最大层剪力 1.8 倍二者的较小值，即取下面两个公式计算的较小值：

$$V_{\mathrm{f},i} = 0.25V_0 \tag{9-1a}$$

$$V_{\mathrm{f},i} = 1.8V_{\mathrm{f,max}} \tag{9-1b}$$

式中　$V_{\mathrm{f},i}$——第 i 层框架部分地震层剪力标准值；

　　　V_0——地震作用下框架-支撑结构、框架-延性墙板结构底部总地震剪力标准值；

　　$V_{\mathrm{f,max}}$——按协同工作计算得到的框架部分地震层剪力标准值的最大值。

9.3　钢框架构件验算

9.3.1　验　算　原　则

钢框架由钢梁、钢柱和节点域三种构件组成。钢梁、钢柱构件长细比较大，除了要进行强度验算（承载力验算）外，还要进行稳定验算；节点域要进行抗剪验算；还需要考虑罕遇地震作用下的屈服机制，进行强柱弱梁和节点域的验算。

构件强度和稳定验算时，采用组合的最不利内力设计值（组合类型和验算要求见第 4 章），框架梁取梁端内力而不是轴线处的内力；框架构件进行强度和稳定的抗震验算时，钢材的强度设计值要除以承载力抗震调整系数 γ_{RE}。

罕遇地震作用下，梁和柱屈服，节点域可能达到其受剪承载力。钢筋混凝土框架强柱弱梁的抗震设计原则也适用于钢框架。某一层所有框架柱的上下端都屈服形成薄弱层的弱柱框架可能使结构倒塌；另外，在实际工程中，除底层柱的柱脚外，很难实现其他柱都不屈服的机制。研究表明，钢框架柱在比较大的塑性转角的情况下，仍能保持其承载力。此外，钢框架的梁柱节点域与混凝土框架梁柱节点核心区的受力性能也有所不同。在往复荷载作用下，钢框架节点域板件即使多次达到其抗剪强度，仍具有很好的耗能能力和仍能保持其承载力，不会发生脆性破坏。钢框架的屈服耗能机制是以梁弯曲屈服耗能和节点域板件剪切屈服耗能为主，允许部分柱屈服，是混合塑性铰机制。构件屈服的先后次序应是：节点域首先达到其抗剪强度，然后梁屈服，最后部分柱屈服，不同于钢筋混凝土框架避免核心区剪切破坏的屈服机制。

9.3.2　框架梁、柱强度及稳定验算

梁的抗弯强度按下式验算：

$$\frac{M_{\mathrm{x}}}{\gamma_{\mathrm{x}}W_{\mathrm{nx}}} \leqslant f \tag{9-2}$$

式中　M_{x}——梁对 x 轴的弯矩设计值；

　　　γ_{x}——截面塑性发展系数，抗震设计时取 1.0；

W_{nx}——梁对 x 轴的净截面模量；

f——钢材强度设计值，抗震设计时除以承载力抗震调整系数 0.75。

框架梁上有压型钢板混凝土组合楼盖或现浇钢筋混凝土楼板时，可不验算稳定，否则按下式验算框架梁的稳定：

$$\frac{M_x}{\varphi_b W_x} \leqslant f \tag{9-3}$$

式中 W_x——梁的毛截面模量，单轴对称者以受压翼缘为准；

φ_b——梁的整体稳定系数；

f——钢材强度设计值，抗震设计时除以承载力抗震调整系数 0.8。

在主平面内受弯的实腹构件，其抗剪强度按下式验算：

$$\tau = \frac{VS}{It_w} \leqslant f_v \tag{9-4a}$$

框架梁端截面的抗剪强度按下式验算：

$$\tau = \frac{V}{A_{wn}} \leqslant f_v \tag{9-4b}$$

式中 V——计算截面沿腹板平面作用的剪力设计值；

S——计算剪应力处以上毛截面对中和轴的面积矩；

I——毛截面惯性矩；

t_w——腹板厚度；

A_{wn}——扣除焊接孔和螺栓孔后的腹板受剪面积；

f_v——钢材抗剪强度设计值，抗震设计时应除以承载力抗震调整系数 0.75。

多遇地震作用组合下进行构件承载力验算时，考虑地震倾覆力矩对传力不连续部位的增值效应，为保证转换构件的抗震安全，作为转换构件的托柱梁地震作用产生的内力乘以不小于 1.5 的增大系数。

框架柱的强度和稳定验算，按现行国家标准《钢结构设计规范》GB 50017（以下简称《钢结构规范》）及《高钢规》的有关规定执行。

9.3.3 强柱弱梁验算

为了使钢框架梁屈服先于柱屈服，应进行强柱弱梁验算，即节点左右梁端和上下柱端的全塑性承载力应符合式（9-5）的要求：

等截面梁与柱连接时

$$\sum W_{pc}(f_{yc} - N/A_c) \geqslant \sum (\eta f_{yb} W_{pb}) \tag{9-5a}$$

端部变截面梁与柱连接（梁端加强型连接，骨式连接）时

$$\sum W_{pc}(f_{yc} - N/A_c) \geqslant \sum (\eta f_{yb} W_{pb1} + M_v) \tag{9-5b}$$

式中 W_{pc}、W_{pb}——分别为计算平面内交汇于节点的柱和梁的塑性截面模量；

W_{pb1}——梁塑性铰所在截面的梁塑性截面模量；

f_{yc}、f_{yb}——分别为柱和梁钢材的屈服强度；

N——按地震作用组合得到的柱轴力设计值；

A_c——框架柱的截面面积；

η——强柱系数，一级取 1.15，二级取 1.10，三级取 1.05，四级取 1.0；

M_v——梁塑性铰剪力对梁端产生的附加弯矩，$M_v = V_{pb} \cdot x$；

V_{pb}——梁塑性铰剪力；

x——塑性铰至柱面的距离，塑性铰可取梁端部变截面翼缘的最小处。梁端加强型连接取加强板的长度加 1/4 梁高，骨式连接取 $(0.5\sim0.75)\,b_f + (0.3\sim0.45)\,h_b$，$b_f$ 和 h_b 和分别为梁翼缘宽度和梁截面高度。也可根据试验取值。

存在下列情况之一时，钢框架可以不验算强柱弱梁：

（1）柱所在楼层的受剪承载力比相邻上一层的受剪承载力大 25％。由于所在层受剪承载力高，地震作用下，该楼层的柱不容易屈服。

（2）柱轴压比不大于 0.4。符合这一条件的钢柱，由于轴压比小，其屈服后的变形能力大。

（3）柱轴力 $N_2 \leqslant \varphi A_c f$。$N_2$ 为 2 倍多遇地震作用下组合的轴力设计值，φ 为柱作为轴心受压构件时的稳定系数，按《钢结构规范》的规定采用。满足该式的要求时，作为轴心受压柱的稳定性得到保证。

（4）与支撑斜杆相连的节点。

9.3.4 框架节点域验算

框架梁柱节点域应满足稳定要求，在风和多遇地震作用下节点域应满足抗剪承载力要求，在罕遇地震作用下节点域应满足屈服承载力要求。因此，节点域的抗震验算包括三个方面：避免节点域板件失稳破坏的板件厚度验算，多遇地震作用下的抗剪承载力验算，罕遇地震作用下的屈服承载力验算。

梁上下翼缘对应位置设置的柱水平加劲肋（箱形截面柱为隔板）内侧与柱翼缘内侧包围的节点域板件厚度应满足下式要求：

$$t_w \geqslant (h_{0b} + h_{0c})/90 \qquad (9\text{-}6)$$

式中 t_w——柱在节点域的腹板厚度，箱形截面柱为一块腹板的厚度；

h_{0b}、h_{0c}——分别为梁腹板、柱腹板的高度。

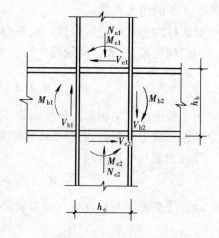

图 9-6 节点域的受力状态

在风或多遇地震作用下，节点域的受力状态如图 9-6 所示。节点域在周边弯矩和剪力作用下，其剪应力为：

$$\tau = \frac{M_{b1} + M_{b2}}{V_p} - \frac{V_{c1} + V_{c2}}{2 h_{c1} t_p} \qquad (9\text{-}7a)$$

工程设计中，略去式（9-7a）中的第二项，这样计算得到的剪应力偏大 20％～30％。通过将钢材抗剪强度设计值提高 1/3 考虑略去式（9-7a）中第二项的影响，节点域的抗剪承载力按下式验算：

$$(M_{b1} + M_{b2})/V_p \leqslant (4/3) f_v \qquad (9\text{-}7b)$$

式中 τ——节点域的剪应力；

 M_{b1}、M_{b2}——分别为节点域左、右梁端截面的弯矩设计值；

 V_{c1}、V_{c2}——分别为节点域上、下柱端截面的剪力设计值；

   h_{c1}——节点域的宽度，取柱翼缘中心线距离；

   t_p——柱腹板和补强板之和，或局部加厚时的节点域厚度，箱形截面柱为一块腹板的厚度，圆管截面柱为壁厚；

   f_v——钢材抗剪强度设计值，抗震设计时，应除以承载力抗震调整系数 0.75；

   V_p——节点域的有效体积。

节点域的有效体积 V_p 按下列公式计算：

工字形截面柱绕强轴 $\qquad\qquad V_p = h_{b1}h_{c1}t_p$ (9-7c)

工字形截面柱绕弱轴 $\qquad\qquad V_p = 2h_{b1}bt_f$ (9-7d)

箱形截面柱 $\qquad\qquad\qquad V_p = (16/9)h_{b1}h_{c1}t_p$ (9-7e)

圆管截面柱 $\qquad\qquad\qquad V_p = (\pi/2)h_{b1}h_{c1}t_p$ (9-7f)

式中 h_{b1}——节点域的高度，取梁翼缘中心线距离。

抗震验算时，节点域的屈服承载力应符合下式要求：

$$\phi(M_{pb1} + M_{pb2})/V_p \leqslant (4/3)f_{yv} \qquad\qquad\qquad (9-8)$$

式中 M_{pb1}、M_{pb2}——分别为节点域两侧梁端截面全塑性受弯承载力；

   f_{yv}——钢材的屈服抗剪强度，取钢材屈服强度的 0.58 倍；

   ϕ——折减系数，一、二级时取 0.85，三、四级时取 0.75。

罕遇地震作用下，节点域剪切屈服，通过塑性剪切变形耗散地震能量。虽然规定了节点域板件的最小厚度（式 9-7），但板件不能太厚，也不能太薄。若节点域板件太厚，则节点域的塑性变形小，耗散的地震能量少，且用钢量大；若节点域板件太薄，有可能由于节点域剪切变形太大导致框架的层间位移过大，且可能引起节点域板件达到抗剪强度后局部失稳破坏。为避免节点域板件过厚，采用折减系数 ϕ 降低节点域两侧梁端截面达到全塑性受弯承载力时节点域的剪应力。

若节点域不满足式（9-6）、式（9-7b）、式（9-8）的要求，对焊接组合柱，可以采取加厚节点域板件的方法，将柱腹板在节点域范围更换为较厚的板件，加厚板件应伸出柱水平加劲肋之外不小于 150mm，并采用对接焊缝与柱腹板相连（图 9-7a）。对轧制 H 形截面柱，可在节点域贴焊补强板加强，补强板上下边缘可不伸过柱水平加劲肋，也可伸过柱水平加劲肋以外不小于 150mm（图 9-7b）；当补强板不伸过柱水平加劲肋时，水平加劲肋与柱腹板焊接，补强板与加劲肋之间的角焊缝应能传递补强板分担的剪力，且厚度不小于 5mm；当补强板伸过柱水平加劲肋时，水平加劲肋仅与补强板焊接，此焊缝应能将加劲肋传来的力传递给补强板，补强板的厚度及其焊缝应按传递该力的要求设计。补强板侧边可采用角焊缝与柱翼缘相连，其板面尚应采用塞焊与柱腹板连成整体。

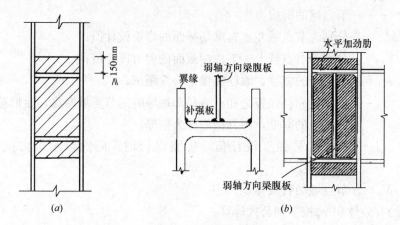

图 9-7 节点域板件加厚和贴焊补强板示意图

(*a*) 节点域板件加厚；(*b*) 节点域贴焊补强板

9.4 中心支撑斜杆受压承载力验算

中心支撑框架的支撑斜杆在地震作用下反复受拉、受压，一旦杆件受压屈曲，杆件的压屈变形很大，重新受拉时变形不能完全恢复，杆件不能完全拉直，再次受压时承载力降低，即出现退化现象。长细比越大，承载力退化现象越严重。验算小震作用下中心支撑斜杆的受压承载力时，要考虑罕遇地震下受压承载力退化的影响，按下式验算：

$$\frac{N}{\varphi A_{br}} \leqslant \psi \frac{f}{\gamma_{RE}} \tag{9-9a}$$

$$\psi = \frac{1}{1 + 0.35\lambda_n} \tag{9-9b}$$

$$\lambda_n = \frac{\lambda}{\pi}\sqrt{f_{ay}/E} \tag{9-9c}$$

式中 N——支撑斜杆的轴压力设计值；

A_{br}——支撑斜杆的毛截面面积；

φ——按支撑斜杆长细比 λ 确定的轴心受压构件稳定系数，按现行国家标准《钢结构规范》确定；

ψ——受往复荷载作用时的强度降低系数；

λ、λ_n——分别为支撑斜杆的长细比和正则化长细比；

E——支撑斜杆钢材的弹性模量；

f、f_{ay}——分别为支撑斜杆钢材的抗压强度设计值和屈服强度；

γ_{RE}——中心支撑斜杆屈曲稳定承载力抗震调整系数，取 0.8。

如果人字形支撑框架或 V 形支撑框架的一根支撑斜杆受压屈曲，另一根受拉斜杆的内力将大于受压屈曲斜杆的内力（绝对值），这两个力的合力将使横梁产生大的竖向变形，人字形支撑使梁下塌，V 形支撑使梁上鼓。如果人字形或 V 形支撑的尖端处横梁铰接，就不能抵抗这种竖向变形，因此，横梁必须是连续的。在相反方向的水平地震剪力作用下，受压屈曲的斜杆不能恢复到原始位置，受拉斜杆变成受压斜杆并受压屈曲。人字形支撑和 V 形支撑框架的屈曲后承载力迅速降低。在人字形支撑或 V 形支撑斜杆的尖端附近，会出现非弹性转动，应采取措施防止斜杆平面外屈曲。措施之一是限制支撑斜杆的长细比，措施之二是提高斜杆的轴向承载力，推迟其受压屈曲，提高支撑框架的抗震能力。

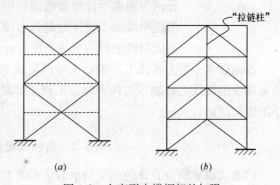

图 9-8　人字形支撑框架的加强
(a) 人字形支撑和 V 形支撑交替布置；(b) 拉链柱

人字形支撑框架和 V 形支撑框架的横梁在与支撑连接处保持连续，有竖向变形的能力；两根支撑都压屈后支撑不能作为横梁的支点且梁的两端都形成塑性铰，将横梁视为简支梁，需要验算其在重力荷载和支撑屈曲时不平衡力作用下梁的承载力，不平衡力应按受拉支撑的最小屈服承载力和受压支撑最大屈曲承载力的 0.3 倍计算。必要时，人字形支撑和 V 形支撑可沿竖向交替设置（图 9-8a）或采用"拉链柱"（图 9-8b）。

9.5　偏心支撑框架杆件承载力验算

9.5.1　消能梁段的长度

消能梁段是偏心支撑框架塑性变形耗散能量的唯一构件，消能梁段的耗能能力与梁段的长度和构造有关。短梁段的非弹性变形为腹板达到剪切强度后产生的剪切变形，长梁段的非弹性变形为翼缘拉压屈服产生的弯曲变形。腹板剪切变形的滞回曲线饱满，滞回耗能稳定。偏心支撑钢框架应尽可能采用短梁段。但梁段越短，塑性变形越大，有可能导致较早的塑性破坏。弯曲屈服型长消能梁段可以用于梁的跨中，不能用于与柱连接的梁端。其主要原因是，目前采用的梁与柱的连接方式用于长梁段与柱连接时，性能较差，长梁段的非弹性变形尚未充分发挥，翼缘与柱连接的焊缝就可能已经开裂。

消能梁段的净长按下列规定确定。

当 $N \leqslant 0.16Af$ 时：
$$\alpha \leqslant 1.6M_{lp}/V_l \tag{9-10a}$$

当 $N > 0.16Af$ 时：

当 $\rho(A_w/A) < 0.3$ 时　　　$a \leqslant 1.6M_{lp}/V_l \tag{9-10b}$

当 $\rho(A_w/A) \geqslant 0.3$ 时 $a \leqslant [1.15 - 0.5\rho(A_w/A)]1.6M_{lp}/V_l \tag{9-10c}$

$$\rho = N/V \tag{9-10d}$$

式中　　　N——消能梁段的轴力设计值；

　　　　　V——消能梁段的剪力设计值；

M_{lp}、V_l——分别为消能梁段的全塑性受弯承载力和受剪承载力，$M_{lp} = fW_{np}$，W_{np}
　　　　　　为消能梁段对其截面水平轴的塑性净截面模量；

　　　　　a——消能梁段净长；

A_w、A——分别为消能梁段腹板截面面积和消能梁段截面面积；

ρ——消能梁段轴力设计值与剪力设计值之比；

f——消能梁段钢材的抗压强度设计值。

在地震水平剪力作用下，偏心支撑框架的支撑斜杆产生轴向力，轴力的水平分量成为消能梁段的轴压力，轴压力较大时，不利于梁段的屈服后性能。因此，轴力较大时，应减小消能梁段的长度。

9.5.2 消能梁段承载力验算

消能梁段承载力验算包括受剪承载力验算和受弯承载力验算。按下列公式进行消能梁段的受剪承载力验算：

$$当 N \leqslant 0.15Af 时：\quad V \leqslant \phi V_l \tag{9-11a}$$

$$当 N > 0.15Af 时：\quad V \leqslant \phi V_{lc} \tag{9-11b}$$

式中　　N——消能梁段的轴力设计值；

ϕ——系数，可取 0.9；

V_l、V_{lc}——分别为消能梁段不考虑轴力影响和考虑轴力影响的受剪承载力，有地震作用组合时，除以承载力抗震调整系数 γ_{RE}，取 0.8。

当消能梁段的轴力设计值较小时，即 $N \leqslant 0.15Af$ 时，轴力对其受剪承载力的影响较小，可不考虑轴力的影响，其受剪承载力取式（9-12a）和式（9-12b）的较小值：

$$V_l = 0.58A_w f_y \tag{9-12a}$$

$$V_l = 2M_{lp}/a \tag{9-12b}$$

当消能梁段的轴力设计值较大时，即 $N > 0.15Af$ 时，考虑轴力对其受剪承载力的影响，其受剪承载力取式（9-13a）和式（9-13b）的较小值：

$$V_{lc} = 0.58A_w f_y \sqrt{1 - \left[N/(fA)\right]^2} \tag{9-13a}$$

$$V_{lc} = 2.4M_{lp}\left[1 - N/(fA)\right]/a \tag{9-13b}$$

式中　f_y——消能梁段钢材的屈服强度。

按下列公式验算消能梁段的受弯承载力：

$$N \leqslant 0.15Af 时 \qquad \frac{M}{W} + \frac{N}{A} \leqslant f \tag{9-14a}$$

$$N > 0.15Af 时 \qquad \left(\frac{M}{h} + \frac{N}{2}\right)\frac{1}{b_f t_f} \leqslant f \tag{9-14b}$$

式中　　M——消能梁段的弯矩设计值；

W——消能梁段的截面模量；

h、b_f、t_f——分别为消能梁段的截面高度、翼缘宽度、翼缘厚度；

f——消能梁段钢材的抗压强度设计值，有地震作用组合时，除以承载力抗震调整系数 γ_{RE}，取 0.8。

9.5.3 偏心支撑框架其他构件内力设计值及承载力验算

为了实现强柱、强梁、强支撑、弱消能梁段的抗震设防目标，柱、梁和支撑斜杆的内力设计值应取消能梁段达到其受剪承载力时对应的内力并乘以增大系数，具体计算方法如下。

支撑斜杆的轴力设计值：

$$N_{br} = \eta_{br} \frac{V_l}{V} N_{br,com} \tag{9-15}$$

与消能梁段同一跨的框架梁的弯矩设计值：

$$M_b = \eta_b \frac{V_l}{V} M_{b,com} \tag{9-15b}$$

柱的弯矩、轴力设计值：

$$M_c = \eta_c \frac{V_l}{V} M_{c,com} \tag{9-16a}$$

$$N_c = \eta_c \frac{V_l}{V} N_{c,com} \tag{9-16b}$$

式中　　N_{br}——支撑斜杆的轴力设计值；

M_b——与消能梁段同一跨的框架梁的弯矩设计值；

M_c、N_c——分别为柱的弯矩、轴力设计值；

V_l——消能梁段不考虑轴力影响的受剪承载力，取式（9-12）中的较大值；

$N_{br,com}$——对应于消能梁段剪力设计值 V 的支撑组合的轴力计算值；

$M_{b,com}$——对应于消能梁段剪力设计值 V 的位于消能梁段同一跨框架梁组合的弯矩计算值；

$M_{c,com}$、$N_{c,com}$——分别为对应于消能梁段剪力设计值 V 的柱组合的弯矩、轴力计算值；

η_{br}——支撑斜杆轴力设计值增大系数，一级时不小于 1.4，二级时不小于 1.3，三级时不小于 1.2，四级时不小于 1.0；

η_b、η_c——分别为与消能梁段同一跨的框架梁的弯矩设计值增大系数和框架柱的内力设计值增大系数，一级时不小于 1.3，二、三、四级时不小于 1.2。

偏心支撑斜杆的轴向承载力按下式验算：

$$\frac{N_{br}}{\varphi A_{br}} \leqslant f \tag{9-16c}$$

式中　N_{br}——支撑斜杆轴力设计值；

A_{br}——支撑斜杆截面面积；

φ——由支撑斜杆长细比确定的轴心受压构件稳定系数；

f——支撑斜杆钢材的抗拉、抗压强度设计值，有地震作用组合时，除以承载力抗震调整系数 γ_{RE}，取 0.8。

偏心支撑框架梁和柱的承载力，按现行国家标准《钢结构规范》的规定进行验算；有地震作用组合时，钢材强度设计值除以承载力抗震调整系数 γ_{RE}，取 0.8。

9.6　构件长细比和板件宽厚比限值

9.6.1　构件长细比限值

框架柱是高层建筑钢结构的主要抗侧力竖向构件，地震时不应出现整体失稳破坏，因此应限制框架柱的长细比。抗震等级高的民用建筑钢结构，柱长细比的限值严一些。框架柱的长细比，抗震等级为一级时不应大于 $60\sqrt{235/f_y}$，二级时不应大于 $70\sqrt{235/f_y}$，三级时不应大于 $80\sqrt{235/f_y}$，四级时不应大于 $100\sqrt{235/f_y}$，f_y 为钢材的屈服强度，单位为 "N/mm²"。

中心支撑框架的支撑斜杆先于梁柱屈服耗散地震能量，其承载力不应过大，长细比不应太小；支撑斜杆是轴心受力构件，支撑斜杆的滞回耗能取决于其受压性能，支撑斜杆的长细比大，则容易压屈，滞回耗能能力差。支撑斜杆的长细比，按压杆设计时，不应大于 $120\sqrt{235/f_y}$；一、二、三级中心支撑框架的支撑斜杆不得采用拉杆设计，四级采用拉杆设计时，其长细比不应大于 180。

偏心支撑框架的支撑斜杆的长细比不应大于 $120\sqrt{235/f_y}$。

9.6.2　板件宽厚比限值

按强柱弱梁抗震设计的钢框架，在罕遇地震作用下，塑性铰出现在梁端，部分柱端也会出现塑性铰，梁端屈服先于柱端，且屈服程度比柱端严重，因此，梁端塑性转动能力应高于柱端。为了保证钢框架梁、柱出现塑性铰后板件的局部稳定，梁、柱板件的宽厚比不应大于表 9-1 规定的限值。

钢框架梁、柱板件宽厚比限值　　　　　　　　　　表 9-1

板件名称		抗震等级			
		一级	二级	三级	四级
柱	工字形截面翼缘外伸部分	10	11	12	13
	工字形截面腹板	43	45	48	52
	箱形截面壁板	33	36	38	40
	冷成型方管壁板	32	35	37	40
	圆管（径厚比）	50	55	60	70
梁	工字形截面和箱形截面翼缘外伸部分	9	9	10	11
	箱形截面翼缘在两腹板之间部分	30	30	32	36
	工字形截面和箱形截面腹板	$72-120\rho\leqslant60$	$72-100\rho\leqslant65$	$80-110\rho\leqslant70$	$85-120\rho\leqslant75$

注：1. ρ 为框架梁轴压比，$\rho=N/(Af)$，N 为梁的轴力设计值，A 为梁截面面积，f 为梁钢材抗压强度设计值；
　　2. 冷成型方管适用于 Q235GJ 及 Q345GJ 钢。

罕遇地震作用下，支撑斜杆经受往复弹塑性拉压变形。在轴向压力作用下，有可能在支撑斜杆丧失整体稳定或强度破坏前，其板件先出现局部屈曲，导致斜杆丧失承载能力。为了保证在斜杆发生整体屈曲前其板件不发生局部屈曲，板件宽厚比不应大于表 9-2 规定的限值。

钢结构中心支撑斜杆板件宽厚比限值　　　表 9-2

板件名称	抗震等级			
	一级	二级	三级	四级
翼缘外伸部分	8	9	10	13
工字形截面腹板	25	26	27	33
箱形截面壁板	18	20	25	30
圆管外径与壁厚之比	38	40	40	42

消能梁段钢材屈服强度不应大于 $345N/mm^2$，屈强比不应大于 0.8，且屈服强度波动范围不应大于 $100N/mm^2$。为了防止消能梁段以及与消能梁段同一跨内非消能梁段的板件局部屈曲，充分发挥消能梁段的滞回耗能能力，消能梁段以及与消能梁段同一跨内非消能梁段的板件宽厚比限值应严一些，见表 9-3。

偏心支撑框架梁板件宽厚比限值　　　表 9-3

板件名称		宽厚比限值
翼缘外伸部分		8
腹板	当 $N/(Af)\leqslant0.14$ 时	$90[1-1.65N/(Af)]$
	当 $N/(Af)>0.14$ 时	$33[2.3-N/(Af)]$

表 9-1～表 9-3 中的数值适用于 Q235 钢，采用其他牌号钢材时，应乘以 $\sqrt{235/f_y}$，圆管乘以 $235/f_y$。

偏心支撑框架支撑斜杆的板件宽厚比不应大于现行国家标准《钢结构规范》规定的轴心受压构件弹性设计时的宽厚比限值。

9.7 连　接　设　计

民用建筑钢结构构件连接主要包括：梁与柱连接，支撑与框架连接，柱脚连接以及构件拼接等。

9.7.1 连接方法与连接设计的原则

钢构件连接的方法有焊接连接、高强度螺栓连接和栓焊混合连接。焊接连接的传力充分，不会滑移，延性好。为保证焊缝质量，要求对焊缝进行探伤检查，但焊接残余应力和残余变形给连接的受力性能带来不利影响。高强度螺栓连接施工较方便，但全部采用高强度螺栓连接的接头尺寸较大，钢材消耗多，价格较高，罕遇地震作用下螺栓连接可能会滑移。民用建筑钢结构中，栓焊混合连接比较普遍，通常腹板用高强度螺栓连接，翼缘用焊接连接，栓焊混合连接施工比较方便。

民用建筑钢结构的构件连接，应遵循强连接弱构件的原则，即构件破坏先于连接破坏。构件按多遇地震作用下内力组合设计值选择截面；连接设计应符合构造措施要求，按弹塑性设计，连接的极限承载力应大于构件的全塑性承载力。

9.7.2　框架梁柱刚性连接设计

我国民用建筑钢框架梁柱连接一般采用柱贯通型，较少采用梁贯通型。抗震设计时，框架梁柱连接应为刚性连接，即梁端应能传递弯矩。连接节点设计应尽可能符合下述原则：构造简单合理，能保证焊接质量，整体性好，传力可靠，避免出现应力集中和过大约束应力，节约材料和施工方便，尽量减少现场焊接。

工程中常用的连接方式有两种：①梁与柱在施工现场直接连接；②当梁高不大于 700mm 时，可采用柱带悬臂短梁与梁连接，梁与悬臂短梁拼接，柱带的悬臂短梁自柱中心线算起的外伸长度不大于 1.6m（图 9-9）。

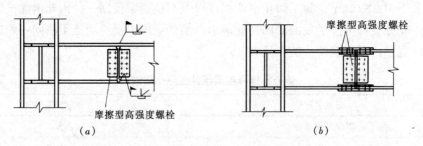

图 9-9　梁柱采用柱带悬臂短梁的连接
（a）腹板采用高强度螺栓连接；（b）翼缘和腹板均采用高强度螺栓连接

1. 梁柱连接的极限承载力验算

民用建筑钢结构构件连接的承载力验算，包括小震作用下按组合的内力设计值的弹性验算，以及为实现强连接弱构件的极限承载力验算。连接承载力的弹性验算方法可按有关规范、规程的规定执行。

梁与柱刚性连接时，分别按下列公式验算其极限受弯承载力和极限受剪承载力：

$$M_u^j \geqslant \alpha M_p \tag{9-17a}$$

$$V_u^j \geqslant \alpha (2M_p / l_n) + V_{Gb} \tag{9-17b}$$

式中　M_u^j——梁与柱连接的极限受弯承载力；

V_u^j——梁与柱连接的极限受剪承载力；

M_p——梁的全塑性受弯承载力（加强型连接按未扩大的原截面计算），考虑轴力影响时，以 M_{pc} 代替 M_p，采用公式（9-18）计算 M_{pc}；

V_{Gb}——梁在重力荷载代表值（9 度时尚应包括竖向地震作用标准值）作用下，按简支梁分析的梁端截面剪力设计值；

l_n——梁的净跨；

α——连接系数，按表 9-4 的规定采用。

考虑轴力影响的梁的全塑性受弯承载力 M_{pc} 按下列方法计算。对于构件拼装和柱脚，构件的受弯承载力需考虑轴力的影响，其全塑性受弯承载力 M_{pc} 也按下列方法计算。

H 形截面（绕强轴）和箱形截面：

当 $N/N_y \leqslant 0.13$ 时　$M_{pc} = M_p$ (9-18a)

当 $N/N_y > 0.13$ 时　$M_{pc} = 1.15(1 - N/N_y)M_p$ (9-18b)

钢构件连接的连接系数 α

表 9-4

母材牌号	梁柱连接		支撑连接、构件拼接		柱脚	
	母材破坏	高强度螺栓破坏	母材或连接板破坏	高强度螺栓破坏		
Q235	1.40	1.45	1.25	1.30	埋入式	1.2 (1.0)
Q345	1.35	1.40	1.20	1.25	外包式	1.2 (1.0)
Q345GJ	1.25	1.30	1.10	1.15	外露式	1.0

注：1. 屈服强度高于 Q345 的钢材，按 Q345 的规定采用；

　　2. 屈服强度高于 Q345GJ 的 GJ 钢材，按 Q345GJ 的规定采用；

　　3. 括号内的数值用于箱形柱和圆管柱；

　　4. 外露式柱脚是指刚接柱脚，只适用于高度 50m 以下的钢结构房屋建筑。

H 形截面（绕弱轴）：

当 $N/N_y \leqslant A_w/A$ 时　　$M_{pc} = M_p$ (9-18c)

当 $N/N_y > A_w/A$ 时　　$M_{pc} = \left\{ 1 - \left(\dfrac{N - A_w f_y}{N_y - A_w f_y} \right)^2 \right\} M_p$ (9-18d)

圆形空心截面：

当 $N/N_y \leqslant 0.2$ 时　　$M_{pc} = M_p$ (9-18e)

当 $N/N_y > 0.2$ 时　　$M_{pc} = 1.25(1 - N/N_y)M_p$ (9-18f)

式中　N——构件轴力设计值；

　　　N_y——构件的轴向屈服承载力；

钢框架梁与 H 形截面柱（绕强轴）刚性连接以及梁与箱形截面柱、圆管柱刚性连接时，连接的极限受弯承载力为梁翼缘连接的极限受弯承载力和腹板受弯区连接的极限受弯承载力之和，按下式计算（图 9-10）：

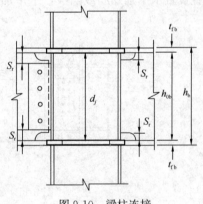

$$M_u^j = M_{uf}^j + M_{uw}^j \qquad (9\text{-}19a)$$

$$M_{uf}^j = A_f (h_b - t_{fb}) f_{ub} \qquad (9\text{-}19b)$$

$$M_{uw}^j = m W_{wpe} f_{yw} \qquad (9\text{-}19c)$$

图 9-10　梁柱连接

$$W_{wpe} = \frac{1}{4}(h_b - 2t_{fb} - 2S_r)2t_{wb} \qquad (9\text{-}19d)$$

梁腹板连接的极限受弯承载力系数 m 按下式计算：

H 形截面柱（绕强轴）$m = 1$ (9-19e)

箱形截面柱　　　　　$m = \min\left\{ 1, 4 \dfrac{t_{fc}}{d_j} \sqrt{\dfrac{b_j f_{yc}}{t_{wb} f_{yw}}} \right\}$ (9-19f)

圆管柱　　　　　$m = \min\left\{ 1, \dfrac{8}{\sqrt{3}k_1 k_2 r}\left[\sqrt{k_2 \sqrt{\dfrac{3k_1}{2}} - 4} + r\sqrt{\dfrac{k_1}{2}} \right] \right\}$ (9-19g)

式中　M_{uf}^j——梁端连接的极限受弯承载力；

　M_{uf}^j、M_{uw}^j——分别为梁翼缘连接的极限受弯承载力和梁腹板连接的极限受弯承载力；

　　　W_{wpe}——梁腹板有效截面的塑性截面模量；

t_{fb}、t_{wb}——分别为梁翼缘厚度和梁腹板厚度；

t_{fc}——箱形截面柱或圆管柱壁板的厚度；

A_f——梁翼缘截面面积；

h_b——梁截面高度；

d_j——柱上下水平加劲肋（横隔板）内侧之间的距离；

b_j——箱形截面柱壁板内侧的宽度或圆管柱内直径，$b_j=b_c-2t_{fc}$；

r——圆管柱上下横隔板之间的距离与钢管内径的比值，$r=d_j/b_j$；

f_{yc}——柱钢材屈服强度；

f_{yf}、f_{yw}——分别为梁翼缘和腹板钢材屈服强度；

f_{ub}——梁翼缘钢材抗拉强度最小值；

S_r——梁腹板焊接孔高度；

k_1、k_2——圆管柱有关截面和承载力指标，$k_1=b_j/t_{fc}$，$k_2=t_{wb}f_{yb}/(t_{fc}f_{yc})$；

f_{yb}——梁钢材屈服强度，当梁腹板用高强度螺栓连接时，为柱连接板材钢材的屈服强度。

2. 梁柱连接的形式与构造

梁与 H 形截面柱的翼缘（绕强轴）或箱形截面柱直接连接时，应符合下列构造要求（图 9-11）：梁翼缘与柱翼缘之间采用全熔透坡口焊缝，抗震等级一、二级时，应检验焊缝 V 形切口的冲击韧性，其夏比冲击韧性在−20℃时不低于 27J；柱在梁上、下翼缘对应位置设置水平加劲肋或隔板，水平加劲肋（隔板）的厚度不小于梁翼缘厚度加 2mm，其

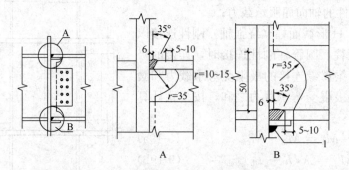

图 9-11 梁与柱直接连接的典型构造图
1—h_w 为 5 左右，长为翼缘宽度

钢材强度不低于梁翼缘钢材强度，其外侧与梁翼缘外侧对齐，加劲肋与柱翼缘采用坡口全熔透焊缝连接，与柱腹板可采用角焊缝连接，水平加劲肋宽度从柱边缘后退 10mm（图 9-12）；梁腹板与柱可采用高强度螺栓摩擦型连接，也可采用焊接连接。梁腹板（连接板）与柱焊接连接时，当板厚小于 16mm 时采用双面角焊缝，焊缝的有效截面高度应符合受力要求，且不小于 5mm；梁腹板厚度大于等于 16mm 时，采用 K 形坡口焊缝。设防烈度 7 度（0.15g）及以上时，梁腹板与柱的连接焊缝采用围焊，围焊在竖向部分的长度大于 400mm，且连续施焊。为了使梁翼缘的全熔透坡口焊缝衬板通过，腹板角部需设置过焊孔，过焊孔有常规型和改进型两种，常规型过焊孔的上端孔高 35mm，与翼缘相点处圆弧半径为 10mm，减小应力集中；下端孔高 50mm，便于施焊时将火口位置错开，避免腹板

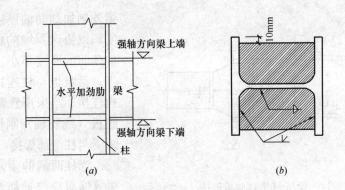

图 9-12 柱水平加劲肋与梁翼缘外侧对齐

(a) 水平加劲肋标高；(b) 水平加劲肋位置和焊接方法

处成为震害源点。改进型过焊孔的梁翼缘与柱的连接焊接采用气体保护焊，上端孔型与常规型的相同，下端孔高与上端孔高相同，使腹板焊缝有效长度增大 15mm，对受力有利；翼缘板厚度大于 22mm 时，下端孔的圆弧部分需适当放宽，以利操作；腹板焊缝端部采用围焊，以减小腹板焊缝端部的震害；下端过焊孔衬板与柱翼缘接触的一侧下边缘，需采用 5mm 角焊缝封闭，避免地震时出现裂缝。

需要将梁端塑性铰外移时，梁与柱可采用骨式连接或加强型连接，加强型连接包括下列形式：梁翼缘扩翼式连接，梁翼缘局部加宽式连接，梁翼缘盖板式连接和梁翼缘板式连接（图 9-13）。

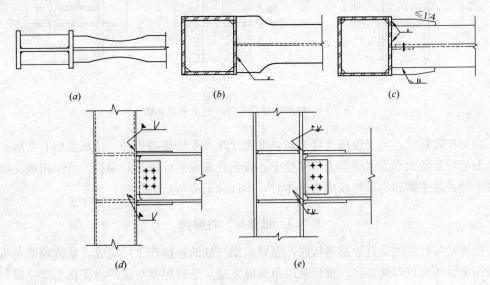

图 9-13 梁端塑性铰外移连接形式

(a) 梁骨式连接；(b) 梁翼缘扩翼式连接；(c) 梁翼缘局部加宽式连接；

(d) 梁翼缘盖板式连接；(e) 梁翼缘板式连接

梁与 H 形柱腹板（绕弱轴）刚性连接（图 9-14）时，在梁翼缘的对应位置设置柱水平加劲肋，在梁高范围内设置柱竖向连接板；加劲肋伸出柱翼缘以外 75mm，并以变宽度形式伸至梁翼缘，与梁翼缘采用全熔透对接焊缝连接；在柱腹板两面都要设置加劲肋，有

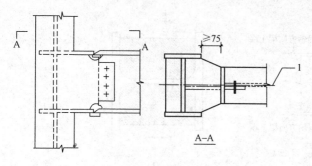

图 9-14   梁与 H 形柱腹板连接
1—梁柱轴线

梁外侧加劲肋的厚度大于梁翼缘厚度，以协调翼缘的偏差，无梁外侧加劲肋的厚度不小于梁翼缘厚度之半；梁腹板与柱连接板用高强度螺栓连接。当采用悬臂短梁与 H 形柱腹板（绕弱轴）刚性连接时，悬臂短梁与柱全部焊接。

当柱两侧的梁高不等时，每个梁翼缘对应位置都要设置柱的水平加劲肋，其间距不小于 150mm，也不应小于加劲肋的宽度（图 9-15a）。不能满足此要求时，可局部加大截面较小的梁的端部高度，加大后腋部翼缘的坡度不大于 1∶3（图 9-15b）。当与柱相连的相互垂直的两个方向的梁的高度不同时，应分别设置柱的水平加劲肋（图 9-15c）。

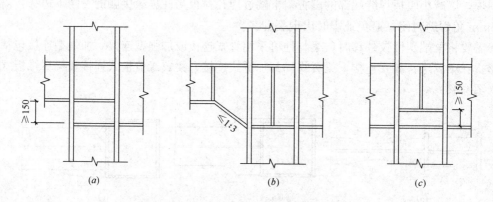

图 9-15   柱两侧梁高不等时的水平加劲肋

梁与柱铰接时，与梁腹板连接的高强度螺栓除承受梁端剪力外，还承受偏心弯矩的作用，偏心弯矩的大小为梁端剪力与螺栓中心线至柱翼缘表面距离的乘积。当采用现浇钢筋混凝土楼盖将主梁和次梁连接成为整体时，不计算偏心弯矩的影响。

9.7.3   框架梁、柱拼接

框架梁与柱带的悬臂短梁连接时，悬臂短梁与柱的连接在工厂完成，悬臂短梁翼缘与柱采用全熔透坡口焊缝连接，腹板采用角焊缝连接。悬臂短梁与梁的拼接在工地完成。梁的拼接位置，应在弯矩较小的截面处，且在梁端塑性铰区段以外。翼缘采用全熔透对接焊缝连接，腹板采用高强度螺栓摩擦型连接（图 9-9a），或翼缘和腹板均采用高强度螺栓摩擦型连接（图 9-9b）。

框架梁拼接采用高强度螺栓摩擦型连接时，应先进行螺栓连接的抗滑移承载力验算，然后进行极限承载力计算。

梁拼接的受弯、受剪极限承载力按以下公式验算：

$$M^j_{ub,sp} \geqslant \alpha M_p \tag{9-20a}$$

$$V^j_{ub,sp} \geqslant \alpha(2M_p/l_n) + V_{Gb} \tag{9-20b}$$

式中　$M^j_{ub,sp}$——梁拼接的极限受弯承载力；

　　　$V^j_{ub,sp}$——梁拼接的极限受剪承载力；

　　　　　α——连接系数，按表9-4采用；

　　　　M_p——梁的全塑性受弯承载力，抗震验算时，考虑梁的轴力对其全塑性受弯承载力的影响，用 M_{pc} 代替 M_p。

　　框架梁拼接全截面采用高强度螺栓连接时，其在弹性设计时计算截面的翼缘和腹板弯矩满足下列公式要求：

$$M = M_f + M_w \geqslant M_j \tag{9-21a}$$

$$M_f \geqslant (1 - \psi I_w/I_0)M_j \tag{9-21b}$$

$$M_w \geqslant (\psi I_w/I_0)M_j \tag{9-21c}$$

式中　M_f、M_w——分别为拼接处梁翼缘和梁腹板的弯矩设计值；

　　　　M_j——拼接处梁的弯矩设计值，原则上应等于 $W_b f_y$，当拼接处弯矩设计值较小时，不应小于 $0.5W_b f_y$，W_b 为梁的截面塑性模量，f_y 为梁钢材的屈服强度；

　　　　I_w——梁腹板的截面惯性矩；

　　　　I_0——梁的截面惯性矩；

　　　　ψ——弯矩传递系数，取0.4。

　　框架柱需要在现场拼接接长，拼接的位置宜在框架梁面的上方1.2～1.3m附近或在柱净高的一半处，以方便现场施工。抗震设计时，框架柱的拼接采用坡口全熔透焊缝。

　　柱的工地接头处设置安装耳板，仅设于柱的一个方向的两侧，其厚度不小于10mm。H形截面柱在工地的接头，弯矩由翼缘和腹板承担，剪力由腹板承担，轴力由翼缘和腹板分担；翼缘接头采用坡口全熔透焊缝，腹板采用高强度螺栓连接，或采用全焊接接头。箱形柱的工地接头全部采用焊接。

9.7.4　中心支撑斜杆与框架连接

　　中心支撑框架的支撑杆件宜采用H型钢制作，在构造上两端刚接；采用焊接H截面支撑时，支撑的翼缘与腹板采用坡口全熔透焊缝连接。

　　为安装方便，支撑两端用一段短杆件在工厂与框架焊接，支撑杆件的中间部分在工地与焊接在框架上的短杆件用摩擦型高强度螺栓拼接（图9-16）。框架梁、柱在与支撑翼缘的连接处，都要设置加劲肋，加劲肋按承受支撑翼缘分担的轴力对柱或梁的水平或竖向分力计算；H形截面支撑翼缘与箱形柱连接时，在柱壁板的相应位置设置隔板。H形截面支撑翼缘端部与框架构件连接处，支撑杆端宜做成圆弧。

　　支撑斜杆为组合截面（如：2根角钢加填板连接）时，支撑斜杆与框架采用节点板连接（图9-17）。节点板边缘与支撑轴线的夹角不小于30°。支撑端部与节点板约束点（节

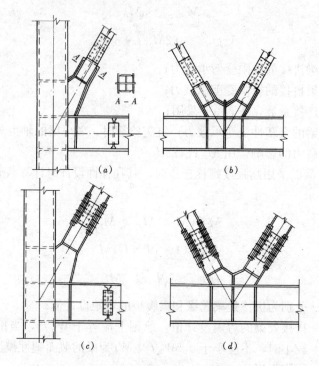

图 9-16 支撑杆件与框架连接示意图

点板与框架构件连接焊缝的端部）连线之间应留有 2 倍节点板厚度的间隙，以保证节点板不发生平面外失稳。节点板约束点连线应与支撑轴线垂直，以免支撑受扭。

按以下公式验算支撑与框架连接以及支撑拼接的极限受拉承载力：

$$N_{ubr}^j \geqslant \alpha A_{br} f_y \qquad (9\text{-}21\text{d})$$

式中　N_{ubr}^j ——支撑连接或拼接的极限受拉承载力；

　　　A_{br} ——支撑斜杆的截面面积；

　　　f_y ——支撑斜杆钢材的屈服强度；

　　　α ——连接系数。

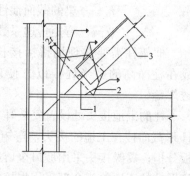

图 9-17 组合支撑杆件端部与节点板
连接示意图
1—假设约束；2—单壁节点板；
3—组合支撑杆；t—节点板的厚度

支撑斜杆的重心线宜通过梁与柱轴线的交点，有偏心时，偏心距不应大于支撑斜杆的宽度，节点设计要考虑偏心造成的附加弯矩的影响。

9.7.5 偏心支撑框架的构造要求

消能梁段与柱翼缘采用刚性连接，其承载力验算、连接形式及构造要求与框架梁与柱刚性连接相同。消能梁段与柱翼缘连接的一端采用加强型连接时，消能梁段的长度从加强的端部算起，加强的端部梁腹板设置加劲肋，加劲肋应符合消能梁段与支撑连接处消能梁段腹板加劲肋的要求。

支撑轴线与梁轴线的交点，一般在消能梁段的端部，也可以在消能梁段内，但不应在消能梁段外；支撑与消能梁段连接的承载力不得小于支撑的承载力，即应为"强连接弱构件"；当支撑端有弯矩时，支撑与梁连接的承载力应按抗压弯设计。

消能梁段腹板不应贴焊补强板，因为补强板不能进入塑性变形；消能梁段腹板开洞会影响其塑性变形能力，因此，腹板不得开洞。

消能梁段腹板按下列规定设置加劲肋（图 9-18）：

（1）消能梁段与支撑连接处，梁段腹板两侧应设置加劲肋，加劲肋的高度为梁段腹板高度，一侧加劲肋的宽度不小于 $(b_f/2-t_w)$，b_f 为梁段翼缘宽度，t_w 为腹板厚度，加劲肋的厚度不小于 $0.75t_w$ 和 10mm 的较大值。

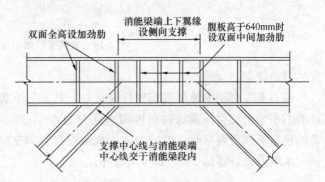

图 9-18　消能梁段腹板加劲肋设置

（2）消能梁段的腹板应按梁段的长度设置加劲肋，短梁段的加劲肋间距小一些，以防止短梁段腹板过早的局部失稳，弯曲型长梁段腹板的加劲肋间距可大一些。根据这一原则，梁段腹板的中间加劲肋设置要求为：当 $a<1.6M_{lp}/V_l$ 时，中间加劲肋间距不大于 $(30t_w-h/5)$，h 为梁段截面高度；当 $2.6M_{lp}/V_l<a<5M_{lp}/V_l$ 时，在距消能梁段端部 $1.5b_f$ 处设置中间加劲肋，且中间加劲肋间距不大于 $(52t_w-h/5)$；当 $1.6M_{lp}/V_l<a<2.6M_{lp}/V_l$ 时，中间加劲肋的间距取上述二者的线性插值；当 $a>5M_{lp}/V_l$ 时，可不设置中间加劲肋；中间加劲肋应与消能梁段的腹板等高，当梁段截面腹板高度不大于 640mm 时，可设置单侧加劲肋，当梁段截面腹板高度大于 640mm 时，应在两侧设置加劲肋，一侧加劲肋的宽度不小于 $(b_f/2-t_w)$，厚度不小于 t_w 和 10mm 的较大值。

（3）加劲肋与消能梁段的腹板和翼缘之间采用角焊缝连接，连接腹板的角焊缝的受拉承载力不应小于 fA_{st}，连接翼缘的角焊缝的受拉承载力不应小于 $fA_{st}/4$，A_{st} 为加劲肋的横截面面积。

9.7.6　侧　向　支　撑

框架梁受压翼缘根据需要设置侧向支承。为了使梁端形成塑性铰后梁翼缘保持稳定，在梁出现塑性铰的截面上、下翼缘均需设置侧向支撑。侧向支撑也称隅撑。当梁的上翼缘与楼板有可靠连接时，上翼缘无需设置侧向支撑。梁下翼缘在梁端 0.15 倍梁跨附近设置侧向支撑（图 9-19a）。梁端采用加强型连接或骨式连接时，应在塑性区外设置竖向加劲肋，侧向支撑与偏置 45°的竖向加劲肋在梁下翼缘附近相连（图 9-19b），该竖向加劲肋不与翼缘焊接。侧向支撑构件的长细比，按《钢结构规范》对塑性设计的有关规定确定。梁端下翼缘端部加宽或梁端设置竖向加劲肋时，也可不设隅撑。

采用 V 形支撑或人字形支撑的中心支撑框架，梁在其与支撑杆件相交处应设置侧向支撑。该支撑点与梁端支撑点的侧向长细比及支承力，应符合《钢结构规范》关于塑性设

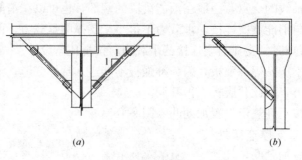

图 9-19 梁翼缘的侧向支撑

计的有关规定。

偏心支撑框架消能梁段与支撑连接处，其上、下翼缘应设置侧向支撑，支撑的轴力设计值不小于消能梁段翼缘轴向极限承载力的 6%，即 $0.06f_yb_ft_f$。与消能梁段同一跨框架梁的稳定不满足要求时，梁的上、下翼缘设置侧向支撑，支撑的轴力设计值不小于梁翼缘轴向承载力设计值的 2%，即 $0.02fb_ft_f$。

9.7.7 钢 柱 脚

钢柱柱脚主要有三种形式：埋入式柱脚、外包式柱脚和外露式柱脚（图 9-20）。

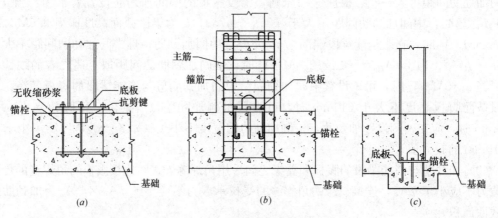

图 9-20 不同形式的钢柱脚示意图
(a) 外露式柱脚；(b) 外包式柱脚；(c) 埋入式柱脚

埋入式柱脚须将钢柱脚埋入混凝土基础内，H 形截面柱的埋入深度不小于柱截面高度的 2 倍，箱形截面柱的埋入深度不小于柱截面长边的 2.5 倍。圆管柱的埋入深度不小于柱外径的 3 倍；柱脚底板设置锚栓与混凝土连接；钢柱埋入部分的侧边应有一定厚度的混凝土保护层；钢柱埋入部分的四角设置竖向钢筋，并配置箍筋；边柱和脚柱埋入部分的顶部和底部设置 U 形钢筋；在混凝土基础的顶部，钢柱设置水平加劲肋。

外包式柱脚由钢柱脚和外包混凝土组成，位于混凝土基础顶面上，外包混凝土的高度不小于钢柱截面高度的 2.5 倍，且从柱脚底板到外包混凝土顶部箍筋的距离与外包混凝土宽度之比不小于 1.0；外包混凝土内配置竖向钢筋和箍筋，顶部箍筋加密，不少于 3 道，间距不大于 50mm。外包混凝土在钢柱安装就位后浇筑，施工安装方便，施工质量易于保证。

外露式柱脚通过钢底板、锚栓固定于混凝土基础上，安装灵活方便。

高层民用建筑的钢柱采用刚接柱脚。柱脚底板布置锚栓按抗弯连接设计，锚栓埋入长度不小于其直径的 25 倍，锚栓底板设锚板或弯钩，锚板厚度大于 1.3 倍锚栓直径；锚栓四周及底部的混凝土有足够的厚度，避免基础冲切破坏。

民用建筑钢结构优先采用埋入式柱脚，无地下室时，钢柱埋入基础混凝土内；有一层地下室且地下室顶板为上部结构嵌固端时，钢柱伸至基础顶面，可采用外包式柱脚；有两层及两层以上地下室且地下室顶板为上部结构嵌固端时，钢柱至少伸至地下一层，可采用外包式柱脚，地下二层及以下可采用钢筋混凝土柱，也可将钢柱伸至基础顶面，采用外包式柱脚或外露式柱脚。

各种形式的钢柱脚都要进行受压、受弯和受剪承载力验算，其轴力、弯矩和剪力的设计值取钢柱底部的相应设计值。

思 考 题

9.1 多遇地震作用下的内力和位移计算时，民用建筑钢结构阻尼比的取值为多少？其弹性层间位移角的限值为多大？

9.2 钢框架的屈服耗能机制与钢筋混凝土框架的屈服耗能机制有什么不同？钢框架如何实现强柱弱梁？可以采取哪些措施使钢框架梁塑性铰从与柱连接的梁端向梁的中部外移？

9.3 多遇地震作用下，对框架-支撑结构及框架-延性墙板结构中框架部分的最小地震剪力有什么要求？

9.4 钢框架梁柱节点域的抗震验算包括哪些内容？

9.5 为什么中心支撑钢框架不采用 K 形支撑斜杆？

9.6 偏心支撑钢框架的哪个构件是耗能构件？偏心支撑钢框架的抗震设计原则是什么？在设计中是如何实现的？

9.7 什么情况下偏心支撑钢框架消能梁段要考虑轴力对其受剪承载力的影响？

9.8 为什么要规定钢结构构件的长细比限值和板件宽厚比限值？

9.9 钢框架梁与柱是如何实现刚性连接的？

9.10 钢结构构件连接的设计原则是什么？钢梁柱连接的抗震计算包括哪些内容？

9.11 民用建筑钢结构有哪几种柱脚形式？

第10章 高层建筑混合结构设计

由钢材和混凝土两种材料组合在一起共同承受外力的构件称为钢-混凝土组合构件（以下简称组合构件），如：型钢（也称钢骨）混凝土梁柱、钢管混凝土柱、钢管混凝土叠合柱、型钢（也称钢骨）混凝土剪力墙、钢管混凝土剪力墙、钢板混凝土剪力墙、带钢斜撑混凝土剪力墙、钢板混凝土连梁、钢-混凝土组合梁等。

混合结构是指由钢构件、钢筋混凝土构件或组合构件组成的结构。不同构件组合的方式多种多样，所形成的混合结构类型也很多。目前高层建筑常用的混合结构为框架-核心筒混合结构体系和筒中筒混合结构体系，框架和外筒一般采用钢框架（钢外筒）、型钢（钢管）混凝土框架，核心筒采用钢筋混凝土剪力墙或部分剪力墙为组合剪力墙。当为减小柱尺寸或增加延性而在混凝土柱中设置型钢，而框架梁为钢筋混凝土梁时，不能视为混合结构；当仅局部构件（如框支梁柱）采用组合构件时，也不能视为混合结构。

相对于钢筋混凝土结构，混合结构具有以下优势：钢构件和组合构件的承载力高，在同样受力要求时，构件的截面尺寸小，降低梁高，增加使用面积和净高；可减轻结构自重，减小高层建筑地震作用，降低基础造价；组合剪力墙和组合柱的延性优于钢筋混凝土构件，混合结构的抗震性能优于钢筋混凝土结构；核心筒采用爬模施工，与外围框架在不同作业面分别施工，可加快施工进度。相对于钢结构，混合结构整体刚度大，更容易满足高层建筑在正常使用状态下的舒适度要求和小震下的变形要求；防火和防腐性能较钢结构好；用钢量小，经济性好。

由于上述原因，近20年来高层建筑混合结构在我国得到了快速发展和应用，我国200m以上的高层建筑大量采用混合结构，已建成的400m以上超高层建筑几乎都采用了混合结构。

高层建筑混合结构的最大适用高度、抗震等级等已在第4章介绍。本章介绍高层建筑混合结构中常用的组合构件类型，以及型钢混凝土梁柱、圆钢管混凝土柱、钢-混凝土剪力墙、组合连梁与钢连梁、钢-混凝土组合梁板等构件的受力特点和设计方法。

10.1 组合构件类型

1. 型钢混凝土梁柱

型钢混凝土梁柱是指在型钢周围配置钢筋并浇筑混凝土的梁柱构件，简称 SRC（Steel Reinforced Concrete）梁柱（图 10-1）。在高层建筑结构中，型钢混凝土用于柱的情况比梁更多一些。

型钢可直接采用热轧型钢，也可用钢板焊接拼制而成。根据型钢的形式，型钢分为实腹式和空腹式。空腹式型钢混凝土构件的受力性能与普通钢筋混凝土构件基本相同，抗震结构不用空腹式型钢混凝土构件。与钢筋混凝土构件相比，实腹式型钢混凝土构件的承载力得到很大提高，抗震性能也得到很大改善，是目前型钢混凝土构件的主要形式。

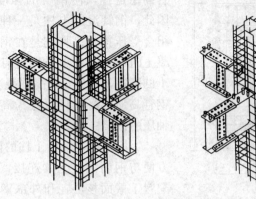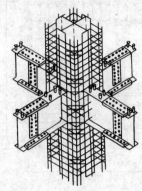

图 10-1　型钢混凝土梁柱

型钢混凝土构件的外观与钢筋混凝土构件相同，外包混凝土可以防止内部型钢板材局部屈曲，使钢材的强度充分发挥，而且增加了结构的耐久性和耐火性。由于配置了实腹式型钢，其承载力和刚度比钢筋混凝土构件大大提高，相对钢筋混凝土构件，其截面尺寸小，不仅可增大建筑使用面积，还可减轻结构自重。型钢混凝土构件的抗震性能也优于钢筋混凝土构件，可在高层建筑的重要部位采用，如框支柱和大跨度转换梁等，以及用于超高层建筑的底部。同时，型钢本身具有一定的承载力和刚度，可以承受施工阶段的荷载，有利于加快施工速度。

此外，近年来建造的一些巨型框架-核心筒超高层建筑中，采用了型钢混凝土巨柱形式。图 10-2 所示为深圳平安金融中心（高660m）的型钢混凝土巨柱截面，最大截面尺寸为 6525mm×3200mm，内置型钢每延米重达 12t；图 10-3 所示为上海中心大厦（高632m）的型钢混凝土巨柱截面，截面积将近 $20m^2$。

2. 钢管混凝土柱

钢管混凝土构件是指在钢管内填充混凝土的构件，简称 CFST（Concrete Filled Steel Tube）。截面不大的钢管内一般不再配置钢筋。钢管可以直接作为模板，承受施工荷载，大大方便施工。钢管截面以圆形、方形和矩形居多，见图 10-4。混凝土填充于圆钢管内，受到钢管的约束作用，构件受压时混凝土处于三向受压应力状态，可显著提高其抗压强度和变形能力；方钢管、矩形钢管对混凝土的约束作用比较小，一般不考虑对混凝土抗压强度的提高作用。另外，混凝土可增强钢

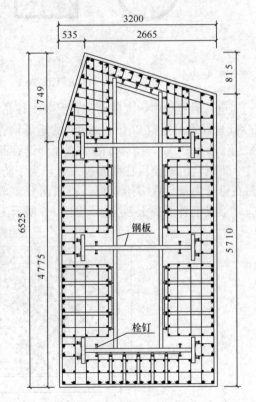

图 10-2　深圳平安金融中心型钢混凝土巨柱截面

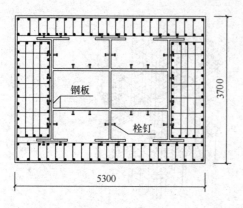

图 10-3　上海中心大厦型钢混凝土巨柱截面

管的稳定性，使钢材的强度能够充分发挥。因此，钢管混凝土柱是一种理想的高层建筑组合受压构件。特别是在钢管内填充高强混凝土时，钢管约束作用可有效克服高强混凝土的脆性，充分发挥高强混凝土的抗压强度，钢管高强混凝土柱可作为高层建筑中承担高轴压的框架柱。

为增强钢管混凝土柱的防火性和耐久性，方便与钢筋混凝土梁连接，可将钢管混凝土配置于截面核心，和外部钢筋混凝土形成钢管混凝土组合柱或叠合柱（图 10-4d）。核心钢管混凝土主要承担轴压力和剪力；管外钢筋混凝土主要承担弯矩。由于管外钢筋混凝土分担的轴压力较小，钢管混凝土叠合柱具有良好的延性和抗震性能。极端情况下，即使管外钢筋混凝土破坏，核心钢管混凝土仍可承担重力荷载，有抗倒塌能力。钢管混凝土叠合柱是我国自主研发的结构形式，目前已经应用于我国 50 余栋高层建筑。

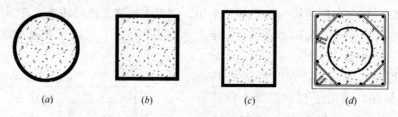

图 10-4　钢管混凝土柱截面
(a) 圆钢管混凝土；(b) 方钢管混凝土；(c) 矩形钢管混凝土；(d) 钢管混凝土叠合柱

超高层建筑中，大截面钢管混凝土柱是周边巨柱的理想形式之一。台北 101 大厦（高 508m）设置了 8 根 2.4m×3.0m 的矩形钢管混凝土巨柱；武汉中心（高 438m）周边巨柱采用了直径达 1.5～3.4m 的大直径圆钢管混凝土柱。

当钢管混凝土巨柱截面过大时，为了防止混凝土的收缩效应导致混凝土和钢管脱开，需在钢管内部设置多道钢板，将截面分割成若干分区，并配置钢筋，控制混凝土收缩效应，形成钢管混凝土多腔柱。图 10-5 所示为天津高银 117 大厦（高 597m）的钢管混凝土

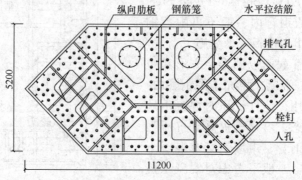

图 10-5　天津高银 117 大厦钢管混凝土多腔巨柱

多腔巨柱截面，截面面积达 45m²；图 10-6 所示为中国尊 Z15 大厦（高 528m）的钢管混凝土多腔巨柱截面，截面面积达 64m²。

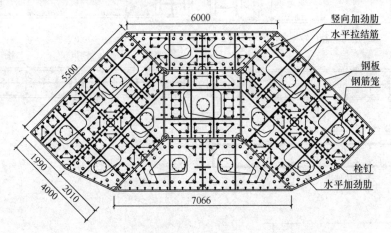

图 10-6 中国尊 Z15 大厦钢管混凝土多腔巨柱

3. 钢-混凝土组合剪力墙

高层建筑中钢-混凝土组合剪力墙包括：型钢混凝土剪力墙、钢板混凝土剪力墙、带钢斜撑混凝土剪力墙、钢管混凝土剪力墙等，组合剪力墙截面如图 10-7 所示。

在钢筋混凝土剪力墙两端的边缘构件中埋置型钢（钢管）或同时沿墙截面长度分布或埋置型钢（钢管），形成型钢（钢管）混凝土剪力墙（图 10-7a、b、c），型钢（钢管）可以提高剪力墙的轴心受压承载力、压弯承载力和延性，边缘型钢（钢管）的销栓作用还可以提高墙的受剪承载力，并可增大剪力墙抵抗平面外错断破坏能力，改善剪力墙的抗震性能。根据是否设置端柱，又可分为无端柱型钢（钢管）混凝土剪力墙和有端柱型钢（钢管）混凝土剪力墙。

建筑高度较高时，为进一步增强剪力墙抗侧刚度和承载力，减薄剪力墙厚度，除了端部设置型钢（钢管）外，墙体内可增设钢板或钢斜撑，形成内嵌钢板混凝土剪力墙（图 10-7d）或带钢斜撑混凝土剪力墙（图 10-7f）。内嵌钢板或钢斜撑上设置栓钉，与周围混凝土协调变形，钢板和钢斜撑可以显著提高墙的抗剪承载力，而周围混凝土为钢板和钢斜撑提供侧向支撑，防止钢板受剪屈曲或钢斜撑受压屈曲。

外包钢板混凝土剪力墙是将两层钢板通过对拉螺栓或缀板连接，内部浇筑混凝土形成的剪力墙（图 10-7e）。为保证墙端部的抗压能力，增加墙的抗弯承载力和延性，需要在端部设置矩形钢管混凝土边缘构件。施工阶段，钢板和边缘钢管可作为浇筑混凝土的模板。由于边缘钢管可以约束管内混凝土，试验表明，合理设计的外包钢板混凝土墙具有很大的弯曲变形能力；此外，钢板抗剪能力大，还可防止腹板混凝土受剪剥落，外包钢板混凝土剪力墙受剪承载力高、延性大。

20 世纪 90 年代，型钢混凝土剪力墙就开始在我国高层建筑中使用，设计和施工技术都已成熟。近十几年来，我国大部分 400m 以上的超高层建筑核心筒底部采用钢板混凝土剪力墙。核心筒底部墙体埋置型钢，可以避免墙体在倾覆力矩下平面外错断，延缓核心筒出现弯曲铰及剪切铰，还可以方便钢梁与核心筒的连接，改善连接节点的受力性能。若在

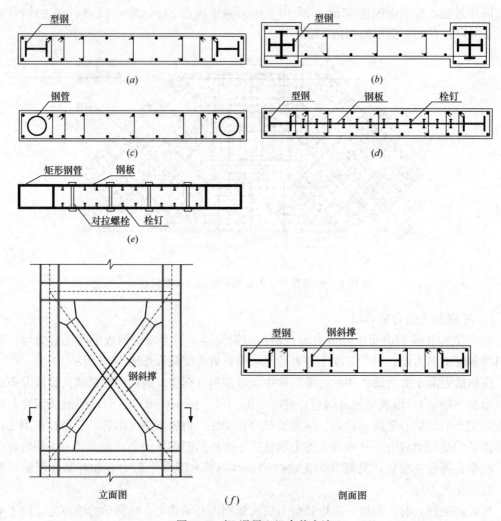

图 10-7　钢-混凝土组合剪力墙

(*a*) 无端柱型钢混凝土剪力墙；(*b*) 有端柱型钢混凝土剪力墙；(*c*) 钢管混凝土剪力墙；
(*d*) 内嵌钢板混凝土剪力墙；(*e*) 外包钢板混凝土剪力墙；(*f*) 带钢斜撑混凝土剪力墙

底部楼层核心筒墙体内设置钢板或钢支撑，形成钢板混凝土核心筒或钢暗撑混凝土核心筒，可进一步提高核心筒的抗剪承载力，改善延性，减薄墙厚。此外，地震作用下超高层建筑可能出现全截面受拉墙，当中震下墙肢截面的平均名义拉应力超过混凝土抗拉强度标准值 f_{tk} 时，也需设置型钢或钢板承担拉力，改善剪力墙受拉时的不利影响。外包钢板混凝土剪力墙近年来也在一些高层建筑得到应用，但由于与混凝土楼盖连接问题、需要在钢板外附加防火层等原因，目前使用尚不普遍。

4. 钢-混凝土组合楼盖

混合结构一般采用钢筋混凝土楼盖或钢-混凝土组合楼盖。当采用钢筋混凝土梁或型钢混凝土梁时，可采用钢筋混凝土楼板；当采用钢梁时，可采用钢筋混凝土楼板或压型钢板-混凝土组合楼板（图 10-8），形成钢-混凝土组合楼盖。混合结构的楼盖体系应具有良好的水平刚度和整体性，能协同各结构单元共同抵抗侧力。

钢-混凝土组合楼盖是利用钢梁承受截面弯矩产生的拉应力，混凝土承受压应力，使钢材的抗拉强度和混凝土的抗压强度得到充分利用。钢-混凝土组合楼盖可减轻楼板结构重量，增大梁的跨度。钢梁可承担施工荷载，而压型钢板可作为楼板混凝土的模板，加快施工速度。

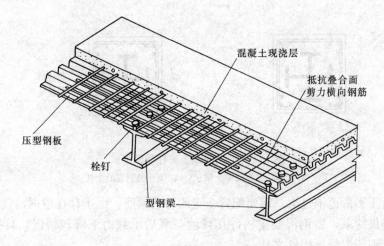

图 10-8　钢-混凝土组合楼盖

高层建筑混合结构的竖向构件类型可能沿高度变化。外围框架柱沿高度宜采用同类结构构件；实际工程中，由于底部构件受力较大，采用承载力和刚度大的型钢混凝土柱或钢管混凝土柱，上部则采用钢筋混凝土柱或钢柱。核心筒也常由底部的钢板混凝土剪力墙变化至中部的型钢混凝土剪力墙，再到上部的钢筋混凝土剪力墙。为避免上下层刚度显著突变，需要在竖向构件形式变化时设置过渡层，使上下层构件的受力平顺传递，单个竖向构件的抗弯刚度变化不宜超过 30%。

需要注意的是，由于钢柱、型钢（钢管）混凝土柱与钢筋混凝土核心筒的徐变和收缩性能存在差别，在建筑高度很大时，竖向变形差可能较大，对构件受力不利。因此，混合结构竖向荷载计算时，要考虑竖向变形差引起的结构附加内力。

10.2　型钢混凝土梁柱构件设计

10.2.1　型钢混凝土梁柱的受力性能和特点

常用实腹式型钢混凝土（SRC）梁、柱的截面形式如图 10-9 所示。试验研究表明，当在外包混凝土中配置一定量的构造钢筋时，型钢与外包混凝土能较好地协调变形，共同承受设计荷载作用。

对于满足《组合结构设计规范》（以下简称《组合结构规范》）配筋构造要求的型钢混凝土梁柱，正截面受弯或受压时，截面应变分布基本符合平截面假定，型钢与外包钢筋混凝土能较好地协同工作，直至达到最大承载力，其受力过程与钢筋混凝土梁柱类似。由于配置型钢，其承载力增大，抗弯刚度也显著提高。为避免达到最大承载力后型钢混凝土构

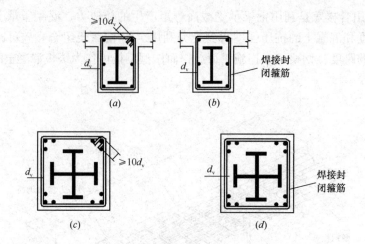

图 10-9　型钢混凝土梁柱截面形式

(*a*)、(*b*) 型钢混凝土梁；(*c*)、(*d*) 型钢混凝土柱

件受压区混凝土剥落范围过大，需要配置一定的构造箍筋。由于存在型钢，且型钢可对其内侧混凝土提供约束，型钢混凝土构件在峰值荷载后承载力下降较缓慢，具有较大的延性，这是优于钢筋混凝土构件之处。

　　由于型钢与混凝土之间一般不设置剪力连接件，且型钢与混凝土的粘结强度很小，型钢混凝土梁柱构件在受剪时易产生沿型钢翼缘的剪切粘结破坏（图 10-10），使型钢与外包混凝土不能很好地共同工作，导致外包混凝土较大范围剥落、承载力下降，影响变形能力。满足《组合结构规范》关于 SRC 梁、柱的配箍规定时，可以避免受剪粘结破坏。

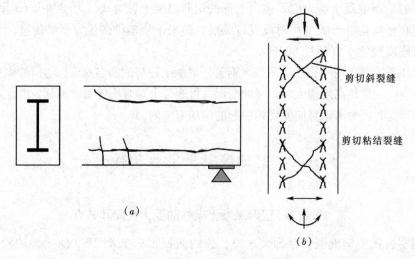

图 10-10　型钢混凝土构件受剪粘结破坏

(*a*) SRC 梁；(*b*) SRC 柱

　　对于实腹式 SRC 构件，在保证构造配箍的条件下，斜裂缝出现后，剪力主要由型钢腹板承担，且型钢对腹部混凝土有较强的约束作用，因此抗剪刚度降低并不显著。当斜裂缝充分发展，接近受剪承载力极限状态时，型钢腹板达到屈服，变形发展程度增大。达到

最大承载力后变形继续增大，由于型钢腹板的延性，SRC 构件受剪承载力的下降比钢筋混凝土构件缓慢得多，表现出较好的延性和变形能力，这是优于一般钢筋混凝土构件受剪脆性破坏之处。图 10-11 为 SRC 框架柱与 RC 框架柱在反复荷载作用下受剪滞回性能的比较，SRC 框架柱的滞回曲线为略呈 S 形的纺锤形，滞回环较为饱满，而钢筋混凝土框架柱的滞回曲线则有明显的捏拢，且达到最大承载力后继续加载时，承载力衰减较快。

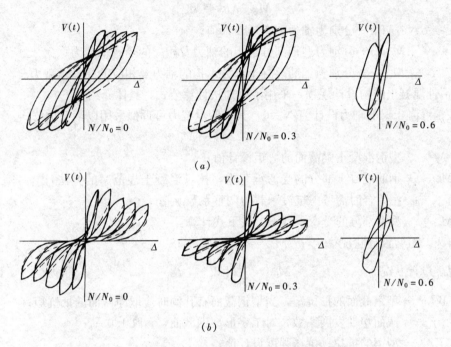

图 10-11 型钢混凝土柱与钢筋混凝土柱受剪滞回性能对比

(*a*) 型钢混凝土框架柱；(*b*) 钢筋混凝土框架柱

10.2.2 型钢混凝土梁柱正截面承载力计算

型钢混凝土梁柱构件的正截面承载力计算方法有两种，一是以平截面假定和混凝土等效矩形应力图为基础的计算方法，《组合结构规范》采用该方法；二是以塑性下限定理为理论基础的叠加法，《钢骨混凝土结构设计规程》YB 9082—2006 采用该方法。

1. 平截面假定计算型钢混凝土梁柱正截面承载力

在配置一定构造钢筋的情况下，型钢与混凝土可较好地共同工作，达到峰值承载力时平截面假定成立，破坏形态以型钢受压翼缘以上混凝土压碎、型钢翼缘达到屈服为标志，基本性能与钢筋混凝土压弯构件相似。可采用如下假定计算 SRC 梁、柱的正截面承载力：(1) 截面应变分布按平截面假定；(2) 忽略混凝土的抗拉强度贡献；(3) 受压边缘混凝土极限压应变取 0.003，受压区混凝土采用等效矩形应力图计算；(4) 型钢腹板的应力图为拉压梯形应力图形，计算时简化为等效矩形应力图形；(5) 钢筋、型钢的应力等于钢筋、型钢应变与其弹性模量的乘积，其绝对值不应大于其相应的强度设计值，纵向受拉钢筋和型钢受拉翼缘的极限拉应变取 0.01。基于以上假定，根据截面轴力和弯矩平衡，可推导出型钢混凝土梁柱构件正截面承载力计算公式，计算过程与钢筋混凝土构件类似，详见

《组合结构规范》。

2. 叠加法计算型钢混凝土梁柱正截面承载力

叠加法是基于塑性理论下限定理建立的，计算结果偏于安全。对于型钢基本对称配置的情况，可采用以下型钢截面承载力与混凝土截面承载力叠加形式的计算公式：

$$
\left.\begin{aligned}
N &\leqslant N_y^{ss} + N_u^{rc} \\
M &\leqslant M_y^{ss} + M_u^{rc}
\end{aligned}\right\} \tag{10-1}
$$

式中　　　　N、M——分别为轴力和弯矩设计值；

　　　　N_y^{ss}、M_y^{ss}——分别为型钢部分承担的轴力及相应的受弯承载力；

　　　　N_u^{rc}、M_u^{rc}——分别为钢筋混凝土部分承担的轴力及相应的受弯承载力。

《钢骨混凝土结构设计规程》采用了叠加法计算公式，具体介绍如下。

型钢混凝土梁的轴力设计值 $N=0$，其受弯承载力可近似采用以下叠加公式：

$$
M_b \leqslant M_{bu}^{rc} + M_{by}^{ss} \tag{10-2}
$$

式中　M_b——型钢混凝土梁截面的弯矩设计值；

　　　M_{bu}^{rc}——钢筋混凝土部分的受弯承载力，按《混凝土规范》的方法计算，有地震作用组合时需考虑抗震承载力调整系数 γ_{RE}；

　　　M_{by}^{ss}——型钢部分的受弯承载力，按下式计算：

持久、短暂设计状况　　　　$M_{by}^{ss} = \gamma_s \times W_{ss} \times f_{ssy} \tag{10-3a}$

地震设计状况　　　　$M_{by}^{ss} = \dfrac{1}{\gamma_{RE}}\left[W_{ss} \times f_{ssy}\right] \tag{10-3b}$

式中　W_{ss}——型钢截面的抵抗矩，当型钢截面有孔洞时应取净截面的抵抗矩；

　　　γ_s——截面塑性发展系数，对工字形型钢截面，γ_s 取 1.05；

　　　f_{ssy}——型钢的抗拉、抗压强度设计值；

　　　γ_{RE}——抗震承载力调整系数，取 0.8。

与钢筋混凝土框架相同，型钢混凝土框架也应满足强柱弱梁的要求。因此型钢混凝土柱的弯矩设计值需根据强柱弱梁调整确定，具体规定同钢筋混凝土框架，见 6.3.2 节。

对于型钢混凝土柱，型钢部分承担的轴力 N_c^{ss} 可按下式确定：

$$
\frac{N_c^{ss}}{N_{c0}^{ss}} = \frac{N - N_b}{N_{u0} - N_b} \tag{10-4}
$$

式中　N_{c0}^{ss}——型钢截面的轴心受压承载力，$N_{c0}^{ss} = f_{ss}A_{ss}$；

　　　N_{u0}——型钢混凝土短柱轴心受压承载力，$N_{u0} = N_{c0}^{ss} + N_{c0}^{rc}$，其中，$N_{c0}^{rc} = f_c A_c + f_y' A_s$，为钢筋混凝土截面的轴压承载力；

　　　N_b——界限破坏时的轴力，取 $N_b = 0.5\alpha_1\beta_1 f_c bh$，其中参数 α_1 和 β_1 为混凝土等效矩形图形系数，按《混凝土规范》确定。

上式轴力分配的概念如下：当轴压力设计值 N 等于型钢混凝土柱轴心受压承载力 N_{u0} 时，型钢部分承担的轴力 N_c^{ss} 等于其轴心受压承载力 N_{c0}^{ss}；当轴力设计值 N 等于界限破坏时的轴力 N_b，此时中和轴通过截面形心轴，型钢轴力 N_c^{ss} 近似为零；当轴力设计值 N 为其他值，由上述两种情况线性插值。

按式（10-4）计算确定型钢部分的轴力设计值 N_c^{ss} 后，钢筋混凝土部分承担的轴力为：

$$N_c^{rc} = N - N_c^{ss} \tag{10-5}$$

确定钢筋混凝土部分和型钢部分分别承担的轴力后，则不难分别按钢筋混凝土截面和型钢截面分别计算各自的受弯承载力，然后叠加得到型钢混凝土截面的受弯承载力。

以上计算方法适用于型钢混凝土柱的截面复核。对于图 10-12 所示的型钢和钢筋为对称配置的矩形截面型钢混凝土柱设计，一般要根据轴压比和型钢含钢率的要求先确定型钢的配置，然后按式（10-6）确定型钢部分承担的轴力和弯矩，再由式（10-7）确定钢筋混凝土部分承担的轴力和弯矩的设计值，最后按《混凝土规范》计算钢筋混凝土部分截面的配筋。当有地震作用组合时，尚应考虑抗震承载力调整系数 γ_{RE}。

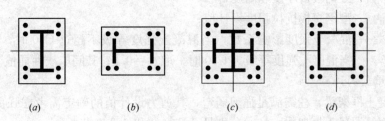

图 10-12　对称配筋型钢混凝土截面

（a）绕强轴弯曲工字形型钢；（b）绕弱轴弯曲工字形型钢；

（c）十字形型钢；（d）箱形型钢

型钢部分承担的轴力和弯矩设计值按下式确定：

型钢轴力
$$\left. \begin{aligned} N_{cy}^{ss} &= \frac{N - N_b}{N_{u0} - N_b} N_{c0}^{ss} \\ M_{cy}^{ss} &= \left(1 - \left| \frac{N_{cy}^{ss}}{N_{c0}^{ss}} \right|^m \right) M_{y0}^{ss} \end{aligned} \right\} \tag{10-6}$$

型钢弯矩

钢筋混凝土部分承担的轴力和弯矩设计值按下式确定：

$$\left. \begin{aligned} N_c^{rc} &= N - N_{cy}^{ss} \\ M_c^{rc} &= M - M_{cy}^{ss} \end{aligned} \right\} \tag{10-7}$$

式中　　N_{cy}^{ss}、M_{cy}^{ss}——分别为型钢部分承担的轴力和弯矩设计值；

　　　　N_c^{rc}、M_c^{rc}——分别为钢筋混凝土部分承担的轴力和弯矩设计值；

　　　　M_{y0}^{ss}——型钢截面的受弯承载力，取 $\gamma_s \times W_{ss} \times f_{ssy}$，其中型钢截面塑性发展系数 γ_s，绕强轴弯曲工字形型钢截面取 1.05，绕弱轴弯曲工字形型钢截面取 1.1，十字形及箱形型钢截面取 1.05；抗震设计时 γ_s 取 1.0；

　　　　m——N_{cy}^{ss}—M_{cy}^{ss} 相关曲线形状系数，按表 10-1 取值。

N_{cy}^{ss}—M_{cy}^{ss} 相关曲线形状系数 m　　　　　　　　　　　　表 10-1

型钢形式	绕强轴弯曲工字形型钢	绕弱轴弯曲工字形型钢	十字形型钢、箱形型钢	单轴非对称T形型钢
$N \geqslant N_b$	1.0	1.5	1.3	1.0
$N < N_b$	1.3	3.0	2.6	2.4

10.2.3　型钢混凝土梁柱斜截面受剪承载力计算

1. 受剪截面要求

由于型钢腹板在受力过程中直接承受剪力，因此，型钢混凝土梁、柱的受剪承载力上限值比相同截面尺寸的钢筋混凝土梁、柱高，受剪截面限制条件为：

持久、短暂设计状况
$$V \leqslant 0.45 \beta_c f_c b h_0 \tag{10-8a}$$

$$\frac{f_a t_w h_w}{\beta_c f_c b h_0} \geqslant 0.10 \tag{10-8b}$$

地震设计状况
$$V \leqslant \frac{1}{\gamma_{RE}} (0.36 \beta_c f_c b h_0) \tag{10-8c}$$

$$\frac{f_a t_w h_w}{\beta_c f_c b h_0} \geqslant 0.10 \tag{10-8d}$$

式中 t_w、h_w——型钢腹板厚度和高度；

f_a——型钢腹板抗拉强度设计值；

β_c——混凝土强度影响系数，当混凝土强度等级不超过 C50 时，取 $\beta_c = 1.0$；当混凝土强度等级为 C80 时，取 $\beta_c = 0.8$；其间取线性插值。

2. 受剪承载力计算

型钢混凝土框架梁、柱需满足强剪弱弯，其剪力设计值的确定需考虑强剪弱弯调整，具体规定同钢筋混凝土框架梁、柱，分别见 6.2.3 节和 6.3.3 节。

配置实腹式型钢的型钢混凝土梁、柱，可按叠加法计算其斜截面受剪承载力：

$$V \leqslant V_{rc} + V_a \tag{10-9}$$

式中 V——剪力设计值；

V_{rc}——钢筋混凝土部分的受剪承载力，按《混凝土规范》计算；

V_a——型钢部分的受剪承载力，按下式计算：

框架梁
$$V_a = 0.58 f_a t_w h_w \tag{10-10a}$$

框架柱或受集中荷载框架梁
$$V_a = \frac{0.58}{\lambda} f_a t_w h_w \tag{10-10b}$$

地震设计状况时还需考虑抗震承载力调整系数 γ_{RE}。

10.2.4 型钢混凝土柱的轴压比限值

型钢混凝土柱的轴压比 n 可按下式计算：

$$n = \frac{N}{f_c A_c + f_a A_a} \tag{10-11}$$

式中 N——考虑地震作用组合的柱轴压力设计值；

A_c、A_a——分别为混凝土和型钢截面面积。

对于抗震结构，与钢筋混凝土柱需要控制轴压比的原理相同，型钢混凝土柱也需要控制轴压比。图 10-13 为不同轴压比下型钢混凝土构件的弯矩-曲率关系试验结果。$n=0$ 时，即纯弯情况，型钢混凝土构件的延性相当好。在 $n=0.2$ 时，最大受弯承载力比纯弯时有所增大，达到峰值后承载力略有降低，但仍表现出较好的延性。当 n 大于 0.4 后，最大受弯承载力随轴压力的增大而减小，而

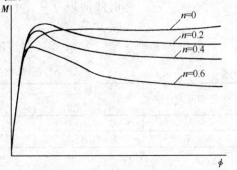

图 10-13 不同轴压比下型钢混凝土柱的弯矩-曲率关系

且达到峰值后承载力下降速度亦随之增大，延性降低。

试验表明，当 $n>0.4\sim0.5$ 时，型钢混凝土柱的抗震性能降低。因此，为保证型钢混凝土柱的抗震性能，必须限制柱的轴压比。《组合结构规范》规定型钢混凝土框架柱的轴压比不宜大于表 10-2 的限值。

型钢混凝土柱轴压比限值 　　　　表 10-2

结构类型	柱类型	抗震等级			
		一级	二级	三级	四级
框架结构	框架柱	0.65	0.75	0.85	0.90
框架-剪力墙结构	框架柱	0.70	0.80	0.90	0.95
框架-筒体结构	框架柱	0.70	0.80	0.90	—
	转换柱	0.60	0.70	0.80	—
筒中筒结构	框架柱	0.70	0.80	0.90	—
	转换柱	0.60	0.70	0.80	—
部分框支剪力墙结构	转换柱	0.60	0.70	—	—

注：1. 剪跨比不大于 2 的柱，其轴压比限值应比表中数值减小 0.05；

　　2. 当混凝土强度等级采用 C65～C70 时，轴压比限值应比表中数值减小 0.05；当混凝土强度等级采用 C75～C80 时，轴压比限值应比表中数值减小 0.10。

10.2.5　型钢混凝土梁柱的构造措施

1. 截面构造及型钢、纵筋配置

型钢混凝土梁、柱的构造要求见图 10-14。钢筋的混凝土保护层厚度按《混凝土规范》采用，梁、柱型钢的保护层厚度分别不宜小于 100mm 和 200mm。

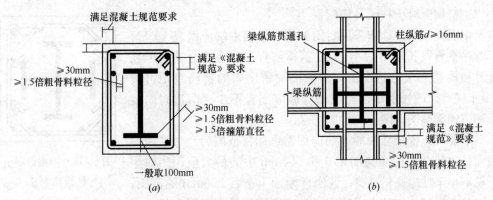

图 10-14　型钢混凝土梁柱截面构造要求

(a) 型钢混凝土梁；(b) 型钢混凝土柱

型钢混凝土框架梁截面宽度不宜小于 300mm。梁受拉纵向钢筋不宜超过两排，其配筋率不宜少于 0.3%，直径宜取 16～25mm，净距不宜小于 30mm 和 1.5 倍纵筋最大直径。梁纵筋尽量避免穿过柱中型钢翼缘。当梁的腹板高度大于 450mm 时，在梁的两个侧面沿高度方向每隔 200mm 应设置一根纵向腰筋，且每侧腰筋截面面积不宜小于梁腹板截面面积的 0.1%（图 10-15）。

型钢混凝土柱中型钢的含钢率不宜小于 4%，且不宜大于 15%。纵向受力钢筋的直径不宜小于 16mm，全部纵筋的配筋率不宜小于 0.8%，每一侧的配筋率不宜小于 0.2%；

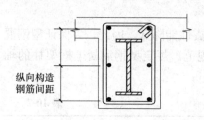

图 10-15　型钢混凝土梁纵
向构造钢筋间距

纵筋与型钢的最小净距不宜小于 30mm；柱内纵筋的净距不宜小于 50mm，且不宜大于 250mm。

2. 箍筋配置

（1）型钢混凝土梁的箍筋配置

型钢混凝土框架梁应采用封闭箍筋，箍筋末端应做成 135°弯钩，弯钩平直段长度不应小于 10 倍箍筋直径。型钢混凝土框架梁端部箍筋应加密，加密区长度、加密区箍筋最大间距和箍筋最小直径应符合表 10-3 的要求，非加密区的箍筋间距不宜大于加密区箍筋间距的 2 倍。梁端设置的第一个箍筋距节点边缘不应大于 50mm。沿梁全长箍筋的面积配筋率 ρ_{sv} 的要求同钢筋混凝土框架梁，见式（6-8）。箍筋肢距可按《混凝土规范》的规定适当放松。

型钢混凝土梁箍筋加密区的长度、箍筋的最大间距和最小直径　　　表 10-3

抗震等级	箍筋加密区长度	加密区箍筋最大间距（mm）	箍筋最小直径（mm）
一级	$2h$	100	12
二级	$1.5h$	100	10
三级	$1.5h$	150	10
四级	$1.5h$	150	8

注：1. h 为梁高；

2. 当梁跨度小于梁截面高度 4 倍时，梁全跨应按箍筋加密区配置；

3. 一级抗震等级框架梁箍筋直径大于 12mm、二级抗震等级框架梁箍筋直径大于 10mm，箍筋数量不少于 4 肢且肢距不大于 150mm 时，箍筋加密区最大间距应允许适当放宽，但不得大于 150mm。

（2）型钢混凝土柱的箍筋配置

型钢混凝土框架柱应采用封闭箍筋，箍筋末端应做成 135°弯钩，弯钩平直段长度不应小于 10 倍箍筋直径。在符合箍筋配筋率计算和构造要求的情况下，对箍筋加密区内的箍筋肢距可按《混凝土规范》的规定作适当放松，但应配置不少于两道封闭复合箍筋或螺旋箍筋（图 10-16）。

型钢混凝土框架柱两端箍筋应加密，加密范围为：①柱两端取截面长边尺寸、柱净高的 1/6 和 500mm 中的最大值；②底层柱下端不小于柱净高的 1/3；③刚性地面上下各 500mm 的范围；④一、二级框架角柱的全高范围。加密区箍筋最大间距和最小直径应符合表 10-4 的要求。

图 10-16　型钢混凝土
柱箍筋配置

柱端箍筋加密区的构造要求　　　表 10-4

抗震等级	加密区箍筋间距（mm）	箍筋最小直径（mm）
一级	100	12
二级	100	10
三、四级	150（柱根 100）	8

注：1. 底层柱的柱根指地下室的顶面或无地下室情况的基础顶面；

2. 二级抗震等级框架柱的箍筋直径大于 10mm，且箍筋采用封闭复合箍、螺旋箍时，除柱根外加密区箍筋最大间距应允许采用 150mm。

　　试验研究表明，由于型钢对混凝土有一定的约束作用，可提高型钢混凝土柱塑性铰区的延性。因此在相同塑性变形要求的情况下，型钢混凝土柱可比钢筋混凝土柱减小 15% 的箍筋量。《组合结构规范》规定型钢混凝土框架柱箍筋加密区的体积配箍率 ρ_v 应符合下式要求：

$$\rho_v \geqslant 0.85\lambda_v \frac{f_c}{f_{yv}} \qquad (10\text{-}12)$$

式中　f_c——混凝土轴心抗压强度设计值，强度等级低于 C35 时，按 C35 取值；

　　　f_{yv}——箍筋及拉筋抗拉强度设计值；

　　　λ_v——最小配箍特征值，按表 10-5 采用。

型钢混凝土柱箍筋最小配箍特征值 λ_v　　　　　　　　　　　　表 10-5

抗震等级	箍筋形式	轴压比						
		≤0.3	0.4	0.5	0.6	0.7	0.8	0.9
一级	普通箍、复合箍	0.10	0.11	0.13	0.15	0.17	0.20	0.23
	螺旋箍、复合或连续复合矩形螺旋箍	0.08	0.09	0.11	0.13	0.15	0.18	0.21
二级	普通箍、复合箍	0.08	0.09	0.11	0.13	0.15	0.17	0.19
	螺旋箍、复合或连续复合矩形螺旋箍	0.06	0.07	0.09	0.11	0.13	0.15	0.17
三、四级	普通箍、复合箍	0.06	0.07	0.09	0.11	0.13	0.15	0.17
	螺旋箍、复合或连续复合矩形螺旋箍	0.05	0.06	0.07	0.09	0.11	0.13	0.15

　　注：1. 在计算复合螺旋箍筋的体积配筋率时，其中非螺旋箍筋的体积应乘以换算系数 0.8；

　　　　2. 对一、二、三、四级抗震等级的柱，其箍筋加密区的箍筋体积配筋率分别不应小于 0.8%、0.6%、0.4% 和 0.4%。

　　　　3. 混凝土强度等级高于 C60 时，箍筋宜采用复合箍、复合螺旋箍或连续复合矩形螺旋箍；当轴压比不大于 0.6 时，其加密区的最小配箍特征值宜按表中数值增加 0.02；当轴压比大于 0.6 时，宜按表中数值增加 0.03。

　　型钢混凝土框架柱非加密区箍筋的体积配筋率不宜小于加密区的一半；箍筋间距不应大于加密区箍筋间距的 2 倍。一、二级抗震等级，箍筋间距尚不应大于 10 倍纵向钢筋直径；三、四级抗震等级，箍筋间距尚不应大于 15 倍纵向钢筋直径。

　　3. 型钢板件宽厚比

　　型钢混凝土构件的型钢材料宜采用 Q345、Q390、Q420 低合金高强度结构钢及 Q235 碳素结构钢，质量等级不宜低于 B 级。实腹型钢可以采用轧制型钢，但多数情况下采用钢板焊接而成的各种截面形状的实腹钢。当采用厚度大于 40mm 的厚钢板时，应有特殊性能要求，避免钢板发生层状撕裂。

　　虽然型钢板材受到混凝土的约束，其局部屈曲承载力得到提高，但考虑到破坏阶段型钢塑性变形能力的发挥，框架梁型钢板材的厚度不宜小于 6mm，框架柱型钢板材厚度不宜小于 8mm，梁柱型钢板材宽厚比应满足表 10-6 的要求。

型钢板材的宽厚比限值				表 10-6
钢号	b/t_f	h_w/t_w （梁）	h_w/t_w （柱）	B/t （柱）
Q235	≤23	≤107	≤96	≤72
Q345、Q345GJ	≤19	≤91	≤81	≤61
Q390	≤18	≤83	≤75	≤56
Q420	≤17	≤80	≤71	≤54

注：1. 当 h_w/t_w 大于表中数值时，可按《钢结构设计规范》的规定设置横向加劲肋、纵向加劲肋，并满足局部稳定计算要求；

2. 表中符号见图 10-17。

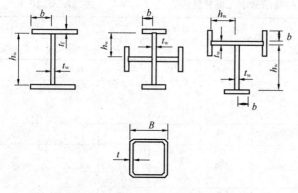

图 10-17 表 10-6 中符号的含义

4. 剪力连接件

型钢混凝土梁、柱的型钢一般可不设抗剪连接件，但在过渡层、过渡段、型钢与混凝土间传力较大部位以及计算需要在型钢上设置抗剪连接件时，宜采用栓钉作为抗剪连接件（图 10-18）。栓钉的直径规格宜选用 19、22mm，栓钉的直径不应大于与其焊接的母材钢板厚度的 2.5 倍，其长度不宜小于 4 倍栓钉直径。栓钉的间距不宜小于 6 倍栓钉的直径，且不宜大于 200mm。栓钉中心至型钢板材边缘的距离不应小于 50mm，栓钉顶面的混凝土保护层厚度不宜小于 15mm。

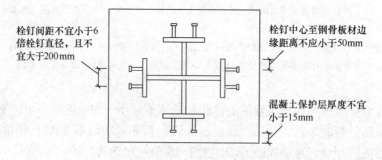

图 10-18 柱中型钢栓钉设置要求

10.2.6 型钢混凝土柱脚

型钢混凝土柱的柱脚有非埋入式柱脚和型钢埋入基础底板（承台）的埋入式柱脚两种，如图 10-19 所示。

非埋入式柱脚的型钢在基础顶面终止，其内力依靠锚栓和底板传递至基础，柱脚底板截面的全部弯矩、轴力、剪力由锚入基础的锚栓、纵向钢筋和混凝土承受。其锚栓的配置，应通过计算确定。同时，柱脚型钢底板的厚度、锚栓的直径和锚入基础底板的长度应符合构造要求，纵向钢筋锚入基础的长度应符合受拉钢筋锚固规定。

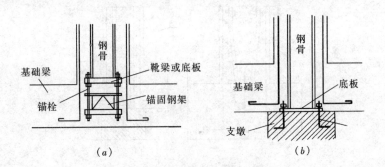

图 10-19　型钢混凝土柱脚
(a) 非埋入式柱脚；(b) 埋入式柱脚

埋入式柱脚的型钢埋入到基础混凝土内，锚固于基础混凝土内。埋入式柱脚施工较为复杂，但地震时柱脚不易滑动，抗震结构的偏心受压柱宜采用埋入式柱脚，偏心受拉柱应采用埋入式柱脚。型钢混凝土偏心受压柱嵌固端以下有 2 层或 2 层以上地下室时，也可将型钢混凝土柱伸至基础顶板，纵向钢筋和锚栓伸入基础底板，并符合锚固要求，按非埋入式柱脚进行承载力验算。

偏心受压型钢混凝土柱，其埋入式柱脚的埋置深度应符合有关规范规定。埋入式柱脚中，钢筋混凝土部分的内力直接传递到钢筋混凝土基础中，而型钢中的内力依靠型钢与混凝土间的侧压力传递（图 10-20），扣除侧压力传递后的内力由柱脚底板的锚栓承担。当型钢埋入基础达到一定深度时，柱脚底板处的剪力和弯矩为零，此时柱脚底板可按构造设置固定螺栓。

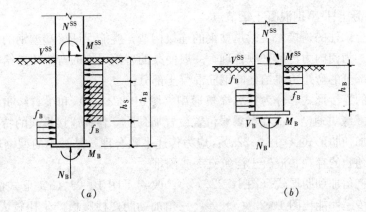

图 10-20　埋入式柱脚的内力传递
(a) 埋深较大时；(b) 埋深较浅时

两类型钢混凝土柱脚的承载力计算方法详见《组合结构规范》。

型钢混凝土柱与钢筋混凝土基础之间材料有显著变化，对内力传递要求较高，需设置构造剪力连接件以增强内力传递能力。对于埋入式柱脚，在型钢埋入范围及上一层的型钢翼缘和腹板部位设置栓钉，对于非埋入式柱脚，在柱脚上一层柱的型钢翼缘和腹板设置栓钉，如图 10-21 所示。栓钉的直径不宜小于 19mm，水平及竖向间距不宜大于 200mm，栓钉至型钢板材边缘的距离不宜小于 50mm，且不宜大于 100mm。

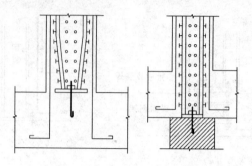

图 10-21　柱脚型钢栓钉布置

10.2.7　梁 柱 节 点

型钢混凝土框架梁柱节点的连接构造应尽量简单，传力明确。梁柱连接包括型钢混凝土柱-型钢混凝土梁连接、型钢混凝土柱-钢筋混凝土梁连接、型钢混凝土柱-钢梁连接三种情况，三种连接都宜采用柱内型钢翼缘贯通型连接形式。

型钢混凝土柱与型钢混凝土梁或钢筋混凝土梁的连接节点处，型钢和钢筋纵横交错，因此，型钢连接形式要注意易于浇筑混凝土，保证梁-柱核心区混凝土的密实性。梁的主筋应伸入柱节点，且应符合《混凝土规范》对钢筋的锚固规定。柱的型钢和主筋的布置应为梁的主筋通过留出通道，宜减少梁纵筋穿过柱内型钢的数量，且不宜穿过型钢翼缘，也不得与柱型钢直接焊接。型钢腹板部分设置钢筋贯穿孔时，截面缺损率宜小于腹板面积的 20%。型钢混凝土柱与型钢混凝土梁或钢梁连接时，其柱内型钢与梁内型钢或钢梁应采用刚性连接。

1. 型钢混凝土柱-型钢混凝土梁节点

型钢混凝土梁柱的连接，关键是型钢的连接构造，应能保证梁端型钢的内力可靠地传递到柱内型钢。为使内力传递平顺合理，一般使梁的型钢承担的弯矩传递给柱的型钢，梁的钢筋混凝土部分的弯矩传递给柱的钢筋混凝土部分。

梁柱型钢的连接形式，分为柱翼缘贯通型（图 10-22a～e）和梁翼缘贯通型（图 10-22f）。采用柱翼缘贯通型，应在梁翼缘位置设置加劲肋。各种连接形式的特点如下。

（1）水平加劲肋形式（图 10-22a）：应力传递平顺合理，是常用的型钢连接形式，但由于有水平加劲肋的存在，混凝土浇筑有一些困难。

（2）水平三角加劲肋形式（图 10-22b、c）：改善了图 10-22 (a) 形式的混凝土浇筑条件，但应力传递性能比图 10-22 (a) 差。三角加劲肋使柱腹板产生比较大的应力集中，应进行有关验算。

（3）垂直加劲肋形式（图 10-22d、e）：混凝土易于浇筑，但梁翼缘的应力通过柱翼缘和垂直加劲肋传递，应力传递不直接，性能不如前两种形式。

（4）梁翼缘贯通形式（图 10-22f）：将柱翼缘切断后焊在贯通的梁翼缘上，其传力性能和（图 10-22a）大致相同，应力传递没有问题，但浇筑混凝土困难。

2. 型钢混凝土柱-钢筋混凝土梁节点

型钢混凝土柱-钢筋混凝土梁的连接宜采用刚性连接，可采用以下连接方式：

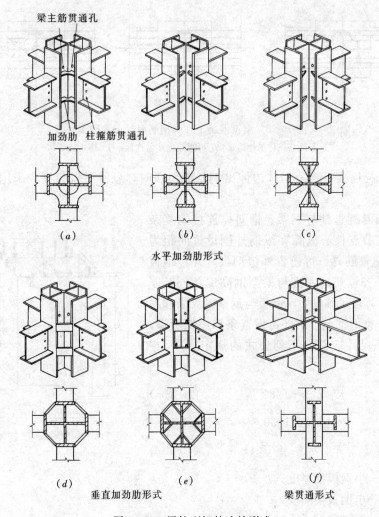

图 10-22　梁柱型钢的连接形式

（1）梁的纵向钢筋可采取双排钢筋等措施尽可能多地贯通节点，其余纵向钢筋可在柱内型钢腹板上预留贯穿孔，型钢腹板截面损失率宜小于腹板面积的 20％（图 10-23a）。

（2）当梁纵向钢筋伸入柱节点与柱内型钢翼缘相碰时，可在柱型钢翼缘上设置可焊接机械连接套筒与梁纵筋连接，并应在连接套筒位置的柱型钢内设置水平加劲肋，加劲肋形式应便于混凝土浇筑（图 10-23b）。

（3）梁纵筋可与型钢柱上设置的钢牛腿可靠焊接，且宜有不少于 1/2 梁纵筋面积穿过型钢混凝土柱连续配置。钢牛腿的高度不宜小于 0.7 倍混凝土梁高，长度不宜小于混凝土梁截面高度的 1.5 倍。钢牛腿的上、下翼缘应设置栓钉，直径不宜小于 19mm，间距不宜大于 200mm，且栓钉至钢牛腿翼缘边缘距离不应小于 50mm。梁端至牛腿端部以外 1.5 倍梁高范围内，箍筋设置应符合《混凝土规范》中梁端箍筋加密区的规定（图 10-23c）。

3. 型钢混凝土柱-钢梁节点

（1）型钢混凝土柱与钢梁采用刚接，柱内型钢应在梁翼缘高度设置加劲肋。当钢梁直接与钢柱连接时，钢梁翼缘与柱内型钢翼缘应采用全熔透焊缝连接，梁腹板与柱宜采用摩

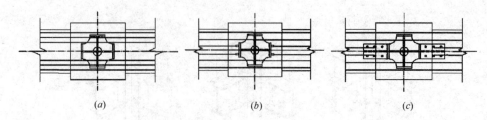

图 10-23　型钢混凝土柱与钢筋混凝土梁连接

(a) 梁柱节点传筋构造；(b) 可焊接连接器连接；(c) 钢牛腿焊接

擦型高强度螺栓连接；当采用柱边伸出钢悬臂梁段时，悬臂梁段与柱应采用全熔透焊缝连接。

（2）型钢混凝土柱与钢梁、钢斜撑连接的复杂梁柱节点，其节点核心区除在纵筋外围设置间距为 200mm 的构造箍筋外，可设置外包钢板。外包钢板宜与柱表面平齐，其高度宜与梁型钢高度相同，厚度可取柱截面宽度的 1/100，钢板与钢梁的翼缘和腹板可靠焊接。梁型钢上、下部可设置条形小钢板箍，条形小钢板箍尺寸应符合下列公式的规定（图 10-24）：

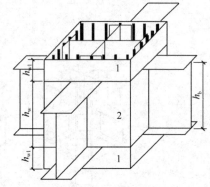

图 10-24　型钢混凝土柱与钢梁连接节点

1—小钢板箍；2—大钢板箍

$$t_{wl}/h_b \geqslant 1/30 \qquad (10\text{-}13a)$$

$$t_{wl}/b_c \geqslant 1/30 \qquad (10\text{-}13b)$$

$$h_{wl}/h_b \geqslant 1/5 \qquad (10\text{-}13c)$$

式中　　t_{wl}——小钢板箍厚度；

　　　　h_{wl}——小钢板箍高度；

　　　　h_b——钢梁高度；

　　　　b_c——柱截面宽度。

4. 梁柱节点核心区受剪承载力计算

型钢混凝土梁柱节点核心区的受剪性能与钢筋混凝土节点核心区类似，但由于有型钢，抗剪能力显著增加。荷载较小时，节点核心区基本处于弹性阶段，型钢腹板与混凝土的剪切变形基本一致。当主拉应力达到混凝土抗拉强度时，沿节点核心区对角方向产生斜裂缝。随着荷载的增加，核心区斜裂缝增多并加宽，剪切变形不断增大。当核心区形成一条主斜裂缝，沿对角线方向基本贯通，型钢腹板屈服。型钢腹板屈服后，由于箍筋和型钢翼缘框的约束，核心区混凝土仍能继续承受一部分剪力，有较大的变形能力。

型钢混凝土梁柱节点核心区受剪承载力的计算也同样采用叠加法，即由钢筋混凝土的受剪承载力和型钢腹板的受剪承载力叠加，具体计算公式见《组合结构规范》。对于抗震设计，应根据强节点要求，参照钢筋混凝土梁柱核心区的抗震设计，将核心区剪力设计值乘以增大系数。

10.3 圆钢管混凝土柱设计

钢管混凝土构件包括单肢柱构件和由双肢或多肢柱组成的格构柱构件两类，格构柱一般用于构筑物。钢管混凝土单肢柱的截面形状主要有圆形、矩形、正方形和多边形，矩形、正方形和多边形截面钢管对管内混凝土力学性能的影响较小，而圆形钢管能有效提高管内混凝土的轴心抗压强度和塑性变形能力。圆钢管混凝土单肢柱包括实心和空心两种，圆钢管内填满混凝土的称为实心钢管混凝土柱，圆钢管内灌入混凝土、采用离心法制成的中部空心的称为空心钢管混凝土柱。房屋建筑一般采用实心钢管混凝土柱，不采用空心圆钢管混凝土柱。

本节介绍实心圆钢管混凝土单肢柱（以下称为钢管混凝土柱）的设计方法。我国关于钢管混凝土柱的设计理论主要有两个：极限平衡理论和统一理论。极限平衡理论也称极限分析法，其基本假定为：（1）钢管混凝土由钢管和管内混凝土两种元件组成；（2）钢管混凝土柱达到其轴心受压承载力时，对于直径与壁厚之比不小于 20 的钢管，其径向应力远小于环向应力，可忽略不计，钢管的应力状态简化为纵向受压、环向受拉，且沿管壁均匀分布；（3）钢管采用 Von Mises 屈服准则。钢管混凝土统一理论的主要思路是：（1）将钢管和管内混凝土视为一种组合材料，用组合强度计算其承载力，组合强度是以试验研究为基础，通过数值计算确定的；（2）不论是实心钢管混凝土构件还是空心钢管混凝土构件，不论是圆形、正方形还是多边形截面，只要是对称截面，采用统一的公式计算其承载力；（3）钢管混凝土构件的性能随着钢管钢材和混凝土材料的物理参数、构件的几何参数的变化而连续变化；（4）各种荷载作用下，钢管混凝土构件的应力之间存在相关性。本节介绍基于极限平衡理论的钢管混凝土柱的设计。

钢管混凝土柱已有 100 多年的历史。1897 年，美国人 John Lally 在圆钢管内填充混凝土，将其作为房屋建筑的承重柱，称为 Lally 柱，并获得了专利。20 世纪 30 年代，苏联开展了钢管混凝土基本力学性能的试验研究。20 世纪 60 年代前后，苏联、美国、日本等国家对钢管混凝土开展了大量的研究工作，并用于厂房、多层建筑、桥梁和特种工程，但由于浇筑钢管内混凝土有困难，其应用并不广泛。20 世纪 80 年代后期，高强混凝土技术和泵送混凝土技术趋于成熟，使钢管混凝土柱及其应用得到迅速发展。至今，美国、日本、澳大利亚等国家建成的采用钢管混凝土柱的高层建筑已有 40 多幢。

我国于 20 世纪 60 年代将钢管混凝土柱用于地铁站台和单层工业厂房；70 年代，将钢管混凝土柱用于冶金、造船、电力等行业的厂房和重型构架；80 年代开始，对钢管混凝土构件和连接开展了系统、深入的研究，编制了设计与施工规程。至今，全国已有几十幢采用钢管混凝土柱的高层建筑和 100 多座钢管混凝土拱桥。

高层建筑采用钢管混凝土柱有许多优越性。与钢柱比：焊接量少；刚度大；耐火性能好；不存在钢柱受压翼缘屈曲失稳的问题；在承载力相同的条件下，用钢量减少约 50%。与钢筋混凝土柱比：在用钢量相近、承载力相同的条件下，截面面积减少一半，减轻了结构的重量，同时降低了基础造价；工厂预制钢管在现场安装就位，施工方便，还可以用钢管搭建施工平台，省去支模、拆模的工和料；直径不是很大的钢管内不需配置钢筋骨架，适宜于泵送混凝土；在高轴压力作用下，不存在受压区混凝土压碎而破坏的问题，钢管混凝土柱的抗震性能优于钢柱和钢筋混凝土柱。钢管内填充高强混凝土，是完美的抗压组合：钢管约束能有效克服高强混凝土的脆性，充分发挥高强混凝土的强度，减小柱的截面尺寸；钢管内使用高强混凝土，梁板使用普通混凝土，浇筑混凝土时互不干扰。钢管混凝土柱可以用作基础开挖时地下室的支柱，适合逆作法施工，缩短施工工期。房屋建筑钢管混凝土柱的钢管外需要采取防火、防锈措施。

10.3.1　一 般 要 求

钢管混凝土柱钢材的屈服强度不宜过高，屈服强度实测值与抗拉强度实测值的比值不应大于 0.85；钢材应有明显的屈服台阶，伸长率不应小于 20%，以保证钢管混凝土柱具有大的塑性变形能力；钢材应具有良好的可焊性和合格的冲击韧性。钢管可采用 Q235 和 Q345 钢材，工作温度大于 0℃时选用 B 级，工作温度低于 0℃而高于−20℃时选用 C 级，工作温度低于−20℃时选用 D 级；钢管也可采用 Q390 和 Q420 钢材。不采用 A 级钢制作钢管，原因是 A 级钢不要求冲击试验或不保证冲击韧性要求。

钢管可采用焊接钢管、热轧无缝钢管。无缝钢管的管壁较厚，且价格高，不经济。焊接钢管包括直焊缝钢管和螺旋焊缝钢管，采用对接熔透焊缝，焊缝强度不低于管材强度。高层建筑一般采用直焊缝焊接管。不选用用于输送低压流体的螺旋焊管，因为其受力性能没有保证。

钢管内的混凝土强度等级不应低于 C30。为了充分发挥钢管混凝土柱的优势，减小截面尺寸，常采用的是 C50～C80。当混凝土强度等级高于 C80 时，混凝土轴心抗压强度、弹性模量等参数的取值，要有可靠依据。钢管内除采用一般混凝土外，也可采用海砂混凝土、再生骨料混凝土。

钢管混凝土柱需要防火，可以采用在柱的外表面固定钢丝网、包覆厚度为 50mm 的水泥砂浆或混凝土保护层的方法。

钢管混凝土柱的弹性变形包括轴向变形、弯曲变形和剪切变形。钢管混凝土柱由钢管和混凝土两部分组合而成，其刚度计入钢管和混凝土两部分的贡献。在正常使用情况下，钢管混凝土柱处于弹性状态，钢管对混凝土的约束作用不大，钢管和核心混凝土基本为单向受力。钢管混凝土柱的轴向刚度 EA、抗弯刚度 EI 和抗剪刚度 GA 可分别按下式计算：

$$EA = E_a A_a + E_c A_c \tag{10-14a}$$

$$EI = E_a I_a + E_c I_c \tag{10-14b}$$

$$GA = G_a A_a + G_c A_c \tag{10-14c}$$

式中　E_a、E_c——分别为钢材和混凝土的弹性模量；

　　　G_a、G_c——分别为钢材和混凝土的剪变模量；

　　　A_a、A_c——分别为钢管截面面积和钢管内混凝土截面面积；

　　　I_a、I_c——分别为钢管截面和钢管内混凝土截面对其重心轴的惯性矩。

房屋建筑钢管混凝土柱的构造要求如下：

（1）钢管直径不小于 400mm，壁厚不小于 8mm；钢管外直径大于 2000mm 时，应采取措施减小管内混凝土收缩等不利因素的影响，如配置钢筋笼，配置同心双层或多层钢管等。

（2）为了防止钢管壁局部失稳，钢管外径与壁厚的比值 D/t 不应大于 135（$235/f_{ay}$），f_{ay} 为钢管钢材的屈服强度。

（3）为了保证钢管混凝土柱有足够大的轴向承载力和延性，应保证钢管对管内混凝土的约束作用。用套箍指标 θ 度量约束程度的参数，θ 不宜小于 0.5，也不宜大于 2.5。

（4）钢管混凝土柱的优势是轴向受压承载力高，一般用作小偏心受压构件，框架柱的长径比 L_e/D 不宜大于 20 或长细比 $\lambda=L/r_i$ 不宜大于 80，L_e 和 r_i 分别为钢管混凝土柱的等效计算长度和回转半径。

10.3.2　钢管混凝土柱承压工作机理

钢管混凝土柱也可以称为钢管约束混凝土柱，钢管对混凝土的约束作用优于箍筋对混凝土的约束。钢管混凝土的工作机理可以通过长径比 $L_e/D \leqslant 4$ 的钢管混凝土短柱的轴心受压试验获得。

在加载初始阶段，混凝土的泊桑比小于钢的泊桑比，钢管内混凝土的侧向膨胀小于钢管的侧向膨胀，钢管与管内混凝土之间没有挤压力，两者共同承担轴向压力。随着轴压力加大，混凝土内水泥与骨料结合面原有的微细裂缝发展，并出现新的微裂缝，微裂缝发展使混凝土体积膨胀，其侧向变形超过钢管的侧向变形后，在混凝土与钢管之间产生径向压力，钢管壁受到环向拉力，钢管主要处于纵向受压、环向受拉的双向应力状态。钢管壁的径向压应力很小，可以忽略。管内混凝土受到钢管径向紧箍力的作用，处于三向受压应力状态。图 10-25 为钢管和管内混凝土的受力简图。

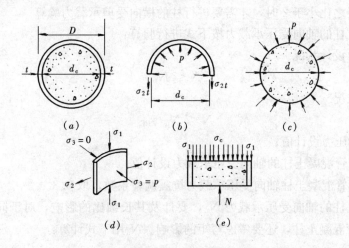

图 10-25　轴心受压钢管混凝土短柱的钢管
和管内混凝土的受力简图

钢管处于弹性阶段时，钢管混凝土短柱的外观变化不大；钢管屈服、进入塑性流动后，可以观察到钢管表面的滑移斜线，外观体积也因混凝土微裂缝发展而增大。随着轴压力的增大，钢管的环向拉应力不断增大；根据 Von Mises 屈服条件，钢管纵向压应力相应减小，轴压力在钢管与管内混凝土之间重分布，钢管承受的压力减小，由主要承受轴向压应力转变为主要承受环向拉应力，而三向受压的管内混凝土因受到较大的约束紧箍力而具有更高的抗压强度和更大的塑性变形能力。钢管和管内混凝土所能承担的轴压力之和达

图 10-26　轴心受压
钢管混凝土短
柱破坏后管内
核心混凝土照片

到最大时，即为钢管混凝土短柱的轴心受压承载力。超过轴心受压承载力后，轴压力减小，钢管混凝土柱的纵向变形继续增大，钢管表面局部凸曲皱折，不过，即使纵向变形很大，也不会出现管内混凝土压碎现象。图 10-26 为轴心受压的长径比 L/D 为 4 的钢管混凝土柱破坏后管内核心混凝土的照片，混凝土斜向剪切破坏，没有压碎，仍为整体。

　　轴心受压时，长径比 $L_e/D \leqslant 4$ 的钢管混凝土柱基本没有侧向弯曲，其破坏为材料强度受压破坏，定义为短柱；$4 < L_e/D \leqslant 20$ 的钢管混凝土柱的破坏为纵向压弯破坏，其轴向受压承载力随长细比的增加而减小，达到最大轴压力时，钢管表面平均纵向应变超过屈服应变，其破坏为非弹性失稳破坏，定义为中长柱；$L_e/D > 20$ 的钢管混凝土柱达到轴心受压承载力时，钢管表面平均纵向应变在弹性范围内，为弹性失稳破坏，定义为长柱。为了避免弹性失稳破坏，钢管混凝土柱的长径比不宜大于 20。

10.3.3　钢管混凝土柱的轴向受压承载力验算

　　在重力荷载、风荷载和水平地震作用下，房屋建筑中的钢管混凝土柱主要受压弯作用，其承载力验算为轴压力和弯矩组合的轴向受压承载力验算，一般不需要进行抗剪承载力验算，只有当横向集中力以压力方式作用于钢管混凝土柱且集中力作用点至支座或节点边缘的距离与柱直径之比小于 2 时，才需要进行柱的横向受剪承载力验算。

　　钢管混凝土柱的轴向受压承载力按下式进行验算：

持久、短暂设计状况

$$N \leqslant N_u \tag{10-15a}$$

地震设计状况

$$N \leqslant N_u/\gamma_{RE} \tag{10-15b}$$

式中　N——轴压力设计值；

　　N_u——钢管混凝土柱的轴向受压承载力设计值；

　　γ_{RE}——钢管混凝土柱轴向受压承载力抗震调整系数，取 0.8。

　　钢管混凝土柱的轴向受压承载力 N_u，要计及其长细比的影响，对于同时承受轴力和弯矩作用的钢管混凝土柱，还要考虑弯矩的影响。N_u 用下式计算：

$$N_u = \varphi_l \varphi_e N_0 \tag{10-16}$$

式中　N_0——钢管混凝土短柱的轴心受压承载力设计值；

　　φ_l——考虑长细比影响的承载力折减系数；

　　φ_e——考虑弯矩作用下偏心率影响的承载力折减系数。

　　1. 短柱的轴心受压承载力

　　钢管混凝土短柱的轴心受压承载力设计值 N_0 按下式计算：

$$\theta \leqslant [\theta] \text{ 时} \qquad N_0 = 0.9 A_c f_c (1 + \alpha\theta) \tag{10-17a}$$

$$\theta > [\theta] \text{ 时} \qquad N_0 = 0.9 A_c f_c (1 + \sqrt{\theta} + \theta) \tag{10-17b}$$

$$\theta = \frac{A_a f_a}{A_c f_c} \tag{10-17c}$$

且在任何情况下均应满足下列条件：

$$\varphi_l \varphi_e \leqslant \varphi_o \tag{10-17d}$$

式中　θ——钢管混凝土构件的套箍指标，度量钢管对管内混凝土约束程度的参数；

$\quad$ [θ]——套箍指标界限值，按表 10-7 取值，[θ] = $1/(\alpha-1)^2$；

$\quad\quad$ α——与混凝土强度等级有关的系数，按表 10-7 取值；

$\quad\quad$ A_a——钢管的横截面面积；

$\quad\quad$ f_a——钢管的抗拉、抗压强度设计值；

$\quad\quad$ A_c——钢管内混凝土的横截面面积；

$\quad\quad$ f_c——钢管内混凝土的轴心抗压强度设计值；

$\quad\quad$ φ_o——按轴心受压柱考虑的 φ_l 值。

系数 α、[θ] 取值　　　　　　　　　　表 10-7

混凝土强度等级	$\leqslant$C50	C55～C80
α	2.00	1.80
[θ]	1.00	1.56

2. 偏心率影响的承载力折减系数

钢管混凝土柱考虑柱端弯矩作用偏心率影响的承载力折减系数 φ_e 按下式计算：

当 $e_0/r_c \leqslant 1.55$ 时

$$\varphi_e = \frac{1}{1+1.85\dfrac{e_0}{r_c}} \tag{10-18a}$$

$$e_0 = \frac{M_2}{N} \tag{10-18b}$$

当 $e_0/r_c > 1.55$ 时

$$\varphi_e = \frac{1}{3.92-5.16\varphi_l+\varphi_l\dfrac{e_0}{0.3r_c}} \tag{10-18c}$$

式中　e_0——柱两端轴向压力偏心距的较大者；

$\quad\quad$ r_c——管内混凝土横截面的半径；

$\quad\quad$ M_2——柱两端弯矩设计值的较大者；

$\quad\quad$ N——轴向压力设计值。

3. 长细比影响的承载力折减系数

钢管混凝土柱考虑长细比影响的承载力折减系数 φ_l 按下式计算：

$L_e/D > 30$ 时　　　$\varphi_l = 1-0.115\sqrt{L_e/D-4}$ $\tag{10-19a}$

$4 < L_e/D \leqslant 30$ 时　　　$\varphi_l = 1-0.0226(L_e/D-4)$ $\tag{10-19b}$

$L_e/D \leqslant 4$ 时　　　$\varphi_l = 1$ $\tag{10-19c}$

式中　L_e、D——分别为钢管混凝土柱的等效计算长度和钢管的外直径。

钢管混凝土柱的等效计算长度 L_e 按下式计算：

$$L_e = \mu k L \tag{10-20}$$

式中　L——柱的净长；

$\quad\quad$ μ——考虑柱端约束条件的计算长度系数，根据梁柱的刚度比值按有关规范的规定执行；

k——考虑沿柱高度弯矩分布梯度影响的等效长度系数。

钢管混凝土柱的等效长度系数 k 按下列公式计算：

轴心受压柱和杆件（图10-27a）　　　$k = 1$　　　　　　　　　　　　　　　（10-21a）

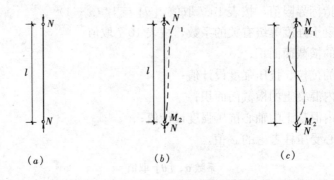

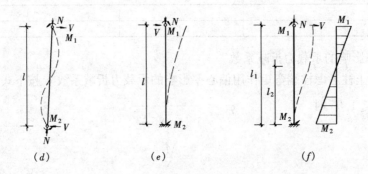

图 10-27　钢管混凝土柱计算简图

(a) 轴心受压；(b) 无侧移单曲压弯；(c) 无侧移双曲压弯；

(d) 有侧移双曲压弯；(e) 悬臂柱单曲压弯；(f) 悬臂柱双曲压弯

无侧移框架柱（图10-27b、c）　　　$k = 0.5 + 0.3\beta + 0.2\beta^2$　　　　　　　（10-21b）

有侧移框架柱（图10-27d）和悬臂柱（图10-27e、f）

当 $e_0/r_c \leqslant 0.8$ 时　　 $k = 1 - 0.625 e_0/r_c$　　　　　（10-21c）

当 $e_0/r_c > 0.8$ 时　　　　　　　　 $k = 0.5$　　　　　　　（10-21d）

当悬臂柱自由端有弯矩 M_1 作用时（图10-27f），取式（10-21e）与式（10-21c）或式（10-21d）计算的较大值：

$$k = (1 + \beta_1)/2 \qquad\qquad\qquad (10\text{-}21e)$$

式中　β——柱两端弯矩设计值的绝对值较小者 M_1 与较大者的 M_2 比值，$\beta = M_1/M_2$，其中 $|M_1| \leqslant |M_2|$，单曲压弯时 β 取正值，双曲压弯时 β 取负值；

β_1——悬臂柱自由端弯矩设计值 M_1 与嵌固端弯矩设计值 M_2 的比值，当 β_1 为负值（双曲压弯）时，则按反弯点分割的高度为 L_2 的子悬臂柱计算（图10-27f）。嵌固端是指，与柱相交横梁的线刚度不小于柱的线刚度的 4 倍者，或柱基础的长和宽均不小于柱直径的 4 倍者。

无侧移框架指结构中有支撑框架、剪力墙、井筒等支撑结构单元，且其抗侧刚度不小于框架抗侧刚度的 5 倍者；有侧移框架指框架结构的框架，或上述剪力墙等支撑结构单元的抗侧刚度小于框架抗侧刚度的 5 倍者。

10.3.4 局部受压计算

局部受压是钢管混凝土构件常见的一种受力形式。钢管混凝土柱有两种局部受压：中央部位局部受压（图 10-28），钢管与混凝土组合界面附近局部受压（图 10-29）。工业厂房的钢管混凝土柱、桥梁的钢管混凝土桥墩，上部结构的竖向荷载作用在柱的中央部位，形成中央部位局部受压；房屋建筑中常在钢管混凝土柱内设置钢加强环或环形隔板，使竖向力沿钢管与混凝土的界面呈环状分布，形成组合界面附近局部受压。两种局部受压都应进行局部受压承载力验算。钢管混凝土柱的局部受压应满足下式要求：

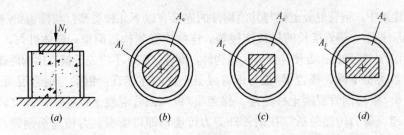

图 10-28 中央部位局部受压

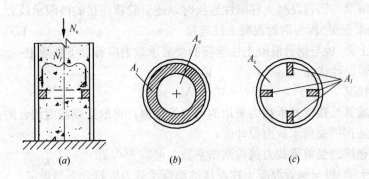

图 10-29 钢管与混凝土界面附近局部受压

$$N_l \leqslant N_{ul} \tag{10-22a}$$

式中　N_l——局部作用的轴向压力设计值；

　　　N_{ul}——钢管混凝土柱的局部受压承载力设计值。

钢管混凝土柱中央部位受压时，局部受压承载力设计值按下式计算：

$$N_{ul} = N_0 \sqrt{A_l/A_c} \tag{10-22b}$$

式中　N_0——局部受压段的钢管混凝土短柱轴心受压承载力设计值，按式（10-17a）或式（10-17b）计算；

　　　A_l——局部受压面积；

　　　A_c——钢管内混凝土的横截面面积。

钢管混凝土柱在钢管与混凝土组合界面附近受压时，局部受压承载力设计值按下式计算：

当 $A_l / A_c \geqslant 1/3$ 时 $\qquad N_{ul} = (N_0 - N_c)\omega\sqrt{A_l/A_c}$ (10-22c)

当 $A_l/A_c < 1/3$ 时 $\qquad N_{ul} = (N_0 - N_c)\omega\sqrt{3A_l/A_c}$ (10-22d)

式中 N_c——非局部作用的轴向压力设计值;

ω——考虑局压应力分布状况的系数,当局压应力为均匀分布时,取 $\omega=1$;当局压应力为非均匀分布时(例如:钢管内壁焊接柔性抗剪连接件),取 $\omega=0.75$。柔性抗剪连接件包括节点构造中采用的内加强环、环形隔板和焊钉等,内衬管段和穿心牛腿(承重销)可视为刚性抗剪连接件。

当组合界面附近局部受压承载力不足时,可将局压区段(等于钢管直径的 1.5 倍)管壁加厚,予以补强。

10.3.5 楼盖梁/板与钢管混凝土柱连接

在房屋建筑中,钢管混凝土柱与其他构件的连接有以下几种类型:与楼盖梁/板连接,与基础连接(即柱脚),钢管接长的拼接连接等。连接应做到构造简单,整体性好,传力明确,安全可靠,节约材料和施工方便。强连接弱构件,即连接破坏不应先于被连接构件破坏。

由于楼盖类型不同,楼盖梁/板与钢管混凝土柱的连接有:钢梁与钢管混凝土柱连接,钢筋混凝土梁/板与钢管混凝土柱连接。楼盖梁/板与钢管混凝土柱连接,需要解决弯矩传递和剪力传递。剪力传递包括:在钢管外剪力传递,即将梁端剪力传递至钢管;在钢管内剪力传递,即将钢管壁承受的剪力传递至管内混凝土。因此,要验算连接的受剪承载力和受弯承载力,钢梁与钢管混凝土柱刚性连接时,还要验算连接的极限承载力。

1. 钢筋混凝土梁/板与钢管混凝土柱连接

钢筋混凝土梁/板与钢管混凝土柱连接的受剪承载力应符合下列规定:

持久、短暂设计状况 $\qquad V_b \leqslant V_u$ (10-23a)

地震设计状况 $\qquad V_b \leqslant V_u/\gamma_{RE}$ (10-23b)

式中 V_b——验算连接受剪承载力采用的剪力设计值,可取梁端截面组合的剪力设计值;

V_u——连接的受剪承载力设计值;

γ_{RE}——连接的受剪承载力抗震调整系数,可取为 0.75。

钢筋混凝土梁/板与钢管混凝土柱连接的受弯承载力应符合下列规定:

持久、短暂设计状况 $\qquad M_b \leqslant M_u$ (10-24a)

地震设计状况 $\qquad M_b \leqslant M_u/\gamma_{RE}$ (10-24b)

式中 M_b——验算连接受弯承载力采用的弯矩设计值,可取梁端截面组合的弯矩设计值;

M_u——连接的受弯承载力设计值;

γ_{RE}——连接的受弯承载力抗震调整系数,可取为 0.75。

钢筋混凝土梁与钢管混凝土柱连接时,钢管外剪力传递采用环形牛腿、承重销(穿心牛腿)或抗剪环;钢管混凝土柱与无梁楼板或井式密肋楼板连接时,为增强楼板的抗冲切能力和方便施工,钢管外剪力传递采用台锥式环形深牛腿。

环形牛腿、台锥式环形深牛腿由呈放射状均匀分布的肋板和上、下加强环组成(图 10-30),将环形牛腿下加强环的外直径扩大、肋板加高至与楼板厚度相近,即成为台锥式环形深牛腿。环形牛腿和台锥式环形深牛腿的肋板与钢管壁外表面及上、下加强环采用角焊缝焊接,上、下加强环分别与钢管壁外表面采用角焊缝焊接。环形牛腿的上、下加强环和台锥式环形深牛腿的下加强环设置直径不小于 50mm 的圆孔，台锥式环形深牛腿的上加强环肋板可根据板宽确定是否需要开孔。

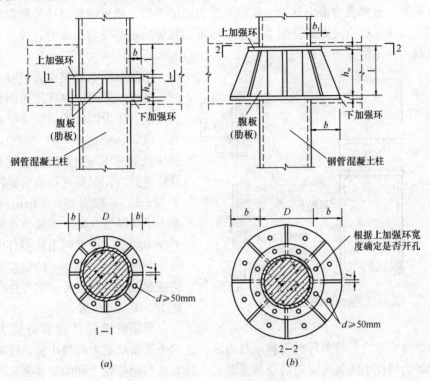

图 10-30　环形牛腿构造示意图

(a) 环形牛腿；(b) 台锥式环形深牛腿

采用环形牛腿及台锥式环形深牛腿传递钢管外的剪力时，需验算其受剪承载力。由 5 个方面提供受剪承载力：由环形牛腿支承面上的混凝土局部承压强度决定的受剪承载力，由肋板抗剪强度决定的受剪承载力，由肋板与管壁的焊接强度决定的受剪承载力，由环形牛腿上部混凝土的直剪（或冲切）强度决定的受剪承载力，由环形牛腿上、下环板决定的受剪承载力。取上述 5 个受剪承载力的最小值作为环形牛腿及台锥式环形深牛腿的受剪承载力。

钢管混凝土柱的外径不小于 600mm 时可采用承重销传递剪力。承重销由穿心腹板和上、下翼缘板组成（图 10-31），其截面高度宜取框架梁截面高度的 0.5 倍，翼缘板在穿过钢管壁不少于 50mm 后可逐

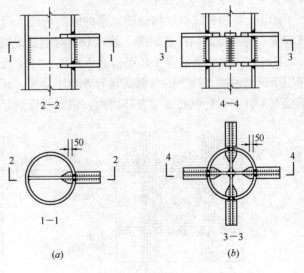

图 10-31　承重销构造示意图

(a) 一面有梁；(b) 四面有梁

渐减窄。钢管与翼缘板之间、钢管与穿心腹板之间应采用全熔透坡口焊缝焊接，穿心腹板与对面的钢管壁之间或与另一方向的穿心腹板之间可采用角焊缝焊接。

承重销的受剪承载力取下述三个受剪承载力的最小值：承重销伸出柱外的翼缘顶面混凝土的局部受压承载力决定的受剪承载力，承重销腹板决定的受剪承载力，以及承重销翼缘受弯承载力决定的受剪承载力。

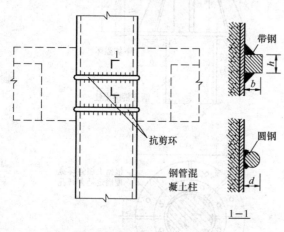

图 10-32　抗剪环构造示意图

钢筋混凝土梁与钢管混凝土柱连接时，还可以采用抗剪环传递钢管外的剪力。抗剪环为焊接于钢管外壁的闭合钢筋环或闭合带钢环（图 10-32），通过钢筋环或带钢环与钢管间的连续双面角焊缝传递剪力。钢筋直径或带钢厚度不小于 20mm，一般为 25～30mm。带钢高度不小于其厚度。每个连接节点的抗剪环不少于两道。设置两道抗剪环时，一道可在距框架梁底 50mm 的位置且宜尽可能接近框架梁底，另一道可在距框架梁底 1/2 梁高的位置。

采用抗剪环传递管外剪力时，也需验算其受剪承载力。抗剪环的受剪承载力取下述四个受剪承载力的最小值：抗剪环支承面上的混凝土局部承压强度决定的受剪承载力，抗剪环与钢管壁之间的焊缝强度决定的受剪承载力，抗剪环上部混凝土的直剪（或冲切）强度决定的受剪承载力，抗剪环的受弯承载力决定的受剪承载力。

钢筋混凝土梁与钢管混凝土柱的管外弯矩传递可以采用井式双梁、钢筋混凝土环梁、外加强环、穿筋单梁或变宽度梁。

图 10-33 为井式双梁构造图，梁的纵向钢筋从钢管侧面分组平行通过，形成闭合的井式双梁，并增设斜向构造钢筋，井式双梁与钢管混凝土之间浇筑混凝土。

图 10-34 为钢筋混凝土环梁构造示意图。环梁通过将框架梁端弯矩转化为以压力方式作用于钢管混凝土柱上的力偶实现管外弯矩传递。环梁比框架梁高 50mm，宽度不小于框架梁宽。框架梁的纵筋锚固在环梁内，锚固长度满足现行规范的规定。环梁内配置环筋和

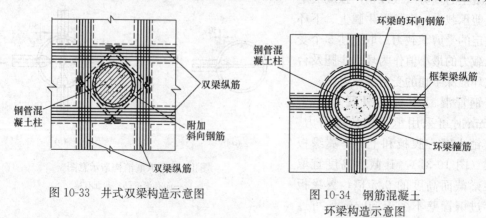

图 10-33　井式双梁构造示意图　　　　图 10-34　钢筋混凝土
　　　　　　　　　　　　　　　　　　　　　　　环梁构造示意图

箍筋，环筋将框架梁纵筋的拉力绕过钢管混凝土柱与邻跨框架梁的纵筋相连接，与钢管混凝土柱箍抱，实现管外弯矩传递。应根据框架梁端组合的弯矩设计值和剪力设计值，按强环梁弱框架梁的原则，通过计算确定环梁的上、下环筋及箍筋。环梁上、下环筋的截面积，应分别不小于框架梁上、下纵筋截面积的 0.7 倍；环梁内、外侧应设置环向腰筋，腰筋直径不小于 14mm，间距不大于 150mm；环梁按构造设置的箍筋直径不小于 10mm，外侧间距不大于 150 mm。

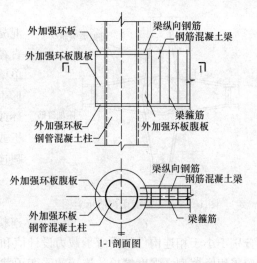

图 10-35　钢筋混凝土梁-钢管混凝土柱外加强环连接节点

钢筋混凝土梁与钢管混凝土柱采用外加强环连接时，钢管外设置加强环板，梁的纵向钢筋焊在加强环板上（图 10-35），或通过钢筋套筒与加强环板连接，此时，应在钢牛腿上焊接带有孔洞的钢板连接件，钢筋穿过孔洞与钢筋套筒连接。当受拉钢筋较多时，可增加外加强环板腹板至 2~3 块，将钢筋焊在腹板上。加强环板的宽度与混凝土梁的宽度相同，加强环板的厚度按下式计算：

$$t \geqslant \frac{A_s f_s}{b_s f} \tag{10-25}$$

式中　A_s——焊接在加强环板上全部受力负弯矩钢筋截面面积；

f_s——钢筋抗拉强度设计值；

b_s——加强环板的宽度；

f——加强环板钢材的抗拉强度设计值。

采用穿筋单梁（图 10-36）传递管外弯矩时，需在钢管上开孔，在开孔区段用内衬管段或外套管段与钢管壁紧贴焊接予以补强，衬（套）管的壁厚不小于钢管的壁厚，穿筋孔的环向净距不小于孔的长径，衬（套）管端面至孔边的净距不小于孔长径的 2.5 倍。采用双筋并股穿孔。

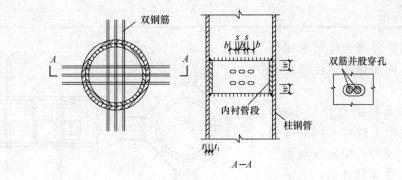

图 10-36　穿筋单梁连接构造示意图

钢管直径较小或梁宽较大时，可采用梁端加宽的变宽度梁（图 10-37）传递管外弯矩。一个方向梁的 2 根纵向钢筋可穿过钢管，梁的其余纵向钢筋连续绕过钢管，绕筋的斜度不大于 1/6，且在梁变宽度处设置附加箍筋。

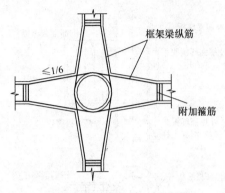

图 10-37　变宽度梁构造示意图

综上所述，现浇钢筋混凝土楼盖结构与钢管混凝土柱的管外连接可以采用以下组合：当钢管直径较大时，采用环梁/抗剪环或环形牛腿、穿筋单梁/抗剪环或环形牛腿、外加强环/抗剪环或环形牛腿；当钢管直径较小时，采用变宽度梁/抗剪环或承重销、环梁/抗剪环或承重销连接；无梁楼板或双向密肋楼板，采用外加强环/台锥式环形牛腿连接。

2. 钢梁与钢管混凝土柱连接

钢梁与钢管混凝土柱刚接连接的要求如下：连接的受弯承载力设计值和受剪承载力设计值，分别不小于相连构件的受弯承载力设计值和受剪承载力设计值；采用高强度螺栓连接时，应采用摩擦型高强度螺栓；连接的受弯承载力由梁翼缘与柱的连接提供，连接的受剪承载力由梁腹板与柱的连接提供。地震设计状况时，按下列公式验算连接的极限承载力：

$$M_u \geqslant \eta_j M_p \tag{10-26a}$$

$$V_u \geqslant 1.2(2M_p/l_n) + V_{GB} \tag{10-26b}$$

式中　M_u——连接的极限受弯承载力，可按《高钢规》的规定计算；

　　　V_u——连接的极限受剪承载力，可按《高钢规》的规定计算；

　　　M_p——梁端截面的塑性受弯承载力；

　　　V_{GB}——梁在重力荷载代表值（9 度时包括竖向地震作用标准值）作用下，按简支梁分析的梁端截面剪力设计值；

　　　l_n——梁的净跨；

　　　η_j——连接系数，可按表 10-8 采用。

钢梁与钢管混凝土柱刚接连接抗震设计的连接系数　　　　表 10-8

母材牌号	焊接	螺栓连接
Q235	1.40	1.45
Q345	1.30	1.35
Q345GJ	1.25	1.30

钢梁与钢管混凝土柱可采用外加强环连接、内加强环连接和穿心连接。

钢管混凝土柱的直径较小时，钢梁与钢管混凝土柱可采用外加强环连接（图 10-38）。加强环与钢管外壁采用全熔透焊缝连接，上下加强环之间的腹板与加强环及钢管外壁采用角焊缝连接；加强环与钢梁

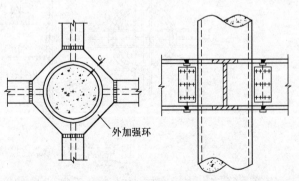

图 10-38　钢梁与钢管混凝土柱外加强环连接构造示意图

翼缘采用全熔透坡口焊缝连接,腹板与钢梁腹板采用高强度螺栓连接。外加强环为全封闭的满环(图10-39)。外加强环的厚度不小于钢梁翼缘的厚度,宽度不小于钢梁翼缘宽度的0.7倍。

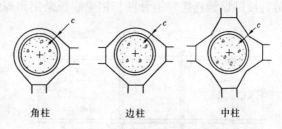

角柱　　　　边柱　　　　中柱

图 10-39　外加强环构造示意图

钢管混凝土柱直径较大时,加强环可设在钢管内侧,钢梁与钢管混凝土柱之间采用内加强环连接。内加强环的钢板壁厚不小于钢梁翼缘的厚度,环板上预留直径不小于 50mm 排气孔及直径不小于 200mm 的混凝土浇灌孔。内加强环与钢管内壁采用全熔透坡口焊缝连接。梁与柱可采用现场直接连接,也可与带有悬臂梁段的柱在现场进行梁的拼接,悬臂梁段可为等截面梁段(图10-40),也可为将塑性铰由梁根部外移的梁段,如:梁端翼缘加宽(图10-41a),梁端翼缘加宽、腹板加腋(图10-41b),梁端翼缘加盖板或梁端翼缘削弱。

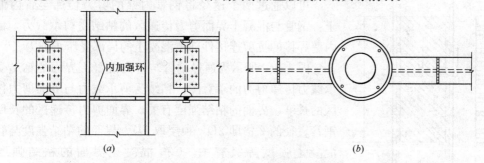

(a)　　　　　　　　　　　　　　　　　　(b)

图 10-40　等截面悬臂钢梁与钢管混凝土柱采用内加强环连接构造示意图

(a) 立面图;(b) 平面图

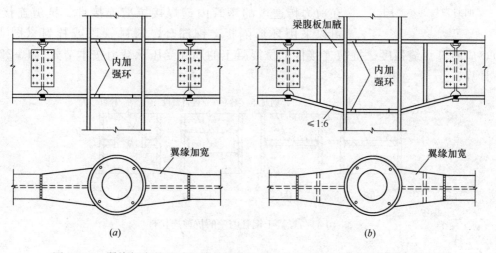

(a)　　　　　　　　　　　　　　　　　　(b)

图 10-41　翼缘加宽的悬臂钢梁与钢管混凝土柱采用内加强环连接构造示意图

(a) 梁端翼缘加宽;(b) 梁端翼缘加宽、腹板加腋

钢管混凝土柱直径较大、钢梁翼缘较窄时可采用钢梁穿过钢管混凝土柱的穿心式连接(图10-42),在钢管壁上开工字形洞,钢梁穿过钢管混凝土柱,钢管壁与钢梁翼缘采用全

熔透坡口焊缝连接，钢管壁与钢梁腹板采用角焊缝连接。

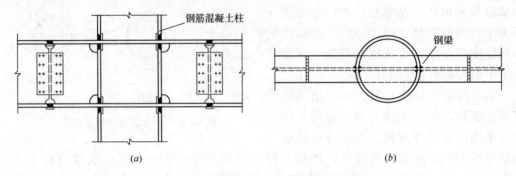

图 10-42　钢梁-钢管混凝土柱穿心式连接

(a) 立面图；(b) 平面图

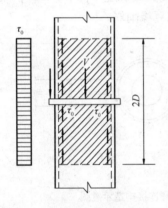

图 10-43　钢管-管内混凝土界面剪力传递示意图

3. 钢管与管内混凝土界面的剪力传递

可以通过两个途径将钢管内壁的剪力传递至管内混凝土：钢管与混凝土界面剪力传递区的粘结受剪承载力，钢管内壁焊接的抗剪连接件部位混凝土的局部受压承载力。

图 10-43 所示为通过钢管与管内混凝土界面的粘结受剪承载力传递剪力的示意图。粘结受剪承载力与界面剪力传递区的长度、界面的粘结强度有关。界面剪力传递区的长度取钢管直径的 2 倍即 $2D$（顶层取 D），界面的粘结强度与管内混凝土强度等级有关，C30 混凝土界面的粘结强度为 0.40N/mm^2，C80 混凝土界面的粘结强度为 0.60N/mm^2。

若钢管-管内混凝土界面的粘结受剪承载力不足，可在剪力传递区的钢管内壁焊接抗剪连接件。抗剪连接件可以采用环形隔板、钢筋环、内衬管段或栓钉（图 10-44），应验算焊缝强度。抗剪连接件部位混凝土的局部受压承载力按本节式（10-22c、d）计算。

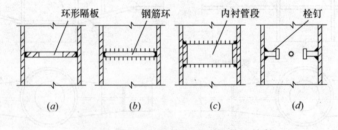

图 10-44　焊接于钢管内壁的抗剪连接件

10.3.6　其 他 连 接

1. 钢管柱对接

钢管柱分段的长度一般不超过 12m 或 3 个楼层；对接位置宜距楼面高度 1～1.3m，以方便施焊。

　　直径相同的钢管柱对接时，钢管内设置环形隔板和内衬管段，内衬管段也可兼作抗剪连接件。上下钢管之间采用全熔透坡口焊缝连接，坡口为35°，直焊缝钢管对接处错开钢管焊缝；内衬管段仅作为衬管时（图10-45a），其管壁厚度为4～6mm、高度为50mm、外径比钢管内径小2mm；内衬管段兼作抗剪连接件时（图10-45b），其管壁厚度不小于16mm、高度为100mm、外径比钢管内径小2mm。

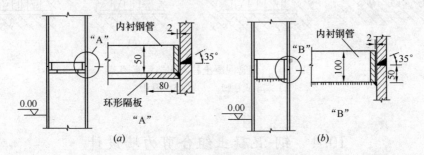

图 10-45　等直径钢管对接构造示意图
(a) 仅作为衬管用时；(b) 同时作为抗剪连接件时

　　不同直径钢管对接时，采用一段变径钢管连接（图10-46）。变径钢管的上下两端均设置环形隔板，变径钢管的壁厚不小于所连接的钢管壁厚，斜度不大于1：4，变径段设置在楼屋盖结构高度范围内。

　　2. 柱脚

　　钢管混凝土柱与钢筋混凝土基础的连接方式可以采用埋入式或端承式（图10-47）。

　　端承式柱脚由环形柱脚板、加劲肋和锚筋等组成，柱脚板和加劲肋应满足施工阶段未灌注混凝土的钢管柱可能受到的荷载要求，环形柱脚板可作为安装钢管的定位器。环形柱脚板的厚度不小于钢管壁厚的1.5倍，也不小于20mm；环形柱脚板的宽度不小于钢管壁厚的6倍，也不小于100mm；加劲肋的厚度不小于钢管壁厚，肋高不小于柱脚板外伸宽度的2倍，肋距不大于柱脚板厚度的10倍；锚筋的截面面积通过计算确定，且其直径不小于25mm、间距不大于200mm，锚入混凝土基础的长度不小于40倍锚筋直径及1000mm的较大者。

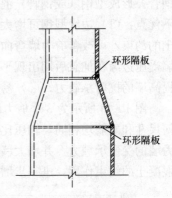

图 10-46　不同直径钢管柱
对接构造示意图

　　当没有地下室或只有一层地下室时，采用埋入式柱脚，钢管混凝土埋入基础混凝土内不小于2倍钢管直径。采用埋入式柱脚时，需在钢管表面焊接栓钉或贴焊钢筋环等，加强钢管在混凝土中的锚固。当有2层或2层以上地下室时，若地下室顶板为结构嵌固端，钢管混凝土柱延伸至基础混凝土板的顶面，采用端承式柱脚。

　　钢管混凝土柱脚板下的基础混凝土内配置方格钢筋网或螺旋式箍筋，验算施工阶段和竣工后柱脚板下基础混凝土的局部受压承载力。

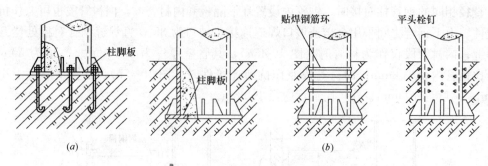

图 10-47 钢管混凝土柱脚构造示意图

(a) 端承式柱脚；(b) 埋入式柱脚

10.4 钢-混凝土组合剪力墙设计

10.4.1 型钢混凝土剪力墙

1. 截面形式及受力性能特点

为提高钢筋混凝土剪力墙的抗震性能，常在高层建筑的剪力墙边缘构件内埋置型钢或钢管，形成型钢（或钢管）混凝土剪力墙。相较于钢筋混凝土墙，型钢混凝土剪力墙有以下优点：(1) 边缘型钢可增大剪力墙的压弯承载力；(2) 由于增设型钢及型钢对内部混凝土的约束，可改善剪力墙弯曲破坏的延性；(3) 设置型钢可增强墙板的平面外刚度，避免墙受压边缘在加载后期出现平面外失稳；(4) 边缘型钢的暗销作用和对墙体的约束作用可提高墙的抗剪承载力；(5) 易于实现剪力墙与型钢混凝土梁或钢梁的可靠连接。

图 10-48 所示为 3 个剪力墙高墙在高轴压比下的水平往复加载滞回曲线，3 个墙的几何尺寸和配筋均相同，轴压比也基本相同。可以看出，边缘构件内设置型钢后，提高了剪力墙的受弯承载力，并增大墙的变形能力；边缘构件内设置圆钢管时，由于圆钢管对管内混凝土的约束作用，进一步增大墙的变形能力。

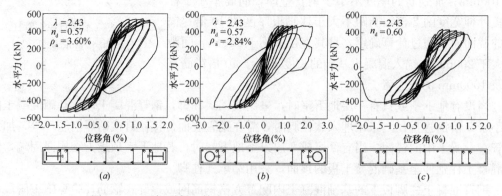

图 10-48 型钢混凝土剪力墙与钢筋混凝土剪力墙滞回性能对比

(a) 配置工字型钢；(b) 配置圆钢管；(c) 钢筋混凝土墙

λ —剪跨比；n_d —设计轴压比；ρ_a —边缘构件含钢率

型钢混凝土剪力墙分为无端柱剪力墙和有端柱剪力墙，见图 10-7。无端柱剪力墙是带翼缘或不带翼缘的、型钢配置在暗柱中的现浇剪力墙；有端柱剪力墙是两端有型钢混凝土柱、楼盖处有梁或暗梁且与墙腹板整体现浇的墙。对于有端柱的型钢混凝土墙，周边梁可采用型钢混凝土梁或钢筋混凝土梁，当不设边框明梁时，也可设置钢筋混凝土暗梁，暗梁的高度可取 2 倍墙厚。

2. 正截面受弯承载力验算

为了使剪力墙受弯时塑性铰出现在底部加强部位，避免底部加强部位以上的墙肢屈服，弯矩设计值应取调整后的组合弯矩值，具体调整规定和钢筋混凝土剪力墙相同，见本书 7.5.1 节。

(1) 墙肢偏心受压承载力计算

无端柱和有端柱型钢混凝土剪力墙在轴压力设计值作用下，正截面受弯承载力应满足下式要求：

$$M \leqslant M_{\mathrm{wu}} \tag{10-27}$$

式中　M——剪力墙弯矩设计值；

M_{wu}——正截面受弯承载力，其计算方法与普通钢筋混凝土矩形和工形截面剪力墙相同，端部型钢等效为纵筋，按《混凝土规范》或《混凝土高规》的有关公式计算，计算公式中用 $A_{\mathrm{s}}f_{\mathrm{sy}}+A_{\mathrm{a}}f_{\mathrm{a}}$ 代替 $A_{\mathrm{s}}f_{\mathrm{y}}$；当有地震作用组合时，尚应考虑抗震承载力调整系数 γ_{RE}；当在剪力墙墙肢中部也布置型钢，中部型钢是否参加受力，可由平截面假定分析确定，也可近似考虑中和轴两边各 x 距离以内的型钢不参加剪力墙受弯承载力计算，x 为压弯截面的受压区高度；

A_{s}、f_{y}——分别为端部钢筋面积和钢筋的抗拉强度设计值；

A_{a}、f_{a}——分别为端部型钢面积和型钢的抗拉强度设计值。

(2) 墙肢偏心受拉承载力计算

型钢混凝土偏心受拉剪力墙的正截面受弯承载力按 $M\text{-}N$ 相关曲线受拉段近似线性计算，计算公式如下：

持久、短暂设计状况

$$N \leqslant \cfrac{1}{\cfrac{1}{N_{0\mathrm{u}}} + \cfrac{e_0}{M_{\mathrm{wu}}}} \tag{10-28a}$$

地震设计状况

$$N \leqslant \cfrac{1}{\gamma_{\mathrm{RE}}}\left[\cfrac{1}{\cfrac{1}{N_{0\mathrm{u}}} + \cfrac{e_0}{M_{\mathrm{wu}}}}\right] \tag{10-28b}$$

式中　　　N——型钢混凝土剪力墙轴向拉力设计值；

e_0——轴向拉力对截面重心的偏心距；

$N_{0\mathrm{u}}$、M_{wu}——分别为型钢混凝土剪力墙轴向受拉承载力和无轴力时的受弯承载力，应按下列公式计算：

$$N_{0\mathrm{u}} = f_{\mathrm{y}}(A_{\mathrm{s}} + A_{\mathrm{s}}') + f_{\mathrm{a}}(A_{\mathrm{a}} + A_{\mathrm{a}}') + f_{\mathrm{yw}}A_{\mathrm{sw}} \tag{10-28c}$$

$$M_{\mathrm{wu}} = f_{\mathrm{y}}A_{\mathrm{s}}(h_{\mathrm{w0}} - a_{\mathrm{s}}') + f_{\mathrm{a}}A_{\mathrm{a}}(h_{\mathrm{w0}} - a_{\mathrm{a}}') + f_{\mathrm{yw}}A_{\mathrm{sw}}\left(\cfrac{h_{\mathrm{w0}} - a_{\mathrm{s}}'}{2}\right) \tag{10-28d}$$

3. 斜截面受剪承载力验算

为了加强剪力墙底部加强部位的受剪承载力，避免出现剪切破坏，实现强剪弱弯，剪力墙底部加强部位的剪力设计值应取调整后的组合剪力值，具体调整规定和钢筋混凝土剪力墙相同，见本书 7.5.1 节。

型钢混凝土墙的剪力主要由腹板钢筋混凝土承担，由于端部设置型钢的暗销抗剪作用和对墙体的约束作用，其受剪承载力大于钢筋混凝土剪力墙，因此斜截面承载力计算考虑端部型钢的贡献，公式如下：

持久、短暂设计状况

$$V \leqslant \frac{1}{\lambda - 0.5}\left(0.5 f_t b_w h_{w0} + 0.13 N \frac{A_w}{A}\right) + f_{yh} \frac{A_{sh}}{s} h_{w0} + \frac{0.4}{\lambda} f_a A_{a1} \quad (10\text{-}29a)$$

地震设计状况

$$V \leqslant \frac{1}{\gamma_{RE}}\left[\frac{1}{\lambda - 0.5}\left(0.4 f_t b_w h_{w0} + 0.1 N \frac{A_w}{A}\right) + 0.8 f_{yh} \frac{A_{sh}}{s} h_{w0} + \frac{0.32}{\lambda} f_a A_{a1}\right]$$

$$(10\text{-}29b)$$

式中　V ——墙肢截面的剪力设计值；

f_t ——混凝土抗拉强度设计值；

b_w、h_{w0} ——分别为墙肢截面腹板厚度和有效高度；

λ ——计算截面处的剪跨比，$\lambda = \dfrac{M}{V h_{w0}}$；当 $\lambda < 1.5$ 时，取 1.5；当 $\lambda > 2.2$，取 2.2；此处，M 为与剪力设计值 V 对应的弯矩设计值，当计算截面与墙底之间距离小于 $0.5 h_{w0}$ 时，应按距离墙底 $0.5 h_{w0}$ 处的弯矩设计值与剪力设计值计算；

N ——剪力墙的轴力设计值，若剪力墙受压，N 取正值，且 $N > 0.2 f_c b_w h_w$ 时，取 $0.2 f_c b_w h_w$；若剪力墙受拉，N 取负值，且式(10-29a)中 $0.5 f_t b_w h_{w0} + 0.13 N \dfrac{A_w}{A}$ < 0 时，取 0，式(10-29b)中 $0.4 f_t b_w h_{w0} + 0.1 N \dfrac{A_w}{A} < 0$ 时，取 0；

A、A_w ——分别为墙肢全截面面积和墙肢的腹板面积，矩形截面 $A = A_w$；

f_{yh} ——剪力墙水平分布钢筋抗拉强度设计值；

A_{sh} ——配置在同一水平截面内的水平分布钢筋的全部截面面积；

s ——水平分布钢筋间距；

A_{a1} ——剪力墙一端所配型钢的截面面积，当两端所配型钢截面面积不同时，取较小一端的面积。

4. 最小截面尺寸

型钢混凝土剪力墙的截面尺寸除满足承载力要求外，还应满足最小墙厚和剪压比限值的要求。规定最小墙厚是为了保证剪力墙在轴力和水平力作用下的平面外稳定，具体要求同钢筋混凝土剪力墙相同，参见本书表 7-1。

为避免墙肢剪应力水平过高，出现斜压脆性破坏，需要限制型钢混凝土墙的剪压比。型钢混凝土墙剪压比控制中，可扣除剪力墙一端所配型钢的抗剪承载力贡献。具体规定如下：

持久、短暂设计状况

$$V_{cw} \leqslant 0.25\beta_c f_c b_w h_{w0} \tag{10-30a}$$

$$V_{cw} = V - \frac{0.4}{\lambda} f_a A_{a1} \tag{10-30b}$$

地震设计状况

剪跨比 $\lambda > 2.5$ $\qquad V_{cw} \leqslant \dfrac{1}{\gamma_{RE}} (0.20\beta_c f_c b_w h_{w0}) \tag{10-30c}$

剪跨比 $\lambda \leqslant 2.5$

$$V_{cw} \leqslant \frac{1}{\gamma_{RE}} (0.15\beta_c f_c b_w h_{w0}) \tag{10-30d}$$

$$V_{cw} = V - \frac{0.32}{\lambda} f_a A_{a1} \tag{10-30e}$$

式中 V_{cw}——仅考虑墙肢截面钢筋混凝土部分承受的剪力设计值;

β_c——混凝土强度影响系数,混凝土强度等级不超过 C50 时取 1.0,混凝土强度为 C80 时取 0.8,之间取线性插值。

5. 轴压比

型钢混凝土剪力墙在重力荷载代表值作用下的轴压比 n 应按式 (10-31) 计算,由于型钢抗压承载力的贡献,当轴力和墙截面相同时,型钢混凝土墙的轴压比小于钢筋混凝土墙。轴压比是影响剪力墙变形能力和延性的主要因素之一,为保证型钢混凝土墙的变形能力,规定轴压比不宜超过表 10-9 的限值。

$$n = \frac{N}{f_c A_c + f_a A_a} \tag{10-31}$$

式中 N——重力荷载代表值作用下剪力墙墙肢的轴压力设计值;

A_a——剪力墙两端暗柱中全部型钢截面面积。

型钢混凝土剪力墙底部加强部位的轴压力系数 n 的限值 表 10-9

抗震等级	特一级、一级(9度)	一级(6、7、8度)	二、三级
轴压比限值	0.4	0.5	0.6

6. 分布钢筋

型钢混凝土剪力墙腹板应配置竖向和横向分布钢筋,其构造要求与钢筋混凝土剪力墙分布筋要求一致,见本书表 7-2。

7. 边缘构件

设置边缘构件是保证剪力墙变形能力的重要抗震构造措施。同钢筋混凝土墙类似,型钢混凝土剪力墙边缘构件包括约束边缘构件和构造边缘构件两类,具体根据墙抗震等级、墙体所处部位及轴压比确定。

边缘构件内端部型钢的混凝土保护层厚度不宜小于 150mm,水平分布钢筋应绕过墙端型钢,且符合钢筋锚固长度规定。边缘构件的箍筋或拉筋沿竖向的间距,特一级、一级不宜大于 100mm,二、三级不宜大于 150mm,四级不宜大于 200mm;型钢混凝土墙的边缘构件长度、竖向钢筋和箍筋配置等其他构造要求均和钢筋混凝土墙的要求相同。

在各种结构体系中的剪力墙,当下部采用型钢混凝土约束边缘构件,上部采用型钢混凝土构造边缘构件或钢筋混凝土构造边缘构件时,为避免剪力墙承载力突变,宜在两类边缘构件间设置 1~2 层过渡层,其型钢、纵筋和箍筋配置可低于下部约束边缘构件的规定,但应高于上部构造边缘构件的规定。

10.4.2　钢板混凝土剪力墙

1. 截面形式及受力性能特点

超高层建筑底部楼层核心筒的轴压力和地震剪力需求很大，为提高核心筒剪力墙抗侧

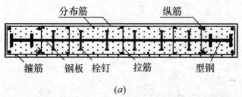

图 10-49　钢板混凝土剪力墙
(a) 截面形式；(b) 施工照片 (武汉中心，高 438m)

能力和抗震性能，可在剪力墙内设置钢板，并同边缘构件内设置的型钢焊接连接，形成内嵌钢板混凝土剪力墙（以下简称钢板混凝土剪力墙），如图 10-49 所示。内嵌钢板上设置栓钉等剪力连接件，与周围混凝土粘结，共同工作。由于钢板材料的抗剪强度是混凝土材料抗剪强度的几十倍，钢板混凝土剪力墙的抗剪承载力很大；同时，由于钢板和型钢可提高墙的轴压承载力和正截面受弯承载力，因此在相同轴压和内力要求下，采用钢板混凝土剪力墙可比钢筋混凝土墙减薄厚度，增大使用空间，减轻超高层建筑的自重。

大量试验研究表明，钢板混凝土剪力墙可以提高墙的受弯承载力和受剪承载力，并改善剪力墙的延性，因此近年来在我国超高层建筑中得到广泛应用。施工时，一般先施工由钢板和型钢组成的若干层型钢架，然后再绑扎钢筋和浇筑外包混凝土，如图 10-49 (b) 所示。

2. 正截面受弯承载力验算

钢板混凝土剪力墙正截面受弯承载力计算仍采用基于平截面假定（图10-50）的计算方法，基本假定同钢筋混凝土剪力墙和型钢混凝土剪力墙，但需要增加截面配置的钢板所承担的轴力值和弯矩值。

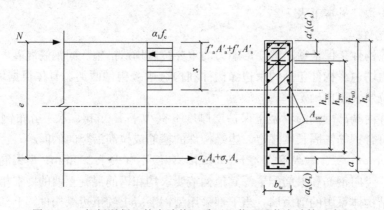

图 10-50　钢板混凝土剪力墙偏心受压正截面承载力计算示意图

（1）墙肢偏心受压承载力计算

钢板混凝土偏心受压剪力墙的正截面受弯承载力应符合下式规定：

持久、短暂设计状况

$$N \leqslant \alpha_1 f_c b_w x + f'_a A'_a + f'_y A'_s - \sigma_a A_a - \sigma_s A_s + N_{sw} + N_{pw} \tag{10-32a}$$

$$Ne \leqslant \alpha_1 f_c b_w x \left(h_{w0} - \frac{x}{2}\right) + f'_a A'_a (h_{w0} - a'_s) + f'_y A'_s (h_{w0} - a'_a)$$
$$+ M_{sw} + M_{pw} \tag{10-32b}$$

地震设计状况

$$N \leqslant \frac{1}{\gamma_{RE}} \left[\alpha_1 f_c b_w x + f'_a A'_a + f'_y A'_s - \sigma_a A_a - \sigma_s A_s + N_{sw} + N_{pw} \right] \tag{10-32c}$$

$$Ne \leqslant \frac{1}{\gamma_{RE}} \left[\alpha_1 f_c b_w x \left(h_{w0} - \frac{x}{2}\right) + f'_a A'_a (h_{w0} - a'_s) + f'_y A'_s (h_{w0} - a'_a) \right.$$
$$\left. + M_{sw} + M_{pw} \right] \tag{10-32d}$$

式中 $e = e_0 + \dfrac{h_w}{2} - a$, $e_0 = \dfrac{M}{N}$, $h_{w0} = h_w - a$, N_{sw}, N_{pw}, M_{sw}, M_{pw} 应按下列公式计算：

当 $x \leqslant \beta_1 h_{w0}$ 时

$$N_{sw} = \left(1 + \frac{x - \beta_1 h_{w0}}{0.5\beta_1 h_{sw}}\right) f_{yw} A_{sw} \tag{10-33a}$$

$$N_{pw} = \left(1 + \frac{x - \beta_1 h_{w0}}{0.5\beta_1 h_{pw}}\right) f_p A_p \tag{10-33b}$$

$$M_{sw} = \left[0.5 - \left(\frac{x - \beta_1 h_{w0}}{\beta_1 h_{sw}}\right)^2\right] f_{yw} A_{sw} h_{sw} \tag{10-33c}$$

$$M_{pw} = \left[0.5 - \left(\frac{x - \beta_1 h_{w0}}{\beta_1 h_{pw}}\right)^2\right] f_p A_p h_{pw} \tag{10-33d}$$

当 $x > \beta_1 h_{w0}$ 时

$$N_{sw} = f_{yw} A_{sw} \tag{10-33e}$$

$$N_{pw} = f_p A_p \tag{10-33f}$$

$$M_{sw} = 0.5 f_{yw} A_{sw} h_{sw} \tag{10-33g}$$

$$M_{pw} = 0.5 f_p A_p h_{pw} \tag{10-33h}$$

受拉或受压较小边的钢筋应力 σ_s 和型钢翼缘应力 σ_a 可按下列规定计算：

当 $x \leqslant \xi_b h_{w0}$ 时，$\sigma_s = f_y$，$\sigma_a = f_a$；

当 $x > \xi_b h_{w0}$ 时，$\sigma_s = \dfrac{f_y}{\xi_b - \beta_1}\left(\dfrac{x}{h_{w0}} - \beta_1\right)$，$\sigma_a = \dfrac{f_a}{\xi_b - \beta_1}\left(\dfrac{x}{h_{w0}} - \beta_1\right)$。

ξ_b 是界限相对受压区高度，$\xi_b = \dfrac{\beta_1}{1 + \dfrac{f_y + f_a}{2 \times 0.003 E_a}}$。

式中 e_0——轴向压力对截面重心的偏心距；

e ——轴向力作用点到受拉型钢和纵向受拉钢筋合力点的距离；

M ——剪力墙弯矩设计值；

N ——剪力墙弯矩设计值 M 相对应的轴向压力设计值；

a_s、a_a ——受拉端钢筋、型钢合力点至截面受拉边缘的距离；

a'_s、a'_a ——受压端钢筋、型钢合力点至截面受压边缘的距离；

a ——受拉端型钢和纵向受拉钢筋合力点到受拉边缘的距离；

x ——受压区高度；

α_1 ——受压区混凝土压应力影响系数；

A_a、A'_a ——剪力墙受拉、受压边缘构件阴影部分内配置的型钢截面面积；

A_{sw} ——剪力墙边缘构件阴影部分外的竖向分布钢筋总面积；

f_{yw} ——剪力墙竖向分布钢筋强度设计值；

A_p ——剪力墙截面内配置的钢板截面面积；

f_p ——剪力墙截面内配置钢板的抗拉和抗压强度设计值；

β_1 ——受压区混凝土应力图形影响系数；

N_{sw} ——剪力墙竖向分布钢筋所承担的轴向力；

M_{sw} ——剪力墙竖向分布钢筋合力对受拉型钢截面重心的力矩；

N_{pw} ——剪力墙截面内配置钢板所承担轴向力；

M_{pw} ——剪力墙截面内配置钢板合力对受拉型钢截面重心的力矩；

h_{sw} ——剪力墙边缘构件阴影部分外的竖向分布钢筋配置高度；

h_{pw} ——剪力墙截面内钢板配置高度；

h_{w0} ——剪力墙截面有效高度；

b_w ——剪力墙厚度；

h_w ——剪力墙截面高度。

（2）墙肢偏心受拉承载力计算

钢板混凝土偏心受拉剪力墙的正截面受弯承载力同钢筋混凝土墙类似，采用 M-N 相关曲线受拉段近似线性计算，公式如下：

持久、短暂设计状况

$$N \leqslant \frac{1}{\dfrac{1}{N_{0u}} + \dfrac{e_0}{M_{wu}}} \tag{10-34a}$$

地震设计状况

$$N \leqslant \frac{1}{\gamma_{RE}} \left[\frac{1}{\dfrac{1}{N_{0u}} + \dfrac{e_0}{M_{wu}}} \right] \tag{10-34b}$$

N_{0u}、M_{wu} 应按下列公式计算

$$N_{0u} = f_y(A_s + A'_s) + f_a(A_a + A'_a) + f_{yw}A_{sw} + f_pA_p \tag{10-34c}$$

$$M_{wu} = f_yA_s(h_{w0} - a'_s) + f_aA_a(h_{w0} - a'_a)$$

$$+ f_{yw}A_{sw}\left(\frac{h_{w0} - a'_s}{2}\right) + f_pA_p\left(\frac{h_{w0} - a'_a}{2}\right) \tag{10-34d}$$

式中　N ——钢板混凝土剪力墙轴向拉力设计值；

e_0 ——钢板混凝土剪力墙轴向拉力对截面重心的偏心距；

N_{0u} ——钢板混凝土剪力墙轴向受拉承载力；

M_{wu} ——钢板混凝土剪力墙无轴力时的受弯承载力。

3. 斜截面受剪承载力验算

钢板混凝土剪力墙的剪力设计值确定时，需要考虑强剪弱弯调整，具体规定同钢筋混凝土剪力墙。

钢板混凝土剪力墙截面受剪承载力采用叠加法计算，分别考虑截面中部钢筋混凝土腹板、内嵌钢板、边缘型钢的贡献。钢板项按钢板全截面塑性受剪承载力计算，型钢项考虑型钢销栓作用的贡献。钢板剪力墙斜截面受剪承载力的计算公式如下：

持久、短暂设计状况

$$V \leqslant \frac{1}{\lambda - 0.5}\Big(0.5f_t b_w h_{w0} + 0.13N\frac{A_w}{A}\Big) + f_{yh}\frac{A_{sh}}{s}h_{w0}$$

$$+ \frac{0.3}{\lambda}f_a A_{a1} + \frac{0.6}{\lambda - 0.5}f_p A_p \tag{10-35a}$$

地震设计状况

$$V \leqslant \frac{1}{\gamma_{RE}}\Big[\frac{1}{\lambda - 0.5}\Big(0.4f_t b_w h_{w0} + 0.1N\frac{A_w}{A}\Big) + 0.8f_{yh}\frac{A_{sh}}{s}h_{w0}$$

$$+ \frac{0.25}{\lambda}f_a A_{a1} + \frac{0.5}{\lambda - 0.5}f_p A_p\Big] \tag{10-35b}$$

式中　V ——钢板混凝土剪力墙的墙肢截面剪力设计值；

λ ——计算截面处的剪跨比，$\lambda = \dfrac{M}{Vh_{w0}}$；当 $\lambda < 1.5$ 时，取 1.5；当 $\lambda > 2.2$ 时，取 2.2；当计算截面与墙底之间距离小于 $0.5h_{w0}$ 时，应按距离墙底 $0.5h_{w0}$ 处的弯矩设计值与剪力设计值计算；

N ——钢板剪力墙的轴力设计值，若剪力墙受压，N 取正值，且 $N > 0.2f_c b_w h_w$ 时，取 $0.2f_c b_w h_w$；若剪力墙受拉，N 取负值，且式（10-35a）中 $0.5f_t b_w h_{w0}$ $+ 0.13N\dfrac{A_w}{A} < 0$ 时，取 0，式（10-35b）中 $0.4f_t b_w h_{w0} + 0.1N\dfrac{A_w}{A} < 0$ 时，取 0；

$A、A_w$ ——分别为墙肢全截面面积和墙肢的腹板面积，矩形截面 $A = A_w$；

f_{yh} ——剪力墙水平分布钢筋抗拉强度设计值；

A_{sh} ——配置在同一水平截面内的水平分布钢筋的全部截面面积；

s ——水平分布钢筋间距；

A_{a1} ——剪力墙一端所配型钢的截面面积，当两端所配型钢截面面积不同时，取较小一端的面积。

4. 剪压比

钢板混凝土剪力墙的剪力设计值由钢筋混凝土墙体、端部型钢以及截面内钢板三部分承担。钢板混凝土剪力墙受剪性能试验表明，由于钢板的存在，即使剪力超过了钢筋混凝土的截面抗剪限制条件，也不会出现斜压破坏的情况，还是表现为剪压破坏的特征。因此，钢板混凝土剪力墙的受剪截面限制条件中的剪力设计值仅考虑墙肢截面钢筋混凝土部分承受的剪力值。钢板混凝土剪力墙的受剪截面应符合下列公式：

持久、短暂设计状况

$$V_{cw} \leqslant 0.25\beta_c f_c b_w h_{w0} \tag{10-36a}$$

$$V_{cw} = V - \left(\frac{0.3}{\lambda} f_a A_{a1} + \frac{0.6}{\lambda - 0.5} f_p A_p \right) \tag{10-36b}$$

地震设计状况

剪跨比 $\lambda > 2.5$　　$$V_{cw} \leqslant \frac{1}{\gamma_{RE}}(0.20\beta_c f_c b_w h_{w0}) \tag{10-36c}$$

剪跨比 $\lambda \leqslant 2.5$　　$$V_{cw} \leqslant \frac{1}{\gamma_{RE}}(0.15\beta_c f_c b_w h_{w0}) \tag{10-36d}$$

$$V_{cw} = V - \frac{1}{\gamma_{RE}} \left(\frac{0.25}{\lambda} f_a A_{a1} + \frac{0.5}{\lambda - 0.5} f_p A_p \right) \tag{10-36e}$$

式中　V_{cw}——仅考虑墙肢截面钢筋混凝土部分承受的剪力设计值；

　　　β_c——混凝土强度影响系数。

5. 轴压比

内嵌钢板混凝土墙的轴压比计算考虑钢板和型钢的抗压能力贡献，按下式计算，轴压比限值与钢筋混凝土剪力墙相同：

$$n = \frac{N}{f_c A_c + f_a A_a + f_p A_p} \tag{10-37}$$

式中　N——墙肢重力荷载代表值作用下轴压力设计值；

　　　A_a——剪力墙两端暗柱中全部型钢截面面积；

　　　A_p——剪力墙截面内配置的钢板截面面积。

6. 钢板及分布钢筋

内嵌钢板厚度不宜小于 10mm。为了保证钢板外侧混凝土墙体对钢板提供稳定的侧向支撑，避免钢板屈曲，需控制钢板和混凝土墙体厚度之比。《组合结构规范》规定钢板厚度与墙体厚度之比不宜大于 1/15。

为增加钢板两侧钢筋混凝土对钢板的约束作用，防止钢板屈曲失稳；同时促使钢筋混凝土部分与钢板部分承载力相协调，提高墙体的整体承载力，钢板混凝土剪力墙的水平和竖向分布钢筋的最小配筋率、间距，拉结钢筋的间距要求比型钢混凝土剪力墙更严格。水平和竖向分布钢筋的最小配筋率应符合表 10-10 的规定，分布钢筋间距不宜大于 200mm，拉结钢筋间距不宜大于 400mm，分布钢筋及拉结钢筋与钢板间应有可靠连接。

钢板混凝土剪力墙分布钢筋最小配筋率　　　　　　表 10-10

抗震等级	特一级	一级、二级、三级	四级
水平和竖向分布钢筋	0.45%	0.4%	0.3%

7. 边缘构件及暗梁

钢板混凝土剪力墙端部型钢周围应配置纵向钢筋和箍筋，以形成暗柱、端柱、翼墙边缘构件，边缘构件的设置要求同型钢混凝土剪力墙。此外，在楼层标高处还应设置型钢暗梁，使墙内钢板处于四周约束状态，保证钢板发挥抗剪、抗弯作用。钢板混凝土剪力墙内嵌钢板与四周型钢宜采用焊接连接。

8. 栓钉

为保证钢筋混凝土与钢板共同工作，钢板与钢筋混凝土之间有可靠连接，钢板混凝土剪力墙的钢板两侧和端部型钢翼缘应设置栓钉，栓钉直径不宜小于 16mm，间距不宜大于 300mm。同时栓钉剪力连接件应具备足够的承载力传递钢板和混凝土之间的界面剪力，因此每片钢板的栓钉数量应按下列公式计算：

$$n_f = \frac{V_{\min}}{N_v^c} \tag{10-38a}$$

$$V_{\min} = \min(V_{cw}, V_p) \tag{10-38b}$$

$$V_{cw} = 0.5 f_t b_w h_{w0} + 0.13 N + f_{yh} \frac{A_{sh}}{s} h_{w0} \tag{10-38c}$$

$$V_p = 0.6 A_p f_p \tag{10-38d}$$

$$N_v^c = 0.43\sqrt{E_c f_c} \leqslant 0.7 A_s f_{at} \tag{10-38e}$$

式中　n_f——每片钢板两侧应设置的栓钉总数量；

V_{cw}——钢板混凝土剪力墙中钢筋混凝土部分承担的剪力设计值；

V_p——钢板混凝土剪力墙中钢板承担的剪力设计值；

N_v^c——一个圆柱头栓钉连接件的抗剪承载力；

f_t——混凝土轴心抗拉强度设计值；

f_p——钢板抗拉和抗压强度设计值；

A_p——剪力墙内配置的钢板的截面面积；

E_c——混凝土的弹性模量；

f_c——混凝土轴心抗压强度；

A_s——圆柱头栓钉钉杆截面面积；

f_{at}——圆柱头栓钉极限抗拉强度设计值，取 360N/mm^2。

10.4.3　带钢斜撑混凝土剪力墙

1. 截面形式及受力性能特点

带钢斜撑混凝土剪力墙是在钢筋混凝土墙内埋置型钢柱、型钢梁和钢支撑。钢暗撑可以采用十字交叉支撑（图 10-51a），也可在相邻两片墙内分别埋置相对的单斜杆支撑（图 10-51b）。钢暗撑截面多采用工字型钢；但由于型钢上翼缘和腹板角部浇筑混凝土困难，为保证混凝土密实，也可采用钢板暗撑。为了保证钢板暗撑的受压稳定性，需要在周围加密拉筋，增强混凝土对钢板暗撑的约束。钢暗撑上要设置栓钉，保证与周围混凝土共同工作。

设置钢斜撑可提高剪力墙的抗剪承载力，并改善剪力墙的延性。带钢斜撑混凝土剪力墙可用于超高层建筑的核心筒或高层建筑中剪力需求较大的部位（如设伸臂桁架的楼层）。

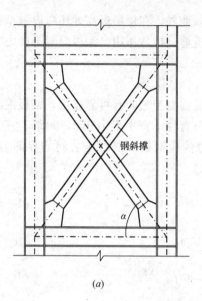
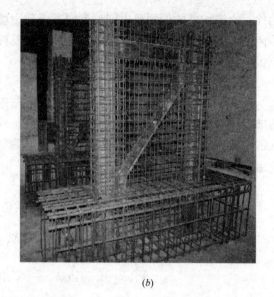

图 10-51　带钢斜撑混凝土墙

(a) 示意图；(b) 照片

2. 正截面受弯承载力验算

由于钢斜撑对剪力墙的正截面受弯承载力的提高作用不明显，因此带钢斜撑混凝土剪力墙的正截面受压承载力和受拉承载力计算中，可不考虑斜撑的压弯和拉弯作用，按型钢混凝土剪力墙计算。

3. 斜截面受剪承载力验算

钢斜撑可有效提高剪力墙受剪承载力，其斜截面受剪承载力的验算公式如下：

持久、短暂设计状况

$$V \leqslant \frac{1}{\lambda - 0.5}\left(0.5 f_t b_w h_{w0} + 0.13 N \frac{A_w}{A}\right) + f_{yh} \frac{A_{sh}}{s} h_{w0} + \frac{0.3}{\lambda} f_a A_{a1}$$
$$+ (f_g A_g + \varphi f'_g A'_g)\cos\alpha \tag{10-39a}$$

地震设计状况

$$V \leqslant \frac{1}{\gamma_{RE}}\left[\frac{1}{\lambda - 0.5}\left(0.4 f_t b_w h_{w0} + 0.1 N \frac{A_w}{A}\right) + 0.8 f_{yh}\frac{A_{sh}}{s} h_{w0}\right.$$
$$\left. + \frac{0.25}{\lambda} f_a A_{a1} + 0.8(f_g A_g + \varphi f'_g A'_g)\cos\alpha\right] \tag{10-39b}$$

式中　V——剪力墙剪力设计值；

λ——计算截面处的剪跨比，$\lambda = \dfrac{M}{V h_{w0}}$；当 $\lambda < 1.5$ 时，取 1.5；当 $\lambda > 2.2$ 时，取 2.2；当计算截面与墙底之间距离小于 $0.5 h_{w0}$ 时，应按距离墙底 $0.5 h_{w0}$ 处的弯矩设计值与剪力设计值计算；

N——剪力墙的轴力设计值，若剪力墙受压，N 取正值，且 $N > 0.2 f_c b_w h_w$ 时，取

$0.2f_cb_wh_w$；若剪力墙受拉，N 取负值，且式（10-39a）中 $0.5f_tb_wh_{w0}+0.13N$

$\dfrac{A_w}{A}<0$ 时，取 0，式（10-39b）中 $0.4f_tb_wh_{w0}+0.1N\dfrac{A_w}{A}<0$ 时，取 0；

A、A_w —— 分别为墙肢全截面面积和墙肢的腹板面积，矩形截面 $A=A_w$；

f_{yh} —— 剪力墙水平分布钢筋抗拉强度设计值；

A_{sh} —— 配置在同一水平截面内的水平分布钢筋的全部截面面积；

s —— 水平分布钢筋间距；

A_{a1} —— 剪力墙一端所配型钢的截面面积，当两端所配型钢截面面积不同时，取较小一端的面积。

f_g、f'_g —— 分别为剪力墙受拉、受压钢斜撑的强度设计值；

A_g、A'_g —— 分别为剪力墙受拉、受压钢斜撑截面面积；

φ —— 受压斜撑面外稳定系数，按现行国家标准《钢结构规范》的规定计算；

α —— 斜撑与水平方向的倾斜角度。

4. 剪压比

为防止当剪力墙截面尺寸过小，在横向钢筋充分发挥作用之前，墙腹部混凝土产生斜压破坏，钢暗撑混凝土剪力墙的剪压比应符合下式规定：

持久、短暂设计状况

$$V_{cw}\leqslant 0.25\beta_cf_cb_wh_{w0} \tag{10-40a}$$

$$V_{cw}=V-\left[\dfrac{0.3}{\lambda}f_aA_{a1}+(f_gA_g+\varphi f'_gA'_g)\cos\alpha\right] \tag{10-40b}$$

地震设计状况

剪跨比 $\lambda>2$ $\quad\quad V_{cw}\leqslant\dfrac{1}{\gamma_{RE}}(0.20\beta_cf_cb_wh_{w0})$ $\quad\quad$ (10-40c)

剪跨比 $\lambda\leqslant2$ $\quad\quad V_{cw}\leqslant\dfrac{1}{\gamma_{RE}}(0.15\beta_cf_cb_wh_{w0})$ $\quad\quad$ (10-40d)

$$V_{cw}=V-\dfrac{1}{\gamma_{RE}}\left[\dfrac{0.25}{\lambda}f_aA_{a1}+0.8(f_gA_g+\varphi f'_gA'_g)\cos\alpha\right] \tag{10-40e}$$

式中 V_{cw} —— 仅考虑墙肢截面钢筋混凝土部分承受的剪力设计值；

β_c —— 混凝土强度影响系数。

5. 轴压比

钢斜撑混凝土剪力墙轴压比的计算公式及限值要求与型钢混凝土剪力墙一致。

6. 边缘构件及配筋

钢斜撑混凝土剪力墙的边缘构件、纵向钢筋和箍筋的配置要求同型钢混凝土剪力墙，水平及竖向分布钢筋的设置和钢板剪力墙的要求一致。

7. 钢斜撑及连接

为防止钢斜撑局部压屈变形，钢斜撑每侧混凝土保护层厚度不宜小于墙厚的 1/4，且不宜小于 100mm；钢斜撑混凝土剪力墙在楼层标高处应设置型钢，为保证墙内钢筋混凝土墙、型钢斜撑与端部型钢共同工作，钢斜撑与周边型钢应采用刚性连接；钢斜撑全长范围和横梁端 1/5 跨度范围的型钢翼缘部位应设置栓钉，其直径不宜小于 16mm，间距不宜大于 200mm，以保证钢斜撑与钢筋混凝土之间有可靠的连接；钢斜撑倾角宜取 $40°\sim60°$。

墙内埋置的型钢柱与型钢梁之间采用刚性连接，钢斜撑与周边框架的连接形式及构造要求可参照中心支撑钢框架的设计规定。

10.4.4 梁-墙连接

混合结构中，型钢混凝土梁或钢梁等楼面梁与剪力墙连接，可采用铰接和刚接两种形式。

铰接连接如图 10-52 所示，型钢腹板通过高强度螺栓与剪力墙中的预埋件或预埋型钢上的连接板连接，此时梁的型钢或钢梁的梁端按铰接计算，但剪力墙中的预埋件或预埋型钢的设计计算应考虑梁端剪力和梁端部分嵌固弯矩的作用，应能传递剪力和弯矩。预埋件容易损坏，预埋型钢连接性能较好。

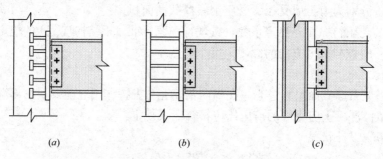

图 10-52 型钢混凝土梁或钢梁与剪力墙铰接连接
(a) 与预埋件连接；(b) 与预埋件连接；(c) 与预埋型钢连接

当梁与墙采用刚接连接时，剪力墙内须设置型钢柱，型钢梁与墙中型钢柱或外伸钢梁刚性连接，如图 10-53 所示。型钢混凝土梁的纵向钢筋应伸入墙中，锚固长度应符合《混凝土规范》的规定。梁端固端弯矩使剪力墙产生平面外弯矩，剪力墙的设计应予以考虑。

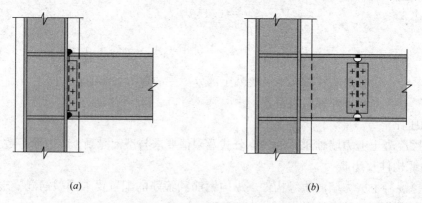

图 10-53 型钢混凝土梁或钢梁与剪力墙刚接连接
(a) 型钢梁与型钢柱栓焊连接；(b) 型钢梁与外伸段钢梁连接

10.5 组合连梁与钢连梁设计

框架-核心筒混合结构中，核心筒是主要的抗侧力单元，核心筒中沿竖向分布的连梁是核心筒抗侧刚度和承载力的调节元件，也是地震作用下第一道抗震防线和主要的耗能构件。由于小跨高比的钢筋混凝土连梁容易发生剪切脆性破坏，为改善连梁的延性，可采用钢连梁、可更换钢连梁、钢板混凝土连梁或型钢混凝土连梁。型钢混凝土连梁适用于连梁截面厚度较大的情况，其设计可参考 10.2 节型钢混凝土梁。本节主要介绍钢板混凝土梁、钢连梁和可更换钢连梁设计。

图 10-54 所示为剪跨比为 1.5～1.8 的钢筋混凝土连梁、钢板混凝土连梁和钢连梁的滞回曲线。钢连梁的延性最好，合理设计的剪切屈服型钢连梁塑性转角可达到 0.08rad 以上，滞回曲线饱满；钢板混凝土连梁的塑性转角也显著大于钢筋混凝土连梁，滞回性能优于钢筋混凝土连梁。钢连梁的刚度一般小于钢筋混凝土连梁和钢板混凝土连梁，需要在设计时注意；研究表明，当联肢墙的耦合比控制在合理范围内时，连梁刚度略小基本不影响整体结构抗震性能。

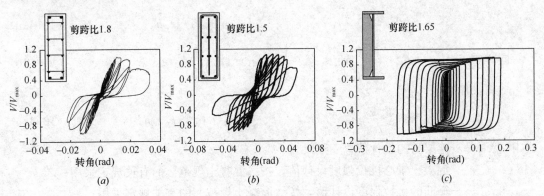

图 10-54　连梁剪力-转角滞回曲线
(a) 钢筋混凝土连梁；(b) 钢板混凝土连梁；(c) 钢连梁

10.5.1　钢板混凝土连梁

钢板混凝土连梁是在混凝土连梁中配置钢板，由钢筋、钢板、混凝土共同抵抗弯矩和剪力的组合连梁。配置钢板的目的是利用钢板较大的抗剪承载力和良好的塑性变形能力，提高连梁的抗剪承载力，防止连梁脆性破坏，提高其延性和耗能能力。外部混凝土可为钢板提供侧向约束，防止钢板受剪平面外屈曲，同时起防火和防腐作用。相较于型钢混凝土连梁，设置钢板便于混凝土浇筑，施工方便。

1. 受弯承载力

钢板混凝土连梁中，钢板以抗剪为主，但试验表明，钢板也部分参与抗弯，因此需计入钢板对于连梁受弯承载力的贡献。钢板混凝土连梁的受弯承载力按下列公式计算：

持久、短暂设计状况

$$M_b \leqslant A_s f_s \cdot \gamma h_{b0} + 0.1 t_w h_w^2 f_a \tag{10-41a}$$

地震设计状况

$$M_b \leqslant \frac{1}{\gamma_{RE}} [A_s f_s \cdot \gamma h_{b0} + 0.1 t_w h_w^2 f_a] \tag{10-41b}$$

式中　M_b——连梁的弯矩设计值；

　　　A_s——连梁抗弯纵筋的截面面积；

γh_{b0}——连梁截面的抗弯内力臂高度；

t_w——钢板的厚度；

h_w——钢板的净高；

f_a——钢板的抗拉、压、弯强度设计值，按《钢结构规范》的有关规定采用；

γ_{RE}——钢板混凝土连梁的受弯承载力抗震调整系数，取 0.75。

2. 斜截面受剪承载力

钢板混凝土连梁设计应满足强剪弱弯，其剪力设计值的确定需考虑强剪弱弯调整，具体规定同钢筋混凝土连梁，详见 7.6.1 节。

钢板混凝土连梁的斜截面受剪承载力计算时，考虑钢筋混凝土和钢板的抗剪贡献，按下列公式计算：

持久、短暂设计状况

$$V_b \leqslant 0.7 f_t b h_{b0} + f_{yv} \frac{A_{sv}}{s} h_{b0} + 0.35 f_{av} t_w h_w \tag{10-42a}$$

同时要求

$$V_b \leqslant f_{yv} \frac{A_{sv}}{s} h_{b0} + f_{av} t_w h_w \tag{10-42b}$$

地震设计状况

$$V_b \leqslant \frac{1}{\gamma_{RE}} \left[0.42 f_t b h_{b0} + f_{yv} \frac{A_{sv}}{s} h_{b0} + 0.35 f_{av} t_w h_w \right] \tag{10-42c}$$

式中　V_b——连梁剪力设计值；

f_t——混凝土轴心抗拉强度设计值，按《混凝土规范》的有关规定采用；

f_{yv}——箍筋的抗拉强度设计值，按《混凝土规范》的有关规定采用；

b——连梁截面的宽度；

h_{b0}——连梁截面的有效高度；

A_{sv}——配置在同一截面内各肢箍筋的全部截面面积；

s——沿构件长度方向的箍筋间距；

f_{av}——钢板的抗剪强度设计值；

γ_{RE}——钢板混凝土连梁的受剪承载力抗震调整系数，取 0.85。

3. 最小截面尺寸

考虑钢板的抗剪贡献，钢板混凝土连梁的剪压比限值可比钢筋混凝土提高，其截面尺寸符合下列要求：

持久、短暂设计状况

$$V_b \leqslant 0.30 \beta_c f_c b h_{b0} \tag{10-43a}$$

地震设计状况

$$V_b \leqslant \frac{1}{\gamma_{RE}} (0.2 \beta_c f_c b h_{b0}) \tag{10-43b}$$

式中　V_b——连梁的剪力设计值；

β_c——混凝土强度影响系数；当混凝土强度等级不超过 C50 时，取 $\beta_c = 1.0$；当混凝土强度等级为 C80 时，取 $\beta_c = 0.8$；其间按线性内插法确定。

4. 构造要求

钢板混凝土连梁应符合下列构造要求：

（1）纵向受力钢筋、腰筋和箍筋的构造应符合《混凝土高规》的要求；

（2）钢板混凝土连梁内钢板的厚度不应小于 6mm，高度不宜超过梁高的 0.7 倍，钢板宜采用 Q235B 级钢材；

（3）为保证钢板与混凝土共同工作，钢板的表面应焊接栓钉（图 10-55a），也可在钢板表面焊接两根直径不小于 12mm 的通长钢筋（图 10-55b）；

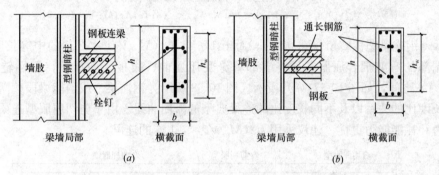

图 10-55 钢板混凝土连梁以及钢板与两端型钢暗柱的连接
(a) 钢板表面焊接栓钉的连梁；(b) 钢板表面焊接带肋钢筋的连梁

（4）钢板在墙肢内应可靠锚固。如果在墙肢内设置型钢暗柱，连梁钢板的两端与型钢暗柱可采用焊接或螺栓连接。如果墙肢内无型钢暗柱，钢板在墙肢中的埋置长度不应小于 500mm 与钢板高度二者中的较大值，在距离墙肢表面 75mm 处以及钢板端部焊接加劲钢板，其厚度不小于 16mm，宽度不小于 100mm 和 0.4 倍墙厚度二者的较小值，见图 10-56。

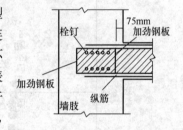

图 10-56 钢板在墙肢中的锚固

10.5.2 钢 连 梁

20 世纪 90 年代，美国和加拿大学者开始了钢连梁以及由钢连梁和 RC 墙肢组成的混合联肢墙的研究，取得了一系列重要成果，钢连梁和混合联肢墙适用于高烈度区高层建筑。钢连梁的受力和偏心支撑钢框架中消能梁段相似，其设计也基本相同。

1. 屈服模式和塑性变形能力

钢连梁的屈服模式与其长度比 $l_e/(M_p/V_p)$ 有关，式中 l_e 为连梁的有效跨度，M_p、V_p 为钢连梁全截面塑性抗弯承载力和抗剪承载力。当钢连梁长度比 $l_e/(M_p/V_p) \leqslant 1.6$ 时，连梁为腹板剪切屈服；当长度比 $l_e/(M_p/V_p) \geqslant 2.6$ 时，连梁为端部截面弯曲屈服；当 $1.6 < l_e/(M_p/V_p) < 2.6$ 时，钢连梁为弯剪耦合屈服。

对于长度比 $l_e/(M_p/V_p) \leqslant 1.6$ 的短连梁，当合理设置加劲肋时，腹板剪切屈服可沿整个连梁长度充分发展，直至最后加劲肋和腹板焊缝断裂，如图 10-57 (a) 所示，钢连梁塑性转角可达 0.08rad 以上，滞回性能稳定，具有很强的耗能能力。对长度比 $l_e/(M_p/V_p) \geqslant 2.6$ 的长连梁，端部截面受弯屈服后，端部翼缘受压局部屈曲，如图 10-57

图 10-57 钢连梁（钢消能梁段）破坏照片

(a) $l_e/(M_p/V_p) \leqslant 1.6$；(b) $1.6 < l_e/(M_p/V_p) < 2.6$；(c) $l_e/(M_p/V_p) \geqslant 2.6$

(c) 所示，钢连梁塑性转角仅 0.02rad。对于 $1.6 < l_e/(M_p/V_p) < 2.6$ 的中等长度连梁，钢连梁端部的弯剪耦合屈服，最终端部翼缘受压屈曲、腹板受剪屈曲，塑性转角介于 $0.02 \sim 0.08$ 之间，如图 10-57 (b) 所示。图 10-58 所示为钢连梁（或消能梁段）塑性变形能力与长度比的关系以及不同长度比的连梁典型的滞回曲线。由于剪切屈服型连梁的塑性变形能力和耗能能力更优，建议采用 $l_e/(M_p/V_p) \leqslant 1.6$ 的连梁。

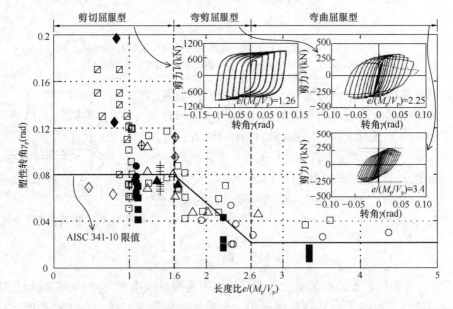

图 10-58 钢连梁（或消能梁段）塑性变形能力与长度比的关系

2. 受剪承载力

钢连梁的受剪承载力按下列公式计算：

持久、短暂设计状况

$$V \leqslant \phi V_n \tag{10-44a}$$

地震设计状况

$$V \leqslant \frac{1}{\gamma_{RE}} \phi V_n \tag{10-44b}$$

式中　V——钢连梁的剪力设计值；

　　　ϕ——系数，取 0.9；

γ_{RE}——承载力抗震调整系数，取 0.75；

V_n——钢连梁受剪承载力屈服值，取式（10-45a）和式（10-45b）的较小值：

$$V_n \leqslant V_p = 0.58A_w f_a \tag{10-45a}$$

$$V_n \leqslant 2M_p/l_e \tag{10-45b}$$

式中 V_p——钢连梁的塑性受剪承载力；

M_p——钢连梁的全截面塑性受弯承载力，$M_p = W_p f_a$；

W_p——钢连梁的塑性截面模量；

f_a——钢材的屈服强度。

3. 构造要求

钢连梁的构造措施与偏心支撑钢框架中消能梁段的构造措施类似，应满足如下要求：

（1）工字钢连梁的腹板钢材屈服强度不应大于 345MPa，宜采用 LY225 低屈服钢或 Q235 钢。

（2）钢连梁的宽厚比应满足偏心支撑框架消能梁段的限值要求，见表 9-3。

（3）为避免消能梁段腹板过早剪切屈曲，消能梁段应设置中间竖向加劲肋。加劲肋与腹板等高，一侧宽度不应小于 $(b_f/2 - t_w)$，厚度不宜小于腹板厚度 t_w 或 10mm，b_f 为翼缘宽度。当钢连梁的长度比 $l_e/(M_p/V_p) < 1.6$ 时，加劲肋间距不大于 $(30t_w - h/5)$，h 为梁段的截面高度；当 $2.6 < l_e/(M_p/V_p) < 5$ 时，在距钢连梁端部 $1.5b_f$ 处设置中间加劲肋，且中间加劲肋间距不大于 $(52t_w - h/5)$；当 $1.6 < l_e/(M_p/V_p) < 2.6$ 时，中间加劲肋的间距取上述二者的线性插值；长度比 $l_e/(M_p/V_p) > 5$ 时，可不配置中间加劲肋。消能梁段截面高度不大于 640mm 时，可配置单侧加劲肋，消能梁段截面高度大于 640mm 时，应在两侧配置加劲肋。

（4）连梁翼缘、腹板与端板之间应采用坡口全熔透对接焊缝连接。加劲肋与腹板、翼缘之间可采用角焊缝连接。

（5）加劲肋与腹板和翼缘相交处应设切角，加劲肋与腹板的角焊缝端部到翼缘内表面的距离不应小于 $5t_w$，避免过早发生角焊缝端部断裂。

（6）钢连梁的腹板不得贴焊加强板或开洞。

4. 钢连梁与墙肢连接节点

（1）钢连梁与钢筋混凝土墙肢连接节点

钢连梁与钢筋混凝土墙肢一般采用直插式连接，钢连梁伸入墙肢，将剪力和弯矩传递给周围混凝土。直插式连接节点是通过埋入段前端和后端混凝土承压形成的力耦来抵抗弯矩的（图 10-59a），其承载力与埋入长度相关。

为保证节点的承载力大于钢连梁的承载力，钢连梁最小埋入长度应符合以下要求：

$$V_e = 4.05\sqrt{f'_c}\left(\frac{b_w}{b_f}\right)^{0.66}\beta_1 b_f l_e \left(\frac{0.58 - 0.22\beta_1}{0.88 + l_n/(2L_e)}\right) \geqslant \Omega V_n \tag{10-46}$$

式中 V_e——节点达到承载力时对应的连梁剪力；

ΩV_n——钢连梁的受剪承载力极限值；

V_n——连梁屈服剪力值，$V_n = \min(V_p, 2M_p/l_e)$；

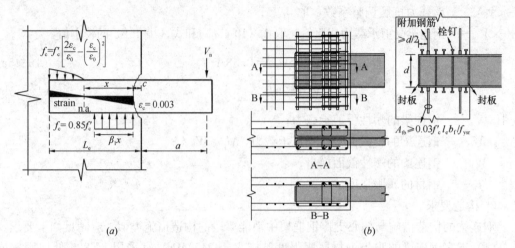

图 10-59　钢连梁-RC 墙肢连接节点

(a) 受力简图；(b) 连梁埋入段构造

Ω——钢连梁超强系数，循环加载下钢材强化而导致连梁超强，Ω 取值与钢材类型和连梁长度比有关，采用普通钢材或低屈服点钢材 LY225 时，若消能梁段的长度比 $l_e/(M_p/V_p) > 1.0$ 时，超强系数 Ω 取 1.5；若 $l_e/(M_p/V_p) \leqslant 1.0$ 时，Ω 取 1.9；

f'_c——混凝土轴心抗压强度（MPa）；

b_w——RC 墙肢厚度；

b_f——钢连梁埋入段翼缘宽度；

l_e——钢连梁埋入长度；

β_1——系数，取 0.8；

l_n——钢连梁净跨。

为提高节点刚度，减小埋入段钢梁翼缘与混凝土交界面间隙扩张，延缓往复作用下节点刚度退化，可在钢连梁埋入段上、下翼缘设置竖向附加钢筋，附加钢筋与翼缘采用套筒连接或焊接（图 10-59）。附加钢筋设置在靠近墙肢边缘的纵向钢筋位置以及离开埋入段末端不小于 0.5 倍梁高的位置，钢筋面积应满足下式要求：

$$A_{tb} \geqslant 0.03 f'_c l_e b_f / f_{ysr} \tag{10-47a}$$

$$\Sigma A_{tb} < 0.08 l_e b_w - A_s \tag{10-47b}$$

式中　f_{ysr}——附加钢筋的抗拉强度；

A_{tb}——单处附加钢筋面积，如图 10-59（b）所示；

ΣA_{tb}——钢连梁埋入段翼缘上方或下方附加钢筋的总面积；

A_s——钢连梁埋入段范围内墙肢纵向钢筋总面积。

钢连梁与墙肢交界面以及钢连梁埋入段末端应设置封板（图 10-59b）。腹板两侧均应布置封板，与加劲肋同宽。封板的作用是使钢连梁的内力有效传递到混凝土，避免连梁在埋入段两端集中力作用下腹板屈曲；封板还能起到在连梁轴拉力下抗拔的作用。钢连梁埋入段可设置栓钉等抗剪连接件。

设计时应注意在梁墙节点处墙肢边缘构件箍筋的布置。在 RC 墙肢底部加强部位，钢连梁埋入段腹板开孔或者焊接套筒,墙肢边缘构件内的箍筋穿过腹板或者与套筒连接,形成封闭箍。墙肢底部加强部位以上区域,可在钢连梁埋入段腹板两侧分别设置两排箍筋(图10-59b),钢梁翼缘之间焊接短的竖向钢筋,用于绑扎两侧箍筋。

(2)钢连梁与型钢混凝土墙肢连接节点

当采用型钢混凝土墙肢,且钢暗柱表面距墙边缘的距离不大于1.5倍连梁截面高度时,钢连梁应与型钢暗柱刚性连接。应在型钢柱内钢连梁上、下翼缘位置处设置水平加劲肋,加劲肋厚度不应小于钢连梁翼缘厚度。钢连梁与型钢柱之间采用全熔透焊接连接或栓焊混接,且宜在梁墙交界处设置封板,如图10-60所示。

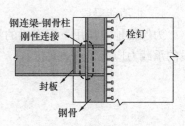

图 10-60 钢连梁-型钢混凝土墙肢连接节点

该连接方式将连梁的剪力和弯矩先传递给型钢,再通过型钢将力传递给墙体,传力均匀分散,可减轻节点区混凝土损伤。设计时需要验算节点区抗剪承载力,可参照型钢混凝土梁柱节点区抗剪承载力计算方法。

10.5.3 可更换钢连梁

可更换钢连梁是近年来提出的一种新型连梁形式,它由跨中的消能梁段和两端非消能梁段组成,如图10-61所示。这种连梁的基本设计思想是,通过合理控制消能梁段和非消能梁段的承载力之比,使中震和大震下连梁的塑性变形和损伤集中于消能梁段;消能梁段设计为剪切屈服型,其塑性变形能力大,可有效耗散地震能量;地震后可通过快速更换消能梁段,实现连梁修复。

可更换钢连梁与普通钢连梁均具有良好的地震耗能能力,但一般钢连梁震后修复困难,而可更换钢连梁可快速修复,因此能提升高层建筑的震后功能可恢复能力。目前可更换钢连梁已在我国的一些高层建筑和超高层建筑中应用,图10-62所示为北京三才堂大楼可更换钢连梁照片。

可更换钢连梁中消能梁段的承载力设计和构造要求同偏心支撑框架消能梁段,需要注意的差别是可更换钢连梁中消能梁段长度比通常小于1.0,比偏心支撑框架消能梁段更

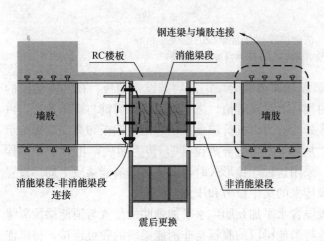

图 10-61 可更换钢连梁示意图

图 10-62 可更换钢连梁工程照片

小，因此其超强系数可达到1.9。可更换钢连梁-墙肢的连接节点设计与一般钢连梁-墙肢连接设计相同，不再赘述。以下分别介绍非消能梁段、消能梁段-非消能梁段连接、可更换钢连梁楼板的设计。

1. 非消能梁段

为保证地震作用下钢连梁的塑性变形集中于消能梁段，非消能梁段不屈服，非消能梁段的承载力应满足下式要求：

$$V_{bp} \geqslant \Omega V_{lp} \tag{10-48a}$$

$$M_{bp} \geqslant 0.5 l_n (\Omega V_{lp}) \tag{10-48b}$$

式中　V_{bp}——非消能梁段的受剪承载力；

M_{bp}——非消能梁段的全截面屈服受弯承载力；

l_n——钢连梁净跨；

V_{lp}——消能梁段的屈服剪力；

Ω——消能梁段的抗剪超强系数，采用普通钢材或低屈服点钢材 LY225 时，若消能梁段的长度比大于 1.0 时，超强系数 Ω 取 1.5；若消能梁段长度比小于 1.0 时，Ω 取 1.9。

非消能梁段的翼缘、腹板与端板之间应采用坡口全熔透对接焊缝连接。

2. 消能梁段-非消能梁段连接

消能梁段与非消能梁段之间的连接，既应满足有效传力，又可方便拆卸以更换消能梁段。可采用端板-抗剪键连接或拼接板连接，其构造如图 10-63 所示，试验研究表明，这两种连接形式受力性能好，且容易更换。

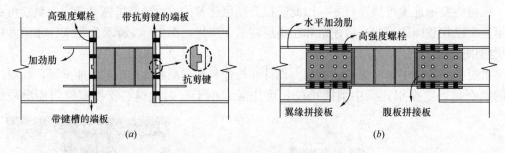

图 10-63　消能梁段-非消能梁段的连接

(a) 端板-抗剪键连接；(b) 拼接板-螺栓连接

采用端板-抗剪键连接时，消能梁段和非消能梁段端部均需设置端板，在消能梁段的端板上设置抗剪键，在非消能梁段的端板上设置键槽。施工时先将抗剪键与键槽契合，再安装高强度螺栓。地震作用下，连接处的剪力由抗剪键承担，弯矩由端板和高强度螺栓承担，连接承载力计算如图 10-64 (a) 所示，"弯剪分离设计"，传力明确，相对于全螺栓连接可大幅减少高强度螺栓的用量。采用这种连接形式时，需要在非消能梁段上局部设置水平加劲肋，用来传递消能梁段翼缘传来的集中拉力和压力。

采用拼接板连接时，非消能梁段设置水平加劲肋，水平加劲肋的位置与消能梁段翼缘高度对应。通过拼接板和高强度螺栓将消能梁段的腹板与非消能梁段的腹板连接，将消能

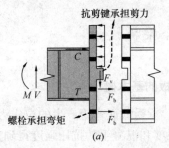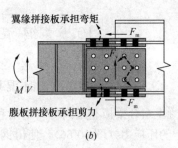

图 10-64 连接受力简图

(a) 端板-抗剪键连接；(b) 拼接板-螺栓连接

梁段的翼缘与非消能梁段的水平加劲肋连接。翼缘拼接板和高强度螺栓承受连接处弯矩，腹板拼接板和高强度螺栓承受连接处剪力，承载力计算如图 10-64（b）所示。

连接处的承载力应大于消能梁段极限剪力对应的连接处剪力和弯矩需求，并据此设计端板、拼接板及螺栓等。对于端板-抗剪键连接方式，抗剪键承担全部剪力，需进行抗剪键受剪和局部承压验算、键槽的抗冲切验算；端板和高强度螺栓承担全部弯矩，需验算端板厚度和螺栓抗拉。对于拼接板连接方式，腹板拼接板和高强度螺栓承担全部剪力，需进行腹板螺栓群偏心受剪验算；翼缘拼接板和高强度螺栓承担全部弯矩，需验算拼接板抗拉和螺栓抗剪验算。

3. 可更换钢连梁楼板

强震作用下可更换钢连梁塑性变形大，可能导致上部楼板严重破坏，影响震后可恢复性，因此需要采用合理的楼板形式。试验表明，若在可更换钢连梁的非消能梁段与 RC 楼板之间设置栓钉，在钢连梁整体转角 0.005rad 时，楼板下方开始出现裂缝，栓钉开始拔出；最终由于栓钉的拔出导致 RC 楼板发生冲切破坏，楼板下方混凝土沿底部纵筋剥离，钢筋严重屈曲。钢框架梁上设置栓钉等抗剪连接件主要是为了与楼板共同工作，形成组合梁，从而提高梁的抗弯刚度和抗弯承载力。但由于可更换钢连梁为剪切屈服，楼板的组合作用对于截面抗剪承载力影响不大，考虑到楼板损伤及可修复性，不建议 RC 楼板与可更换钢连梁之间设栓钉等连接件。

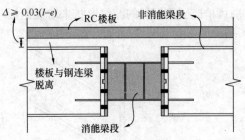

图 10-65 RC 上浮楼板

为了进一步减轻楼板的损伤，还可以将 RC 楼板与钢连梁脱离，形成上浮楼板，如图 10-65 所示。楼板与钢连梁脱开距离不小于 $0.03(l_n - e)$，l_n 为连梁净跨，e 为消能梁段长度，可保证 0.06rad 连梁转角时，连梁与楼板不接触。

试验研究表明，连梁往复剪切变形时，RC 楼板发生面外弯曲变形，楼板主要为弯曲裂缝，损伤轻微。当连梁转角达到 0.02rad 时，卸载后楼板裂缝最大宽度为 0.3mm，可继续使用；当连梁转角达到 0.06rad 时，卸载后楼板裂缝最大宽度为 2.0mm，可采用注射结构胶方式修复。

10.6　钢-混凝土组合梁板设计

10.6.1　钢-混凝土组合梁板的基本概念

钢-混凝土组合梁板利用钢材（钢梁和压型钢板）承受截面弯矩产生的拉应力，混凝土承受截面上的压应力（图 10-66），使得钢材的抗拉强度和混凝土的抗压强度得到充分发挥，显著提高了材料的利用效率，提高了其受弯承载力和刚度，并减轻了梁板结构自重。混凝土板还增强了钢梁的侧向刚度，防止钢梁侧向失稳。此外，利用钢梁的刚度和承载力来承担悬挂模板、混凝土板及施工荷载，无需设置满堂脚手架，而压型钢板也可直接作为楼板混凝土的模板，加快施工速度。

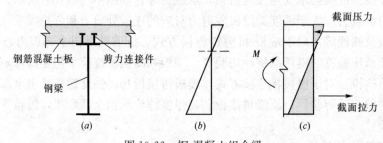

图 10-66　钢-混凝土组合梁
(a) 截面；(b) 截面应变分布；(c) 截面应力分布

为保证钢材和混凝土的组合作用和整体工作性能，共同承受弯矩，必须在钢梁（或压型钢板）与混凝土之间设置剪力连接件（图 10-67），阻止钢梁（或压型钢板）与混凝土之间的相对滑移。对于钢-混凝土组合梁，一般采用栓钉作为剪力连接件（图 10-67a），也可以采用槽钢和弯筋等其他连接件；而压型钢板-混凝土组合板主要通过在压型钢板上轧制出的凹凸抗剪齿槽或压型钢板的波纹形状来增强钢板与混凝土剪力传递作用（图 10-68）。

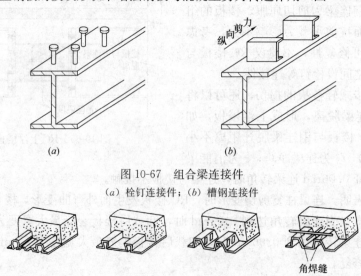

图 10-67　组合梁连接件
(a) 栓钉连接件；(b) 槽钢连接件

图 10-68　压型钢板-混凝土组合板

10.6.2 钢-混凝土组合梁的形式

高层建筑中，组合梁的钢梁可采用工字钢、箱形钢梁和蜂窝式梁几种截面形式。工字钢梁适用于跨度小、荷载轻的组合梁（图10-69a）；当荷载较大时，可在工字钢下翼缘加焊一块钢板条，形成不对称工字形截面（图10-69b）或采用焊接拼制的不对称工字钢。带有混凝土托座的组合梁（图10-69c），增加了组合梁中混凝土板与钢梁间的中心距，使钢梁截面基本处于受拉区，使组合梁的抗弯能力和刚度增强，同时混凝土托座也增强了组合梁的抗剪能力。此外，混凝土托座可减少相邻组合梁间混凝土板的跨度。箱形钢梁具有较大的抗扭刚度（图10-69d）。蜂窝式梁是将工字钢沿腹板纵向割成锯齿形的两半（图10-69e、f），然后将凸出部分对齐焊接，形成腹部有六角形开孔的蜂窝式梁。蜂窝式梁不仅节省钢材，且使梁的承载力和刚度得到增加，同时也便于布置设备管线。

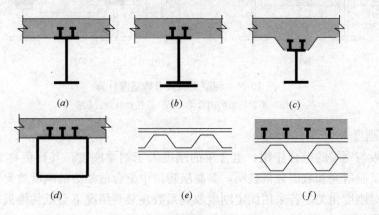

图10-69 组合梁的截面形式

10.6.3 组合梁板的设计要点

组合梁的高跨比可取 $1/18\sim1/12$，一般取 $1/15$。高层建筑中混凝土板厚一般采用 100、120、140、160mm。压型钢板-混凝土组合楼板中压型钢板的凸肋顶面至混凝土板顶面的距离不小于 50mm。

1. 混凝土翼板有效宽度

组合梁受弯时，混凝土板内的压应力是通过剪力连接件传递的。由于存在剪力滞后效应，板内的压应力分布并不均匀，而主要集中于钢梁附近（图10-70）。作为简化计算，可采用有效宽度 b_e 的方法考虑剪力滞后效应的影响，假设在有效宽度 b_e 范围内压应力均匀分布。有效宽度 b_e 与梁

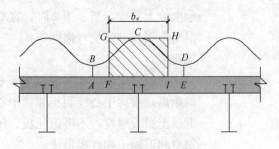

图 10-70 板的有效宽度

的高跨比、荷载作用形式、翼缘厚度与梁高比、钢梁间距等因素有关。

《组合结构规范》规定组合梁翼板的有效宽度计算如图10-71所示，公式如下：

$$b_e = b_0 + b_1 + b_2 \tag{10-49}$$

式中　b_0——梁板托顶部的宽度，当板托倾角小于 45°时，按 45°计算 b_0；当无板托时，取钢梁上翼缘宽度；

b_1——梁外侧的翼板计算宽度，取梁等效跨度 l_e 的 1/6 和翼板实际外伸宽度中的较小值；

b_2——梁内侧的翼板计算宽度，取梁等效跨度 l_e 的 1/6 和相邻钢梁上翼缘或托板净距的 1/2 中的较小值；

l_e——等效跨度，对于简支组合梁，取梁跨度 l；对于连续组合梁，中跨正弯矩区取 $0.6l$，边跨正弯矩区取 $0.8l$，支座负弯矩区取相邻两跨跨度之和的 1/5。

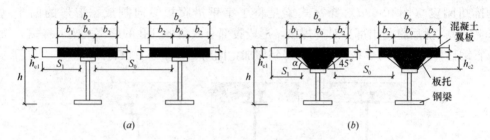

图 10-71　混凝土翼板有效宽度计算
(a) 不设托板的组合梁；(b) 设托板的组合梁

2. 抗弯刚度

由于楼板与钢梁的组合作用，组合梁的刚度大于钢梁刚度，其比值称为刚度放大系数。近年来试验研究和数值分析表明，多高层建筑中组合框架梁的刚度放大系数和钢梁对于楼板的相对刚度相关，若采用固定刚度放大系数在某些情况下会低估楼板对组合框架梁刚度的提高作用。《组合结构规范》采用下列公式计算组合梁的抗弯惯性矩 I_e：

$$I_e = \alpha I_s \tag{10-50a}$$

$$\alpha = \frac{2.2}{(I_s/I_c)^{0.3} - 0.5} + 1 \tag{10-50b}$$

$$I_c = \frac{[\min(0.1l, B_1) + \min(0.1l, B_2)]h_{c1}^3}{12\alpha_E} \tag{10-50c}$$

式中　I_s——钢梁抗弯惯性矩；

α——刚度放大系数，当 $\alpha > 2$ 时，宜取 $\alpha = 2$；

I_c——混凝土翼板等效抗弯惯性矩；

l——梁跨度；

B_1、B_2——分别为组合梁两侧实际混凝土翼板宽度，取为梁中心线到混凝土翼板边缘的距离，或梁中心线到相邻梁中心线之间距离的一半；

h_{c1}——混凝土翼板厚度，不考虑托板、压型钢板肋的高度；

α_E——钢材和混凝土弹性模量比。

3. 正截面承载力

当钢梁板材满足宽厚比要求，并设置足够剪力连接件时，在使用荷载下，组合梁中钢梁与混凝土板界面间的相对滑移很小，随着荷载增加，界面间的相对滑移也有所增大，但对受弯承载力影响很小，且可使各连接件受力趋于均匀。当设置抗剪连接件的抗剪承载力足以承受组合梁剪跨区段内所需的纵向水平剪力，能保证组合梁抗弯承载力充分发挥时，称为完全抗剪连接组合梁。

当组合梁承受正弯矩时，钢梁主要受拉，混凝土翼板主要受压。随荷载增加，钢梁自下而上逐渐进入屈服，混凝土板底可能受拉，并可能会出现裂缝，受压区高度进一步减小，最后因受压区混凝土压碎而达到极限承载力。正弯矩区，完全抗剪连接组合梁的正截面受弯承载力可根据以下假定按塑性理论计算：

① 塑性中和轴以上的混凝土达到抗压设计强度 f_c；

② 忽略塑性中和轴以下混凝土的抗拉贡献，板托部分也不予考虑；

③ 塑性中和轴以下钢截面的拉应力和塑性中和轴以上钢截面的压应力分别达到钢材的抗拉和抗压强度设计值 f_a；

④ 忽略混凝土翼板受压区中钢筋的贡献。

根据塑性中和轴的位置，组合梁的受弯承载力分以下两种情况计算。

（1）塑性中和轴在混凝土板内时，即 $A_a f_a \leqslant f_c b_e h_{c1}$ 时（图 10-72a）。

持久、短暂设计状况

$$M \leqslant f_c b_e x y \tag{10-51a}$$

$$f_c b_e x = A_a f_a \tag{10-51b}$$

地震设计状况

$$M \leqslant \frac{1}{\gamma_{RE}} f_c b_e x y \tag{10-51c}$$

$$f_c b_e x = A_a f_a \tag{10-51d}$$

式中　M ——正弯矩设计值；

$\quad\ A_a$ ——钢梁的截面面积；

$\quad\ h_{c1}$ ——混凝土翼板厚度，不考虑托板、压型钢板肋的高度；

$\quad\ x$ ——混凝土翼板受压区高度；

$\quad\ y$ ——钢梁截面应力的合力至混凝土受压区截面应力的合力间的距离；

$\quad\ f_c$ ——混凝土抗压强度设计值；

$\quad\ f_a$ ——钢梁的抗压和抗拉强度设计值；

$\quad\ b_e$ ——混凝土翼板有效宽度；

$\quad\ \gamma_{RE}$ ——承载力抗震调整系数，取 0.75。

（2）塑性中和轴在钢梁腹板内时，即 $A_a f_a > f_c b_e h_{c1}$ 时（图 10-72b）。

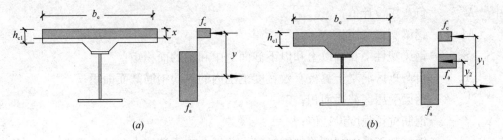

图 10-72　正弯矩作用时组合梁截面及计算简图

（a）塑性中和轴在混凝土板内时；（b）塑性中和轴在钢梁腹板内时

持久、短暂设计状况

$$M \leqslant f_c b_e h_{c1} y_1 + A_{ac} f_a y_2 \tag{10-52a}$$

$$f_c b_e h_{c1} + f_a A_{ac} = f_a (A_a - A_{ac}) \tag{10-52b}$$

地震设计状况

$$M \leqslant \frac{1}{\gamma_{RE}} (f_c b_e h_{c1} y_1 + A_{ac} f_a y_2) \tag{10-52c}$$

$$f_c b_e h_{c1} + f_a A_{ac} = f_a (A_a - A_{ac}) \tag{10-52d}$$

式中　A_{ac}——钢梁受压区截面面积；

y_1——钢梁受拉区截面形心至混凝土翼板受压区截面形心的距离；

y_2——钢梁受拉区截面形心至钢梁受压区截面形心的距离。

当组合梁承受负弯矩时，钢梁下部受压，上部受拉，混凝土翼板受拉开裂，板内钢筋受拉。随荷载增加，板内钢筋屈服，钢梁截面塑性不断发展，最后因钢材达到极限强度，组合梁达到极限承载力。负弯矩区，完全抗剪连接组合梁的正截面受弯承载力可根据以下假定按塑性理论计算：

① 混凝土翼板内钢筋达到抗拉设计强度 f_y；

② 忽略翼板混凝土的抗拉贡献；

③ 塑性中和轴以上钢截面的拉应力和塑性中和轴以下钢截面的压应力分别达到钢材的抗拉和抗压强度设计值 f_a。

负弯矩区，组合梁的正截面受弯承载力可按下式计算（图 10-73）：

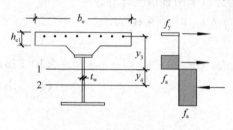

图 10-73　负弯矩作用时组合梁
截面及计算简图
（注：1—组合梁塑性中和轴；2—钢梁塑性中和轴）

持久、短暂设计状况

$$M' \leqslant M_s + A'_s f_y (y_3 + y_4/2) \tag{10-53a}$$

$$f_y A'_s + f_a (A_a - A_{ac}) = f_a A_{ac} \tag{10-53b}$$

地震设计状况

$$M' \leqslant \frac{1}{\gamma_{RE}} [M_s + A'_s f_y (y_3 + y_4/2)] \tag{10-53c}$$

$$f_y A'_s + f_a (A_a - A_{ac}) = f_a A_{ac} \tag{10-53d}$$

$$M_s = (S_t + S_b) f_a \tag{10-53e}$$

$$y_4 = 0.5 A'_s f_y / (f_a t_w) \tag{10-53f}$$

式中　M'——负弯矩设计值；

M_s——钢梁塑性弯矩；

S_t、S_b——钢梁塑性中和轴以上和以下截面对中和轴的面积矩；

A'_s——负弯矩区混凝土翼板有效宽度范围内的纵向钢筋截面面积；

A_{ac}——钢梁受压区截面面积；

f_y——钢筋抗拉强度设计值；

y_3——钢筋截面形心到钢筋和钢梁形成的组合截面塑性中和轴的距离；

y_4——组合梁塑性中和轴至钢梁塑性中和轴的距离。

由于负弯矩区一般出现在支座处，弯矩和剪力都较大，弯矩与剪力的相互影响不能忽略，钢梁腹板的抗压和抗拉强度 f_a 应进行折减。

当剪力设计值 $V_b > 0.5 h_w t_w f_{av}$ 时，

$$f_{ae} = (1 - \rho) f_a \tag{10-54a}$$

$$\rho = [2V_b/(h_w t_w f_{av}) - 1]^2 \tag{10-54b}$$

式中 V_b ——组合梁剪力设计值；

f_{av} ——钢梁腹板的抗剪强度设计值；

h_w、t_w ——钢梁的腹板高度和厚度。

当 $V_b \leqslant 0.5 h_w t_w f_{av}$ 时，剪应力对腹板抗弯能力影响不大，可取 $f_{ae} = f_a$。

4. 斜截面承载力

组合梁斜截面受剪承载力计算时，假定剪力全部由钢梁腹板承担，忽略混凝土翼板的抗剪贡献，计算结果偏于安全。按下式计算：

持久、短暂设计状况

$$V_b \leqslant h_w t_w f_{av} \tag{10-55a}$$

地震设计状况

$$V_b \leqslant \frac{1}{\gamma_{RE}} h_w t_w f_{av} \tag{10-55b}$$

式中 γ_{RE} ——承载力抗震调整系数，取 0.75。

5. 抗剪连接件

钢梁与混凝土翼板之间连接件的布置和数量需要设计。对完全抗剪连接组合梁，如图 10-74 所示，设最大弯矩截面达到塑性抗弯承载力，由剪跨区段（最大弯矩截面和零弯矩截面之间的区段）隔离体的平衡条件，求得钢梁与混凝土板界面的总剪力 V，除以单个连接件的抗剪承载力 N_v^c，即可得到剪跨区段所需的连接件数量。一般连接件在剪跨区段可按均布设置，但当剪跨区段内有较大集中荷载作用时，则应将连接件的数量按剪力图的面积比例分配后再均匀布置。

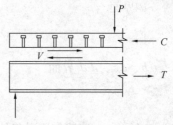

图 10-74 剪力连接件的受力分析

对于圆柱头焊钉连接件，单个连接件的抗剪承载力 N_v^c 按下式确定：

$$N_v^c = 0.43 A_s \sqrt{E_c f_c} \leqslant 0.7 A_s f_{at} \tag{10-56}$$

式中 N_v^c ——一个抗剪连接件的纵向抗剪承载力，位于负弯矩区段的抗剪连接件，N_v^c 应乘以折减系数，中间支座两侧的折减系数为 0.9，悬臂部分的折减系数为 0.8；

A_s ——圆柱头焊钉钉杆截面面积；

f_{at} ——圆柱头焊钉极限强度设计值；

E_c ——混凝土的弹性模量。

其他连接件的抗剪承载力计算可参见《组合结构规范》。满足上述连接件数量要求的组合梁称为完全抗剪连接组合梁。当连接件的数量少于上述计算要求时，称为部分抗剪连接组合梁，在荷载作用下钢梁与混凝土翼板界面有一定的滑移，会影响梁的变形和承载力。但连接件数量减少，有利于施工，并有一定的综合经济效益。因此在实际工程中，当按完全抗剪连接组合梁计算连接件数量太多时，也常采用部分抗剪连接组合梁。有关部分抗剪连接组合梁的计算参见《组合结构规范》。

6. 纵向抗剪验算

在剪力连接件集中剪力作用下，组合梁混凝土楼板可能发生纵向开裂，设计时需进行组合梁楼板纵向抗剪验算。沿着一个既定的平面抗剪称为界面抗剪，组合梁的混凝土板（承托、翼板）在纵向水平剪力作用时属于界面抗剪。图 10-75 给出对应不同翼板形式的组合梁纵向抗剪最不利界面，a-a 抗剪界面长度为混凝土板厚度；b-b 抗剪截面长度取刚好包络焊钉外缘时对应的长度；c-c、d-d 抗剪界面长度取最外侧的焊钉外边缘连线长度加上距承托两侧斜边轮廓线的垂线长度。

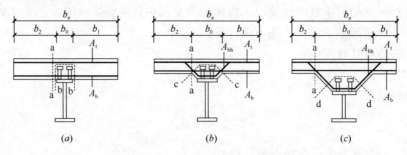

图 10-75　托板及翼缘的纵向受剪界面及纵向剪力简化计算图

组合梁由荷载作用引起的单位纵向抗剪界面长度上的剪力设计值按下列规定计算：

a-a 界面

$$V_{\mathrm{bl}} = \max \left\{ \frac{V_{\mathrm{s}}}{m_i} \times \frac{b_1}{b_{\mathrm{c}}}, \frac{V_{\mathrm{s}}}{m_i} \times \frac{b_2}{b_{\mathrm{c}}} \right\} \tag{10-57a}$$

b-b、c-c、d-d 界面

$$V_{\mathrm{bl}} = \frac{V_{\mathrm{s}}}{m_i} \tag{10-57b}$$

式中　V_{bl} ——荷载作用引起的单位纵向抗剪界面长度上的剪力；

　　　V_{s} ——每个剪跨区段内钢梁与混凝土翼板交界面的纵向剪力；

　　　m_i ——剪跨区段长度。

组合梁楼板纵向抗剪能力与混凝土板尺寸及板内横向钢筋的配筋率有关，由荷载作用引起的单位纵向抗剪界面长度上的斜截面受剪承载力计算公式为：

$$V_{\mathrm{bl}} \leqslant 0.7 f_{\mathrm{t}} b_{\mathrm{f}} + 0.8 A_{\mathrm{e}} f_{\mathrm{yv}} \tag{10-58a}$$

$$V_{\mathrm{bl}} \leqslant 0.25 f_{\mathrm{c}} b_{\mathrm{f}} \tag{10-58b}$$

式中　f_{t} ——混凝土抗拉强度设计值；

　　　b_{f} ——垂直于纵向抗剪界面的长度，按图 10-75 所示的 a-a、b-b、c-c 及 d-d 连线在抗剪连接件以外的最短长度取值；

　　　A_{e} ——单位纵向抗剪界面长度上的横向钢筋截面面积；

　　　f_{yv} ——横向钢筋抗拉强度设计值。

思 考 题

10.1　组合结构构件有哪几种形式？各种组合构件中，钢与混凝土组合工作的基本原理是什么？

10.2　混合结构体系有哪些形式？如何在混合结构体系中合理地采用不同的结构构件形式？不同结构构件形式之间的连接和转换时应注意什么问题？

10.3　与钢筋混凝土构件相比，型钢混凝土构件和钢管混凝土构件有什么优点？

10.4　型钢混凝土构件中，型钢与混凝土共同工作的条件是什么？

10.5　型钢混凝土构件承载力计算的特点是什么？

10.6　混合结构中，节点连接有哪些形式？

10.7　型钢混凝土构件的构造应注意哪些问题？型钢混凝土构件节点连接需要注意哪些问题？

10.8　简述钢管混凝土短柱在轴压力作用下的受力机理。

10.9　影响钢管混凝土柱的轴心受压承载力的主要因素有哪些？

10.10　钢管混凝土柱有哪几种局部承压？

10.11　钢管混凝土柱与混凝土梁/板的管外连接方式有哪几种？梁端剪力是通过什么方式传递到核心混凝土的？

10.12　试比较型钢混凝土剪力墙、钢板混凝土剪力墙、钢暗撑混凝土剪力墙的受力性能特点。

10.13　型钢混凝土墙和钢板混凝土墙中，型钢和钢板的受力作用分别有哪些？

10.14　钢-混凝土组合剪力墙与钢筋混凝土剪力墙的剪压比设计规定有何差异？

10.15　长度比不同的钢连梁，其屈服模式和变形性能有何差别？

10.16　简述可更换钢连梁地震损伤控制的机理，说明如何保证可更换性。

10.17　简述钢-混凝土组合梁的工作原理，说明组合工作的关键是什么。

10.18　试比较组合梁受弯承载力与钢筋混凝土梁受弯承载力的计算方法，说明异同之处。

第11章 消能减震结构设计

11.1 概　　述

　　消能减震结构是在建筑的某些部位设置消能器的建筑结构。地震作用下，消能减震结构通过消能器耗散或吸收输入的地震能量，减小结构的地震反应，减轻结构损伤，尤其适用于高烈度区的建筑结构。1994年美国北岭地震和1995年日本阪神地震中，消能减震结构经受了地震考验，表现出了优良的抗震能力，之后消能减震结构开始大量应用，日本的很多高层建筑采用了消能减震结构。2008年汶川地震后，消能减震结构也在我国推广应用。

　　本章介绍消能减震结构的基本概念和原理，消能器类型、构造及力学特性，消能减震结构设计方法，并介绍消能减震结构的设计实例。

11.1.1 基　本　概　念

　　传统抗震结构是利用结构自身的承载能力和弹塑性变形能力抵御地震作用。当地震作用超过结构的屈服承载力时，结构通过预设塑性铰部位的塑性变形抵抗地震，利用塑性铰的滞回耗能耗散地震输入到结构中的能量，以避免结构倒塌。

　　实际工程中，塑性铰的位置可能与预期的位置不同，或者塑性铰没有达到预期的变形能力，建筑结构可能出现严重破坏甚至倒塌。例如，钢框架结构经过强柱弱梁设计，预期框架梁端形成塑性铰，然而由于楼板作用、双向地震输入、高阶模态引起柱反弯点位置变化等原因，在地震中出现柱端屈服的柱铰机制破坏，如果柱端压曲，就有可能由于失稳而引起结构倒塌；即使实现了强柱弱梁，也有可能由于钢梁端翼缘焊缝脆性断裂而严重削弱梁端塑性铰的变形能力，进而导致结构破坏；框架梁是承重构件，一旦损坏严重，修复费时费力，影响建筑的震后继续使用。

　　消能减震结构由主体结构和消能部件组成，如图11-1所示。消能部件包括消能器以

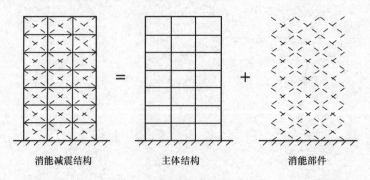

消能减震结构　　　　　　主体结构　　　　　消能部件

图11-1　消能减震结构示意图

及与之相连的斜撑、墙体或梁等支承构件。消能减震结构是基于损伤控制的思想，由于消能器可为结构提供附加阻尼比（或等效附加阻尼比），通过消耗地震输入能量，有效控制地震下结构的动力反应和损伤。相对于传统抗震结构，消能减震结构可以减小层间位移20%～40%，可控制主体结构损伤，减轻位移敏感性非结构构件的地震损伤。此外，有些消能器还可以减小楼面加速度，减轻加速度敏感性非结构构件的地震损伤。由于消能器的作用，主体结构在设计地震下基本不屈服或者仅部分构件进入弹塑性，基本无损或损伤很轻。

消能减震结构的一个特点是将承重功能和耗能功能区分开来，主体结构承担竖向重力荷载，地震下基本不发挥耗能作用；消能部件不承受竖向重力荷载，地震作用下发挥耗能作用。地震后消能减震结构可通过检修或更换消能器实现快速恢复功能，比传统的抗震结构具有更优的震后可恢复能力。

11.1.2　基本力学原理

以多自由度体系为例，进一步从振动能量方程说明消能减震结构的基本原理。对于一个多自由度体系结构，其在地震作用下的运动方程为：

$$[M]\{\ddot{x}(t)\} + [C]\{\dot{x}(t)\} + \{F(x)\} = -[M]\{I\}\ddot{x}_g(t) \tag{11-1}$$

式中　　　$[M]$——结构的质量矩阵；

　　　　　$[C]$——结构的阻尼矩阵；

$\{x\}$、$\{\dot{x}\}$、$\{\ddot{x}\}$——分别为结构各质点相对于地面的位移向量、速度向量和加速度向量；

　　　$\{F(x)\}$——结构的恢复力向量；

　　　　　$\{I\}$——单位列向量；

　　　　　$\ddot{x}_g$——地震地面运动加速度时程。

式（11-1）左右两边左乘 $\{dx\}^T$，并从 $0\sim t$ 积分，就可由基于力平衡的运动方程得到能量平衡方程：

$$\int_0^t \{dx\}^T[M]\{\ddot{x}(t)\} + \int_0^t \{dx\}^T[C]\{\dot{x}(t)\} + \int_0^t \{dx\}^T\{F(x)\}$$

$$= -\int_0^t \{dx\}^T[M]\{I\}\ddot{x}_g(t) \tag{11-2}$$

由于 $\{dx\} = \{\dot{x}(t)\}dt$，$\{d\dot{x}\} = \{\ddot{x}(t)\}dt$，上式可改写为：

$$\int_0^t \{\dot{x}(t)\}^T[M]\{d\dot{x}(t)\} + \int_0^t \{dx\}^T[C]\{\dot{x}(t)\} + \int_0^t \{dx\}^T\{F(x)\}$$

$$= -\int_0^t \{dx\}^T[M]\{I\}\ddot{x}_g(t) \tag{11-3}$$

式中　$\int_0^t \{\dot{x}(t)\}^T[M]\{d\dot{x}(t)\} = \dfrac{1}{2}\{\dot{x}(t)\}^T[M]\{\dot{x}(t)\} = E_K$，为 t 时刻结构相对位移的动能；

$\int_0^t \{dx\}^T[C]\{\dot{x}(t)\} = E_D$，为 $0\sim t$ 时刻结构阻尼的累积耗能；

$\int_0^t \{\mathrm{d}x\}^{\mathrm{T}}\{F(x)\} = E_{\mathrm{S}}$，为结构的变形能，包括 t 时刻结构的弹性变形能 E_{E} 和 $0 \sim t$ 时刻结构的累积滞回耗能 E_{H}，即 $E_{\mathrm{S}} = E_{\mathrm{E}} + E_{\mathrm{H}}$；

$\int_0^t -\{\mathrm{d}x\}^{\mathrm{T}}[M]\{I\}\ddot{x}_{\mathrm{g}}(t) = E_{\mathrm{In}}$，为地震作用输入到结构的能量。

因此，式（11-3）可写为：

$$E_{\mathrm{K}} + E_{\mathrm{D}} + E_{\mathrm{S}} = E_{\mathrm{In}} \tag{11-4}$$

地震结束后，结构停止振动，各质点的速度为 0，结构的弹性变形恢复，故动能 E_{K} 和弹性应变能 E_{E} 等于 0，此时能量方程（11-4）成为：

$$E_{\mathrm{D}} + E_{\mathrm{H}} = E_{\mathrm{In}} \tag{11-5}$$

上式表明，地震作用输入到结构中的能量 E_{I} 最终由结构的阻尼耗能 E_{D} 和累积滞回耗能 E_{H} 所耗散。从能量观点上分析，只要结构在地震作用下振动过程中的阻尼耗能和滞回耗能的总能力大于地震输入能量 E_{In}，结构即可有效抵抗地震作用，不会发生倒塌。但一般抗震结构的阻尼比低，阻尼耗能能力较小，当地震作用超过结构的承载力时，主要依靠结构自身的滞回耗能耗散地震输入能量，导致结构的损伤和破坏，破坏过大时结构可能倒塌。

结构中设置了消能部件，其提供的恢复力为 $\{F_{\mathrm{S}}(\dot{x},x)\}$，在地震作用下的运动方程为：

$$[M]\{\ddot{x}(t)\} + [C]\{\dot{x}(t)\} + \{F(x)\} + \{F_{\mathrm{S}}(\dot{x},x)\} = -[M]\{I\}\ddot{x}_{\mathrm{g}}(t) \tag{11-6}$$

采用上述同样的方法，地震结束时的能量平衡方程如下：

$$E_{\mathrm{D}} + E_{\mathrm{H}} + E_{\mathrm{A}} = E_{\mathrm{In}} \tag{11-7}$$

式中，E_{A} 为消能器的耗能。根据分析，在同样地震作用下，附加消能器对结构的地震输入能量 E_{In} 影响不大。与式（11-5）相比，式（11-7）结构的总耗能能力增加了 E_{A}，从而减少了对原主体结构滞回耗能的需求，减轻了其损伤程度，甚至可以无损伤。

11.1.3 消能减震结构的发展与应用

实际上，我国许多能够保留至今的古建筑就是消能减震结构，如木结构中大量采用的"斗拱"就是一种具有耗能能力的节点。"斗拱"的多道"榫卯连接"在承受很大的节点变形过程中反复摩擦可以消耗大量的地震输入能量，大大减小了结构的地震响应，使结构免于严重破坏。最典型的是山西应县木塔，历经近千年，遭遇多次强烈地震，迄今仍巍然屹立，成为我国古建筑史上的奇迹。

现代消能减震结构的发展是从 20 世纪 70 年代开始的，经过多年研究，目前已有多种技术成熟的消能器可供实际工程应用，设计计算方法也基本完善，在北美、日本和我国已有很多应用。《抗震规范》包含了消能减震结构的设计内容，还发布了行业标准《建筑消能减震技术规程》、建筑工业行业标准《建筑消能阻尼器》以及国家建筑标准设计图集《建筑结构消能减震（振）设计》。

消能减震技术在高层建筑中应用最多的是日本。1995 年阪神地震后，日本大部分新建的高层建筑采用了消能减震结构，既有高层建筑加固也大量采用消能减震技术。由于钢结构地震下变形能力大，适合于消能器在大变形下充分发挥作用，因此日本的消能减震结构多采用钢框架或钢框架-支撑结构，阻尼器布置为支撑或填充墙板。近年来，日本开始在高层建筑混凝土结构中应用消能减震技术。

我国除在一些重要多高层建筑使用消能减震技术外，还将消能减震应用于超高层建筑，解决其抗风和抗震问题。北京中国尊、天津高银117等超高层建筑采用了消能减震技术。除类似于多层建筑，将阻尼器用于支撑、墙板或连梁部位外，在我国近来的一些超高层建筑实践中，还将消能器布置于框架－核心筒或筒中筒结构的伸臂位置，伸臂位置的相对位移大，利于发挥消能器的作用。

北京银泰中心塔楼A，地上63层，结构总高度249.5m，采用筒中筒结构体系，外框筒平面39.5m×39.5m，柱距5m；内筒平面15.6m×15.6m，柱距不大于4.725m。为提高结构侧向刚度，分别在17、33和46层设置了贯通内筒和外筒的伸臂桁架（见图11-2），但斜撑长度达7.5m，若采用一般支撑，为保证其稳定性，斜撑截面尺寸和刚度都会很大，导致加强层附近刚度突变严重。设计中采用48根屈曲约束支撑作为伸臂桁架，这样不仅改善了层间刚度的均匀性，而且屈曲约束支撑可在大震中屈服、耗能，提高结构的抗震能力。

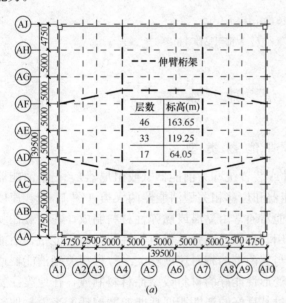

层数	标高(m)
46	163.65
33	119.25
17	64.05

（a）　　　　　　　　　　　　　　　（b）

图 11-2　银泰中心塔楼
(a) 结构平面布置；(b) 屈曲约束斜撑伸臂桁架

晋中汇通大厦，地上45层，结构总高度220.4m，采用框架-核心筒结构体系，结构平面布置如11-3所示。该结构将伸臂桁架在外框架柱断开，连接以竖向布置的黏滞阻尼器，形成了黏滞阻尼伸臂。核心筒弯曲变形导致伸臂端部竖向位移大，可以很好发挥阻尼器的作用，而且可以避免传统的刚性伸臂导致的结构刚度和楼层承载力突变。分析表明，该超高层建筑采用黏滞阻尼伸臂增加了附加阻尼比3.2%，相对于刚性伸臂方案，可减小地震基底剪力27%～29%，减小层间位移角约20%，还可以减小加强层造价和加快施工。

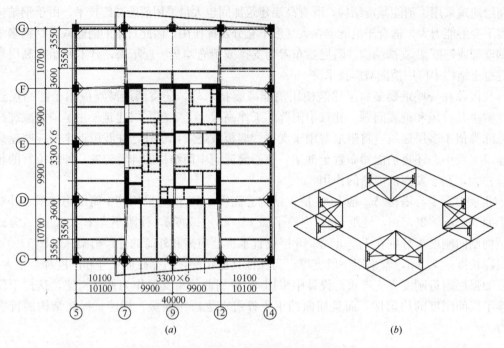

图 11-3 晋中汇通大厦

(a) 结构平面布置; (b) 黏滞阻尼伸臂桁架

11.2 消 能 器

11.2.1 消 能 器 类 型

消能减震结构中的附加耗能减震元件或装置统称为消能器（或阻尼器）。根据消能器力学特性的不同，可分为速度相关型消能器和位移相关型消能器两大类（图 11-4）。速度相关型消能器通常由黏滞或黏弹性材料制成，在地震往复作用下利用其黏滞或黏弹性材料特性耗散地震能量，消能器的出力与其两端的相对速度相关。位移相关型消能器通常用塑性变形性能好的材料或摩擦材料制成，在地震往复作用下通过其良好的塑性滞回耗能或摩擦耗能来消耗地震能量，消能器的出力与其两端相对位移相关。

图 11-4 消能器分类

速度相关型消能器包括黏滞消能器和黏弹性消能器，这类消能器的优点是：消能器从小振幅到大振幅都可以产生阻尼耗能作用。速度相关型消能器可直接为结构提供附加阻尼，这种附加阻尼具有频率相关性，有的还表现出振幅相关性。由于采用黏滞材料或黏弹性材料制作，这种消能器的阻尼力往往受温度影响。此外，这种消能器的制作要求精密加工，使用时需要进行必要的维护，且一般价格较高。

位移相关型消能器包括金属消能器和摩擦消能器。金属消能器一般采用低碳钢、铅等材料制成，包括屈曲约束支撑、软钢消能器、铅消能器等。金属消能器在风荷载和小震下一般不屈服，可以给结构提供抗侧刚度；超过小震后，金属消能器屈服耗能，耗能能力与采用的材料、内部构造以及加工工艺相关。

根据消能器的类型，消能器的恢复力模型 $F_S(\dot{x}, x)$ 有以下几种形式：

速度相关型：
$$F_S(\dot{x}, x) = c\dot{x}^\alpha \tag{11-8}$$

位移相关型：
$$F_S(\dot{x}, x) = f_s(x) \tag{11-9}$$

复合型：
$$F_S(\dot{x}, x) = c\dot{x}^\alpha + f(x) \tag{11-10}$$

式中　c——速度相关型消能器的阻尼系数；

　　　α——黏滞消能器阻尼指数，当 $\alpha = 1$ 时称为线性黏滞消能器，当 $\alpha \neq 1$ 时称为非线性黏滞消能器。

图 11-5 为各种消能器的恢复力-位移关系曲线。图 11-5 (a) 为黏滞消能器；图 11-5 (b) 为黏弹性消能器，其滞回特性可以看作是由黏滞消能器与线弹性弹簧并联组合而成；图 11-5 (c) 为金属消能器；图 11-5 (d) 为摩擦消能器，其滞回特性表现为刚塑性特点。

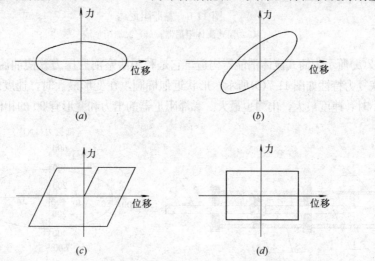

图 11-5　消能器的恢复力-位移关系曲线
(a) 黏滞消能器；(b) 黏弹性消能器；(c) 金属消能器；(d) 摩擦消能器

根据不同消能器的恢复力特性，可选取不同的非线性单元模拟其滞回性能。黏滞消能器可采用 Maxwell 模型，黏弹性消能器可采用 Kelvin 模型，金属消能器可采用双线性模型、三线性模型或 Bouc-Wen 模型，摩擦消能器可采用理想弹塑性模型。模型参数取值由消能器的力学性能参数确定。

消能减震结构能否达到其设计目标依赖于消能器的性能，因此需要严格控制各类消能器的质量。《建筑消能减震技术规程》和《建筑消能阻尼器》规定了各类消能器的力学性能、疲劳性能和耐久性能要求，并详细给出了性能检验和实验方法规定。消能减震结构中的消能器必须通过抽检实验，满足相关技术要求后才能使用。

11.2.2　速度相关型消能器

1. 黏滞消能器

黏滞消能器是通过活塞或平板在高黏性液体（如硅油）中的运动来耗能。这种消能器在较大的频率范围内都呈现比较稳定的阻尼特性，但黏性流体的动力黏度与环境温度有关，使得黏滞阻尼系数随温度变化。成熟的黏滞消能器主要有筒式流体消能器、黏滞阻尼墙，图 11-6 为其在建筑中布置的照片。

(a)　　　　　　　　　　　　　　(b)

图 11-6　黏滞阻尼器
(a) 筒式流体阻尼器；(b) 黏滞阻尼墙

图 11-7(a)所示为筒式流体消能器构造，它是利用活塞前后压力差使油流过阻尼孔产生阻尼力。其恢复力特性如图 11-7(b)所示，形状近似椭圆，在变形最大时，速度最小，出力为零；在变形最小时，速度最大，出力也最大。黏滞阻尼器的出力和变形有 90°的相位差。

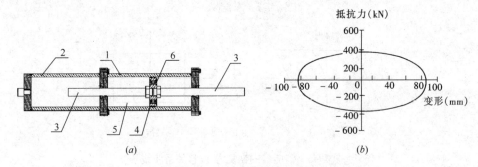

(a)　　　　　　　　　　　　　　(b)

图 11-7　筒式流体消能器
(a) 筒式流体消能器构造；(b) 恢复力特性
1—主缸；2—副缸；3—导杆；4—活塞；5—阻尼材料（硅油或液压油）；6—阻尼孔

图 11-8 所示为黏滞阻尼墙示意图，固定于下部楼层的外壁钢板组成的钢板槽内填充

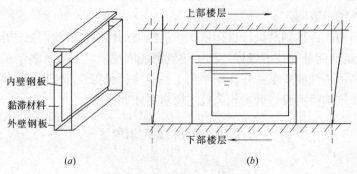

(a)　　　　　　　　　　　　　　(b)

图 11-8　黏滞阻尼墙示意图

黏滞材料，插入槽内的内壁钢板固定于上部楼层，地震作用下，楼层间产生相对运动，内壁钢板在槽内的黏滞材料中往复运动，产生阻尼力。其恢复力特性与筒式流体消能器相似。黏滞阻尼墙提供的阻尼作用很大，且不易渗漏，目前日本已在30多栋高层建筑中采用，我国也有应用，但价格较高。

2. 黏弹性消能器

黏弹性消能器是由异分子共聚物或玻璃质物质等黏弹性材料和钢板夹层组合而成，利用黏弹性材料的剪切变形滞回耗能，见图11-9。图11-9（c）为黏弹性阻尼器恢复力-位移曲线，为倾斜椭圆，与黏滞阻尼器相比，除可提供与速度相关的阻尼力外，还可提供一定弹性刚度。这是因为黏弹性材料同时具有弹性体和黏性流体的特性，材料应力不仅与应变有关，还与应变变化率有关。

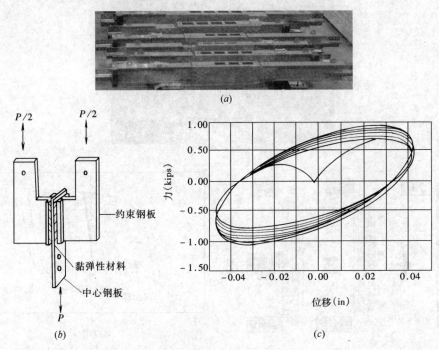

图 11-9　黏弹性消能器
(a) 照片；(b) 构造；(c) 滞回特性

黏弹性消能器构造简单、性能优越、造价低廉、耐久性好，在低水平激励下就可以工作，在不同振幅下都显示出良好的耗能性能。

黏弹性消能器在结构抗震工程中应用较晚，主要有以下三个方面的原因：一是黏弹性材料性能随温度变化较大，地震下消能器滞回耗能导致温度升高，使阻尼性能下降；二是黏弹性材料性能和荷载频率相关，而地震波的频段较宽，导致黏弹性消能器的设计参数难以确定；三是黏弹性消能器的黏弹性材料多为薄层状，剪切变形能力有限，不适合用于大变形的抗震工程中。开发适用于大变形、力学性能稳定的黏弹性消能器，是其能够应用于工程抗震的关键。

11.2.3　位移相关型消能器

1. 屈曲约束支撑

屈曲约束支撑是一种支撑式阻尼元件，它由核心钢支撑、约束单元和无粘结层组成，如图 11-10 所示。约束单元可以由钢套管与内填砂浆（或混凝土）组合构成，也可以是全钢约束。无粘结层采用橡胶等材料，设置在核心钢支撑和约束单元之间，减小或消除钢支撑与约束单元之间的粘结或摩擦力，确保核心钢支撑的轴力不传到周围约束单元。由于约束单元可有效约束核心钢支撑发生屈曲，因此屈曲约束支撑能产生稳定、对称的拉压滞回性能。

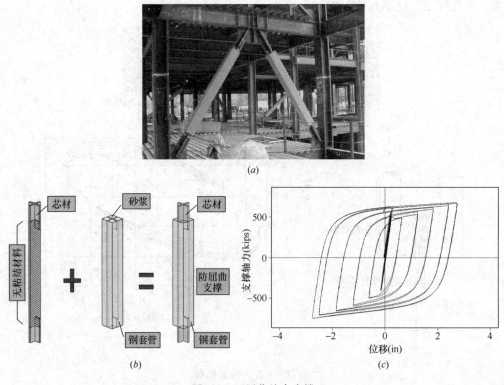

图 11-10　屈曲约束支撑
(a) 工程应用照片；(b) 构造；(c) 滞回特性

屈曲约束支撑首先由日本学者研发，由新日铁公司生产，称之为无粘结支撑，在 1995 年阪神地震后大量应用于日本高层建筑结构。目前，屈曲约束支撑已有很多类型和制造商。由于屈曲约束支撑可提供较大的刚度，滞回性能稳定，耗能能力强，且较黏滞阻尼器性价比高、易于维护，因此广泛应用于抗震建筑结构。

2. 软钢消能器

低碳钢屈服强度低、延性高，采用低屈服点钢制成的消能器称为软钢消能器。与主体结构相比，软钢消能器可较早地进入屈服，并利用屈服后的塑性滞回耗能耗散地震能量。软钢消能器的耗能性能受外界环境和温度影响小，长期性能稳定，更换方便，价格较低。软钢消能器包括钢棒消能器、软钢剪切消能器、锥形钢消能器等。最常用的软钢阻尼器是软钢剪切阻尼器，可用于框架的间柱或剪力墙的消能连梁，如图 11-11 所示。

| (a) | (b) |

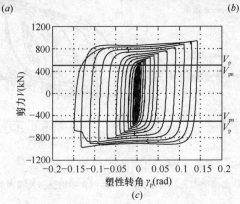

(c)

图 11-11 软钢剪切消能器
(a) 间柱；(b) 连梁；(c) 滞回特性

由于是利用钢材屈服后的塑性滞回发挥耗能作用，因此软钢消能器屈服前只给结构提供附加刚度，不能耗能。软钢消能器的刚度和屈服力是设计中需要确定的主要性能指标。此外，在往复塑性剪切变形下，钢材的等向强化和随动强化效应导致软钢消能器承载力超强，软钢消能器的超强系数也是重要的设计参数，一般钢材强度越低，超强系数越高。

软钢剪切消能器力学性能稳定，滞回耗能能力强，在日本应用较多。软钢消能器对于低屈服点钢材的性能要求高，实测屈服强度和名义屈服强度之差不超过 20MPa，LY225 和 LY100 钢材的极限延伸率分别不得低于 40% 和 50%。近年来我国也能生产性能良好的低屈服点钢材，软钢消能器在我国也有了较多应用。

3. 铅消能器

铅具有较高的延展性能，储藏变形能的能力大，同时有较强的变形跟踪能力，能通过动态回复和再结晶过程恢复到变形前的性态，适用于大变形。此外，铅比钢的屈服点低，在小变形时就能发挥耗能作用。铅消能器主要有挤压铅消能器、剪切铅消能器、铅节点消能器、异型铅消能器等。典型的铅消能器及其滞回特性如图 11-12 所示，铅消能器的滞回曲线近似矩形，有很好的耗能性能。由于铅阻尼器在生产和使用过程中存在对环境的不利影响，工程并未大量采用。

4. 摩擦消能器

摩擦消能器通过有预紧力的金属固体部件之间的相对滑动摩擦耗能，界面金属一般用

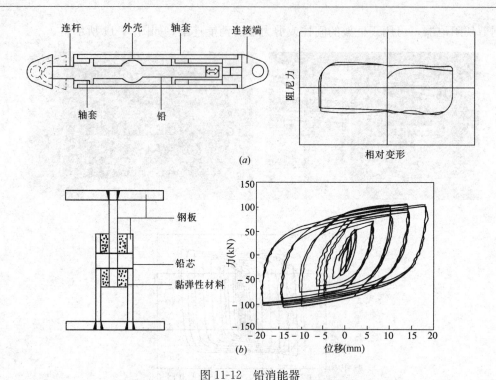

图 11-12 铅消能器

（a）挤压铅消能器及其滞回特性；（b）剪切铅消能器及滞回曲线

钢与钢，黄铜与钢等，也可在金属表面粘贴摩擦片层，利用摩擦片与金属表面摩擦耗能。摩擦消能器耗能明显，可提供较大的附加阻尼，而且构造简单、取材方便、制作容易。

摩擦耗能作用需在摩擦面间产生相对滑动后才能发挥，摩擦力与振幅大小和加载频率无关，在多次反复荷载下可以发挥稳定的耗能性能。通过调整摩擦面上的面压，可以调整起摩力。为了维持面压恒定，一般需要设置蝶形弹簧。

图 11-13 所示为 Pall 型摩擦消能器。该摩擦耗能装置为一正方形连杆机构，与 X 形支撑相连（图 11-13b），当一个方向的支撑受拉时，通过连杆机构自动使另一个方向的摩擦装置也发挥作用，一方面增强了摩擦耗能能力，另一方面也避免了另一个方向支撑受压而产生压曲问题。

（a）

图 11-13 Pall 型摩擦消能器（一）

（a）工程应用照片；

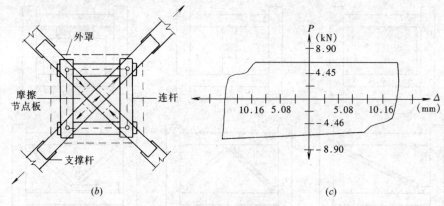

图 11-13 Pall 型摩擦消能器（二）

(*b*) 构造；(*c*) 滞回特性

11.3 消能减震结构设计

11.3.1 消能减震结构方案

消能减震结构的抗震设防目标是：（1）在小震作用下，消能部件正常工作，主体结构不受损坏或不需修理可继续使用；（2）在中震作用下，消能部件正常发挥功能，主体结构可能发生损坏，但经一般修理仍可继续使用；（3）在大震作用下，消能部件不应丧失功能，主体结构不致倒塌或发生危及生命的严重破坏。

消能减震结构中主体结构是主要承重骨架，按一般结构要求进行设计，应具有足够的承载力、适当的刚度和延性能力，能够独立可靠地承受结构的主要使用荷载，在消能减震部件失效后主体结构的稳定性不受影响。消能器是对主体结构抗震能力的补充，并控制结构在地震作用下的变形。在主体结构方案确定后，消能减震结构的设计工作主要是消能器的选型以及消能器在结构中的布设，包括设置位置和设置数量。应根据多遇地震下的预期减震要求及罕遇地震下的预期结构位移控制要求，布置适当的类型和数量的消能器。

为充分发挥消能器的耗能效率，消能器一般应设置在结构相对位移或相对速度较大的部位，如层间变形较大位置、节点和连接缝等部位。常见的消能器布设位置如图 11-14 所示。

消能部件一般沿结构的两个主轴方向分别设置，使两个方向均有消能器附加阻尼和附加侧向刚度。消能部件在结构平面中对称布置，并使结构平面保持刚度均衡，避免因布置消能部件使结构产生扭转。此外，布置消能器尽量不要影响建筑使用空间，且应易于检修和更换。

消能部件沿结构竖向的设置和分布，一般可先根据各层层间变形的比例初步设定各层消能器参数的比例，再根据分析结果进行调整，以使各楼层的减震效果基本一致。消能部件的竖向布置宜使结构沿高度方向刚度均匀分布，避免出现薄弱层。

消能器的设置数量应根据罕遇地震下的预期位移控制目标确定，这是消能减震结构设

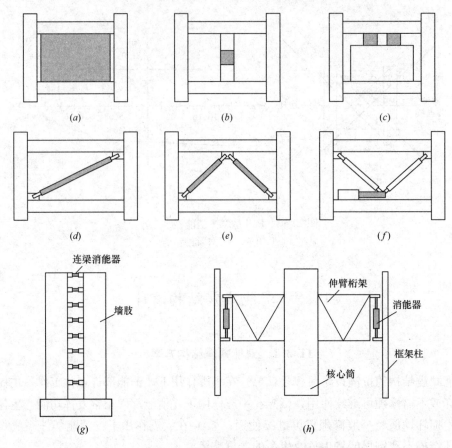

图 11-14　消能器常见布设位置

(a) 墙型；(b) 间柱型；(c) 墙柱型；(d)、(e)、(f) 支撑型；(g) 连梁型；(h) 伸臂型

计的主要内容。位移控制目标可由设计人员与业主共同商议后确定，宜比《抗震规范》对一般抗震结构"大震不倒"的位移限值严格。

此外，为保证消能减震结构设计计算的可靠性，对所采用消能器的性能和参数应有充分了解和掌握。消能器的性能主要用恢复力模型表示，一般需要通过试验确定，并需根据结构预期位移控制等因素合理选用。

11.3.2　消能减震结构计算

由于消能减震结构附加了消能器，而且消能器的种类繁多，并具有非线性受力特征，其结构计算分析方法比一般抗震结构复杂，精确分析需要根据消能器的设置和恢复力模型建立相应的结构模型，采用非线性时程分析方法进行。由于消能器在整体结构中为附属部件，当主体结构处于弹性工作阶段时，消能器对主体结构的整体变形模式影响不大，可首先根据能量等效原则，将消能器的耗能近似等效为线性阻尼耗能，确定相应的附加阻尼比，并与原结构阻尼比相加后得到总阻尼比，然后根据本书 3.2.4 节给出的地震影响系数曲线及总阻尼比确定地震影响系数，采用底部剪力法或振型分解反应谱法计算地震作用。在计算中，应考虑消能部件的附加刚度，即整体结构的总刚度等于主体结构刚度与消能部件的有效刚度之和。

1. 底部剪力法

消能减震结构采用底部剪力法进行地震反应计算时，需要计算消能器的附加阻尼比。根据动力学原理，有阻尼单自由度体系在往复振动一个循环中的阻尼耗能 W_c 与体系最大变形能 W_s 之比有如下关系：

$$4\pi\zeta = \frac{W_c}{W_s} \tag{11-11}$$

式中　ζ——体系的阻尼比。

根据以上关系式，消能减震结构的附加阻尼比可按下式确定：

$$\zeta_a = \frac{1}{4\pi}\frac{W_c}{W_s} \tag{11-12}$$

式中　W_c——所有消能器在结构预期位移下往复一周所消耗的能量；

　　　W_s——主体结构在预期位移下的总变形能。

主体结构的总变形能 W_s 按下式计算：

$$W_s = \frac{1}{2}\sum F_i u_i \tag{11-13}$$

式中　F_i——质点 i 的水平地震作用标准值；

　　　u_i——质点 i 对应于地震作用标准值的位移。

速度线性相关型消能器在结构预期位移下往复一周所消耗的能量 W_c 可按下式计算：

$$W_c = \frac{2\pi^2}{T_1}\sum C_i \cos^2\theta_i \Delta u_j^2 \tag{11-14}$$

式中　T_1——消能减震结构的基本周期；

　　　C_j——第 j 个消能器的线性阻尼系数，一般通过试验确定；

　　　θ_j——第 j 个消能器的消能方向与水平面的夹角；

　　　Δu_j——第 j 个消能器两端的相对水平位移。

需要注意的是，消能器的阻尼系数和有效刚度具有频率相关型，应取相应于消能减震结构基本自振周期的值。

位移相关型、速度非线性相关型和其他类型消能器在结构预期位移下往复一周所消耗的能量 W_c，可按下式计算：

$$W_c = \sum A_i \tag{11-15}$$

式中　A_j——第 j 个消能器的滞回曲线在相对水平位移 Δu_j 时的面积。此时，消能器的有效刚度可取滞回曲线在相对水平位移 Δu_j 时的割线刚度。

结构的总阻尼比 ζ 为由式（11-12）计算的附加阻尼比 ζ_a 与主体结构自身阻尼比 ζ_s 之和，即 $\zeta = \zeta_s + \zeta_a$。根据总阻尼比 ζ 按本书 3.2.4 节计算地震影响系数，并按 3.2.5 节底部剪力法确定结构的地震作用，然后进行主体结构的受力分析，再与其他荷载效应组合后进行抗震设计。

2. 振型分解反应谱法

对于采用速度线性相关型消能器的消能减震结构，根据其布置和各消能器的阻尼系数，可以直接给出消能器的附加阻尼矩阵 $[C_c]$。因此，整体结构的阻尼矩阵等于主体结构自身阻尼矩阵 $[C_s]$ 与消能器的附加阻尼矩阵 $[C_c]$ 之和，即：

$$[C] = [C_s] + [C_c] \tag{11-16}$$

通常上述阻尼矩阵不满足实振型分解的正交条件，因此无法从理论上直接采用振型分解反应谱法计算地震作用。但研究表明，当消能器布置均匀合理，附加阻尼矩阵 $[C_c]$ 的元素基本集中于矩阵主对角附近，此时可采用强行解耦方法，即忽略附加阻尼矩阵 $[C_c]$ 的非正交项，由此得到以下对应各振型的阻尼比：

$$\zeta_j = \zeta_{sj} + \zeta_{cj} \tag{11-17}$$

$$\zeta_{cj} = \frac{T_j}{4\pi M_j} \phi_j^T [C_c] \phi_j \tag{11-18}$$

式中　ζ_j、ζ_{sj}、ζ_{cj}——分别为消能减震结构的 j 振型阻尼比、主体结构的 j 振型阻尼比和消能器附加的 j 振型阻尼比；

T_j、ϕ_j、M_j——分别为消能减震结构的第 j 自振周期、振型和振型质量。

研究表明，当消能器较均匀分布且阻尼比不大于 0.20 时，强行解耦与精确解的误差大多数在 5% 以内。因此，按上述强行解耦方法确定各振型阻尼比后，即可按 3.2.4 节根据各振型的总阻尼比 ζ_j 计算各振型的地震影响系数，并按 3.2.5 节振型组合方法确定结构的地震作用效应，再与其他荷载效应组合后进行抗震设计。

3. 能量法

由前述结构振动能量方程可知，消能减震结构是通过设置附加消能器来耗散地震输入给结构的能量，从而减小主体结构地震响应。当有些黏滞消能器对于结构刚度改变较小，主要增加结构阻尼时，可以直接采用能量法进行分析。

设主体结构设置消能器前在地震作用下的最大位移反应为 u，设置消能器后最大位移反应的减震目标为 u'，由此可知设置消能器后原主体结构的变形能减小：

$$\Delta E = \frac{1}{2} \{ u^T [K] u - u'^T [K] u' \} \tag{11-19}$$

式中　$[K]$——主体结构的刚度矩阵。

根据能量方程，主体结构这部分变形能的减少，将由消能器吸收和耗散，即有：

$$W_c = \Delta E \tag{11-20}$$

式中　W_c——在结构预期位移下往复一周所消耗的能量。

能量法概念清楚，计算简便，可用于一般多、高层建筑结构分析。计算中，主体结构在地震作用下的最大位移响应 u 可根据主体结构位移模态的前 n 阶振型组合确定；设置消能器后最大位移响应减震目标 u'，可根据减震目标需要取 $u' = (1-\alpha)u$，α 为减震率，如需将位移响应减小 20%，则 $\alpha = 0.2$。因此，式 (11-19) 和式 (11-20) 成为：

$$W_c = \frac{1}{2} [1 - (1-\alpha)^2] u^T [K] u \tag{11-21}$$

将通过式 (11-14) 或式 (11-15) 计算得到的 W_c 与上式进行比较，即可判断消能器的布置方案能否满足既定的减震目标。

11.3.3　消能部件设计

消能器一般与斜撑、墙体或梁等支承构件相连组成消能部件，再与主体结构连接。在消能器极限位移或极限速度对应的阻尼力作用下，支承构件以及连接部件和节点应在弹性范围内工作，从而保证消能器在罕遇地震作用下不丧失功能。支撑构件及连接构造应符合相关规范的构造要求。

消能部件的设计参数应符合以下规定：

（1）速度线性相关型消能器与斜撑、墙体或梁等支承构件组成消能部件时，支承构件沿消能器方向的刚度 K_b 应满足下式：

$$K_b \geqslant (6\pi/T_1)C_D \tag{11-22}$$

式中　C_D——消能器的线性阻尼系数；

　　　T_1——消能减震结构的基本自振周期。

（2）黏弹性消能器的黏弹性材料总厚度 t 应满足下式：

$$t \geqslant \Delta u/[\gamma] \tag{11-23}$$

式中　Δu——沿消能器方向的最大可能的位移；

　　　$[\gamma]$——黏弹性材料允许的最大剪切变形。

（3）位移相关型消能器与斜撑、墙体或梁等支承构件组成消能部件时，消能部件的恢复力模型参数宜符合下列要求：

$$\Delta u_{py}/\Delta u_{sy} \leqslant 2/3 \tag{11-24}$$

式中　Δu_{py}——消能部件在水平方向的屈服位移或起滑位移；

　　　Δu_{sy}——设置消能部件的结构层间屈服位移。

（4）消能器应具备良好的变形能力和耗能能力，消能器的极限变形应不小于罕遇地震下消能器最大位移的 1.2 倍；对速度相关型消能器，其极限速度应不小于地震作用下消能器最大速度的 1.2 倍，且消能器应满足此极限速度下的承载力要求。

11.3.4　主体结构设计

采用底部剪力法或振型分解反应谱法计算得到小震下消能减震结构的内力和位移后，主体结构构件的截面抗震验算应按照一般抗震结构构件的规定进行。但与消能部件相连的梁、柱、墙构件宜按重要构件设计，其极限承载力应大于考虑大震作用效应和其他荷载作用标准值的效应；与消能部件相连构件和节点承载力验算时应计入消能部件传递的附加内力，且应进行对应消能器极限位移和极限速度时阻尼力作用下的截面验算。

与消能部件相连的梁、柱和节点的抗震构造措施应满足相关规范要求，与消能部件相连的剪力墙宜设置暗柱，暗柱的箍筋加密区长度、箍筋最大间距和箍筋最小直径，不应低于《混凝土规范》中框架柱的要求。

主体结构的抗震等级按《抗震规范》确定（见本书 4.7 节）。当消能减震结构的抗震性能明显提高时，主体结构的抗震构造措施可适当降低，降低程度可依据消能减震主体结构的地震剪力与不设置消能器结构的地震剪力之比确定，但最大降低程度应控制在 1 度之内。

11.4　消能减震结构设计实例

11.4.1　工　程　背　景

汶川地震后，四川省大部分地区设防烈度均有不同程度的提高。一些在震后虽无明显损伤的建筑，仍有可能不满足设防烈度调整后的抗震要求，需要抗震加固。对于钢筋混凝土框架结构，加固方案一般采用加大梁柱截面，或增设剪力墙等方法提高结构的抗震能力。这种方法在很多情况下是有效的，但也存在以下主要问题：（1）建筑内部空间减小；（2）结构刚度增加，导致地震作用增大，经济性欠佳；（3）结构损伤模式仍然难以控制；（4）加固施工复杂，抗震构造措施有时难以满足要求。

若采用消能减震加固方案，除可使结构在地震作用下获得更高可靠度外，比传统加固方案还有以下优点：（1）仅需对部分竖向构件（柱）进行加固，无需增设抗震墙，有效减少加固工程量；（2）湿作业工作量少，施工时间短，降低施工成本，对原结构影响小；（3）消能器占用空间少，布置灵活，对建筑的使用功能限制少；（4）在地震作用下，结构加速度及速度响应较常规结构小，可保护非结构构件和设备。本节以绵阳市某钢筋混凝土框架结构为例，介绍了以使用黏滞消能器为主的消能减震加固实用分析方法和设计方法。

11.4.2　结　构　概　况

该钢筋混凝土框架结构建于1988年，13层，高45.3m，标准层高3.1m，无地下室，顶部有一层小塔楼，标准层建筑平面见图11-15。该工程抗震设防类别为乙类，原设计抗震设防烈度为6度，设计基本地震加速度值为0.05g，多遇地震的水平地震影响系数最大值$\alpha_{max}=0.04$。汶川地震后，绵阳市的抗震设防烈度调整为7度，设计基本地震加速度值为0.10g，多遇地震的$\alpha_{max}=0.08$；罕遇地震的$\alpha_{max}=0.50$。

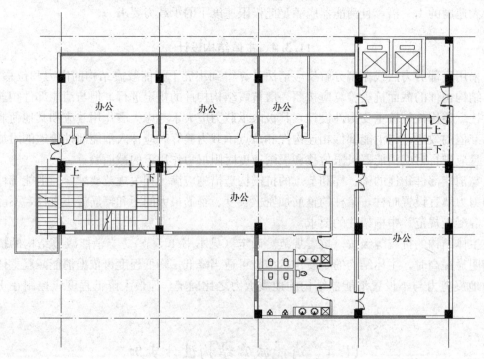

图11-15　结构标准层平面图

根据该建筑的结构布置和建筑使用功能，在结构中布置76个黏滞消能器，各层消能器布置位置见图11-16。本例中采用的消能器的阻尼指数均为0.4，阻尼系数的取值从200

～800kN·s/m 不等，均属于速度非线性相关型消能器。

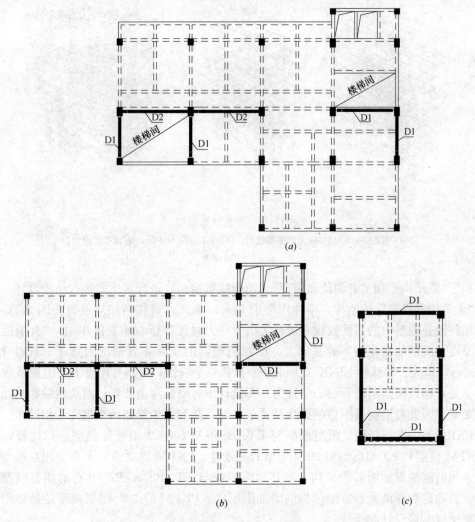

图 11-16　消能器布置图

（a）第 1～3 层消能器布置图；（b）第 4～12 层消能器布置图；

（c）第 13 层消能器布置图

11.4.3　结构分析模型

为了考察该结构增设消能器加固前后的抗震性能，并进行相应的消能减震分析和设计，建立了以下两个分析模型（图 11-17）：

（1）对于加固前的结构，用 ETABS/SAP2000 建立的无消能器三维有限元结构分析模型，称为"无消能器模型"；

（2）在 ETABS/SAP2000 无消能器模型的基础上增设消能器，模拟消能减震加固后的结构，称为"有消能器模型"。

两个模型的主体结构各阶振型阻尼比均取 5％。此外，还用 PKPM 软件建立了 5％振型阻尼比及 20％振型阻尼比的结构模型，分别用来与 ETABS/SAP2000 建立的"无消能

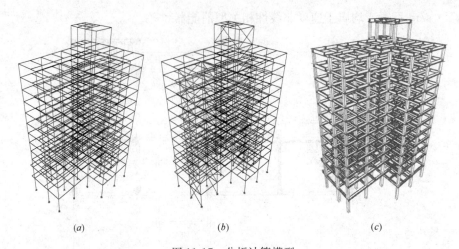

图 11-17 分析计算模型

(*a*) ETABS/SAP2000 无消能器模型；(*b*) ETABS/SAP2000 有消能器模型；

(*c*) PKPM 模型

器模型"（原结构）和"有消能器模型"（消能减震结构）进行对比并进行结构设计。

"无消能器模型"的结构，梁柱均采用 Frame 单元，梁柱两端均设置美国 ATC40 默认的塑性铰。模型中的塑性铰仅在进行大震下动力时程分析时才发挥作用。"有消能器模型"是在"无消能器模型"的基础上，按照消能器的实际布置情况附加了非线性 LINK（Damper）单元。非线性 LINK（Damper）包括三个属性，分别是刚度 K、阻尼系数 C 和阻尼指数，用以模拟消能器的力学行为。在设计中忽略黏滞消能器的附加质量和对结构静刚度贡献，因此有消能器模型的振型及质量参与系数和无消能器的模型完全相同。

PKPM 建立的 5% 振型阻尼模型与 ETABS/SAP2000 无消能器模型进行比较，以检验 PKPM 模型和 ETABS/SAP2000 模型的一致性。PKPM 建立的 20% 振型阻尼模型用来考虑采用消能减震加固后的结构，将其地震响应与 ETABS/SAP2000 有消能器模型进行比较，以确定黏滞消能器带给结构的附加阻尼比。PKPM 的 20% 阻尼模型还最终用来进行框架梁柱配筋设计和验算。

PKPM 系列软件和 ETBAS/SAP2000 系列软件均可采用反应谱法进行弹性地震作用计算。为验证 PKPM 模型和 ETBAS/SAP2000 模型的一致性，从而确保计算结果的正确性，对两个软件计算得到的层剪力进行了比较，结果如表11-1所示。由表可见，顶层剪力差异小于 5%，其他各层剪力差异均小于 2%，此外，两个软件计算得到的前 20 阶周期相差不超过 5%，振型基本相同。两个模型具有很好的一致性。设计的层剪力取 ETABS/SAP2000 软件的分析结果。

PKPM 模型和 ETBAS/SAP2000 模型的层剪力比　　　　　　　　　表 11-1

楼层	13	12	11	10	9	8	7
SAP/PKPM	0.95	0.98	0.99	0.99	0.99	0.99	0.99
楼层	6	5	4	3	2	1	
SAP/PKPM	0.98	0.98	0.98	0.98	0.98	0.98	

11.4.4 输　入　地　震　动

根据 11.3.1 小节所述，设置消能器后的结构在大震作用下可控制在准弹性范围，因此可近似采用弹性时程分析方法来分析采用设置消能器加固后结构的地震响应。

《抗震规范》规定：采用时程分析法时，应按建筑场地类别和设计地震分组选用不少于两组实际强震记录和一组人工模拟加速度时程曲线，其平均地震影响系数曲线应与《抗震规范》规定的地震影响系数曲线在统计意义上相符。弹性时程分析时，每条时程曲线计算所得结构底部剪力不应小于振型分解反应谱法计算结果的 65%，多条时程曲线计算所得结构底部剪力的平均值不应小于振型分解反应谱法计算结果的 80%。采用三条适用于二类场地的地震波：1940 年 Imperial Valley 地震时 El Centro 记录的 NS 分量、1994 年洛杉矶地震波和一条人工地震波进行时程分析。多遇地震及罕遇地震加速度峰值按《抗震规范》7 度（0.1g）设防要求分别调至 35gal 及 220gal。三条地震波大震加速度时程曲线如图 11-18（a）～（c）所示，大震反应谱与规范谱的比较如图 11-18（d）所示。

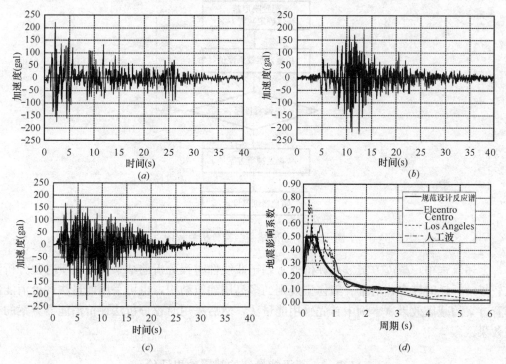

图 11-18　三条地震波大震加速度时程曲线及反应谱
（a）El Centro 波；（b）洛杉矶波；（c）人工波；（d）加速度反应谱及比较

弹性时程分析得到的小震下"无消能器模型"基底剪力及 PKPM 的 5%阻尼模型振型分解反应谱法计算的基底剪力如表 11-2 所示。可见，每条地震波输入下弹性时程分析得到的结构底部剪力不小于振型分解反应谱法计算结果的 65%，三条地震波输入下时程分析所得结构底部剪力的平均值不小于振型分解反应谱法计算结果的 80%，满足《抗震规范》的有关规定。

时程分析与振型分解反应谱法小震基底剪力表（单位 kN）　　　表 11-2

地震波	X 向地震输入			Y 向地震输入		
	时程分析法	反应谱法	比值	时程分析法	反应谱法	比值
El Centro	1463		0.900	1274		0.737
洛杉矶波	1454	1625	0.895	1628	1729	0.942
人工波	1374		0.846	1420		0.821
平均值	1430		0.880	1441		0.833

11.4.5　分析流程概述

消能减震结构的分析流程如图 11-19 所示。

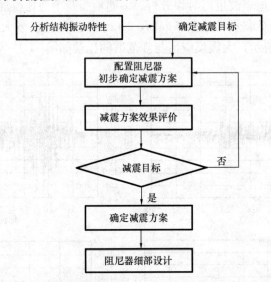

图 11-19　消能减震结构分析流程图

上述流程中，减震方案效果评价通常基于非线性时程分析的结果。但由于时程分析法比较复杂，耗时较多，对于一般体型规则的多高层建筑结构，也可采用能量法评价消能器布置方案的减震效果。本例中首先采用能量法，然后采用时程分析法评价消能器方案的减震效果。

11.4.6　基于能量法的减震效果评价

能量法首先要确定结构的地震反应，主要是结构的位移反应。然后根据结构的地震反应评价消能减震方案的效果。

1. 消能减震结构的地震反应

确定结构位移时可以采用底部剪力法或振型分解反应谱法，本例采用 PKPM 程序进行计算。计算过程中，需要确定结构的总阻尼比。不同于常规结构，消能减震结构的阻尼比应包括主体结构的阻尼比和设置消能器后的附加阻尼比。由于本例采用了速度非线性相关型消能器，速度非线性相关型消能器给结构附加的阻尼比与结构的反应相关，因此需要迭代。具体迭代过程如下：

　　首先根据式（11-15）计算 W_c，然后根据式（11-12）计算附加的等效阻尼比，得到结构的总阻尼比。根据此阻尼比，可以重新计算结构的位移以及在此位移下附加阻尼比及结构的总阻尼比。当两次计算得到的位移非常接近时迭代收敛。本例的迭代计算结果如表11-3 所示。

附加阻尼比计算表　　　　　　　　　　　　　　　表 11-3

方向	楼层	剪力 (kN)	位移 (mm)	总弹性能 (kN·mm)	消能器总耗能 (kN·mm)	附加阻尼比 (%)
X 向	13	56.5	23.9	675.2	6362.5	16.1
	12	205.3	22.7	2330.2	11839.6	
	11	353	22	3883.0	14164.6	
	10	481.2	21	5052.6	13271.5	
	9	591.9	19.7	5830.2	12135.7	
	8	685.7	18.1	6205.6	10778.6	
	7	770.1	16.3	6276.3	11170.1	
	6	849.6	14.4	6117.1	10955.9	
	5	925.1	12.5	5781.9	8987.0	
	4	997.3	10.4	5186.0	6946.8	
	3	1067.6	8.5	4537.3	5237.5	
	2	1147.5	6.4	3672.0	3017.5	
	1	1223.1	2.9	1773.5	1328.3	
Y 向	13	57.3	22.3	639.8	5785.2	15.1
	12	217.8	21.9	2383.8	11252.4	
	11	374.8	21.3	3999.1	13573.3	
	10	510.2	20.5	5219.3	12796.2	
	9	625.6	19.3	6021.4	11749.4	
	8	724.6	17.8	6456.2	10545.9	
	7	812.6	16.1	6525.2	10940.5	
	6	896.1	14.4	6456.4	10966.6	
	5	976.2	12.5	6120.8	9027.3	
	4	1053.9	10.7	5622.6	7200.6	
	3	1129.6	8.6	4846.0	5306.7	
	2	1221.1	6.2	3761.0	2860.3	
	1	1281.5	2.5	1621.1	1097.2	

2. 消能减震方案的效果评价

　　根据本例中消能减震项目的实际情况，将减震目标设置为主体结构的位移反应减小40%。根据上一步确定的结构位移反应，根据式（11-21）可以计算结构对消能器总耗能的需求 $W_{c\_DemandX} = 74776 \text{kN} \cdot \text{mm}$，$W_{c\_DemandY} = 72567 \text{kN} \cdot \text{mm}$。注意此时应用无消能器的结构反应进行计算。

根据消能器布置方案，由式（11-15）重新计算或者直接从表 11-3 中得到消能器的实际耗能能力 $W_{c\_CapacityX} = 116195\text{kN} \cdot \text{mm}$，$W_{c\_CapacityY} = 113101\text{kN} \cdot \text{mm}$。

根据上述计算结果，消能器实际耗能能力 Capacity，均远大于对应的消能器耗能的需求 $W_{c\_DemandX}$ 和 $W_{c\_DemandY}$，可以实现减震目标。

11.4.7　基于时程分析法的减震效果评价

为进一步确认设置消能器后结构的减震效果，以下利用快速非线性分析方法（FNA）对设置消能器的消能减震结构进行 7 度多遇地震（35gal）作用下的地震响应分析。快速非线性分析方法是 Edward L. Wilson 博士提出的，这种方法根据结构中非线性单元的刚度构造等效弹性刚度矩阵，以减少迭代步数从而加速方程收敛，适合对配置有限数量非线性单元的结构进行非线性动力时程分析。结构配置消能部件，其实质是结构附加阻尼，使结构的等效阻尼比增加，而结构等效阻尼比的增加会使结构的地震响应降低，非线性时程分析法可以直接考虑此效果。以下分别对比设置消能器前后的层剪力、层间位移角和楼层加速度，并给出结构耗能时程，对上述消能减震结构的抗震性能进行评价。

1. 设置消能器前后层剪力对比

设置消能器后，结构主体楼层剪力约减少 35％，顶层小塔楼层剪力减小 70％。设置消能器前后层剪力比较见图 11-20。

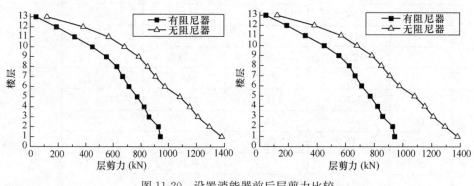

图 11-20　设置消能器前后层剪力比较
(a) X 向；(b) Y 向

2. 设置消能器前后层间位移角对比

与层剪力类似，设置消能器后，结构主体层间位移角约减少 35％，顶层小塔楼层间位移角减小 60％。设置消能器前后层间位移角比较见图 11-21。

3. 设置消能器前后楼层加速度对比

设置消能器前后楼层加速度比较见图 11-22。设置消能器后，结构主体楼层加速度均有不同程度削减，幅度在 15％～40％之间。并且设置消能器后，结构顶层鞭梢效应得到有效控制，结构顶层加速度降至加消能器的 50％以下。

4. 结构能量时程

图 11-23 给出了 El Centro 波作用下结构能量时程，从图中可以看出，消能器耗能占输入总能量的很大一部分。其他两条地震波作用下结构能量时程与 El Centro 波类似，不再赘述。

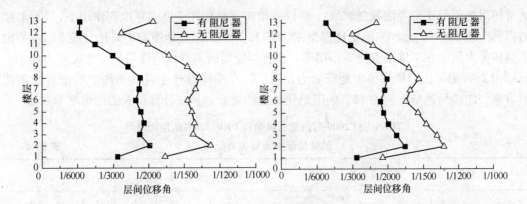

图 11-21 设置消能器前后层间位移角比较

(a) X 向；(b) Y 向

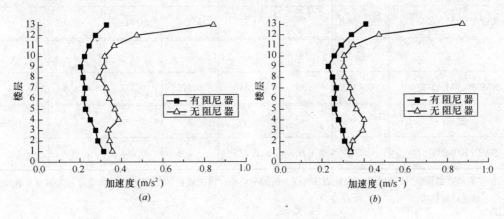

图 11-22 设置消能器前后楼层加速度比较

(a) X 向；(b) Y 向

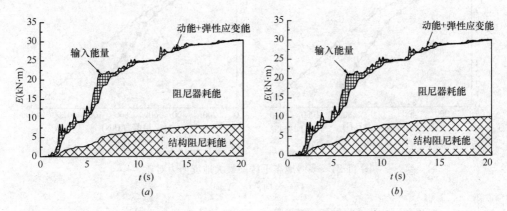

图 11-23 El Centro 波输入下的消能减震结构能量时程

(a) X 向；(b) Y 向

5. 减震结构附加阻尼比分析

在结构中设置消能器能够增加结构的阻尼，从而减小结构的地震响应，在实际设计中通常用附加阻尼比来考虑减震效果。表 11-4 给出了结构在 7 度多遇地震作用下，"有消能器模型"和 PKPM 的 20％阻尼比模型在 X 向和 Y 向的最大地震剪力对比。图 11-24 给出了具体剪力值。在 7 度多遇地震作用下，设置消能器的消能结构楼层最大地震剪力均小于原结构 20％阻尼比时楼层最大地震剪力。所以，在实际设计中可认为按照所配置的消能器方案，能够给原结构附加 15％的阻尼比，此结果和能量法计算得到的结果基本一致。

ETBAS/SAP2000 有消能器模型和 PKPM20％阻尼比模型
的楼层最大地震剪力比较   表 11-4

楼层	13	12	11	10	9	8	7
SAP/PKPM（X 向）	0.554	0.679	0.712	0.761	0.779	0.784	0.757
楼层	6	5	4	3	2	1	
SAP/PKPM（X 向）	0.736	0.736	0.729	0.716	0.713	0.672	
楼层	13	12	11	10	9	8	7
SAP/PKPM（Y 向）	0.733	0.864	0.844	0.873	0.877	0.856	0.814
楼层	6	5	4	3	2	1	
SAP/PKPM（Y 向）	0.788	0.784	0.775	0.754	0.758	0.727	

注："有消能器模型"层剪力取三条地震波时程分析的平均值；PKPM 的 20％阻尼比模型层剪力为振型分解反应谱法计算结果。

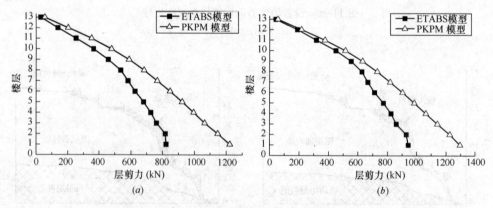

图 11-24　多遇地震下楼层最大地震剪力对比
(a) X 向；(b) Y 向

6. 罕遇地震作用下减震结构的弹塑性时程分析

"有消能器模型"在罕遇地震下楼层最大层间位移角列于表 11-5。由表可见，"有消能器模型"在 7 度罕遇地震作用下两个方向的最大层间位移角均小于 1/150，满足我国《抗震规范》罕遇地震弹塑性层间位移角不大于 1/50 的要求，减震结构具有较好的抗震性能。此外，罕遇地震下消能器最大行程为 20.9mm。

ETABS/SAP2000 有消能器模型罕遇地震下楼层最大层间位移角　　表 11-5

楼层	13	12	11	10	9	8	7
X 向	1/810	1/873	1/587	1/441	1/364	1/314	1/291
楼层	6	5	4	3	2	1	
X 向	1/273	1/241	1/219	1/209	1/205	1/355	
楼层	13	12	11	10	9	8	7
Y 向	1/965	1/1029	1/734	1/571	1/482	1/433	1/425
楼层	6	5	4	3	2	1	
Y 向	1/422	1/390	1/341	1/273	1/206	1/197	

注：表中结果为三条地震波的平均值。

11.5　其他减振（震）方法

消能减震属于结构控制范畴。除消能减震外，结构控制方法还有隔震、质量调谐减振（震）、主动和半主动控制减振（震）以及混合控制减振（震）。

隔震结构是通过设置某种隔离装置，使结构自振周期增大，使其远离地震地面运动的卓越周期，从而降低地震对结构的激励作用。按隔离装置设置位置分为基底隔震、中间层隔震等。隔震技术比较成熟，我国也已颁布了专门的设计规程，并开始应用于实际工程，从低层建筑到高层建筑都有应用。

质量调谐减振（震）是在原结构上附加一个具有质量、刚度和阻尼的子结构，通过调整子结构系统的自振频率与主结构的基本频率接近，使得在结构系统受激振动时子结构产生的惯性力与主结构振动方向相反，从而减小主结构的振动响应。质量调谐减振适用于主振型比较明显和稳定的高层和超高层建筑的风振控制。

消能减震、隔震和质量调谐减振（震）控制技术，均无需外部能源输入，统称为被动控制减振（震）。被动控制减振（震）技术较为简单、实用、可靠，且较为经济易行，但其减振（震）效果受激励荷载的频率分布影响或受主体结构的非线性影响。

主动控制减振（震）是在结构受激振动时，通过实时监测到的结构振动信号或地震动信号，快速计算分析并反馈给附加在结构上的作动装置，使其对结构施加一个与振动方向相反的作用力来减小结构的振动响应。作动装置提供的作动力需要外界能源。主动控制减振（震）是一种智能减振（震）控制技术，理论上可以获得十分显著的减振（震）效果，但由于其控制系统较为复杂，并要求具备很高的可靠性，且提供的作动力要足够大，因此在具体工程实践上尚存在一定困难。近年来，采用智能材料（如磁流变体材料）的半主动控制减振（震）技术发展受到关注，该项技术只需利用很小的能源，根据结构的动力响应和地震激励信号反馈，迅速调整消能器的阻尼力，使阻尼耗能作用得到更有效的发挥。

混合控制减振（震）是在一个结构上同时采用被动减振（震）与主动减振（震）控制系统，它结合了两种控制技术的优点，以获得更加合理、可靠和经济的减振（震）目的。

结构减振（震）控制技术是近年来发展起来并逐渐成熟的新技术，基础隔震和消能减震已经在我国很多建筑结构中采用，调谐质量减振和混合控制减振也在一些超高层建筑

（如台北 101 大厦、上海中心、广州塔）中采用。随着建筑性能要求的提高和振动控制技术的不断进步，结构减振（震）控制技术将在工程实践中得到越来越多的应用。

思 考 题

11.1 消能减震结构与抗震结构有什么差别？简述消能减震的基本原理。

11.2 消能减震消能器有哪些类型？各种消能器的耗能原理是什么？

11.3 在进行消能减震结构的方案设计时，消能器布置的原则是什么？

11.4 消能减震结构的地震作用计算与抗震结构有何异同之处？

11.5 如何用能量法进行消能减震结构设计计算？

11.6 消能减震结构中主体结构设计有何要求？

参 考 文 献

[1]   建筑结构荷载规范 GB 50009—2012. 北京：中国建筑工业出版社，2012.

[2]   混凝土结构设计规范 GB 50010—2010(2015 年版). 北京：中国建筑工业出版社，2015.

[3]   建筑抗震设计规范 GB 50011—2010(2016 年版). 北京：中国建筑工业出版社，2010.

[4]   钢管混凝土结构技术规范 GB 50936—2014. 北京：中国建筑工业出版社，2014.

[5]   装配式混凝土结构技术标准 GB/T 51231—2016. 北京：中国建筑工业出版社，2016.

[6]   高层建筑混凝土结构技术规程 JGJ 3—2010. 北京：中国建筑工业出版社，2010.

[7]   高层民用建筑钢结构技术规程 JGJ 99—2015. 北京：中国建筑工业出版社，2015.

[8]   组合结构设计规范 JGJ 138—2016. 北京：中国建筑工业出版社，2016.

[9]   建筑消能减震技术规程 JGJ 297—2013. 北京：中国建筑工业出版社，2013.

[10]   钢骨混凝土结构设计技术规程 YB 9082—97. 北京：冶金工业出版社，1998.

[11]   高层建筑钢-混凝土混合结构设计规程 CECS 230：2008. 北京：中国工程建设标准化协会，2008.

[12]   建筑抗震设防分类标准 GB 50223—2008. 北京：中国建筑工业出版社，2008.

[13]   中国地震动参数区划图 GB 18306—2015. 北京：中国建筑工业出版社，2012.

[14]   摩天大楼中心 CTBUH 全球高层建筑数据库(http://skyscrapercenter.com).

[15]   本格尼·S·塔拉纳特著. 高层建筑钢-混凝土组合结构设计(第二版). 北京：中国建筑工业出版社，1999.

[16]   林同炎，S·D 斯多台斯伯利著. 结构概念和体系(第二版). 高立人，方鄂华，钱稼茹泽. 北京：中国建筑工业出版社，1999.

[17]   包世华，方鄂华编著. 高层建筑结构设计 (第二版). 北京：清华大学出版社，1990.

[18]   方鄂华 编著. 多层及高层建筑结构设计. 北京：地震出版社，1992.

[19]   梁启智 编著. 高层建筑结构分析与设计. 广州：华南理工大学出版社，1992.

[20]   蔡绍怀 著. 现代钢管混凝土结构. 北京：人民交通出版社，2003.

[21]   傅学怡 著. 实用高层建筑结构设计. 北京：中国建筑工业出版社，1999.

[22]   徐永基，刘大海，钟锡根，杨翠如 编著. 高层建筑钢结构设计. 西安：陕西科学技术出版社，1993.

[23]   刘大海，杨翠如 编著. 高层建筑结构方案优选. 北京：中国建筑工业出版社，1996.

[24]   潘鹏，叶列平，钱稼茹，邓开来，何瑶. 建筑结构消能减震设计与案例. 清华大学出版社，2014.

[25]   Jack Moehle. Seismic Design of Reinforced Concrete Buildings. McGraw-Hill Education, 2015.

[26]   Paulay T, Priestley M J N. Seismic Design of Reinforced Concrete and Masonry Buildings. John Wiley & Sons，1992.

[27]   Wilson E L. Three-dimensional static and dynamic analysis of structures. Computers and Structures, Berkeley：CSI，2002.

[28]   Tom F. Peters. The Development of the Tall Building. Structural Engineering International，1992，12(3).

[29]   Morden S. Yolles. New Developments in Tall Buildings. Structural Engineering International，1992，12(3).

[30]   徐培福，王亚勇，戴国莹. 关于超限高层建筑抗震设防审查的若干讨论. 土木工程学报，2004，

37(1)：1-7.

[31] 龚炳年，方鄂华. 反复荷载下联肢剪力墙结构连系梁的性能. 建筑结构学报，1988，01 期.

[32] 杨先桥，傅学怡，黄用军. 深圳平安金融中心塔楼动力弹塑性分析. 建筑结构学报，2011，32
(7)：40-49.

[33] 蒋欢军，和留生，吕西林，丁洁民，赵昕. 上海中心大厦抗震性能分析和振动台试验研究. 建筑
结构学报，2011，32(11)：55-63.

[34] 陈肇元，钱稼茹 主编. 汶川地震建筑震害调查与灾后重建分析报告. 北京：中国建筑工业出版
社，2008.

[35] 庄茁. 基于 ABAQUS 的有限元分析和应用. 北京：清华大学出版社，2009.

[36] 中国建筑科学研究院建筑工程软件研究所. 高层建筑结构空间有限元分析软件 SATWE，2012
(http：//www. pkpm. cn/).

[37] 北京金土木软件技术有限公司. 通用结构分析与设计软件 SAP2000 与 ETABS 软件. (http：//
www. bjcks. com/).

[38] 北京迈达斯技术有限公司. Midas Building 软件用户手册. 2012. (http：//www. midasbuilding. com. cn/
support/).

[39] 达索 SIMULIA 公司（原 ABAQUS 公司）. Abaqus V6. 10 软件介绍. 2010. (http：//
www. simulia. com/products/abaqus_fea. html).

[40] 容柏生，李盛勇，陈洪涛，廖耘. 中国高层建筑中钢管混凝土柱的应用与展望. 建筑结构，2009，
39(9)：33-38.

[41] 齐五辉，杨蔚彪，常为华，宫贞超，田士川，李华峰，纪晓东. 中国尊大厦内置钢板支撑混凝土
剪力墙设计研究. 建筑结构，2015，45(18)：1-5.

[42] 刘鹏，殷超，程煜，朱岩松，刘允博，吴海，李夏，杨名流，刘浩，李振兴. 北京 CBD 核心区
Z15 地块中国尊大楼结构设计和研究. 建筑结构，2014，44(24)：1-8.

[43] 汪大绥，周建龙. 我国高层建筑钢-混凝土混合结构发展与展望. 建筑结构学报，2010，31(6)：
62-70.

[44] 方小丹，韦宏，江毅，陈福熙，曾宪武，赖洪涛. 广州西塔结构抗震设计. 建筑结构学报，2010，
31(1)：47-55.

[45] 束伟农，柯长华，杨洁，黄嘉. 北京电视中心主楼巨型钢框架结构设计. 建筑结构，2006，36
(6)：1-5.

[46] 刘鹏，殷超，李旭宇，刘光磊，黄晓芸，何伟明，李志铨. 天津高银 117 大厦结构体系设计研
究. 建筑结构，2012，42(3)：1-9.

[47] 严敏，李立树，芮明倬，汪大绥，黄健，洪小永. 苏州东方之门刚性连体超高层结构设计. 建筑
结构，2012，42(5)：34-37.

[48] 李培彬，娄宇，赵广鹏，韩合军，吕佐超，黄健. 屈曲约束支撑在北京银泰中心结构抗震设计中
的应用. 建筑结构. 2007，37(11)：5-7.

[49] 丁洁民，王世玉，吴宏磊. 黏滞阻尼器在超高层结构设计中的应用. 建筑钢结构进展. 2016，18(4)：
46-52.

高校土木工程专业指导委员会规划推荐教材（经典精品系列教材）

征订号	书　名	定价	作　者	备　注
V28007	土木工程施工（第三版）（赠送课件）	78.00	重庆大学 同济大学 哈尔滨工业大学	教育部普通高等 教育精品教材
V28456	岩土工程测试与监测技术（第二版）	36.00	宰金珉　王旭东　等	
V25576	建筑结构抗震设计（第四版）（赠送课件）	34.00	李国强　等	
V30817	土木工程制图（第五版）（含教学资源光盘）	58.00	卢传贤　等	
V30818	土木工程制图习题集（第五版）	20.00	卢传贤　等	
V27251	岩石力学（第三版）（赠送课件）	32.00	张永兴　许明	
V20960	钢结构基本原理（第二版）	39.00	沈祖炎　等	
V16338	房屋钢结构设计	55.00	沈祖炎　陈以一 陈扬骥	教育部普通高等 教育精品教材
V24535	路基工程（第二版）	38.00	刘建坤　曾巧玲　等	
V20313	建筑工程事故分析与处理（第三版）	44.00	江见鲸　等	教育部普通高等 教育精品教材
V13522	特种基础工程	19.00	谢新宇　俞建霖	
V28723	工程结构荷载与可靠度设计原理（第四版）（赠送课件）	37.00	李国强　等	
V28556	地下建筑结构（第三版）（赠送课件）	55.00	朱合华　等	教育部普通高等 教育精品教材
V28269	房屋建筑学（第五版）（含光盘）	59.00	同济大学 西安建筑科技大学 东南大学 重庆大学	教育部普通高等 教育精品教材
V28115	流体力学（第三版）	39.00	刘鹤年	
V30846	桥梁施工（第二版）	37.00	卢文良　季文玉 许克宾	
V31115	工程结构抗震设计（第三版）	28.00	李爱群　等	
V27912	建筑结构试验（第四版）（赠送课件）	35.00	易伟建　张望喜	
V29558	地基处理（第二版）（赠送课件）	30.00	龚晓南　陶燕丽	
V29713	轨道工程（第二版）（赠送课件）	53.00	陈秀方　娄平	
V28200	爆破工程（第二版）（赠送课件）	36.00	东兆星　等	
V28197	岩土工程勘察（第二版）	38.00	王奎华	
V20764	钢-混凝土组合结构	33.00	聂建国　等	
V29415	土力学（第四版）	42.00	东南大学 浙江大学 湖南大学 苏州大学	
V24832	基础工程（第三版）（赠送课件）	48.00	华南理工大学　等	

　　注：本套教材均被评为《"十二五"普通高等教育本科国家级规划教材》和《住房城乡建设部土建类学科专业"十三五"规划教材》。

高校土木工程专业指导委员会规划推荐教材（经典精品系列教材）

征订号	书　名	定价	作　者	备　注
V28155	混凝土结构（上册）——混凝土结构设计原理（第六版）（赠送课件）	42.00	东南大学 天津大学 同济大学	教育部普通高等教育精品教材
V28156	混凝土结构（中册）——混凝土结构与砌体结构设计（第六版）（赠送课件）	58.00	东南大学 同济大学 天津大学	教育部普通高等教育精品教材
V28157	混凝土结构（下册）——混凝土桥梁设计（第六版）	52.00	东南大学 同济大学 天津大学	教育部普通高等教育精品教材
V25453	混凝土结构（上册）（第二版）（含光盘）	58.00	叶列平	
V23080	混凝土结构（下册）	48.00	叶列平	
V11404	混凝土结构及砌体结构（上）	42.00	滕智明　等	
V11439	混凝土结构及砌体结构（下）	39.00	罗福午　等	
V25362	钢结构（上册）——钢结构基础（第三版）（含光盘）	52.00	陈绍蕃	
V25363	钢结构（下册）——房屋建筑钢结构设计（第三版）（赠送课件）	32.00	陈绍蕃	
V22020	混凝土结构基本原理（第二版）	48.00	张誉　等	
V25093	混凝土及砌体结构（上册）（第二版）	45.00	哈尔滨工业大学 大连理工大学等	
V26027	混凝土及砌体结构（下册）（第二版）	29.00	哈尔滨工业大学 大连理工大学等	
V20495	土木工程材料（第二版）	38.00	湖南大学 天津大学 同济大学 东南大学	
V29372	土木工程概论（第二版）	28.00	沈祖炎	
V19590	土木工程概论（第二版）	42.00	丁大钧　等	教育部普通高等教育精品教材
V30759	工程地质学（第三版）	33.00	石振明　等	
V20916	水文学	25.00	雏文生	
V31530	高层建筑结构设计（第三版）	45.00	钱稼茹　赵作周 纪晓东	
V19359	桥梁工程（第二版）	39.00	房贞政	
V19338	砌体结构（第三版）	32.00	东南大学 同济大学 郑州大学	教育部普通高等教育精品教材

注：本套教材均被评为《"十二五"普通高等教育本科国家级规划教材》和《住房城乡建设部土建类学科专业"十三五"规划教材》。